KB094267

HIGHTOP
하이탑
과학 고수들의 필독서

자연계를 선택할 학생이라면, 단연 하이탑!!

High Top

1권

물리학 I

Structure

이 책의 구성과 특징

지금껏 선생님들과 학생들로부터 고등 과학의 바이블로 명성을 이어온 하이탑의 자랑거리는 바로,

- 기초부터 심화까지 이어지는 튼실한 내용 체계
- 백과사전처럼 자세하고 빈틈없는 개념 설명
- 내용의 이해를 돕기 위한 풍부한 자료
- 과학적 사고를 훈련시키는 논리정연한 문장

이었습니다. 이러한 전통과 장점을 이 책에 이어 담았습니다.

1 개념과 원리를 익히는 단계

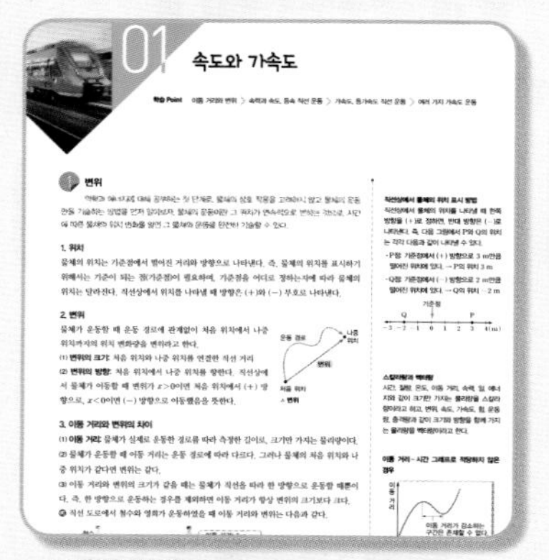

● 개념 정리

여러 출판사의 교과서에서 다루는 개념들을 체계적으로 다시 정리하여 구성하였습니다.

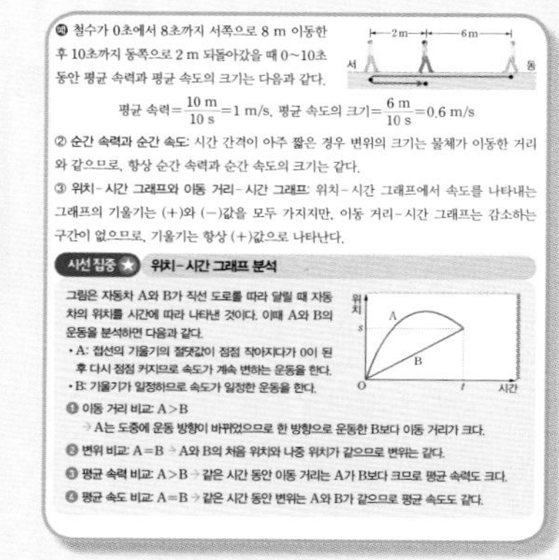

● 시선 집중

중요한 자료를 더 자세히 분석하거나 개념을 더 잘 이해할 수 있도록 추가로 설명하였습니다.

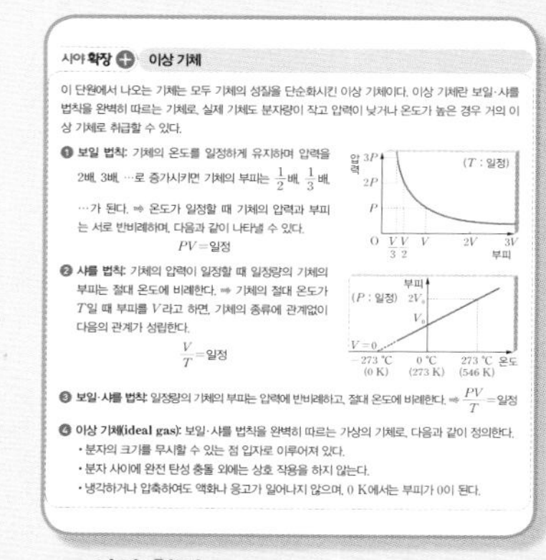

● 시야 확장

심도 깊은 내용을 이해하기 쉽도록 원리나 개념을 자세히 설명하였습니다.

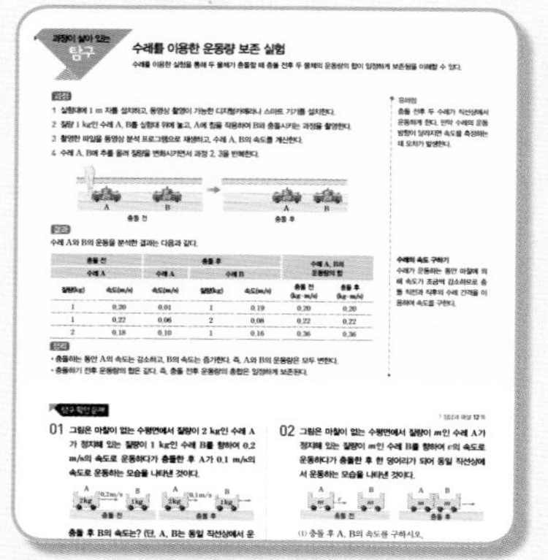

● 과정이 살아 있는 탐구

교과서에서 다루는 탐구 활동 중에서 가장 중요한 주제를 선별하여 수록하고, 과정과 결과를 철저히 분석하였습니다.

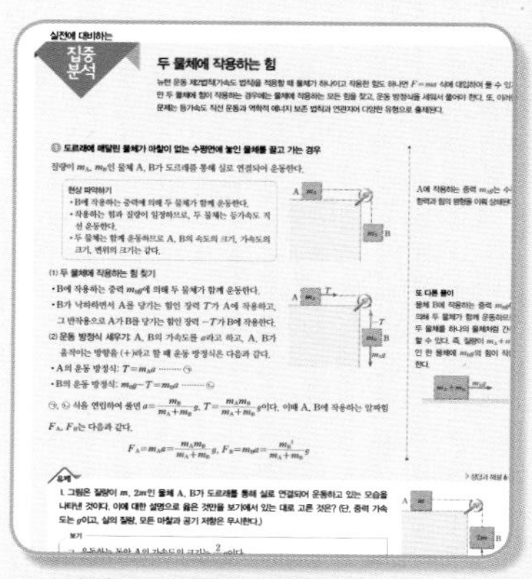

● 실전에 대비하는 집중 분석

출제 빈도가 높은 주요 주제를 집중적으로 분석하고, 유제를 통해 실제 시험에 대비할 수 있도록 하였습니다.

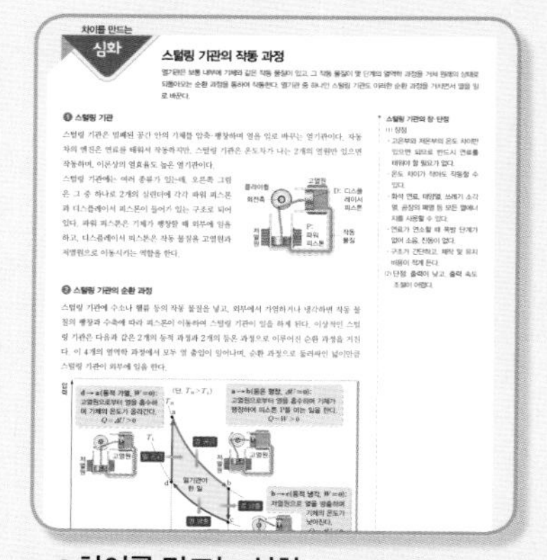

● 차이를 만드는 심화

깊이 있게 이해할 필요가 있는 개념은 따로 발췌하여 심화 학습할 수 있도록 자세히 설명하고 분석하였습니다.

2 다양한 유형과 수준별 문제로 실력을 확인하는 단계

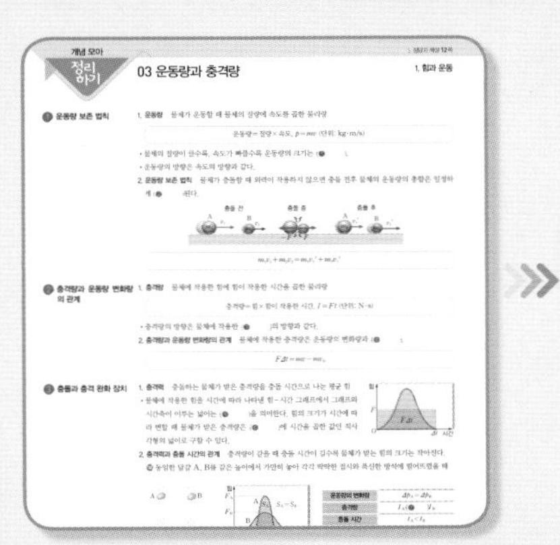

● 개념 모아 정리하기
각 단원에서 배운 핵심 내용을 빈칸에 채워 나가면서 스스로 정리하는 코너입니다.

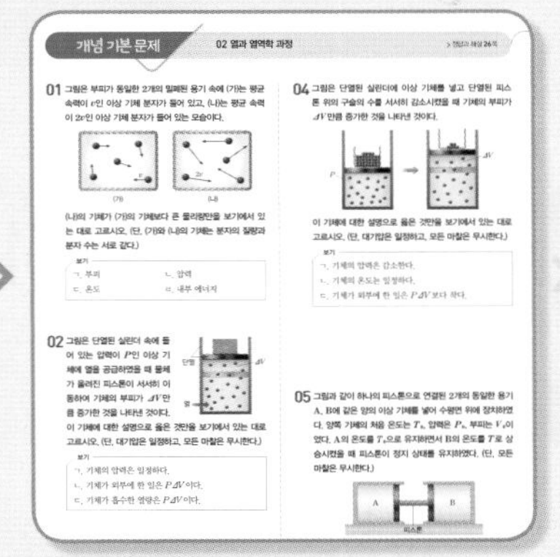

● 개념 기본 문제
각 단원의 기본적이고 핵심적인 내용의 이해 여부를 평가하기 위한 코너입니다.

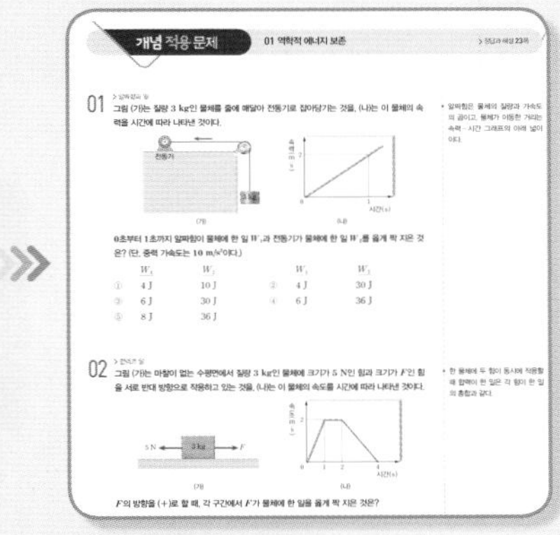

● 개념 적용 문제
기출 문제 유형의 문제들로 구성된 코너입니다. '고난도 문제'도 수록하였습니다.

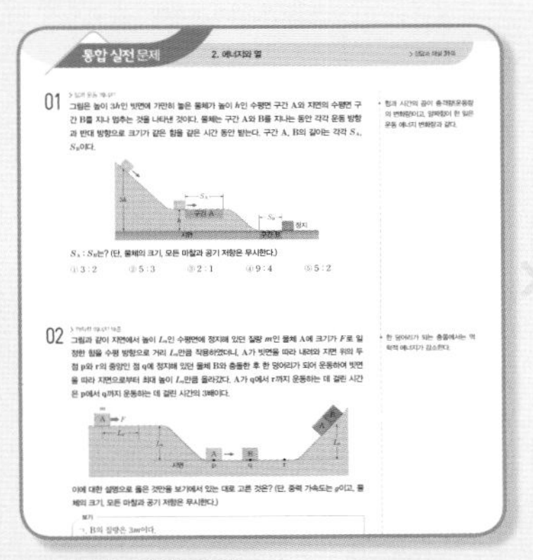

● 통합 실전 문제
중단원별로 통합된 개념의 이해 여부를 확인함으로써 실전을 대비할 수 있도록 구성하였습니다.

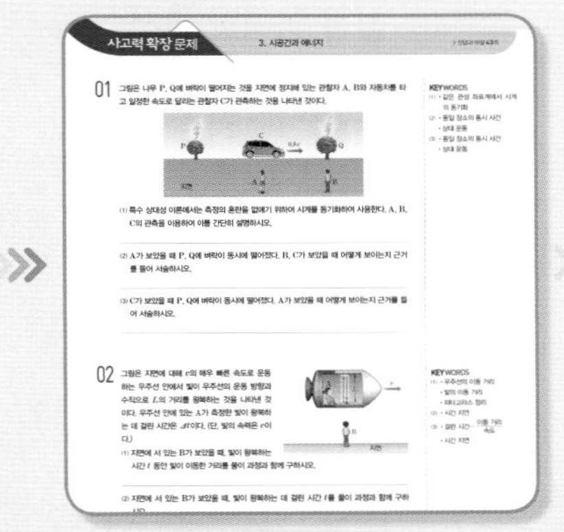

● 사고력 확장 문제
창의력, 문제 해결력 등 한층 높은 수준의 사고력을 요하는 서술형 문제들로 구성하였습니다.

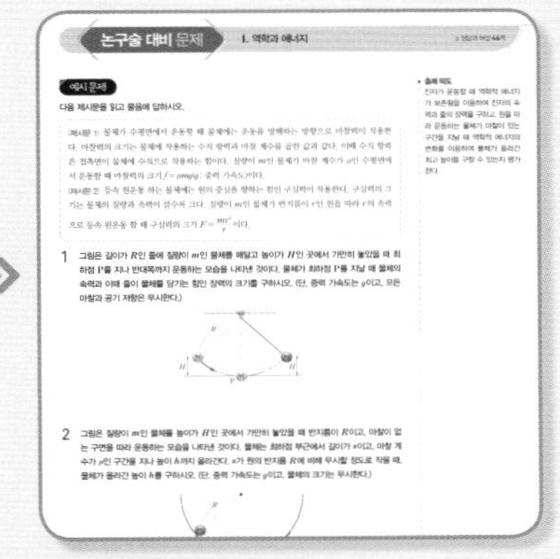

● 논구술 대비 문제
논구술 시험에 출제되었거나, 출제 가능성이 높은 예상 문제로서, 답변 요령 및 예시 답안과 함께 제시하였습니다.

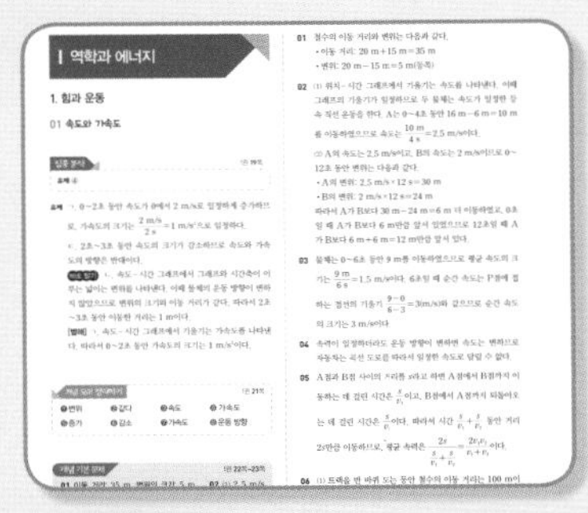

● 정답과 해설
정답과 오답의 이유를 쉽게 이해할 수 있도록 자세하고 친절한 해설을 담았습니다.

"
하이탑은
과학에 대한 열정을 지닌 독자님의
실력이 더욱 향상되길 기원합니다.
"

Contents
이 책의 차례 - 물리학

"자세하고 짜임새 있는 설명과 수준 높은 문제로 실력의 차이를 만드는 High Top"

1권

역학과 에너지

2권

II 물질과 전자기장

1. 물질의 구조와 성질

2. 전자기장과 우리 생활

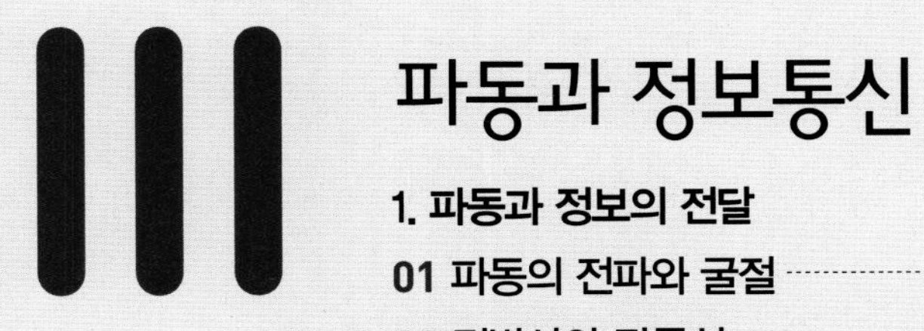

파동과 정보통신

1. 파동과 정보의 전달

2. 빛과 물질의 이중성

3권

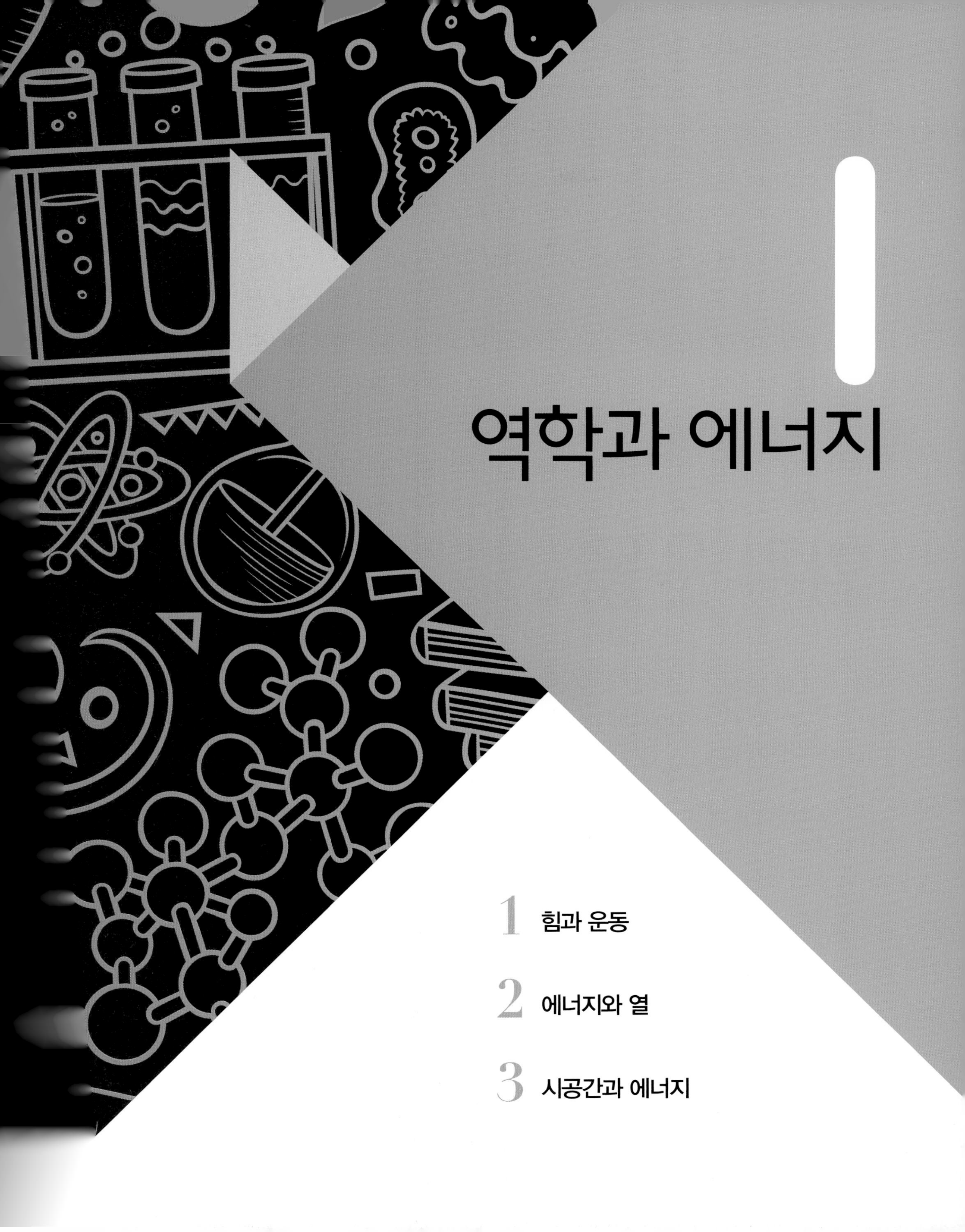

I 역학과 에너지

1 힘과 운동

2 에너지와 열

3 시공간과 에너지

HighTop

1
힘과 운동

01 속도와 가속도

02 뉴턴 운동 법칙

03 운동량과 충격량

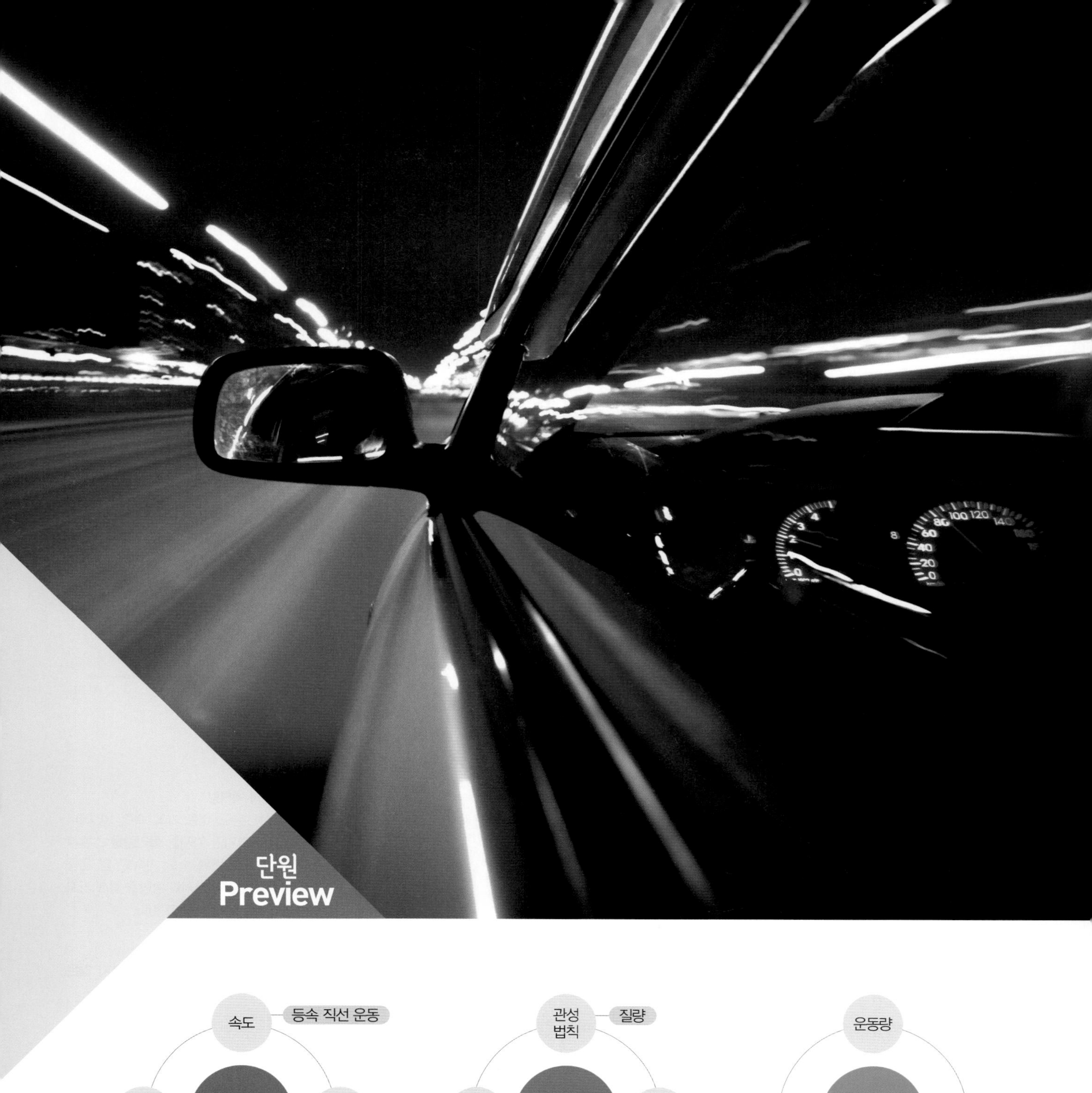
단원
Preview

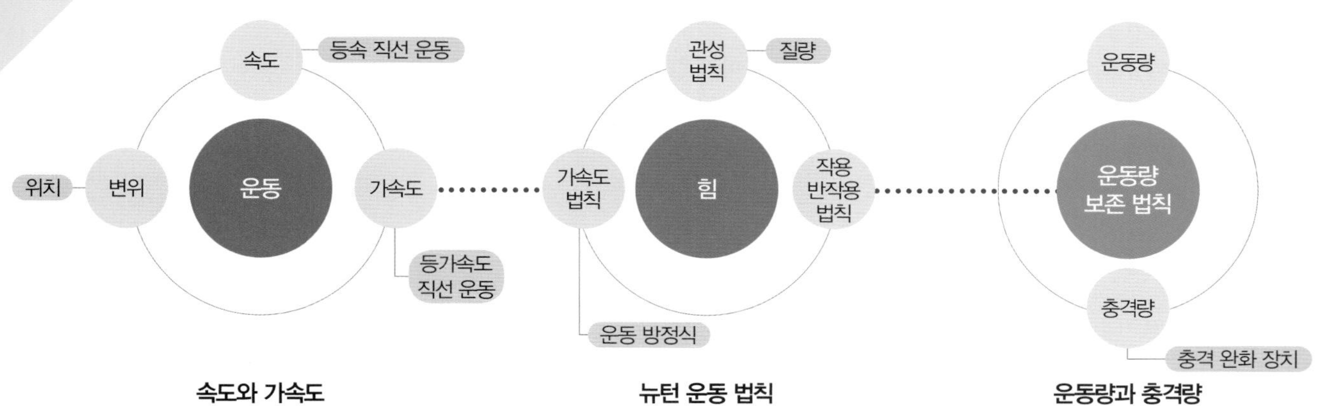
속도
등속 직선 운동
위치
변위
운동
가속도
등가속도 직선 운동
속도와 가속도
관성 법칙
질량
가속도 법칙
힘
작용 반작용 법칙
운동 방정식
뉴턴 운동 법칙
운동량
운동량 보존 법칙
충격량
충격 완화 장치
운동량과 충격량

01 속도와 가속도

학습 Point 이동 거리와 변위 > 속력과 속도, 등속 직선 운동 > 가속도, 등가속도 직선 운동 > 여러 가지 가속도 운동

1 변위

역학과 에너지에 대해 공부하는 첫 단계로, 물체의 상호 작용을 고려하지 않고 물체의 운동만을 기술하는 방법을 먼저 알아보자. 물체의 운동이란 그 위치가 연속적으로 변하는 것으로, 시간에 따른 물체의 위치 변화를 알면 그 물체의 운동을 완전히 기술할 수 있다.

1. 위치

물체의 위치는 기준점에서 떨어진 거리와 방향으로 나타낸다. 즉, 물체의 위치를 표시하기 위해서는 기준이 되는 점(기준점)이 필요하며, 기준점을 어디로 정하는지에 따라 물체의 위치는 달라진다. 직선상에서 위치를 나타낼 때 방향은 (+)와 (−) 부호로 나타낸다.

2. 변위

물체가 운동할 때 운동 경로에 관계없이 처음 위치에서 나중 위치까지의 위치 변화량을 변위라고 한다.

(1) **변위의 크기:** 처음 위치와 나중 위치를 연결한 직선 거리

(2) **변위의 방향:** 처음 위치에서 나중 위치를 향한다. 직선상에서 물체가 이동할 때 변위가 $x>0$이면 처음 위치에서 (+) 방향으로, $x<0$이면 (−) 방향으로 이동했음을 뜻한다.

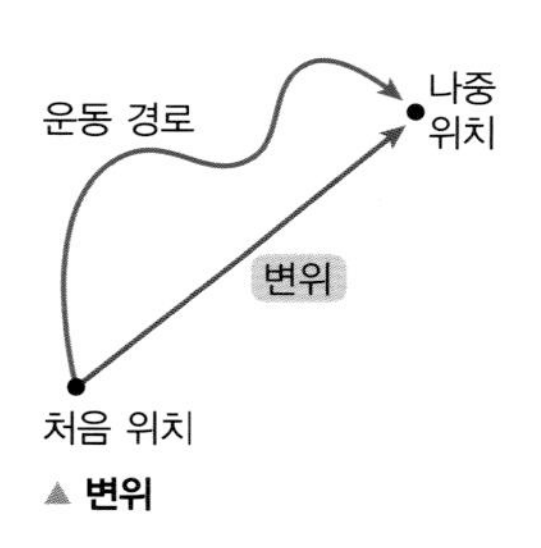

▲ **변위**

3. 이동 거리와 변위의 차이

(1) **이동 거리:** 물체가 실제로 운동한 경로를 따라 측정한 길이로, 크기만 가지는 물리량이다.

(2) 물체가 운동할 때 이동 거리는 운동 경로에 따라 다르다. 그러나 물체의 처음 위치와 나중 위치가 같다면 변위는 같다.

(3) 이동 거리와 변위의 크기가 같을 때는 물체가 직선을 따라 한 방향으로 운동할 때뿐이다. 즉, 한 방향으로 운동하는 경우를 제외하면 이동 거리가 항상 변위의 크기보다 크다.

예 직선 도로에서 철수와 영희가 운동하였을 때 이동 거리와 변위는 다음과 같다.

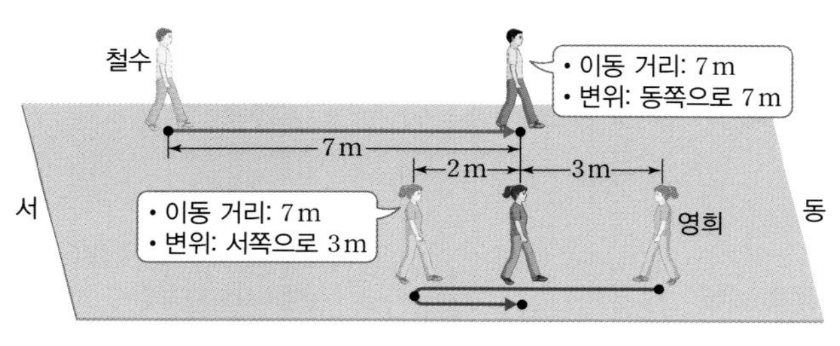

◀ **이동 거리와 변위의 크기**
한 방향으로 운동한 철수는 이동 거리와 변위의 크기가 같지만, 도중에 운동 방향이 바뀐 영희는 이동 거리가 변위의 크기보다 크다.

직선상에서 물체의 위치 표시 방법

직선상에서 물체의 위치를 나타낼 때 한쪽 방향을 (+)로 정하면, 반대 방향은 (−)로 나타낸다. 즉, 다음 그림에서 P와 Q의 위치는 각각 다음과 같이 나타낼 수 있다.

- P점: 기준점에서 (+) 방향으로 3 m만큼 떨어진 위치에 있다. → P의 위치 3 m
- Q점: 기준점에서 (−) 방향으로 2 m만큼 떨어진 위치에 있다. → Q의 위치 −2 m

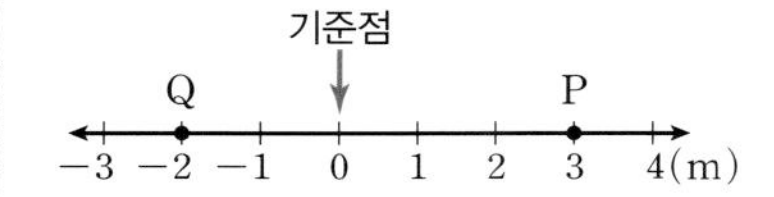

스칼라량과 벡터량

시간, 질량, 온도, 이동 거리, 속력, 일, 에너지와 같이 크기만 가지는 물리량을 스칼라량이라고 하고, 변위, 속도, 가속도, 힘, 운동량, 충격량과 같이 크기와 방향을 함께 가지는 물리량을 벡터량이라고 한다.

이동 거리−시간 그래프로 적당하지 않은 경우

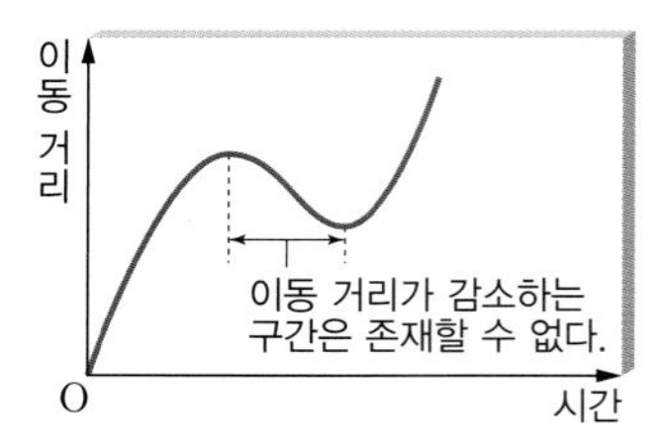

운동하는 물체의 이동 거리는 계속해서 더해지므로 이동 거리는 시간에 따라 계속 증가한다. 따라서 이동 거리−시간 그래프에서 이동 거리가 감소하는 구간은 존재할 수 없다.

2 속도

물체의 운동을 기술할 때 물체가 얼마나 빠르게 움직이는지에 관계된 물리량은 여러 가지가 있다. 단순히 빠르기만을 나타낼 때는 속력을 사용하지만, 물체의 위치가 얼마나 빠르게 변하는지를 나타낼 때는 빠르기뿐만 아니라 방향도 함께 고려해야 한다.

1. 속도

두 자동차 A, B가 같은 위치에서 출발하여 같은 속력으로 운동하더라도 운동 방향이 반대이면 A와 B의 나중 위치는 달라진다. 따라서 물체의 운동 상태를 나타낼 때에는 빠르기뿐만 아니라 운동 방향도 함께 나타내야 한다.

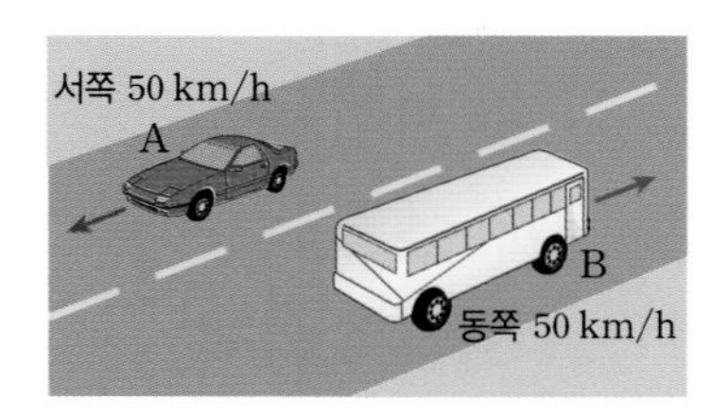

(1) **속도:** 단위 시간 동안 물체의 변위로, 빠르기와 운동 방향을 함께 나타내는 물리량이다. 물체가 직선을 따라 시각 t_1일 때 위치 s_1에서 시각 t_2일 때 위치 s_2로 운동하는 경우 물체의 속도 v는 다음과 같다.

$$\text{속도}=\frac{\text{변위}}{\text{걸린 시간}}=\frac{\text{나중 위치}-\text{처음 위치}}{\text{걸린 시간}},\ v=\frac{s_2-s_1}{t_2-t_1}=\frac{\varDelta s}{\varDelta t}\ (\text{단위: m/s, km/h})$$

① 속도의 크기: 변위의 크기를 걸린 시간으로 나누어 준 것과 같다.

② 속도의 방향: 변위의 방향과 같다.

Δ(델타)
그리스어 대문자 Δ(델타)는 물리량의 변화량을 의미하고, 변화량은 나중 값에서 처음 값을 뺀 것이다.

2. 평균 속도와 순간 속도

(1) **평균 속도:** 어느 시간 동안의 평균적인 속도로, 운동하는 물체의 속도가 변할 때 전체 변위를 걸린 시간으로 나누어 구한다.

(2) **순간 속도:** 어느 한 순간의 속도로, 아주 짧은 시간 동안의 변위를 걸린 시간으로 나누어 구한다. 순간 속도의 방향은 그 순간 물체의 운동 방향과 같다.

(3) **위치-시간 그래프에서 평균 속도와 순간 속도**

① 평균 속도: 물체가 직선을 따라 시각 t_1일 때 위치 s_1에서 시각 t_2일 때 위치 s_2로 운동하는 경우 이 시간 동안의 평균 속도 $\bar{v}$는 다음과 같다.

$$\bar{v}=\frac{s_2-s_1}{t_2-t_1}=\frac{\varDelta s}{\varDelta t}=\frac{\overline{\text{BD}}}{\overline{\text{AD}}}$$

이는 수학적으로 A점과 B점을 잇는 직선 AB의 기울기를 나타낸다. 즉, 위치-시간 그래프에서 두 점을 잇는 직선의 기울기는 그 사이의 평균 속도를 의미한다.

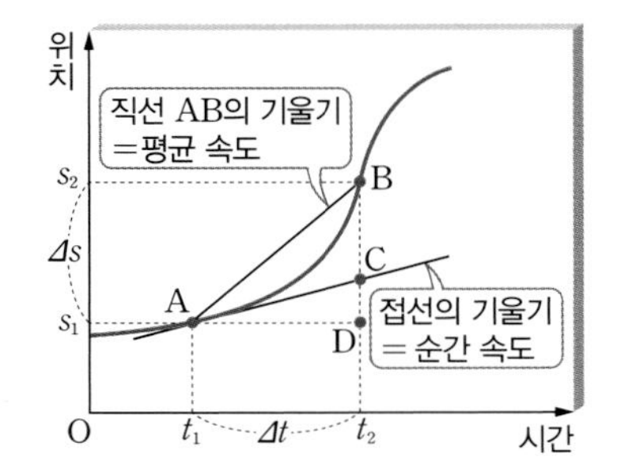

▲ **평균 속도와 순간 속도**

② 순간 속도: 시간 t_1~t_2 사이의 간격을 매우 작게 하면 A점과 B점을 잇는 직선은 A점에 접하는 접선이 되고, 이 접선의 기울기는 t_1일 때의 순간 속도를 의미한다. $\left(\rightarrow v=\frac{\overline{\text{CD}}}{\overline{\text{AD}}}\right)$

③ 직선(또는 접선)의 기울기가 (+)인 경우 평균 속도(또는 순간 속도)가 (+) 방향임을 의미하고, 기울기가 (−)인 경우 평균 속도(또는 순간 속도)가 (−) 방향임을 의미한다.

평균 속도와 순간 속도
평균 속도와 순간 속도 모두 변위 Δs를 걸린 시간 Δt로 나누어 구한다. 단지 평균 속도는 시간을 길게 하여 구한 값이고, 순간 속도는 시간을 0에 가깝게 매우 짧게 하여 구한 값이다.

- 평균 속도: $\bar{v}=\frac{\varDelta s}{\varDelta t}$
- 순간 속도: $v=\lim_{\varDelta t\to 0}\frac{\varDelta s}{\varDelta t}=\frac{ds}{dt}$

lim은 limit(극한)의 약자로, $\lim_{\varDelta t\to 0}$은 Δt를 0에 가깝게 하여 Δs를 나눈다는 의미이다. 또, $\frac{ds}{dt}$는 수학에서 s를 t에 대해 미분한다는 뜻이다.

자동차 계기판의 속도계

자동차가 달리는 동안 순간 속도의 크기를 나타낸다.

3. 속력과 속도의 차이

(1) 속력

① 속력: 단위 시간 동안 물체의 이동 거리로, 빠르기만을 나타내는 물리량이다. 즉, 속력은 방향을 고려하지 않고 움직인 전체 이동 거리를 걸린 시간으로 나누어 구하므로, 항상 (+)값으로 나타난다.

$$\text{속력} = \frac{\text{이동 거리}}{\text{걸린 시간}} \text{ (단위: m/s, km/h)}$$

② 평균 속력과 순간 속력

구분	평균 속력	순간 속력
정의	어느 시간 동안의 평균적인 속력으로, 전체 이동 거리를 걸린 시간으로 나누어 구한다.	어느 한 순간의 속력으로, 아주 짧은 시간 동안의 이동 거리를 걸린 시간으로 나누어 구한다.
이동 거리-시간 그래프	이동 거리-시간 그래프 위의 두 점을 잇는 직선의 기울기와 같다.	이동 거리-시간 그래프 위의 한 점에서 그은 접선의 기울기와 같다.

(2) 속력과 속도의 차이

① 평균 속력과 평균 속도: 같은 시간 동안 물체의 이동 거리와 변위의 크기가 다르다면 평균 속력과 평균 속도의 크기는 다르다. 즉, 물체가 직선을 따라 일정한 방향으로 운동하는 경우를 제외하면 평균 속력이 항상 평균 속도의 크기보다 크다.

예 철수가 0초에서 8초까지 서쪽으로 8 m 이동한 후 10초까지 동쪽으로 2 m 되돌아갔을 때 0~10초 동안 평균 속력과 평균 속도의 크기는 다음과 같다.

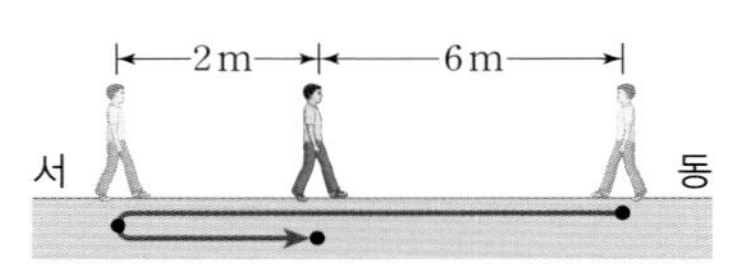

$$\text{평균 속력} = \frac{10\text{ m}}{10\text{ s}} = 1\text{ m/s},\ \text{평균 속도의 크기} = \frac{6\text{ m}}{10\text{ s}} = 0.6\text{ m/s}$$

② 순간 속력과 순간 속도: 시간 간격이 아주 짧은 경우 변위의 크기는 물체가 이동한 거리와 같으므로, 항상 순간 속력과 순간 속도의 크기는 같다.

③ 위치-시간 그래프와 이동 거리-시간 그래프: 위치-시간 그래프에서 속도를 나타내는 그래프의 기울기는 (+)와 (−)값을 모두 가지지만, 이동 거리-시간 그래프는 감소하는 구간이 없으므로, 기울기는 항상 (+)값으로 나타난다.

시선 집중 ★ 위치-시간 그래프 분석

그림은 자동차 A와 B가 직선 도로를 따라 달릴 때 자동차의 위치를 시간에 따라 나타낸 것이다. 이때 A와 B의 운동을 분석하면 다음과 같다.

- A: 접선의 기울기의 절댓값이 점점 작아지다가 0이 된 후 다시 점점 커지므로 속도가 계속 변하는 운동을 한다.
- B: 기울기가 일정하므로 속도가 일정한 운동을 한다.

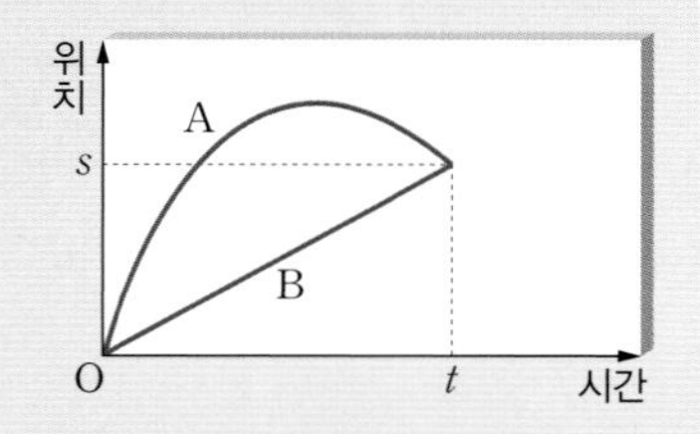

❶ 이동 거리 비교: A>B
→ A는 도중에 운동 방향이 바뀌었으므로 한 방향으로 운동한 B보다 이동 거리가 크다.

❷ 변위 비교: A=B → A와 B의 처음 위치와 나중 위치가 같으므로 변위는 같다.

❸ 평균 속력 비교: A>B → 같은 시간 동안 이동 거리는 A가 B보다 크므로 평균 속력도 크다.

❹ 평균 속도 비교: A=B → 같은 시간 동안 변위는 A와 B가 같으므로 평균 속도도 같다.

속력 측정 장치의 원리

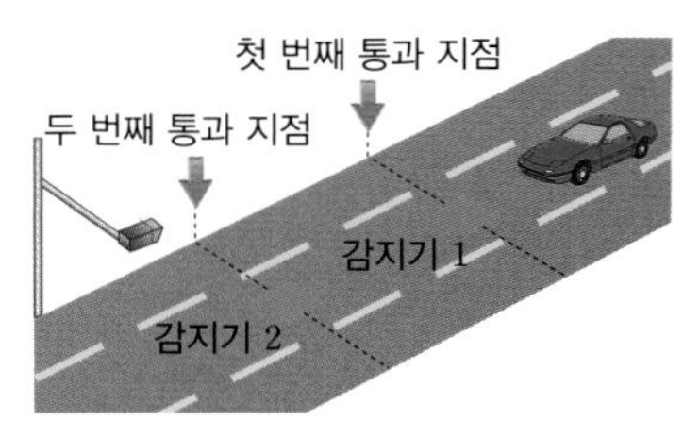

자동차가 2개의 감지기를 통과할 때의 시간을 측정하여, 두 감지기 사이의 거리를 자동차가 통과하는 데 걸린 시간으로 나누어 자동차의 속력(평균 속력)을 구한다.

운동 방향과 속도의 부호

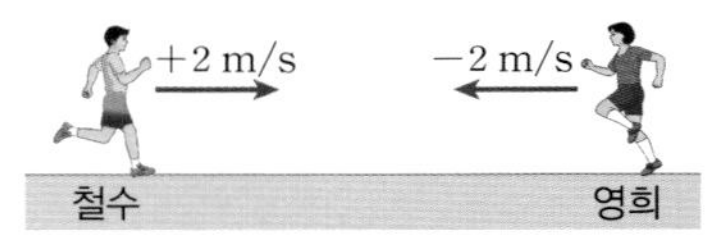

철수가 동쪽으로 2 m/s로 운동하고, 영희가 서쪽으로 2 m/s로 운동할 때 철수와 영희의 속력은 같지만 속도는 다르다. 철수의 속도가 +2 m/s이면 영희의 속도는 −2 m/s이다.

4. 속도가 일정한 물체의 운동(등속 직선 운동)

에스컬레이터, 컨베이어 벨트, 무빙워크 등은 모두 운동 방향이 변하지 않고, 속력이 일정한 운동을 한다. 이처럼 속도가 일정한 물체의 운동을 등속도 운동 또는 등속 직선 운동이라고 한다. 그림은 드라이아이스 통의 위치를 0.1초 간격으로 나타낸 것이다. 이때 드라이아이스 통은 등속 직선 운동을 하므로 통의 위치가 일정한 간격으로 변하는 것을 볼 수 있다.

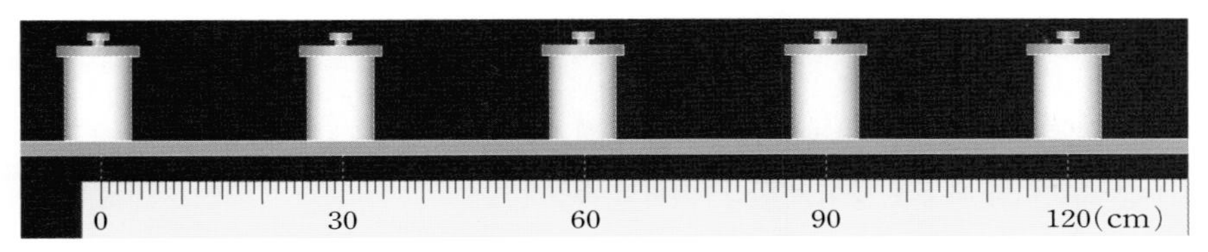

▲ 등속 직선 운동

(1) 등속 직선 운동의 식

물체가 일정한 속도 v로 시간 t 동안 운동하였을 때 변위 s는 다음과 같다.

$$s=vt$$

(2) 등속 직선 운동의 그래프

① **속도-시간 그래프:** 속도가 일정하므로 그래프는 시간축에 평행한 직선 모양으로 나타난다. 이때 그래프와 시간축이 이루는 넓이는 속도 v에 시간 t를 곱한 값으로 변위 s를 의미한다.

즉, 속도-시간 그래프에서 그래프와 시간축이 이루는 넓이는 변위를 나타낸다.

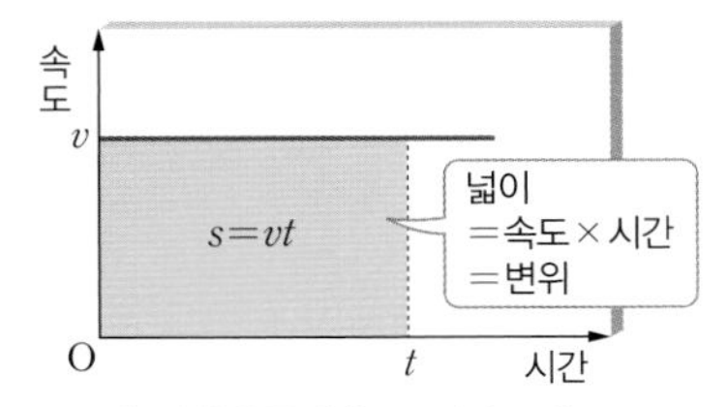

▲ 등속 직선 운동의 속도-시간 그래프

② **변위-시간 그래프:** 속도가 일정할 때 변위는 시간에 따라 일정하게 증가하므로 그래프는 기울기가 일정한 직선 모양이다. 이때 기울기는 변위 s를 시간 t로 나눈 값으로 속도 v를 의미한다.

즉, 변위-시간 그래프에서 기울기는 속도를 나타낸다.

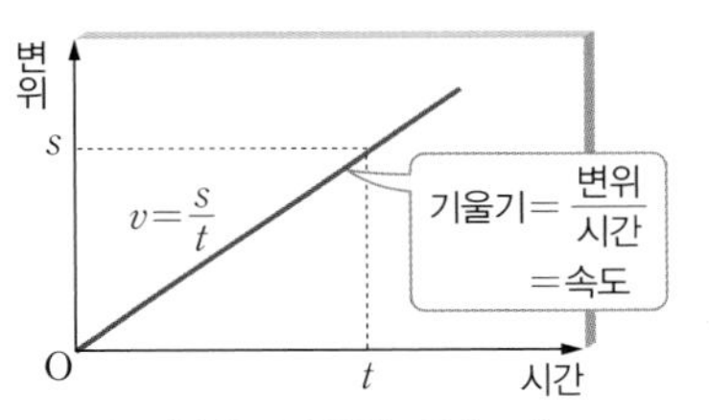

▲ 등속 직선 운동의 변위-시간 그래프

(3) 등속 직선 운동의 특징

① 변위의 크기와 이동 거리가 같다. 따라서 속도의 크기와 속력이 같다.

② 등속 직선 운동은 순간 속도가 일정한 물체의 운동이므로, 항상 속력이 같고 방향이 변하지 않는다. 따라서 평균 속도와 순간 속도는 같다.

③ 속도-시간 그래프에서 그래프와 시간축이 이루는 넓이가 넓을수록 변위가 크다. 또, 변위-시간 그래프에서 기울기가 클수록 속도가 빠르다.

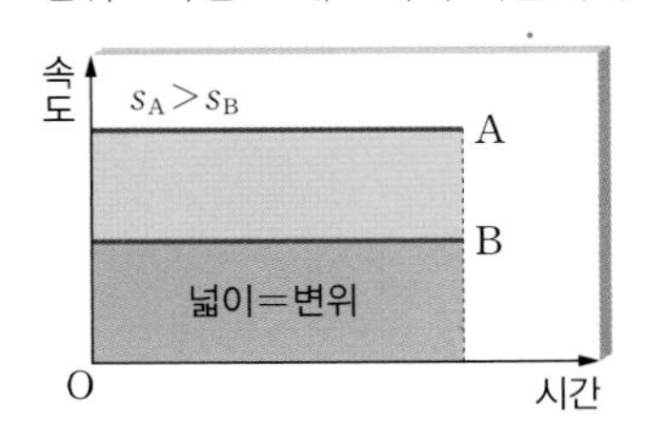

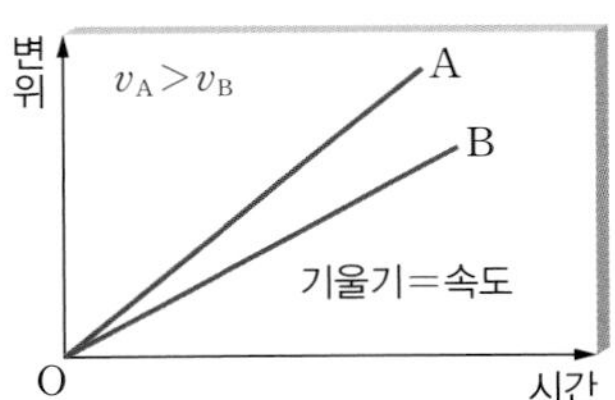

◀ 등속 직선 운동 그래프 비교

위치-시간 그래프

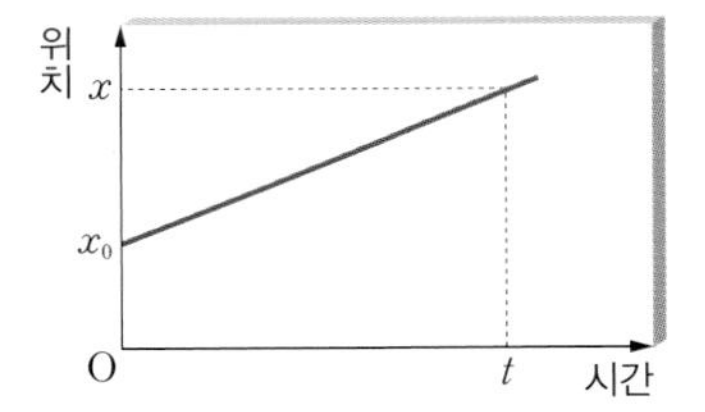

물체가 위치 x_0에서 출발하여 일정한 속도 v로 운동할 때 t초 후 물체의 위치 x는 다음과 같다.

$$x=x_0+vt$$

3 가속도

물체가 운동할 때 속도가 일정한 경우도 있지만 우리 주변에서 볼 수 있는 대부분의 물체의 운동은 속도가 일정하지 않고 계속해서 변한다. 이때 속도는 서서히 변할 수도 있지만 매우 급격하게 변할 수도 있다. 즉, 물체의 운동을 기술하려면 물체의 변위나 속도뿐만 아니라, 속도가 변하는 빠르기도 알아야 한다.

1. 가속도

출발할 때 속력이 점점 빨라지는 육상 선수나 구불구불한 도로를 달리는 자동차와 같이 우리 주변에서 볼 수 있는 물체의 운동은 대부분 속력이나 운동 방향이 변한다. 이처럼 속도가 시간에 따라 변할 때 물체가 가속도 운동을 한다고 말한다.

(1) **가속도:** 단위 시간 동안 물체의 속도 변화량으로, 크기와 방향을 모두 가지는 물리량이다. 이때 가속도의 방향은 속도 변화량의 방향과 같다.

그림과 같이 직선상에서 달리는 자동차가 시각 t_1일 때 속도 v_1로, 시각 t_2일 때 속도 v_2로 운동하는 경우 자동차의 가속도 a는 다음과 같다.

$$\text{가속도}=\frac{\text{속도 변화량}}{\text{걸린 시간}}=\frac{\text{나중 속도}-\text{처음 속도}}{\text{걸린 시간}}$$

$$a=\frac{v_2-v_1}{t_2-t_1}=\frac{\Delta v}{\Delta t}\ (\text{단위: m/s}^2)$$

(2) **속도와 가속도의 관계:** 자동차가 출발할 때에는 운동 방향으로 속도가 점점 빨라지므로 자동차의 처음 운동 방향을 (+)로 나타낼 때 속도와 가속도는 모두 (+)값을 가진다. 반대로 자동차가 정지할 때에는 속도가 점점 느려져 처음 속도보다 나중 속도가 더 작아지므로 속도는 (+)값을 가지지만 가속도는 (−)값을 가진다.

속도가 빨라질 때	속도가 느려질 때
예 직선상에서 달리는 자동차의 속도가 0초일 때 20 m/s에서 5초일 때 30 m/s로 증가하였다.	예 직선상에서 달리는 자동차의 속도가 20초일 때 40 m/s에서 25초일 때 20 m/s로 감소하였다.
0~5초 동안 자동차의 가속도를 구하면 다음과 같다. $a=\frac{30\text{ m/s}-20\text{ m/s}}{5\text{ s}-0}=2\text{ m/s}^2$	20초~25초 동안 자동차의 가속도를 구하면 다음과 같다. $a=\frac{20\text{ m/s}-40\text{ m/s}}{25\text{ s}-20\text{ s}}=-4\text{ m/s}^2$
속도와 가속도의 방향이 같으면 속도의 크기가 점점 증가한다.	속도와 가속도의 방향이 반대이면 속도의 크기가 점점 감소한다.

다양한 상황에서 물체의 가속도

상황	가속도(m/s^2)
기차가 출발할 때	0.2
엘리베이터가 출발할 때	1.0
달에서 낙하할 때	1.7
자전거가 출발할 때	2.5
자동차가 출발할 때	5.2
사람이 달릴 때	6.5
로켓이 발사될 때	50

2. 평균 가속도와 순간 가속도

(1) **평균 가속도:** 운동하는 물체의 가속도가 변할 때 전체 속도 변화량을 걸린 시간으로 나누어 구한다.

$$\text{평균 가속도} = \frac{\text{속도 변화량}}{\text{걸린 시간}}$$

(2) **순간 가속도:** 아주 짧은 시간 동안의 속도 변화량을 걸린 시간으로 나누어 구한다.

(3) **속도-시간 그래프에서 평균 가속도와 순간 가속도**

직선을 따라 운동하는 물체가 그림과 같이 시각 t_1일 때 속도 v_1로, 시각 t_2일 때 속도 v_2로 운동하는 경우 이 시간 동안의 평균 가속도 $\bar{a}$는 다음과 같다.

$$\bar{a} = \frac{v_2 - v_1}{t_2 - t_1} = \frac{\Delta v}{\Delta t} = \frac{\overline{\mathrm{BD}}}{\overline{\mathrm{AD}}}$$

이는 수학적으로 A점과 B점을 잇는 직선 AB의 기울기를 나타낸다. 즉, 속도-시간 그래프에서 두 점을 잇는 직선의 기울기는 그 사이의 평균 가속도를 의미한다. 시간 $t_1 \sim t_2$ 사이의 간격을 매우 작게 하면 A점과 B점을 잇는 직선은 A점에 접하는 접선이 되고, 이 접선의 기울기는 t_1일 때의 순간 가속도를 의미한다. $\left(\rightarrow a = \frac{\overline{\mathrm{CD}}}{\overline{\mathrm{AD}}}\right)$

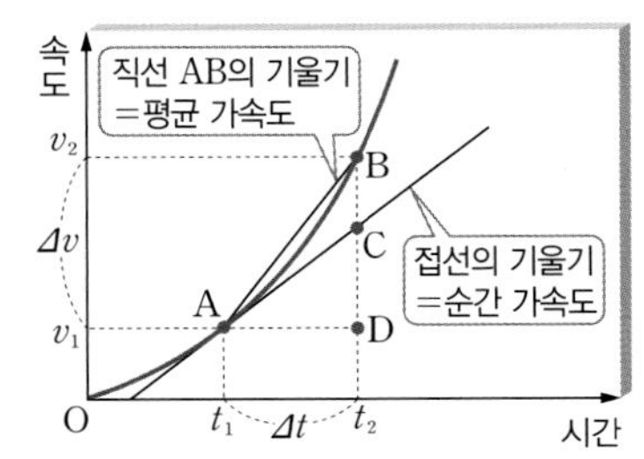

▲ 평균 가속도와 순간 가속도

시선 집중 ★ 속도-시간 그래프에서 속도와 가속도

그림은 직선상에서 운동하는 어떤 물체의 속도를 시간에 따라 나타낸 것이다. 이때 물체의 운동을 구간별로 분석하면 다음과 같다.

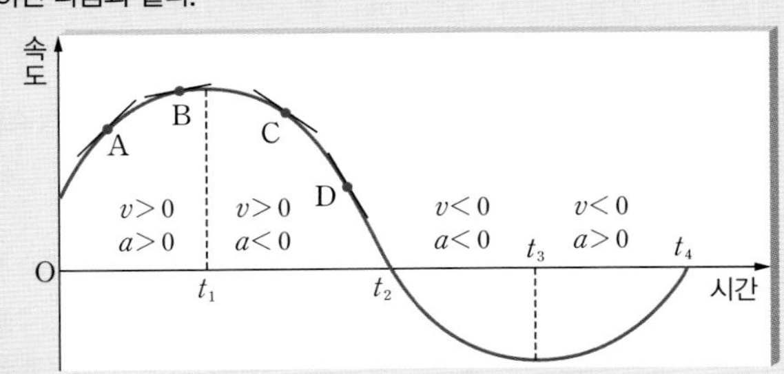

구간	특징
$0 \sim t_1$	• 속도와 가속도의 방향이 같으므로, 속도의 크기는 증가한다. • 접선의 기울기가 계속 감소하므로, 가속도의 크기는 계속 감소한다. → 가속도의 크기는 A점이 B점보다 크다.
$t_1 \sim t_2$	• 속도와 가속도의 방향이 반대이므로, 속도의 크기는 감소한다. • 접선의 기울기의 절댓값이 계속 증가하므로, 가속도의 크기는 계속 증가한다. → 가속도의 크기는 C점이 D점보다 작다.
$t_2 \sim t_3$	• 속도와 가속도의 방향이 같으므로, 속도의 크기는 증가한다. • 접선의 기울기의 절댓값이 계속 감소하므로, 가속도의 크기는 계속 감소한다.
$t_3 \sim t_4$	• 속도와 가속도의 방향이 반대이므로, 속도의 크기는 감소한다. • 접선의 기울기의 절댓값이 계속 증가하므로, 가속도의 크기는 계속 증가한다.

평균 가속도와 순간 가속도의 수학적 의미

평균 가속도는 시간을 길게 하여 구한 값이고, 순간 가속도는 시간을 0에 가깝게 매우 짧게 하여 구한 값이다.

- 평균 가속도: $\bar{a} = \frac{\Delta v}{\Delta t}$
- 순간 가속도: $a = \lim_{\Delta t \to 0} \frac{\Delta v}{\Delta t} = \frac{dv}{dt}$

3. 가속도가 일정한 물체의 운동(등가속도 직선 운동)

집중 분석 1권 18쪽~19쪽

기울기가 일정한 빗면을 따라 내려가는 수레, 자유 낙하 하는 공 등은 모두 직선상에서 속력이 일정하게 변하는 운동을 한다. 이처럼 직선상에서 가속도가 일정한 물체의 운동을 등가속도 직선 운동이라고 한다. 그림은 공의 운동을 0.1초 간격으로 나타낸 것이다. 이때 공은 등가속도 직선 운동을 하므로 공의 위치가 일정한 간격으로 넓어지는 것을 볼 수 있다.

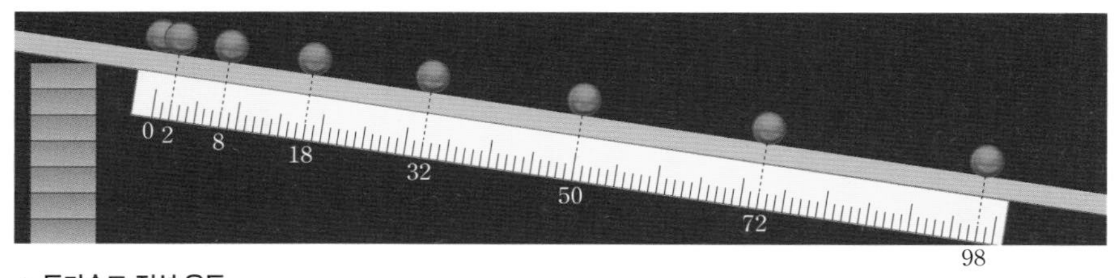

▲ 등가속도 직선 운동

(1) 등가속도 직선 운동의 식

① t초 후의 속도 v: 직선을 따라 일정한 가속도 a로 움직이는 물체의 처음 속도를 v_0, t초 후의 속도를 v라고 하자. 이때 물체의 가속도 a는 다음과 같다.

$$a=\frac{v-v_0}{t}$$

이 식을 정리하면 t초일 때 물체의 속도 v는 다음과 같다.

$$v=v_0+at$$

② t초 후의 변위 s: 등가속도 직선 운동에서 속도-시간 그래프는 그림 (가)와 같다. t초 동안 물체의 속도가 v_0에서 v로 변할 때 시간 t를 매우 짧은 시간 간격 Δt만큼씩 구분해 주면 색칠한 작은 직사각형 넓이 $v_1\Delta t$는 Δt 동안 물체의 변위와 같다. 따라서 t초 동안 물체의 변위는 작은 직사각형의 넓이를 모두 합한 것과 같으며, 이는 그림 (나)에서 그래프와 시간축이 이루는 넓이, 즉, 사다리꼴의 넓이 $s=\frac{1}{2}(v_0+v)t$와 같다. 이 식에 $v=v_0+at$를 대입하면 t초 동안 물체의 변위 s는 다음과 같다.

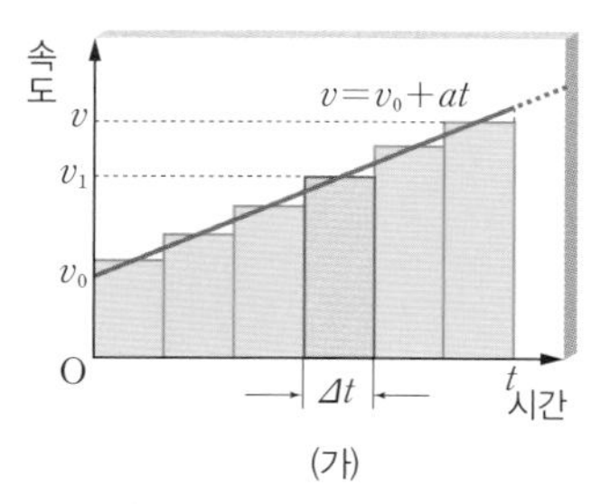

(가)

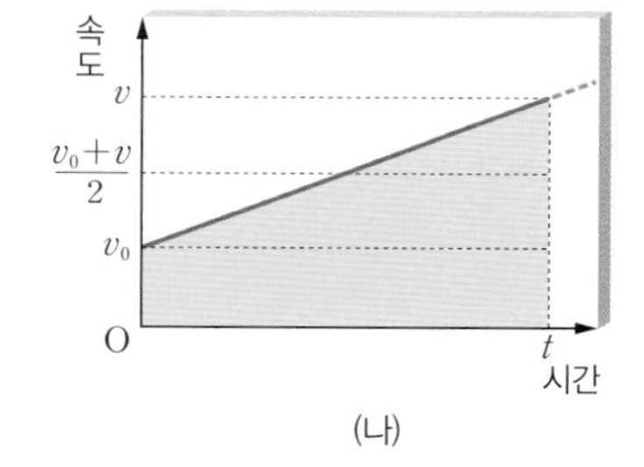

(나)

▲ 등가속도 직선 운동의 속도-시간 그래프

$$s=v_0t+\frac{1}{2}at^2$$

③ 변위 s와 속도 v의 관계: 위의 두 식에서 시간 t를 소거하여 정리하면 다음과 같다.

$$2as=v^2-v_0^2$$

자유 낙하 운동
정지해 있던 물체가 중력만을 받아 연직 아래 방향으로 속력이 일정한 비율로 증가하며 낙하 하는 운동이다. 이때 물체의 가속도는 일정한데, 이때의 가속도를 중력 가속도라고 한다.

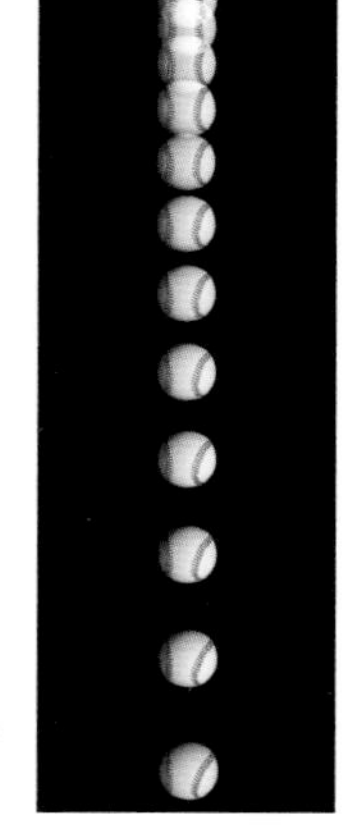

자유 낙하 하는 ▶ 야구공의 운동

등가속도 직선 운동의 속도-시간 그래프
등가속도 직선 운동의 경우 평균 속도 $\bar{v}$는 다음과 같다.

$$\bar{v}=\frac{1}{2}(\text{처음 속도}+\text{나중 속도})$$

시간 t 동안의 변위 s는 평균 속도와 시간을 곱한 값과 같으므로 t초 동안의 변위 s를 구하면 다음과 같다.

$$s=\frac{1}{2}(v_0+v)t$$

$2as=v^2-v_0^2$의 유도
$s=v_0t+\frac{1}{2}at^2$에 $t=\frac{v-v_0}{a}$를 대입하여 정리하면 다음과 같다.

$$s=v_0\left(\frac{v-v_0}{a}\right)+\frac{1}{2}a\left(\frac{v-v_0}{a}\right)^2$$
$$=\frac{v_0v-v_0^2}{a}+\frac{1}{2}\frac{(v-v_0)^2}{a}$$
$$\therefore 2as=v^2-v_0^2$$

(2) **등가속도 직선 운동의 그래프**

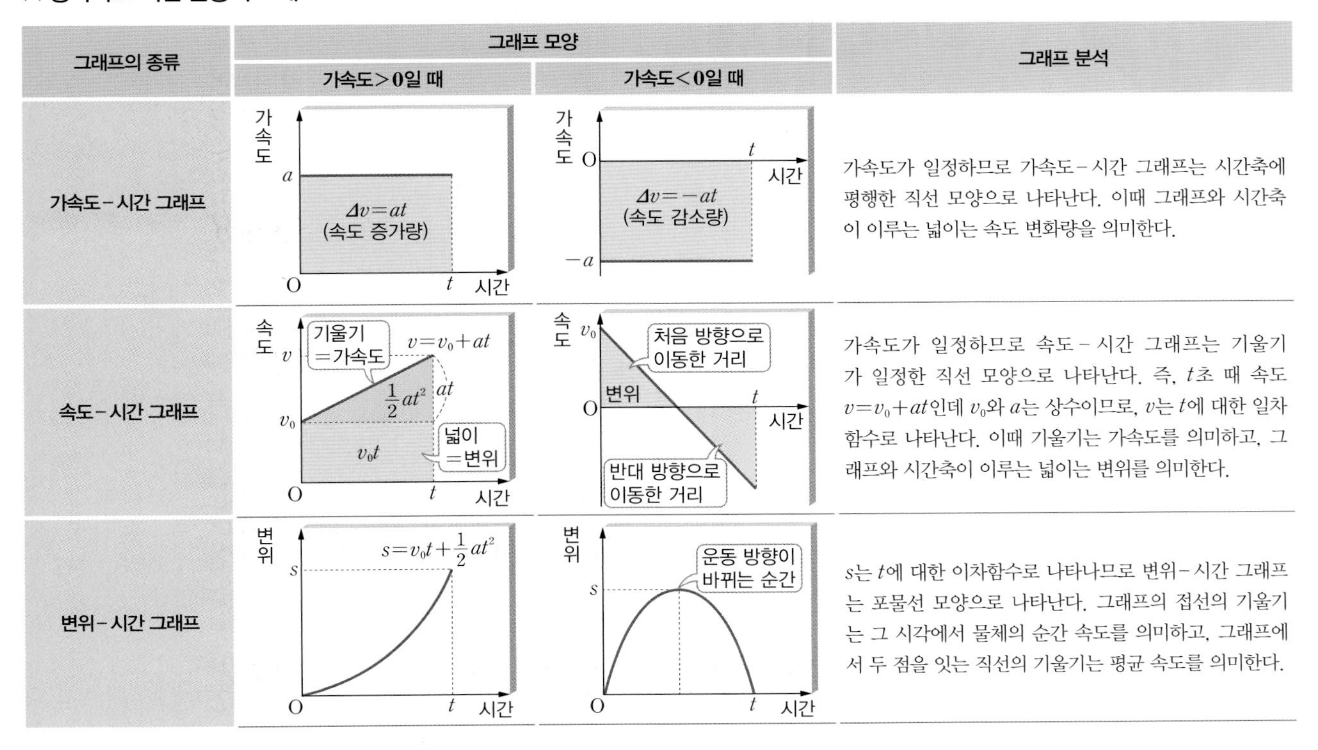

그래프의 종류	그래프 모양: 가속도>0일 때	그래프 모양: 가속도<0일 때	그래프 분석
가속도-시간 그래프	가속도, 시간, a, O, t, $\Delta v=at$ (속도 증가량)	가속도, 시간, O, t, $-a$, $\Delta v=-at$ (속도 감소량)	가속도가 일정하므로 가속도-시간 그래프는 시간축에 평행한 직선 모양으로 나타난다. 이때 그래프와 시간축이 이루는 넓이는 속도 변화량을 의미한다.
속도-시간 그래프	속도, 시간, 기울기 =가속도, $v=v_0+at$, v, v_0, $\frac{1}{2}at^2$, at, v_0t, 넓이 =변위, O, t	속도, 시간, v_0, 처음 방향으로 이동한 거리, 변위, O, t, 반대 방향으로 이동한 거리	가속도가 일정하므로 속도-시간 그래프는 기울기가 일정한 직선 모양으로 나타난다. 즉, t초 때 속도 $v=v_0+at$인데 v_0와 a는 상수이므로, v는 t에 대한 일차함수로 나타난다. 이때 기울기는 가속도를 의미하고, 그래프와 시간축이 이루는 넓이는 변위를 의미한다.
변위-시간 그래프	변위, 시간, $s=v_0t+\frac{1}{2}at^2$, s, O, t	변위, 시간, 운동 방향이 바뀌는 순간, s, O, t	s는 t에 대한 이차함수로 나타나므로 변위-시간 그래프는 포물선 모양으로 나타난다. 그래프의 접선의 기울기는 그 시각에서 물체의 순간 속도를 의미하고, 그래프에서 두 점을 잇는 직선의 기울기는 평균 속도를 의미한다.

4. 운동 방향이 변하는 가속도 운동의 예

(1) **등속 원운동**

놀이공원에서 회전하는 대관람차, 지구 주위를 원궤도를 따라 회전하는 인공위성 등과 같이 물체가 일정한 속력으로 원을 그리며 회전하는 운동으로, 가속도의 방향은 항상 원의 중심을 향한다. 이때 물체의 운동 방향은 원의 접선 방향으로 매 순간 변한다.

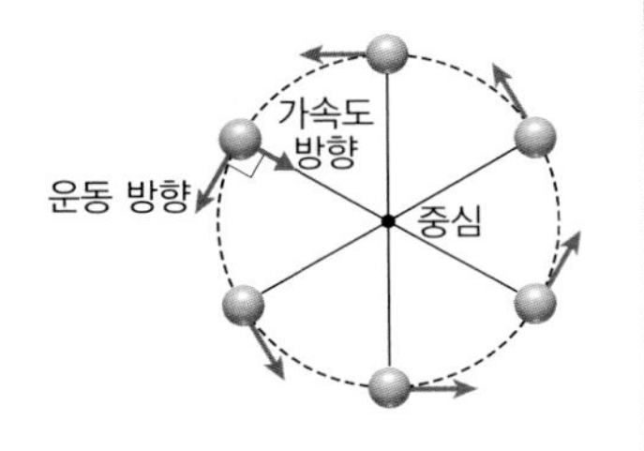

(2) **속력과 운동 방향이 모두 변하는 운동**

① **진자 운동:** 실에 매단 물체가 같은 경로를 왕복하는 운동으로, 진자는 진동 중심에 가까워질수록 속력이 점점 증가하고, 양 끝으로 갈수록 속력이 점점 감소한다. 또한, 운동 방향은 진자가 그리는 궤도의 접선 방향으로 매 순간 변한다.

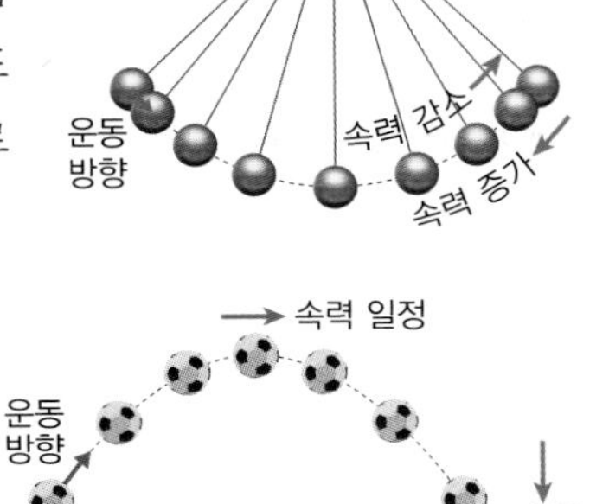

② **포물선 운동:** 지표면 근처에서 비스듬히 던져 올린 물체의 운동으로, 수평 방향의 속력은 일정하고, 연직 방향의 속력은 물체가 올라가는 동안 감소하고, 내려오는 동안 증가한다. 가속도의 방향은 연직 아래 방향이며, 운동 방향은 포물선 궤도의 접선 방향으로 매 순간 변한다.

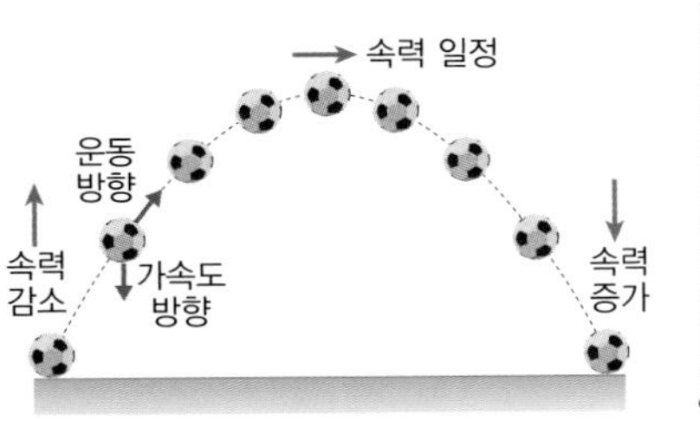

등속 원운동 하는 물체

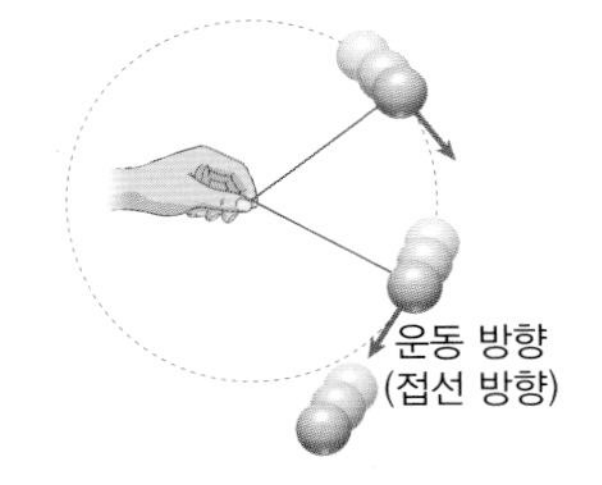

실에 매단 물체가 등속 원운동을 하는 도중 실이 끊어지면, 공은 그 순간 원의 접선 방향으로 날아간다.

실전에 대비하는

등가속도 직선 운동

물리학Ⅰ에서는 여러 가지 운동이 나오지만 식으로 표현되고, 계산을 필요로 하는 운동은 등속 직선 운동과 등가속도 직선 운동 두 개뿐이다. 특히, 등가속도 직선 운동은 뉴턴 운동 제2법칙과 연관되어 다양한 유형으로 출제되므로 등가속도 직선 운동에 대해 정확히 이해하고 있어야 할 뿐만 아니라 관련된 식을 다양한 경우에 적용하여 풀 수 있어야 한다.

❶ 등가속도 직선 운동의 그래프 분석하기

등가속도 직선 운동에서 속도는 시간에 대한 일차함수로, 변위는 시간에 대한 이차함수로 나타난다.

$$v=v_0+at,\ s=v_0t+\frac{1}{2}at^2,\ 2as=v^2-v_0^2$$

(1) **처음 속도와 가속도의 방향이 같은 경우:** 정지한 물체에 일정한 알짜힘이 작용하거나, 움직이는 물체에 운동 방향과 같은 방향으로 일정한 알짜힘이 작용할 때 물체는 속도의 크기가 일정하게 증가하고, 변위의 크기도 계속 증가한다.

• 0초일 때 물체의 속도가 5 m/s인 경우

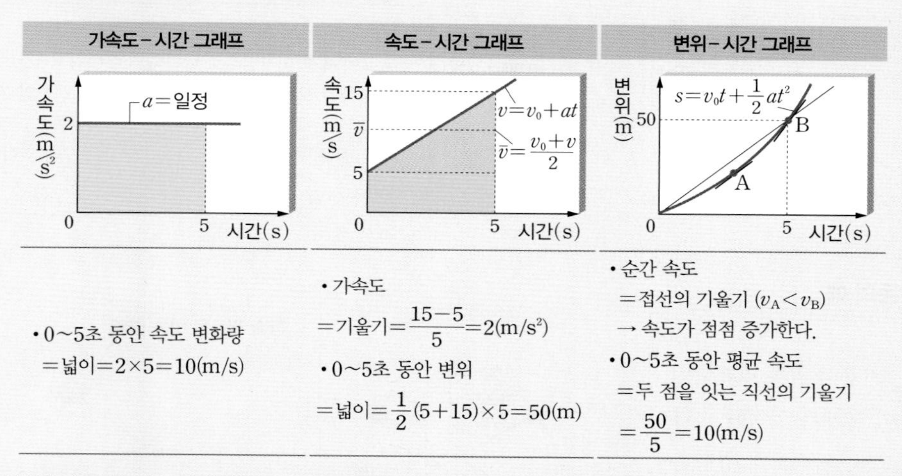

(2) **처음 속도와 가속도의 방향이 반대인 경우:** 움직이는 물체에 운동 반대 방향으로 일정한 알짜힘이 작용할 때 물체는 속도의 크기가 일정하게 감소한다.

• 0초일 때 물체의 속도가 5 m/s인 경우

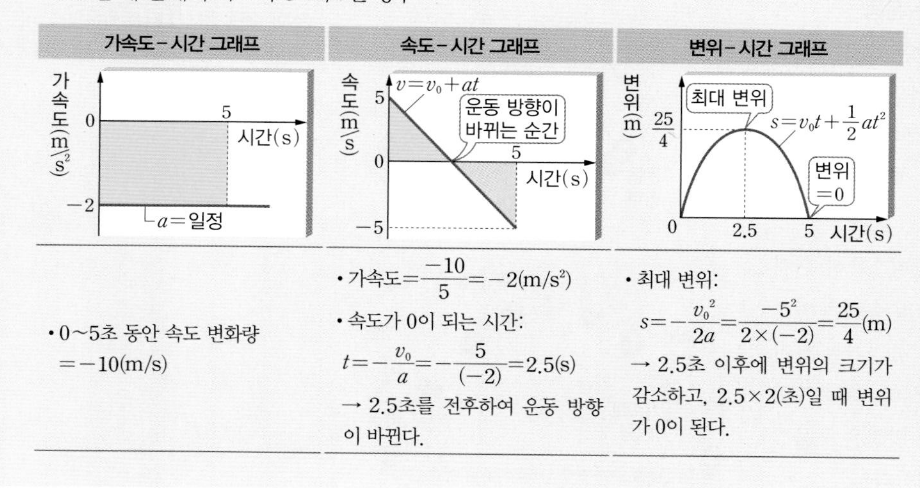

처음 속도와 가속도의 방향이 같은 예

• 물체가 자유 낙하 할 때

• 마찰이 없는 수평면에 정지한 물체를 일정한 힘으로 끌어당길 때

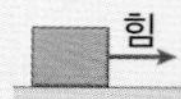

• 마찰이 없는 수평면에 정지해 있던 물체가 낙하하는 추에 연결되어 움직일 때

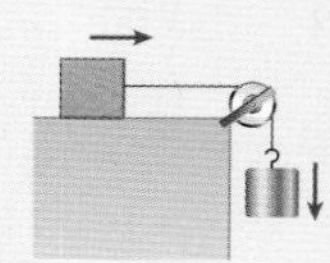

• 도르래에 매달린 두 물체가 무거운 물체 쪽으로 움직일 때

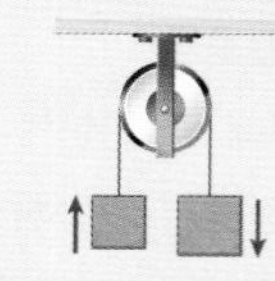

• 마찰이 없는 빗면에 물체를 가만히 놓았을 때

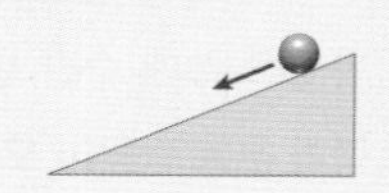

처음 속도와 가속도의 방향이 반대인 예

• 물체를 연직 위 방향으로 던질 때

• 마찰이 없는 빗면을 따라 물체를 밀어 올릴 때

(3) 복잡한 형태의 등가속도 직선 운동 그래프 분석

구분	가속도-시간 그래프	속도-시간 그래프	변위-시간 그래프
그래프 (0초일 때 물체의 속도가 2 m/s인 경우)			
0~2초	속도 변화량=−2 m/s	가속도=−1 m/s², 변위=2 m	속도=감소, 평균 속도=1 m/s
2초~4초	속도 변화량=0	가속도=0, 변위=0	속도=0
4초~6초	속도 변화량=4 m/s	가속도=2 m/s², 변위=4 m	속도=증가, 평균 속도=2 m/s

❷ 여러 가지 상황에서 등가속도 직선 운동 분석하기

(1) 처음 속력, 나중 속력, 이동 거리가 제시된 경우

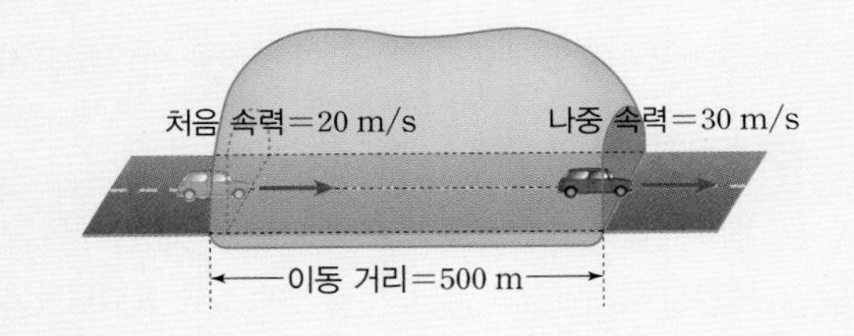

• 자동차의 평균 속력: $\bar{v}=\dfrac{v_0+v}{2}=\dfrac{20\text{ m/s}+30\text{ m/s}}{2}=25\text{ m/s}$

• 자동차가 터널을 이용하는 데 걸린 시간: $t=\dfrac{s}{\bar{v}}=\dfrac{500\text{ m}}{25\text{ m/s}}=20\text{ s}$

• 자동차의 가속도: $a=\dfrac{\Delta v}{t}=\dfrac{30\text{ m/s}-20\text{ m/s}}{20\text{ s}}=0.5\text{ m/s}^2$

(2) 나중 속력, 구간별 걸린 시간, 구간별 이동 거리가 제시된 경우

0~4초 동안 평균 속력은 90 m/s로, 2초일 때 속력과 같다. 또, 4초~8초 동안 평균 속력은 70 m/s로, 6초일 때 속력과 같다.

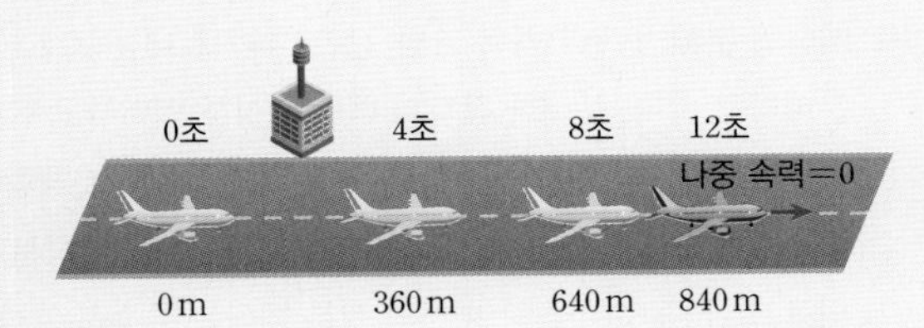

• 비행기의 가속도: $a=\dfrac{\Delta v}{t}=\dfrac{70\text{ m/s}-90\text{ m/s}}{6\text{ s}-2\text{ s}}=\dfrac{-20\text{ m/s}}{4\text{ s}}=-5\text{ m/s}^2$

• 0초일 때 비행기의 속력: $v_0=v-at=90\text{ m/s}-(-5\text{ m/s}^2)\times 2\text{ s}$
$=100\text{ m/s}$

• 비행기가 멈출 때까지의 이동 거리: $s=\dfrac{v^2-{v_0}^2}{2a}=\dfrac{0-(100\text{ m/s})^2}{2\times(-5\text{ m/s}^2)}$
$=1000\text{ m}$

> 정답과 해설 2쪽

유제

그림은 직선상에서 운동하는 어떤 물체의 속도를 시간에 따라 나타낸 것이다. 이에 대한 설명으로 옳은 것만을 보기에서 있는 대로 고른 것은?

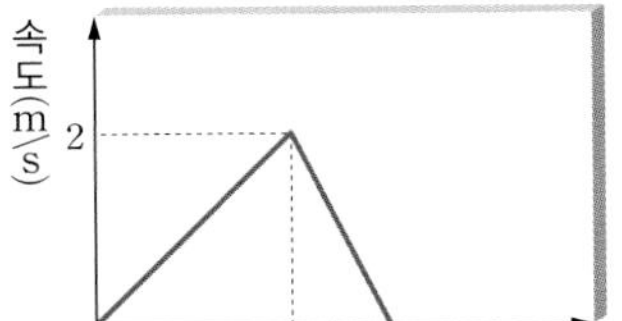

보기
ㄱ. 0~2초 동안 물체의 가속도 크기는 1 m/s²으로 일정하다.
ㄴ. 2초~3초 동안 물체가 이동한 거리는 2 m이다.
ㄷ. 2초~3초 동안 속도와 가속도의 방향은 반대이다.

 ① ㄴ  ② ㄷ ③ ㄱ, ㄴ ④ ㄱ, ㄷ ⑤ ㄱ, ㄴ, ㄷ

차이를 만드는

벡터와 스칼라

모든 물리량은 벡터량과 스칼라량으로 구분되는데, 벡터량은 벡터로 나타낸다. 벡터를 이용하면 물체의 변위, 속도의 크기와 방향, 힘의 크기와 방향, 운동량의 크기와 방향 등을 정확하고 편리하게 구할 수 있다.

❶ 벡터와 스칼라

변위, 속도, 가속도 등과 같이 크기와 방향을 갖는 물리량을 벡터량이라고 하고, 시간, 이동거리, 길이, 질량, 속력 등과 같이 크기만을 갖는 물리량을 스칼라량이라고 한다. 스칼라량은 사칙 연산으로 계산할 수 있지만 벡터량은 크기와 방향 모두 고려해야 하므로 계산법이 다르다.

벡터의 표시

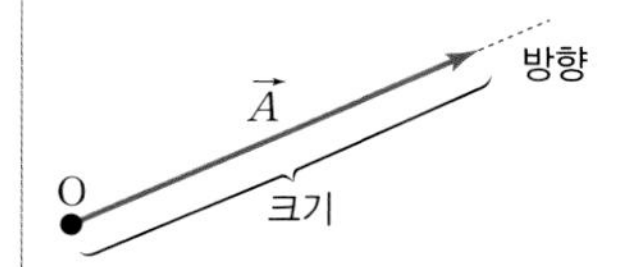

벡터를 표시할 때는 화살표를 사용하여 나타낸다. 벡터의 기호는 $\vec{A}$, $\overrightarrow{OA}$, $\boldsymbol{A}$로, 벡터의 크기는 $|\vec{A}|$, $|\overrightarrow{OA}|$, $|\boldsymbol{A}|$, A로 나타낸다.

❷ 벡터의 동등성과 크기 변화

(1) **벡터의 동등성**: 두 벡터의 크기와 방향이 같을 때 두 벡터는 같다고 정의한다. 즉, 벡터를 평행 이동시켜도 크기와 방향이 변하지 않으므로 동일한 벡터이다.

(2) **벡터의 크기 변화**: 벡터에 숫자를 곱하면 $2\vec{A}$, $\frac{1}{2}\vec{A}$와 같이 벡터의 크기를 변화시킬 수 있고, $-2\vec{A}$와 같이 $(-)$값을 붙여 방향을 반대로 표시할 수도 있다.

❸ 벡터의 합성과 분해

(1) **벡터의 합성**: 두 벡터 $\vec{A}$, $\vec{B}$가 있을 때 이 두 벡터를 합한 벡터 $\vec{C}=\vec{A}+\vec{B}$를 구하는 것을 벡터의 합성이라고 하며, 이때 벡터 $\vec{C}$를 합벡터라고 한다.

① 평행사변형법: 두 벡터 $\vec{A}$, $\vec{B}$를 꼬리가 일치하도록 평행 이동시키고, $\vec{A}$, $\vec{B}$를 이웃한 두 변으로 하는 평행사변형을 그리면 평형사변형의 대각선이 합벡터 $\vec{C}$가 된다.

② 삼각형법: 벡터 $\vec{A}$의 머리에 벡터 $\vec{B}$의 꼬리가 오도록 $\vec{B}$를 평행 이동시킨 후, $\vec{A}$의 꼬리에서 $\vec{B}$의 머리까지 화살표로 그은 벡터 $\vec{C}$가 $\vec{A}$와 $\vec{B}$의 합벡터가 된다.

(2) **벡터의 분해**: 1개의 벡터 $\vec{A}$와 같은 효과를 내는 2개 이상의 벡터를 구하는 것을 벡터의 분해라고 하며, 분해한 각각의 벡터를 성분 벡터라고 한다.

① 평행사변형법을 이용한 벡터의 분해: 벡터 $\vec{A}$를 분해할 때 주어진 벡터 $\vec{A}$를 대각선으로 하는 평행사변형을 그리면 이웃한 두 변이 분해된 성분 벡터가 된다. 분해하는 방향은 임의로 정할 수 있어서 한 벡터의 성분 벡터는 무수히 구할 수 있다.

② 직교 좌표계에서 벡터의 분해: 일반적으로 한 벡터 $\vec{A}$를 분해할 때 서로 직각인 두 방향(x 방향과 y 방향)으로 분해하면 피타고라스 정리나 삼각함수를 이용할 수 있다.

벡터의 합성

• 평행사변형법

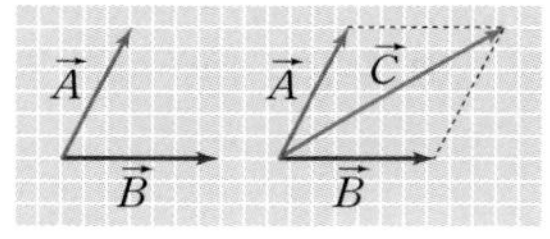

• 삼각형법

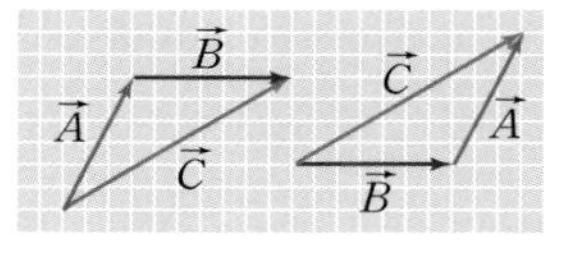

벡터의 분해

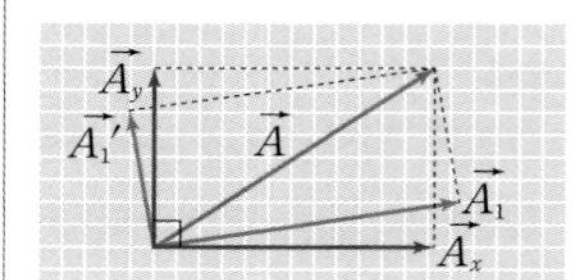

❹ 위치 벡터와 변위

기준점에 대한 물체의 위치를 나타내는 벡터를 위치 벡터라고 하며 위치 벡터의 차를 변위라고 한다. 시간 Δt 동안 물체가 위치 벡터 $\vec{r_1}$인 P점에서 위치 벡터 $\vec{r_2}$인 Q점까지 이동하였다면 이 시간 동안 물체의 위치 변화, 즉 변위는 $\Delta\vec{r}=\vec{r_2}-\vec{r_1}$이다. 위치 벡터는 기준점에 따라 변하지만 변위는 기준점이 달라져도 변하지 않는다.

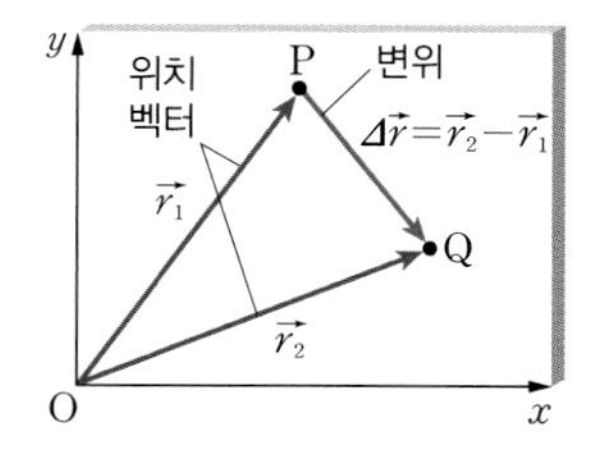

정답과 해설 2쪽

01 속도와 가속도

1 변위

1. **위치** 기준점에서 떨어진 거리와 방향
2. (❶) 처음 위치에서 나중 위치까지의 위치 변화량
3. **이동 거리** 물체가 실제로 운동한 경로를 따라 측정한 길이

- 물체가 운동할 때 이동 거리는 운동 경로에 따라 다르다. 그러나 물체의 처음 위치와 나중 위치가 같다면 변위는 (❷).

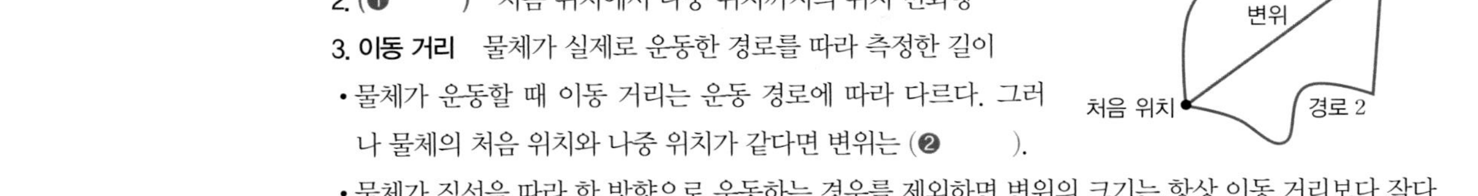

- 물체가 직선을 따라 한 방향으로 운동하는 경우를 제외하면 변위의 크기는 항상 이동 거리보다 작다.

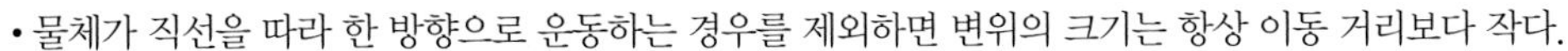

2 속도

1. (❸) 단위 시간 동안 물체의 변위로, 물체의 빠르기와 운동 방향을 함께 나타낸다.

$$\text{속도}=\frac{\text{변위}}{\text{걸린 시간}},\ v=\frac{\Delta s}{\Delta t}\ (\text{단위: m/s, km/h})$$

- 속도의 방향은 변위의 방향과 같다.

2. **속력** 단위 시간 동안 물체의 이동 거리로, 물체의 빠르기만을 나타낸다.

- 같은 시간 동안 물체의 이동 거리와 변위의 크기가 다르다면 평균 속력과 평균 속도의 크기는 다르다.

3. **등속 직선 운동** 속도가 일정한 물체의 운동

- 등속 직선 운동의 식: $s=vt$

3 가속도

1. (❹) 단위 시간 동안 물체의 속도 변화량

$$\text{가속도}=\frac{\text{속도 변화량}}{\text{걸린 시간}}=\frac{\text{나중 속도}-\text{처음 속도}}{\text{걸린 시간}},\ a=\frac{\Delta v}{\Delta t}\ (\text{단위: m/s}^2)$$

- 속도와 가속도의 방향이 같으면 속도의 크기가 점점 (❺)한다.
- 속도와 가속도의 방향이 반대이면 속도의 크기가 점점 (❻)한다.

2. **등가속도 직선 운동** 직선을 따라 일정한 (❼)로 운동하는 물체의 운동

- 등가속도 직선 운동의 식: $v=v_0+at$, $s=v_0t+\frac{1}{2}at^2$, $2as=v^2-v_0^2$
- 등가속도 직선 운동의 그래프($a>0$일 때)

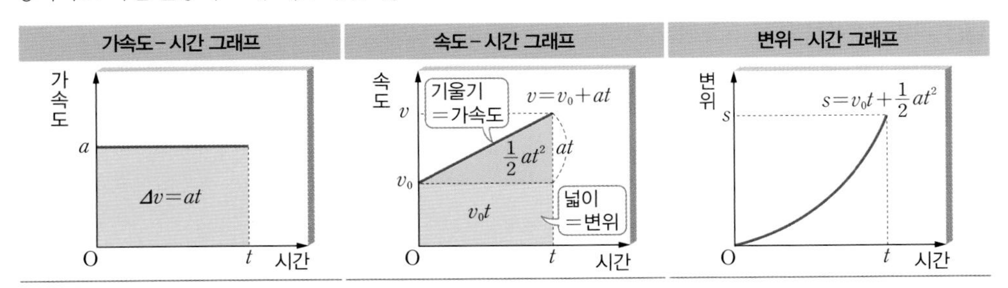

3. **운동 방향이 변하는 가속도 운동의 예**

- (❽)만 변하는 운동: 물체가 일정한 속력으로 원을 그리며 회전하는 등속 원운동 등
- 속력과 운동 방향이 모두 변하는 운동: 진자 운동과 포물선 운동 등

01 철수가 직선 도로에서 동쪽으로 20 m를 이동한 후 서쪽으로 15 m를 되돌아왔다. 이때 철수의 이동 거리와 변위의 크기는 각각 몇 m인지 구하시오.

02 그림은 같은 방향으로 직선 운동을 하는 물체 A, B의 위치를 시간에 따라 나타낸 것이다.

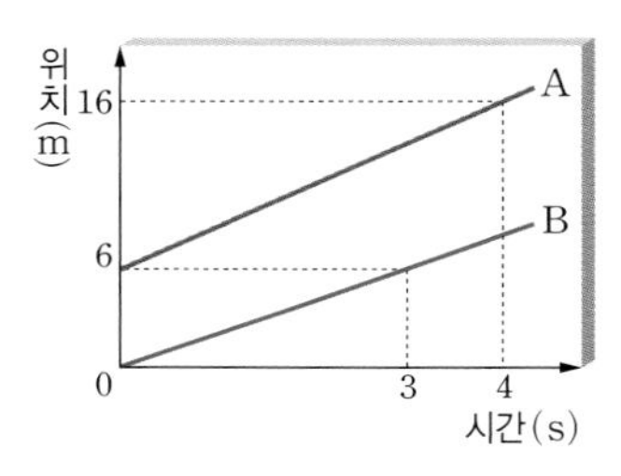

(1) 4초일 때 A의 속도의 크기는 몇 m/s인지 구하시오.

(2) 4초 이후에도 직선의 기울기가 변하지 않았다면, 12초인 순간 A와 B 사이의 거리는 몇 m인지 구하시오.

03 그림은 직선상에서 운동하는 어떤 물체의 위치를 시간에 따라 나타낸 것이다.

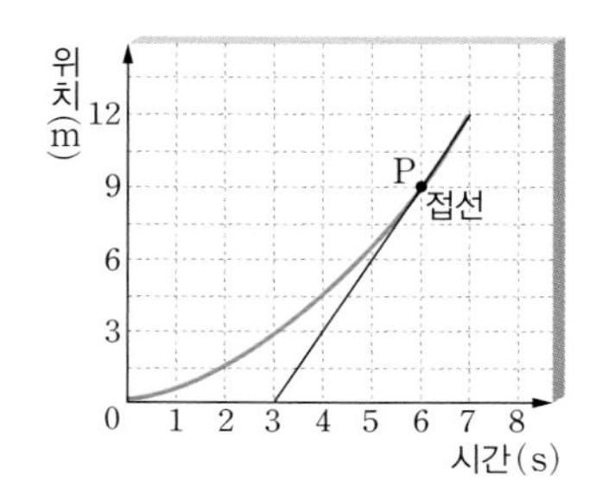

0~6초 동안 물체의 평균 속도의 크기와 6초일 때 물체의 순간 속도의 크기는 각각 몇 m/s인지 구하시오.

04 그림과 같이 굽어진 도로를 따라 자동차가 달리고 있다. 이때 자동차는 일정한 속력으로 달릴 수 있으나 일정한 속도로는 달릴 수 없다. 그 까닭을 쓰시오.

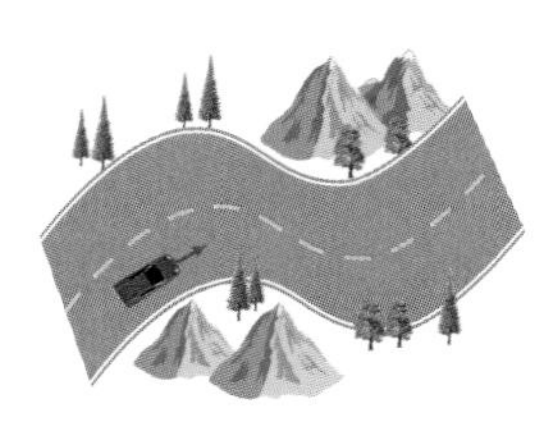

05 물체가 A점에서 B점까지 직선을 따라 v_1의 속력으로 운동한 후 B점에서 A점까지 직선을 따라 v_2의 속력으로 되돌아왔다. 물체가 왕복하는 동안 평균 속력을 구하시오.

06 그림과 같이 철수와 영희가 운동장에 있는 200 m 트랙의 지점 A에 함께 서 있다가 동시에 출발하여 철수는 트랙을 따라 반 바퀴 돌고, 영희는 트랙을 가로질러 지점 B까지 직선 경로를 따라 갔다 되돌아오는 데 20초가 걸렸다. 이때 A에서 B까지의 직선 거리는 40 m이다.

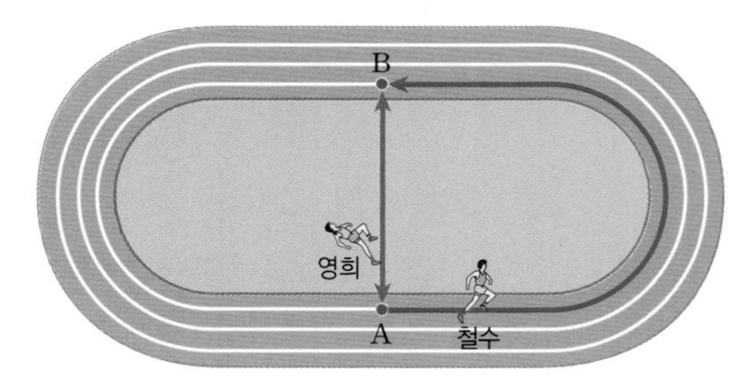

(1) 0~20초 동안 철수의 (가) 평균 속력과 (나) 평균 속도의 크기는 각각 몇 m/s인지 구하시오.

(2) 0~20초 동안 영희의 (가) 평균 속력과 (나) 평균 속도의 크기는 각각 몇 m/s인지 구하시오.

07 그림은 동일 직선상에서 운동하는 물체 A, B, C의 속도를 시간에 따라 나타낸 것이다.

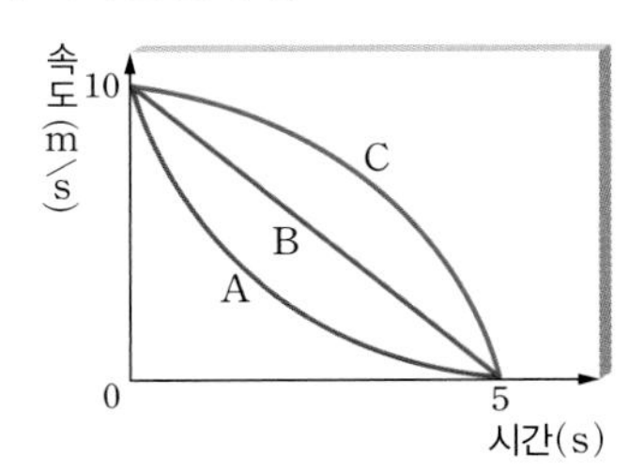

0~5초 동안 세 물체의 평균 가속도의 크기와 평균 속력을 부등호 또는 등호를 사용하여 비교하시오.

08 길이가 100 m인 기차가 곧은 터널 속을 일정한 가속도로 지나고 있다. 기차의 앞부분이 터널에 들어갈 때 속도는 15 m/s이고, 기차의 뒷부분이 터널을 빠져나올 때 속도는 25 m/s이다. 터널의 길이가 300 m일 때 기차의 앞부분이 터널에 들어가기 시작하여 뒷부분이 완전히 빠져나올 때까지 걸린 시간은 몇 초인지 구하시오.

09 그림은 직선상에서 운동하는 어떤 물체의 속도를 시간에 따라 나타낸 것이다.

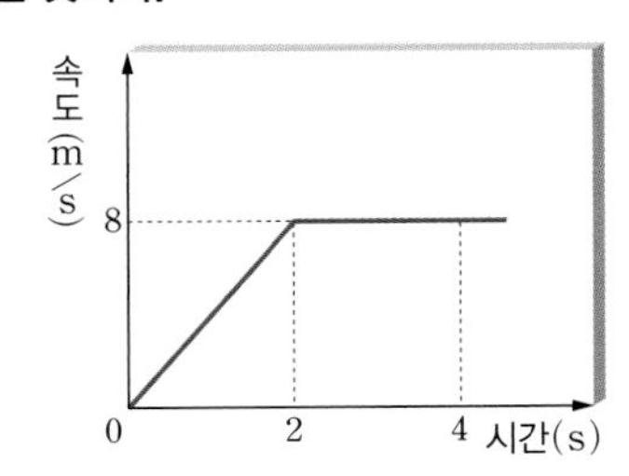

(1) 1초일 때 물체의 가속도의 크기는 몇 m/s^2인지 구하시오.

(2) 0~4초 동안 물체가 이동한 전체 거리는 몇 m인지 구하시오.

10 그림은 정지해 있던 물체가 직선 운동할 때 가속도를 시간에 따라 나타낸 것이다.

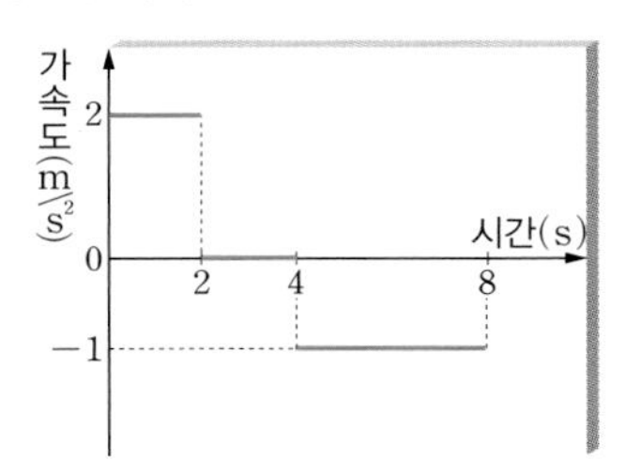

(1) 2초일 때 물체의 순간 속도의 크기는 몇 m/s인지 구하시오.

(2) 0~8초 동안 물체가 이동한 전체 거리는 몇 m인지 구하시오.

11 길이가 l인 전동차가 직선 레일 위를 등가속도 직선 운동을 하며 달리고 있다. 어떤 지점을 전동차의 앞부분은 v_0의 속력으로, 전동차의 뒷부분은 v의 속력으로 통과하였다. 이 전동차의 가속도를 구하시오.

12 다음은 우리 주변에서 볼 수 있는 여러 물체의 운동을 나타낸 것이다.

보기
ㄱ. 일정하게 회전하는 선풍기 날개 끝부분
ㄴ. 놀이 공원에서 움직이는 롤러코스터
ㄷ. 비스듬히 위로 찬 축구공
ㄹ. 자유 낙하 하는 돌
ㅁ. 일정하게 움직이는 에스컬레이터

다음에 해당하는 물체를 고르시오.

(1) 속력만 변하는 운동을 하는 물체

(2) 운동 방향만 변하는 운동을 하는 물체

(3) 속력과 운동 방향 모두 변하는 운동을 하는 물체

(4) 속력과 운동 방향 모두 변하지 않는 운동을 하는 물체

01

> 위치-시간 그래프

그림은 직선상에서 운동하는 어떤 물체의 위치를 시간에 따라 나타낸 것이다.

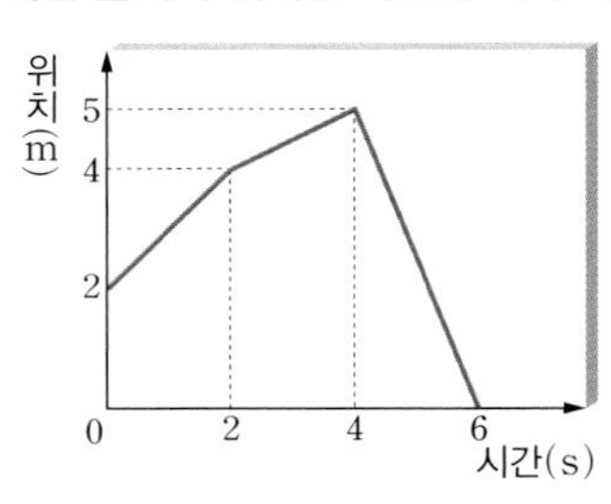

이에 대한 설명으로 옳은 것만을 보기에서 있는 대로 고른 것은?

보기

ㄱ. 1초일 때 속력은 3초일 때 속력의 2배이다.

ㄴ. 4초 이후에 운동 방향이 변하였다.

ㄷ. 0~6초 동안 평균 속도의 크기는 $\frac{4}{3}$ m/s이다.

① ㄱ ② ㄷ ③ ㄱ, ㄴ ④ ㄴ, ㄷ ⑤ ㄱ, ㄴ, ㄷ

• 위치-시간 그래프에서 기울기는 속도를 나타낸다.

02

> 위치-시간 그래프

다음은 직선상에서 움직이는 물체의 운동에 대한 설명이다.

- 0~2초 동안 속력이 일정한 운동을 한다.
- 2초~4초 동안 속력이 감소하는 운동을 하다가 4초일 때 속력이 0이 된다.
- 4초~6초 동안 처음 운동 방향과 반대 방향으로 속력이 증가하는 운동을 한다.

0~6초 동안 물체의 위치를 시간에 따라 나타낸 그래프로 가장 적절한 것은?

①
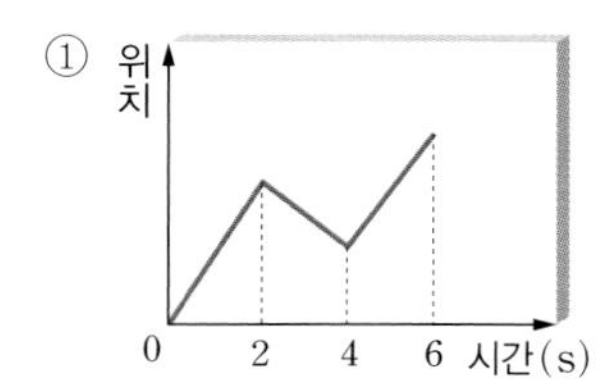

②
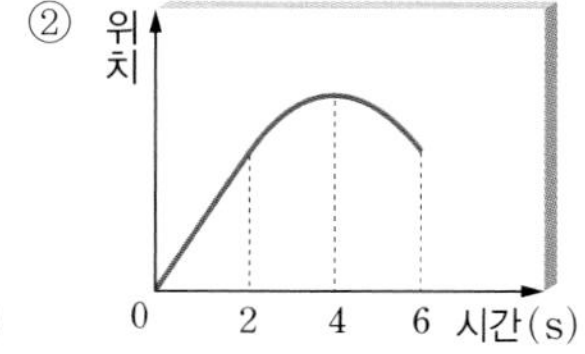

③
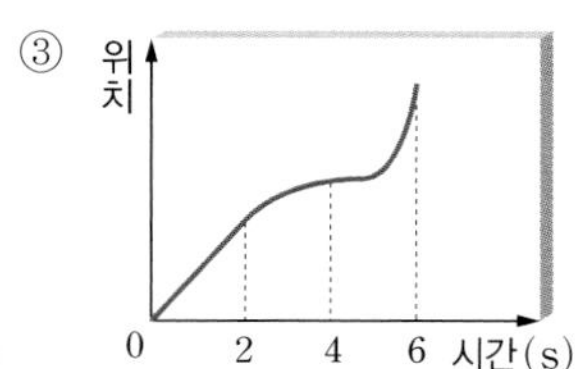

④
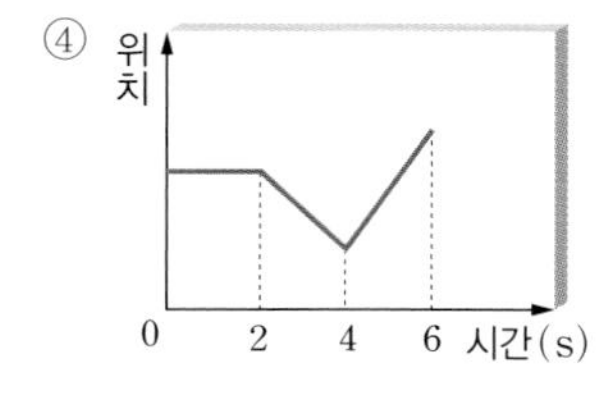

⑤
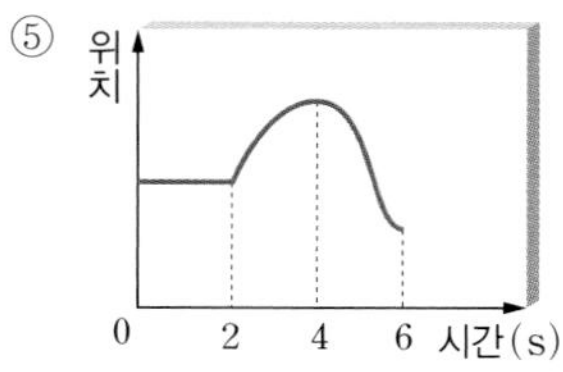

• 물체의 속력이 일정할 때 위치는 일정하게 변한다.

03

> 가속도-시간 그래프와 속도-시간 그래프

그림 (가)와 (나)는 동일 직선상에서 운동하는 물체 A의 가속도와 물체 B의 속도를 시간에 따라 나타낸 것이다. 0초일 때 A의 속도는 4 m/s이고, A는 B보다 20 m 뒤쳐져 있다.

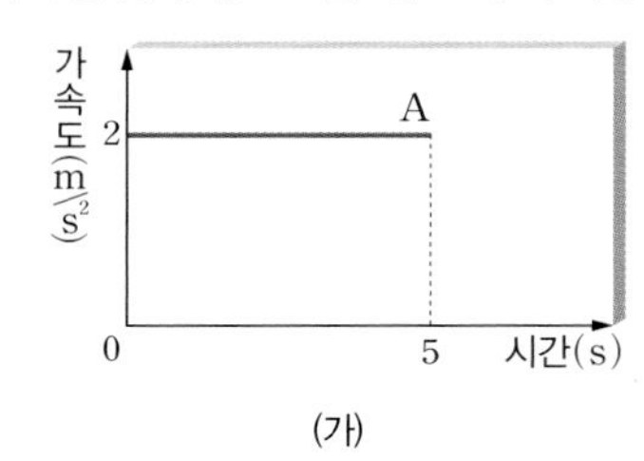

(가)

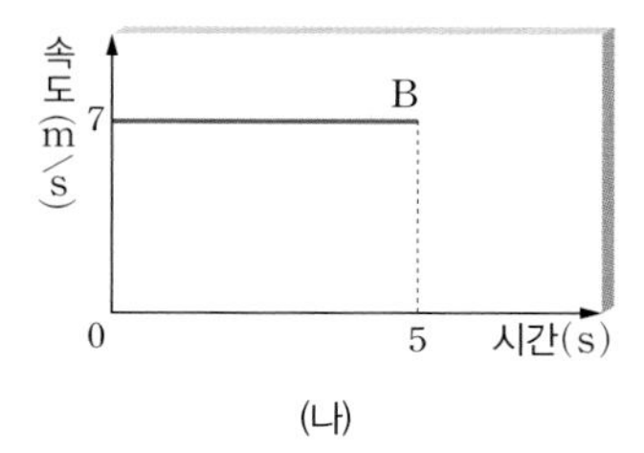

(나)

두 물체의 운동에 대한 설명으로 옳은 것만을 보기에서 있는 대로 고른 것은?

보기

ㄱ. 5초일 때 A의 속도의 크기는 10 m/s이다.
ㄴ. 3초일 때 A와 B 사이의 거리는 20 m이다.
ㄷ. 0~5초 동안 이동한 거리는 A가 B보다 작다.

① ㄴ ② ㄷ ③ ㄱ, ㄴ ④ ㄱ, ㄷ ⑤ ㄱ, ㄴ, ㄷ

• 속도-시간 그래프에서 넓이는 변위를 나타내고, 가속도-시간 그래프에서 넓이는 속도 변화량을 나타낸다.

고난도 04

> 등속 직선 운동과 등가속도 직선 운동

그림은 직선 도로에서 자동차 A와 B가 기준선 P에서 기준선 R까지 도로와 나란하게 운동을 하는 모습을 나타낸 것이다. A는 0초일 때 기준선 P를 v_0의 속도로 통과하여 PQ 사이는 등속 직선 운동을, QR 사이는 등가속도 직선 운동을 하여 T초일 때 기준선 R에 도달하여 정지한다. 기준선 P에 정지해 있던 B는 A가 기준선 P를 통과하는 순간 출발하여 기준선 R까지 등가속도 직선 운동을 하여 A와 동시에 기준선 R를 통과한다. 이때 PQ와 QR 사이의 거리는 같다.

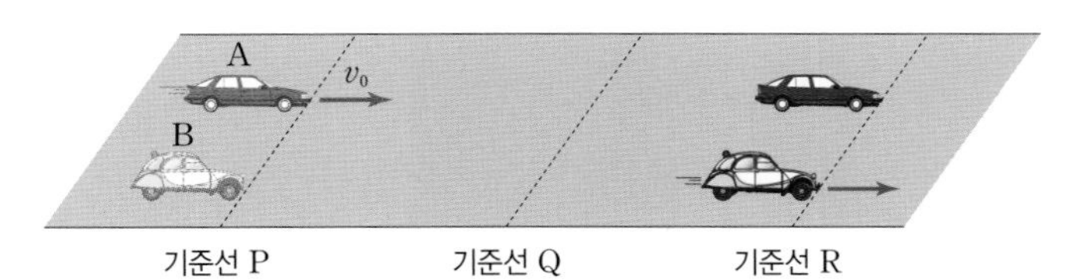

이에 대한 설명으로 옳은 것만을 보기에서 있는 대로 고른 것은?

보기

ㄱ. QR 사이에서 A의 가속도의 크기는 $\frac{3v_0}{2T}$이다.
ㄴ. B는 $\frac{T}{\sqrt{2}}$초일 때 기준선 Q를 통과한다.
ㄷ. B가 기준선 R에 도달할 때 속력은 $\frac{4}{3}v_0$이다.

① ㄱ ② ㄷ ③ ㄱ, ㄴ ④ ㄴ, ㄷ ⑤ ㄱ, ㄴ, ㄷ

• 등가속도 직선 운동을 하는 물체의 속도와 변위는 다음과 같은 관계가 있다.
$v=v_0+at$
$s=v_0t+\frac{1}{2}at^2$

05

> 등가속도 직선 운동

그림은 자동차가 O점에서 P점까지 등가속도 직선 운동을 하는 모습을 나타낸 것이다. 자동차가 0초일 때 O점을 v_0의 속력으로 통과하여 P점까지 이동할 때 같은 시간 T초 동안 이동한 거리는 s, $2s$, $3s$이다.

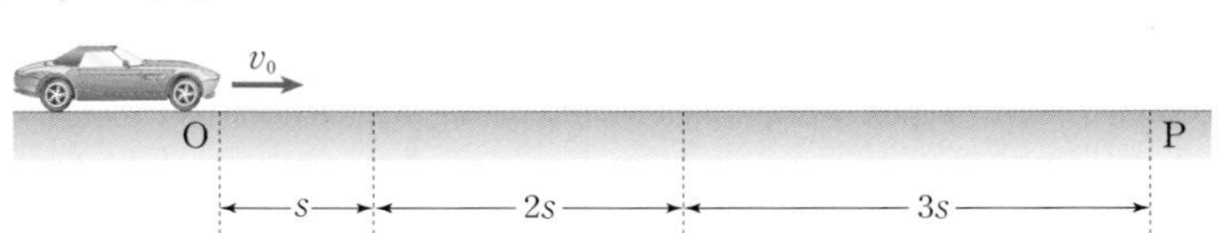

이에 대한 설명으로 옳은 것만을 보기에서 있는 대로 고른 것은?

보기

ㄱ. $3T$초일 때 속력은 $7v_0$이다.

ㄴ. $s=2v_0T$이다.

ㄷ. 가속도의 크기는 $\frac{4v_0^2}{s}$이다.

① ㄱ　② ㄴ　③ ㄱ, ㄷ　④ ㄴ, ㄷ　⑤ ㄱ, ㄴ, ㄷ

• 같은 시간 동안 이동한 거리가 2배, 3배…로 증가하면 평균 속력도 2배, 3배…로 증가한다.

06

> 등가속도 직선 운동

그림은 기울기가 일정한 빗면을 따라 미끄러져 내려온 공의 위치를 0.1초 간격으로 나타낸 것이다. PQ 사이의 거리는 12 cm, RS 사이의 거리는 24 cm이다.

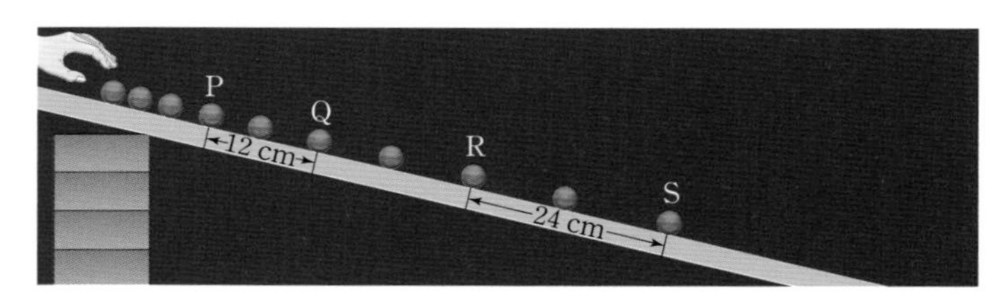

이에 대한 설명으로 옳은 것만을 보기에서 있는 대로 고른 것은? (단, 모든 마찰과 공기 저항은 무시한다.)

보기

ㄱ. PQ 사이의 평균 속력은 0.6 m/s이다.

ㄴ. QR 사이의 거리는 18 cm이다.

ㄷ. 가속도의 크기는 1.5 m/s²이다.

① ㄴ　② ㄷ　③ ㄱ, ㄴ　④ ㄱ, ㄷ　⑤ ㄱ, ㄴ, ㄷ

• 물체의 위치를 일정한 시간 간격으로 나타낼 때 구간 평균 속력은 구간 거리를 그 사이의 걸린 시간으로 나누어 구한다.

$$\text{구간 평균 속력}=\frac{\text{구간 거리}}{\text{걸린 시간}}$$

07

> 등가속도 직선 운동

그림은 마찰이 없고 도중에 꺾인 경사면의 P점을 v_0의 속력으로 통과한 물체가 Q점과 R점을 각각 $2v_0$, $3v_0$의 속력으로 통과하는 모습을 나타낸 것이다. Q점에서 경사면이 꺾이고, PQ 사이의 거리와 QR 사이의 거리는 s로 같다. 이때 PQ와 QR 사이에서 물체는 각각 등가속도 직선 운동을 한다.

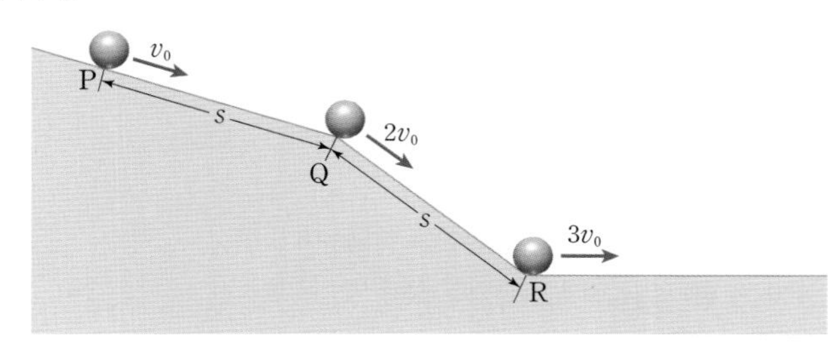

이에 대한 설명으로 옳은 것은? (단, 물체는 동일 연직면상에서 운동하며, 물체의 크기는 무시한다.)

① PQ 사이의 평균 속력은 QR 사이의 평균 속력의 $\frac{2}{3}$배이다.

② PQ 사이의 가속도의 크기는 QR 사이의 가속도의 크기의 $\frac{3}{4}$배이다.

③ P에서 R까지 평균 속력은 $2v_0$이다.

④ PQ 사이의 변위와 QR 사이의 변위는 같다.

⑤ PQ 사이를 이동하는 데 걸린 시간은 QR 사이를 이동하는 데 걸린 시간의 $\frac{5}{3}$배이다.

• 등가속도 직선 운동에서 평균 속력은 처음 속력과 나중 속력의 중간값이다.
$\bar{v}=\frac{v_0+v}{2}$

08

> 운동 방향이 변하는 가속도 운동

그림 (가)와 (나)는 수평면에서 등속 원운동을 하는 물체와 천장에 매달려 진자 운동을 하는 물체의 위치를 일정한 시간 간격으로 나타낸 것이다.

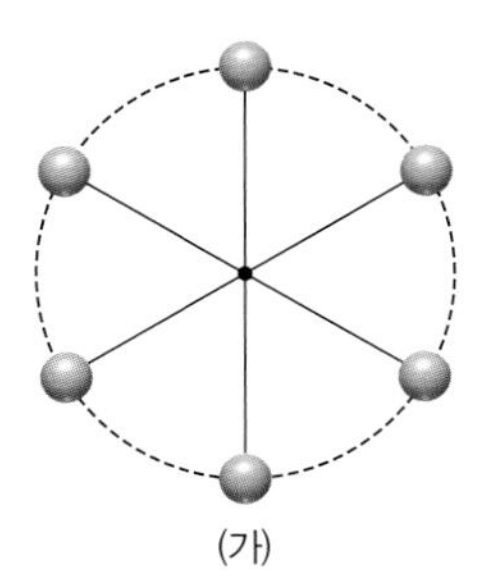
(가)

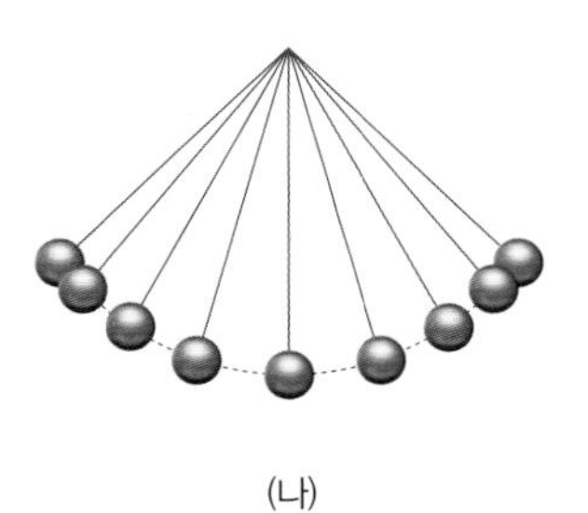
(나)

이에 대한 설명으로 옳은 것만을 보기에서 있는 대로 고른 것은?

보기

ㄱ. (가)에서 물체의 속도는 일정하다.
ㄴ. (나)에서 물체의 속력은 높이가 낮아질수록 증가한다.
ㄷ. (나)에서 물체의 속력과 운동 방향이 모두 변한다.

① ㄱ ② ㄴ ③ ㄱ, ㄷ ④ ㄴ, ㄷ ⑤ ㄱ, ㄴ, ㄷ

• 물체의 위치를 일정한 시간 간격으로 나타낼 때 위치 사이의 거리가 멀수록 그 사이의 속력이 크다.

02 뉴턴 운동 법칙

학습 Point 힘과 힘의 합성 > 뉴턴 운동 제1법칙 > 뉴턴 운동 제2법칙 > 뉴턴 운동 제3법칙

1 힘

일상생활에서 우리는 물체를 밀거나 당길 때 힘을 주었다고 말한다. 수레에 힘을 작용하면 수레가 힘의 방향으로 운동하게 되는 것처럼 물체의 운동에는 힘이 밀접하게 연관되어 있다.

1. 힘

풍선을 손으로 누르면 풍선이 찌그러들고, 운동장에 정지해 있는 공을 발로 차면 공이 날아가는 것처럼 물체에 힘을 작용하면 물체의 모양이 변하거나 운동 상태가 변한다. 이와 같이 물체의 모양이나 운동 상태를 변화시키는 원인이 되는 것을 힘이라고 한다.

(1) **힘의 3요소:** 물체에 힘이 작용할 때 힘의 크기와 방향 그리고 힘이 작용하는 작용점에 따라 물체의 운동 상태가 달라진다. 따라서 힘의 작용에 따른 힘의 효과를 알려면 힘의 크기, 방향, 작용점을 모두 알아야 하며, 이들을 힘의 3요소라고 한다.

① **힘의 크기:** 용수철을 세게 잡아당겨 작용한 힘이 크면 용수철이 많이 늘어나지만 용수철을 약하게 잡아당겨 작용한 힘이 작으면 용수철이 조금 늘어난다. 이와 같이 물체에 작용한 힘의 크기에 따라 물체의 모양이나 운동 상태가 다르게 변한다.

② **힘의 방향:** 운동장에서 굴러가는 공을 운동 방향과 같은 방향으로 발로 차면 공의 속력이 증가하고, 운동 방향과 반대 방향으로 공을 차면 공의 속력이 감소하거나 오히려 반대 방향으로 공이 날아간다. 이와 같이 물체에 작용하는 힘의 방향에 따라 물체의 운동 상태가 다르게 변한다.

③ **힘의 작용점:** 책상 위에 책을 세워 놓고 손가락으로 A점에 힘을 작용하여 밀면 책이 회전한다. 그러나 B점에 힘을 작용하여 밀면 책이 밀려난다. 이와 같이 물체에 같은 방향으로 같은 크기의 힘을 작용하더라도 힘의 작용점에 따라 물체의 운동 상태는 달라진다.

힘의 작용선
힘의 작용점을 지나 힘의 방향으로 연장시킨 직선을 힘의 작용선이라고 한다. 변형되지 않는 물체에서는 같은 작용선상에서 힘의 작용점을 이동시켜도 힘의 효과는 같다. 즉, 동일 작용선상에서 힘이 작용할 때 나타나는 힘의 효과는 같다.

힘의 작용점

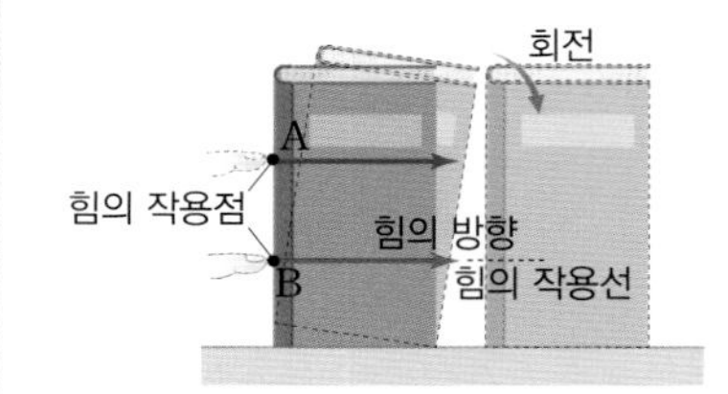

(2) **힘의 표시와 단위**

① **힘의 표시:** 물체에 작용하는 힘을 그림으로 표시할 때에는 화살표로 나타낸다. 힘의 작용점에 화살의 꼬리를 그리고, 힘의 방향으로 화살의 머리를 향하게 한 후 힘의 크기에 비례하도록 화살의 길이를 그린다.

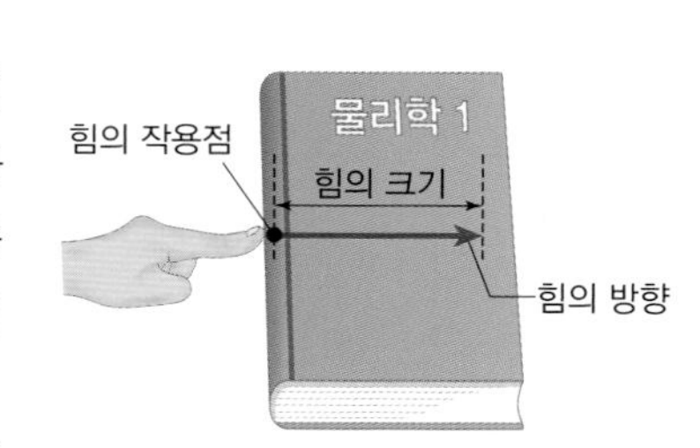

▲ **힘의 표시**

② **힘의 단위:** N(뉴턴)을 사용한다. 지구 표면에서 질량이 1 kg인 물체에 작용하는 중력(무게)은 약 9.8 N이다.

2. 힘의 합성

물체에 힘이 작용할 때는 자유 낙하 하는 공에 작용하는 중력과 같이 한 물체에 하나의 힘이 작용할 때도 있지만 줄다리기를 할 때처럼 여러 힘이 동시에 작용할 때도 있다. 한 물체에 여러 힘이 동시에 작용할 때 여러 힘과 같은 효과를 내는 하나의 힘을 합력 또는 알짜힘이라고 하며, 합력을 구하는 것을 힘의 합성이라고 한다.

(1) 두 힘이 같은 방향으로 작용하는 경우

그림과 같이 한 물체에 두 힘 F_1, F_2가 같은 방향으로 동시에 작용할 때 합력 F의 크기는 두 힘의 크기를 더한 값과 같고, 합력의 방향은 두 힘의 방향과 같다.

① 합력의 크기: $|F|=|F_1|+|F_2|$

② 합력의 방향: F_1, F_2와 같은 방향

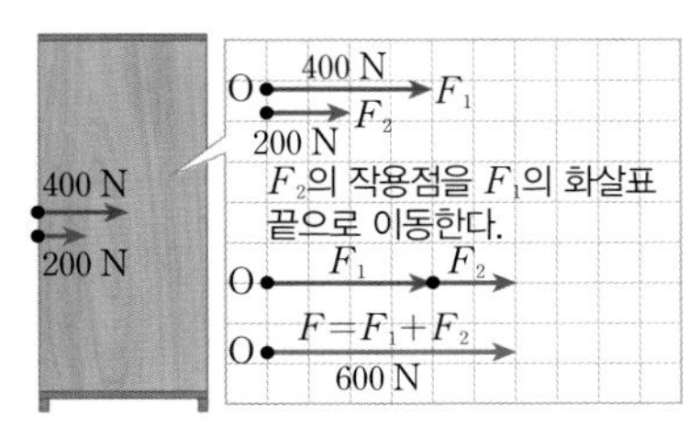

▲ 같은 방향으로 작용하는 두 힘의 합성

(2) 두 힘이 반대 방향으로 작용하는 경우

그림과 같이 한 물체에 두 힘 F_1, F_2가 반대 방향으로 동시에 작용할 때 합력 F의 크기는 큰 힘의 크기에서 작은 힘의 크기를 뺀 값과 같고, 합력의 방향은 큰 힘의 방향과 같다.

① 합력의 크기: $|F|=|F_1|-|F_2|$(단, $|F_1|>|F_2|$)

② 합력의 방향: 큰 힘 F_1의 방향

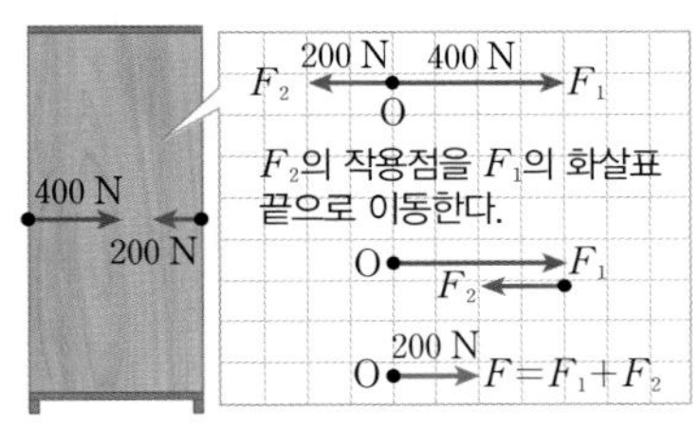

▲ 반대 방향으로 작용하는 두 힘의 합성

3. 힘의 평형

한 물체에 여러 힘이 동시에 작용하고 있음에도 불구하고 물체가 정지해 있거나 등속 직선 운동을 할 때 물체에 작용하는 여러 힘들은 힘의 평형을 이룬다고 한다.

(1) 두 힘이 힘의 평형을 이루기 위한 조건

① 힘의 크기가 같고, 힘의 방향이 서로 반대이어야 한다.

② 동일 작용선상에 있어야 한다.

③ 한 물체에 동시에 작용하여야 한다.

(2) 힘의 평형을 이루는 예

줄에 매달린 사과	수평면에 놓인 나무 도막	수평면에 놓인 상자를 A와 B가 크기가 같고 방향이 반대인 힘으로 밀 때
사과에 작용하는 중력과 줄이 사과를 당기는 힘이 힘의 평형을 이룬다.	나무 도막에 작용하는 중력과 수평면이 나무 도막을 떠받치는 힘이 힘의 평형을 이룬다.	수평 방향으로 F_A와 F_B가 힘의 평형을 이루고, 연직 방향으로 상자에 작용하는 중력과 수평면이 상자를 떠받치는 힘이 힘의 평형을 이룬다.

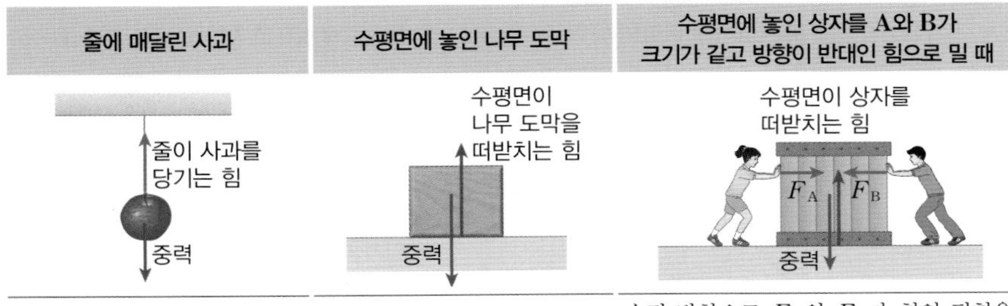

SI 단위

1971년, 국제도량형총회(CGPM)에서 제정한 단위계로, 현재 국제적으로 사용하고 있는 단위이다.

• 기본 단위

물리량	명칭	기호
길이	미터(meter)	m
질량	킬로그램(kilogram)	kg
시간	초(second)	s
전류	암페어(ampere)	A
온도	켈빈(kelvin)	K
물질량	몰(mole)	mol

• 유도 단위

물리량	기호	SI 기본 단위로 표시
속력	m/s	–
힘	N	$m \cdot kg \cdot s^{-2}$
에너지	J	$m^2 \cdot kg \cdot s^{-2}$

두 힘의 작용선이 다를 때

크기가 같고 방향이 반대인 두 힘이 다른 작용선상에서 작용하면 물체는 회전하게 된다. 이러한 힘을 짝힘이라고 한다. 둥근 손잡이를 돌려서 문을 열거나, 병뚜껑을 돌려서 열 때 짝힘이 작용한다.

한 물체에 여러 힘이 작용할 때

두 힘씩 짝 지어 합력을 차례로 구하면 최종적으로 두 힘이 남게 된다. 최종적으로 남은 두 힘이 힘의 평형을 이루기 위한 조건을 만족하면 힘의 평형을 이루게 된다.

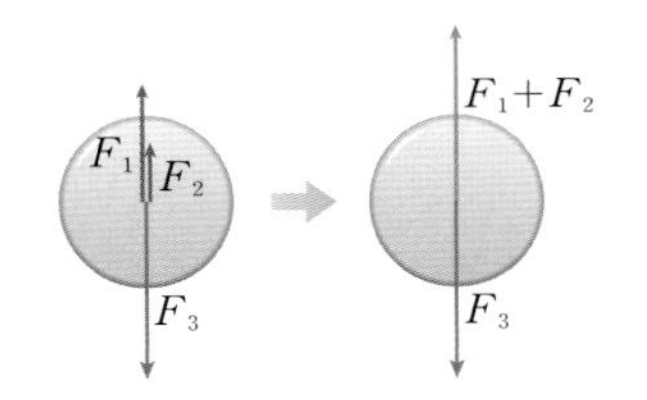

시야 확장 + 여러 가지 힘

❶ **중력:** 1666년, 영국의 뉴턴(Newton, I., 1642~1727)은 질량을 가진 물체 사이에 서로 끌어당기는 힘이 작용함을 알아내었다. 이 힘에 의해 지구상의 모든 물체는 지구가 끌어당기는 힘을 받는데, 이 힘을 중력이라고 한다. 중력은 물체의 질량에 비례하고, 연직 아래 방향으로 작용한다.

$F=mg$ (g: 중력 가속도)

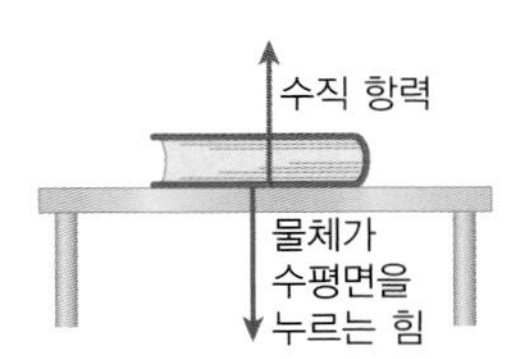

❷ **수직 항력:** 물체를 수평한 책상 위에 놓으면 물체에 작용하는 중력에 의해 물체가 책상면을 연직 아래 방향으로 누르는 힘이 작용한다. 이 힘의 반작용으로 물체가 책상면으로부터 연직 위 방향으로 떠받치는 힘을 받는데, 이처럼 접촉면이 물체에 수직으로 작용하는 힘을 수직 항력이라고 한다. 이때 물체에 작용하는 중력과 수직 항력은 힘의 평형을 이룬다.

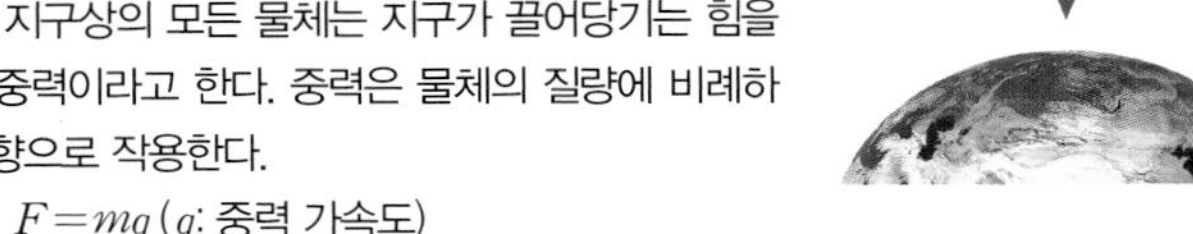

❸ **탄성력:** 변형된 물체가 원래 모양으로 되돌아가려는 힘을 탄성력이라고 한다. 용수철에 매달린 물체를 잡아당겨 탄성 한계 내에서 용수철이 x만큼 늘어났을 때 물체가 받는 탄성력은 용수철이 변형된 길이 x에 비례하고, 변형된 방향과 반대 방향으로 작용한다.

$F=-kx$ (k: 용수철 상수)

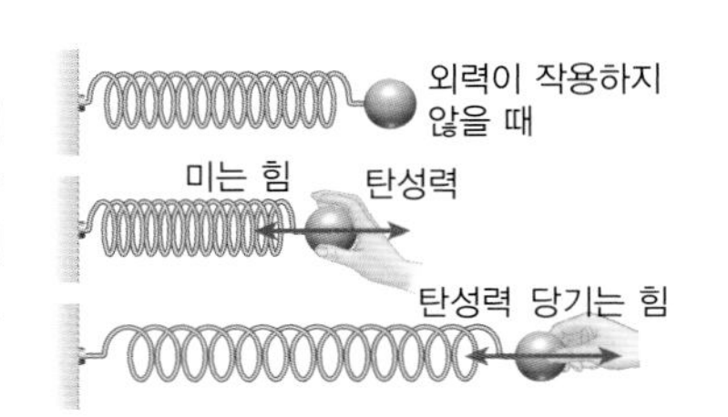

탄성 한계
물체를 변형시킬 때 어느 정도 이상으로 변형시키면 물체가 원래의 상태로 되돌아가지 못하는데 이러한 변형 한계를 탄성 한계라고 한다.

❹ **장력:** 줄에 추를 매달면 줄을 통해 힘이 작용하는데 이때 줄의 각 부분들이 서로 이웃한 부분을 잡아당기는 힘을 장력이라고 한다. 줄에 추가 매달려 있을 때 줄의 임의의 점 P를 기준으로 윗부분을 A, 아랫부분을 B라고 하자. 이때 추에 중력 F가 작용하면 B는 A의 A′점을 F와 같은 크기의 힘 F_1으로 당기고, A는 B의 B′점을 F_2의 힘으로 당긴다. F_1과 F_2는 작용 반작용 관계로 크기가 F로 같다. 이와 같이 줄의 무게를 무시하면 장력의 크기는 줄의 어느 점에서나 외력의 크기와 같다.

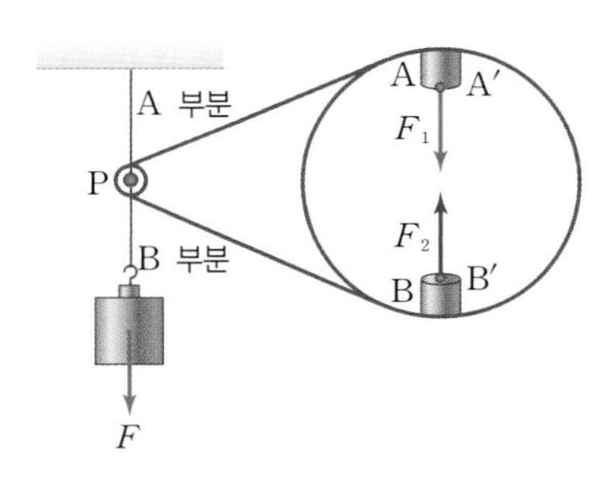

❺ **마찰력:** 두 물체의 접촉면 사이에서 물체가 미끄러지는 것을 방해하는 힘을 마찰력이라고 한다. 수평면에 정지해 있는 물체를 옆으로 끌 때 힘의 크기가 특정한 값 이상이 되지 않으면 물체는 움직이지 않는다. 이는 물체에 마찰력이 작용하기 때문이다. 이처럼 물체가 정지해 있을 때 작용하는 마찰력을 정지 마찰력이라고 하며, 크기는 외력의 크기와 같다. 외력을 점점 증가시키면 어느 순간 물체가 움직이기 시작하는데 물체가 움직이기 직전에 작용하는 마찰력을 최대 정지 마찰력이라고 한다. 마찰력은 물체가 움직이는 동안에도 작용하는데 이때의 마찰력을 운동 마찰력이라고 하며 이는 외력과 무관하게 일정하다. 즉, 마찰력은 물체가 움직이기 직전에 가장 크고, 물체가 움직이는 동안에는 일정하다.

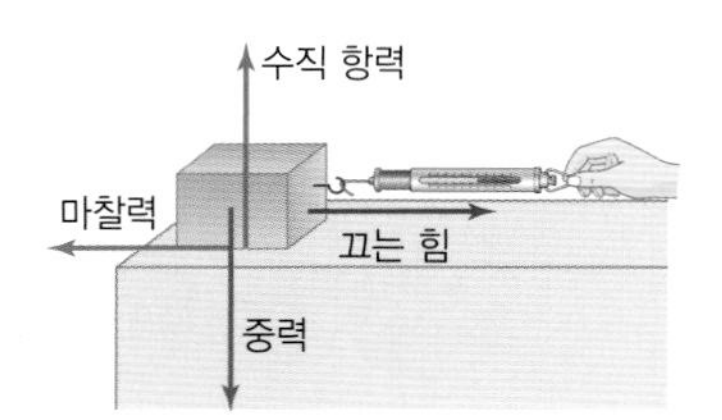

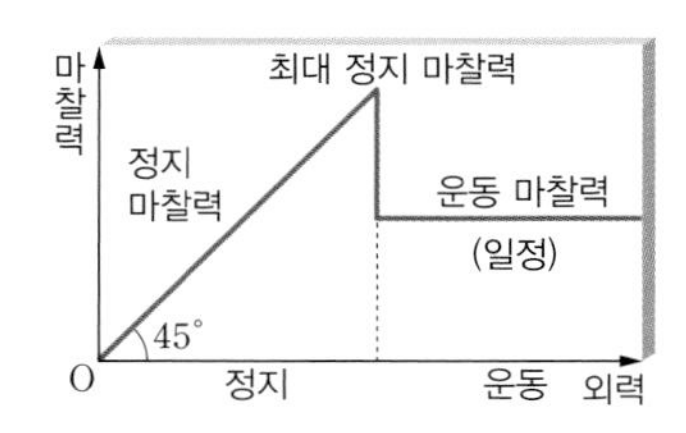

마찰력이 생기는 원인
물체의 표면이 눈으로 보기에 매끄럽더라도 원자 규모로 보면 매우 거칠다. 물체가 미끄러질 때 울퉁불퉁한 두 표면이 부딪치면서 물체가 움직이는 것을 방해하는 마찰이 일어난다. 그러나 거친 표면에 의한 마찰 효과는 전체 마찰의 약 10 %에도 미치지 않는다. 두 물체가 접촉했을 때 실제로 접촉하는 부분은 전체 면적의 약 $\frac{1}{300}$ 정도인데 이 부분에서 서로 달라붙는 응착(cold weld)이 일어난다. 물체가 미끄러지는 동안 응착된 부분이 떨어지고 새로 응착이 일어나면서 운동을 방해하는 힘이 작용하게 된다.

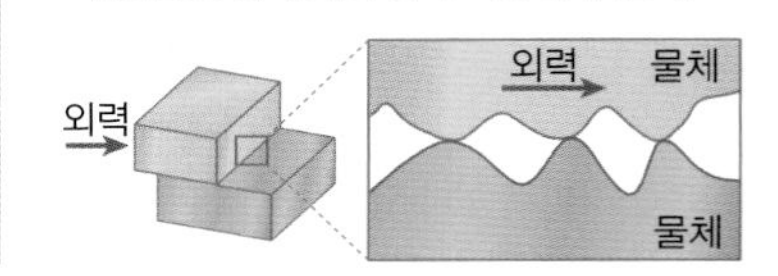

2 뉴턴 운동 제1법칙(관성 법칙)

뉴턴 이전에는 사람들이 물체를 움직이려면 계속 힘을 작용하여야 한다고 생각했으나 뉴턴은 물체에 아무런 힘이 작용하지 않아도 움직이던 물체는 계속 움직인다고 하였다.

1. 관성

운동장에 놓인 공에 아무런 힘을 작용하지 않으면 공은 그대로 정지해 있다. 그러나 공을 발로 차거나 바람이 불어와 힘을 작용하면 공은 움직인다. 운동장을 굴러가던 공을 가만히 두면 점차 속력이 감소하여 정지하는데, 이는 마찰력이 작용하기 때문이다. 만약 마찰력이 작용하지 않는다면 공은 속력이 감소하지 않고 계속 굴러갈 것이다. 즉, 물체에 작용하는 알짜힘이 0이면 정지해 있는 물체는 계속 정지해 있고, 운동하고 있는 물체는 계속 운동하게 된다. 이와 같이 물체가 현재의 운동 상태를 그대로 유지하려는 성질을 관성이라고 한다.

(1) **물체의 질량과 관성:** 물체의 질량이 클수록 관성이 크다. 기차가 출발할 때 속력이 천천히 증가하고 멈출 때 바로 정지하지 못하는 것도 관성이 크기 때문이다. 자동차는 기차에 비해 질량이 작기 때문에 속력이 빠르게 증가하고 감소한다.

(2) **관성에 의해 나타나는 현상**

버스가 갑자기 출발하면 사람은 정지 상태를 유지하려고 하므로 뒤로 쏠린다.

뛰어가던 사람이 장애물에 걸리면 상체는 계속 나아가려고 하므로 넘어진다.

이불을 두드리면 먼지는 정지 상태를 유지하려고 하므로 떨어진다.

관성에 의한 현상
- 컵 위에 종이와 동전을 올려놓고, 손가락으로 종이를 세게 튕기면 동전은 컵 속으로 떨어진다.
- 두루마리 휴지를 갑자기 잡아당기면 휴지가 풀리지 않고 끊어진다.

자동차와 기차의 안전띠
자동차에는 안전띠가 있지만 기차에는 안전띠가 없다. 그 까닭 중 하나는 기차의 관성이 커서 속력 변화가 급격히 일어나지 않기 때문이다.

실을 당길 때 나타나는 현상

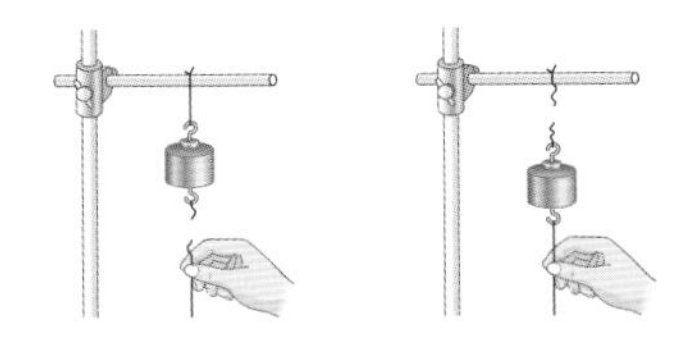

실을 갑자기 당기면 질량이 큰 추의 관성 때문에 아래쪽 실이 끊어지고, 실을 천천히 당기면 당기는 힘과 추의 무게에 의해 위쪽 실이 끊어진다.

2. 뉴턴 운동 제1법칙(관성 법칙)

> 물체에 작용하는 알짜힘이 0이면 정지해 있는 물체는 계속 정지해 있고, 운동하고 있는 물체는 계속 등속 직선 운동(등속도 운동)을 한다.

시야 확장 ⊕ 갈릴레이의 사고 실험

진자의 추를 끌어올렸다가 가만히 놓으면 추는 원호를 그리며 거의 같은 높이까지 올라간다. 이를 통해 갈릴레이는 그림과 같이 마찰을 무시할 수 있는 빗면의 A점에서 미끄러진 물체는 속력이 점차 증가하다가 반대쪽 빗면 (가)를 올라갈 때는 속력이 점차 감소하고, A점과 같은 높이인 B점까지 올라갈 것이라 생각했다. 이때 반대쪽 빗면을 (나)와 같이 완만하게 하면 A점과 같은 높이인 C점까지 올라가기 위해 물체는 더 멀리 운동할 것이고, 빗면을 (다)와 같이 수평면으로 하면 물체는 처음 높이까지 올라갈 수 없으므로 계속 등속 직선 운동을 할 것이라 결론짓고 관성의 개념을 이끌어냈다.

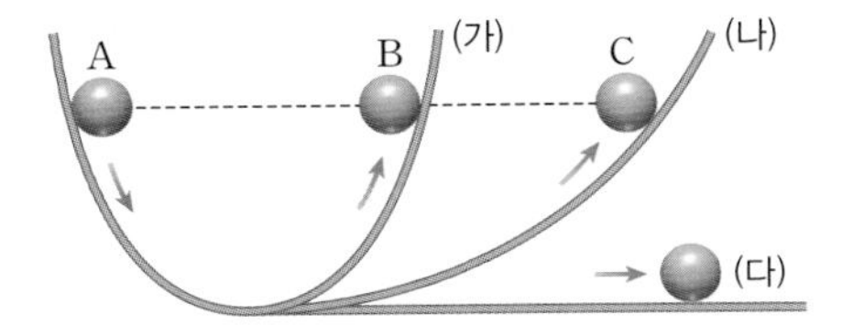

사고 실험
직접 실험하기 어려운 경우 머릿속 생각으로만 실험을 진행하는 것을 사고 실험이라고 한다. 갈릴레이는 그 당시 마찰이 없는 빗면을 만들 수 없었기 때문에 사고 실험을 진행했다.

3 뉴턴 운동 제2법칙(가속도 법칙)

자동차의 브레이크를 약하게 밟으면 자동차의 속력은 천천히 감소하지만 브레이크를 세게 밟으면 자동차의 속력이 급속히 감소한다. 또, 야구공은 힘껏 던지면 멀리 날아가지만 투포환에 쓰는 무거운 쇠공은 힘껏 던져도 멀리 날아가지 않는다.

1. 알짜힘, 질량, 가속도 사이의 관계

탐구 1권 38쪽~39쪽

(1) **알짜힘과 가속도의 관계:** 물체에 힘을 작용하면 물체는 힘의 방향으로 가속된다. 수레를 밀 때 한 사람이 미는 것보다 두 사람이 밀면 수레가 더 빨리 가속되는 것처럼, 물체의 가속도의 크기는 작용한 알짜힘의 크기가 클수록 크다. 그림과 같이 물체의 질량이 일정할 때 물체에 작용하는 알짜힘의 크기가 2배, 3배, …로 증가하면 물체의 가속도의 크기도 2배, 3배, …로 증가한다.

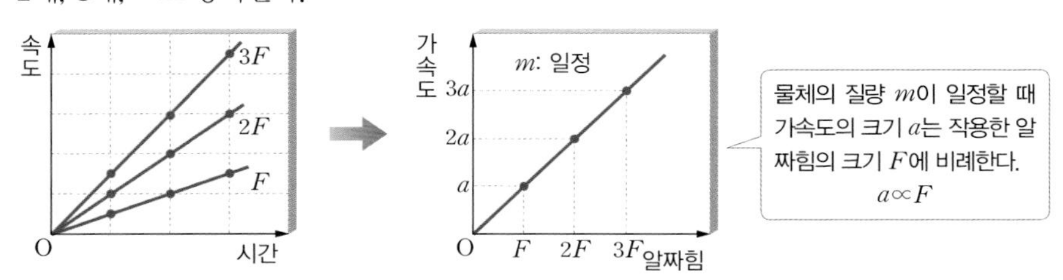

▲ **알짜힘과 가속도의 관계** 물체의 질량이 일정할 때 물체에 작용하는 알짜힘의 크기가 증가할수록 속도-시간 그래프의 기울기가 증가하므로 가속도의 크기는 알짜힘의 크기에 비례한다.

알짜힘과 가속도

(2) **질량과 가속도의 관계:** 수레를 밀 때 똑같은 힘을 작용하더라도 수레의 질량이 크면 수레가 서서히 가속되는 것처럼, 물체에 작용한 알짜힘의 크기가 일정할 때 가속도의 크기는 물체의 질량이 클수록 작다. 그림과 같이 물체에 작용하는 알짜힘의 크기가 일정할 때 물체의 질량이 2배, 3배, …로 증가하면 물체의 가속도의 크기는 $\frac{1}{2}$배, $\frac{1}{3}$배, …로 감소한다.

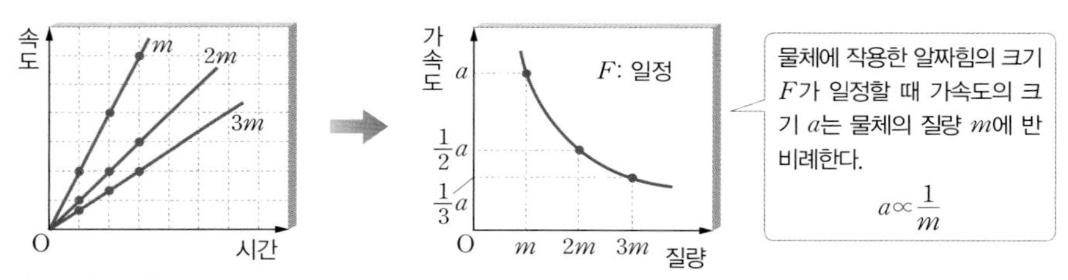

▲ **질량과 가속도의 관계** 물체에 작용한 알짜힘의 크기가 일정할 때 물체의 질량이 증가할수록 속도-시간 그래프의 기울기가 감소하므로 가속도의 크기는 질량에 반비례한다.

질량과 가속도

(3) **가속도와 알짜힘, 질량의 관계:** 운동하는 물체의 가속도의 크기는 작용하는 알짜힘의 크기에 비례하고, 물체의 질량에는 반비례하므로 두 관계를 하나로 합치면 다음과 같다.

$$a \propto \frac{F}{m} \rightarrow a = k\frac{F}{m} \quad (k\text{: 비례 상수})$$

질량이 1 kg인 물체에 1 m/s^{2}의 가속도가 생기게 하는 힘의 크기를 1 N이라고 정의하면 1 N=1 kg×1 m/s^{2}이고, 비례 상수 k는 1이 되므로 위 식은 다음과 같다.

$$a = \frac{F}{m}$$

가속도와 $\frac{1}{질량}$ 그래프

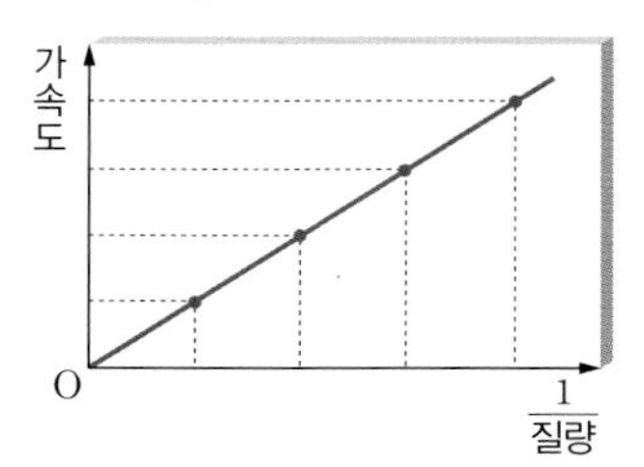

가속도는 $\frac{1}{질량}$에 비례한다.

2. 뉴턴 운동 제2법칙(가속도 법칙)

물체의 가속도 a는 물체에 작용한 알짜힘 F에 비례하고 물체의 질량 m에 반비례한다.

$$a \propto \frac{F}{m} \rightarrow F=ma$$

3. 운동 방정식의 적용

(1) **운동 방정식의 적용 방법:** 질량이 m인 물체에 F의 힘을 작용하였을 때 가속도를 a라고 하면 $F=ma$의 관계가 성립하고, 이를 운동 방정식이라고 한다. 운동 방정식에서 F는 알짜힘을 의미하므로 한 물체에 여러 힘이 작용할 때는 반드시 모든 힘을 찾아 합력을 구한 뒤 그 합력(알짜힘)을 운동 방정식에 대입하여야 한다. 이때 힘은 크기와 방향을 가지는 벡터량이므로 합력을 구할 때는 힘의 방향을 고려하여 구한다.

(2) **운동 방정식 적용하기**

마찰이 없는 수평면에 질량이 2 kg인 물체가 정지해 있고, 이 물체에 수평 방향으로 20 N의 힘이 작용할 때 물체의 가속도는 다음과 같은 방법으로 구한다.

① 물체에 작용하는 힘 찾기: 물체에는 연직 아래 방향으로 중력 19.6 N, 연직 위 방향으로 수직 항력 19.6 N, 오른쪽 방향으로 물체를 당기는 힘 20 N이 작용한다.

② 알짜힘 구하기: 중력과 수직 항력은 크기가 같고, 방향이 반대이므로 힘의 평형을 이룬다. 따라서 연직 방향의 힘이 0이므로 물체에 작용하는 알짜힘은 오른쪽으로 20 N이다.

③ 운동 방정식 세우기

$$F=ma \rightarrow a=\frac{F}{m}=\frac{20\ \text{N}}{2\ \text{kg}}=10\ \text{m/s}^2$$

즉, 물체는 오른쪽으로 10 m/s^2의 가속도로 운동한다.

시야 확장 ⊕ 무게와 질량

❶ **무게:** 물체에 작용하는 중력의 크기로, 중력 가속도 g에 의존한다. 이때 중력 가속도 g는 장소에 따라 그 크기가 변한다. 따라서 무게도 장소에 따라 크기가 변한다. 무게의 단위는 N을 사용하며, 질량이 m인 물체에 작용하는 중력의 크기(무게) F는 다음과 같다.

$$F=mg\ (g\text{: 중력 가속도})$$

지표면 근처에서 중력 가속도가 약 9.8 m/s^2이므로 질량이 1 kg인 물체에 작용하는 중력의 크기(무게)는 약 9.8 N이다.

❷ **질량:** 물체의 고유한 양으로, 장소가 달라져도 변하지 않는다. 질량의 단위는 kg을 사용하며, 질량에는 관성 질량과 중력 질량이 있다. 이 둘은 크기가 같으므로 보통 이를 구분하지 않고 질량이라고 한다.

- 관성 질량: 운동 방정식 $F=ma$에서 물체에 일정한 힘을 작용할 때 물체에 작용한 힘과 물체가 얻은 가속도의 비를 관성 질량(또는 질량)이라고 한다.

$$m=\frac{F}{a}$$

- 중력 질량: 물체에 작용하는 중력 $F=mg$에서 물체에 작용하는 중력과 중력 가속도의 비를 중력 질량이라고 한다.

$$m=\frac{F}{g}$$

운동 방정식의 적용

$F=ma$

문자	F	m	a
물리량	알짜힘	질량	가속도
단위	N	kg	m/s^2

무게와 질량 측정 도구

무게와 질량은 다른 물리량이므로 측정하는 도구가 다르다. 일반적으로 무게는 용수철저울로 측정하고, 질량은 양팔 저울로 측정한다. 양팔 저울에는 질량을 비교하기 위한 추가 포함되어 있다.

4 뉴턴 운동 제3법칙(작용 반작용 법칙)

뉴턴 운동 제1법칙(관성 법칙)은 알짜힘이 작용하지 않을 때 물체의 관성에 의한 운동을 설명하고, 뉴턴 운동 제2법칙(가속도 법칙)은 알짜힘이 작용할 때의 물체의 운동을 설명한다. 뉴턴 운동 제3법칙(작용 반작용 법칙)은 힘이 어떤 방식으로 작용하는가를 설명한다.

1. 작용과 반작용

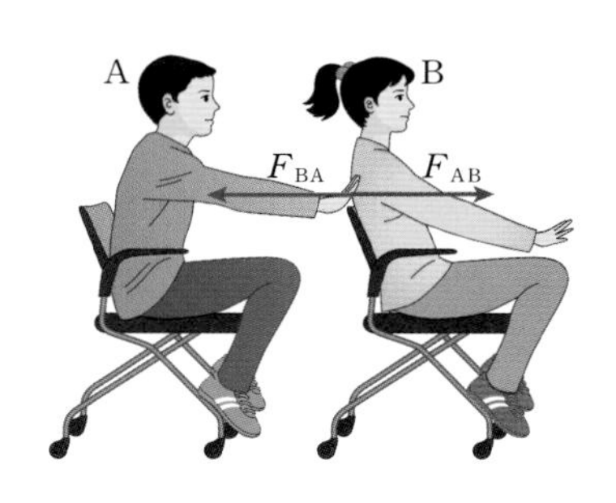

두 사람 A, B가 바퀴 달린 의자에 앉아 있을 때 뒤에 있는 A가 B를 밀면 B만 앞으로 움직이는 것이 아니라 A도 뒤로 움직인다. 이처럼 모든 힘은 한 물체에서 다른 물체에 일방적으로 작용하는 것이 아니라 두 물체 사이에서 서로 작용한다. 즉, 힘은 두 물체 사이의 상호 작용으로 물체 A가 물체 B에 힘 F_{AB}를 작용하면 물체 B도 물체 A에 힘 F_{BA}을 작용한다. 이때 F_{AB}를 작용이라고 하면, F_{BA}를 반작용이라고 한다.

두 보트 사이에서 작용과 반작용

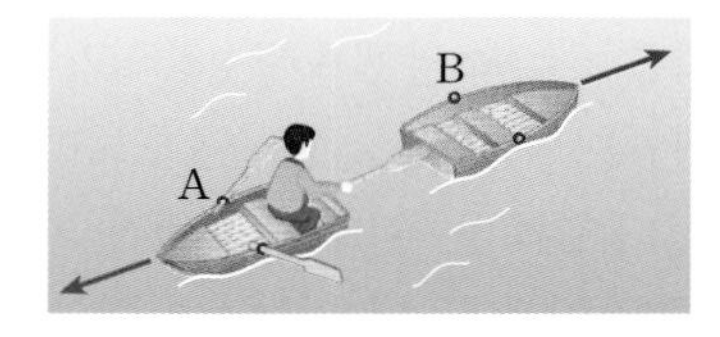

A가 B를 밀면 B는 앞으로 가고 A는 뒤로 밀려난다.

(1) 작용과 반작용 관계인 두 힘의 특징

① 작용과 반작용은 동일 작용선상에서 동시에 작용하는 힘이다.
② 작용과 반작용은 힘의 크기가 같고, 힘의 방향이 반대이다.
③ 작용과 반작용은 서로 다른 물체에 작용하는 힘으로, 작용점이 다르다.
④ 작용 반작용은 모든 힘에 대해 성립하며, 항상 한 쌍으로 존재한다.
⑤ 작용 반작용은 물체가 정지하고 있거나 운동하고 있는 경우 모두 성립한다.
⑥ 작용 반작용은 물체를 손으로 밀 때와 같이 두 물체가 서로 접촉하여 힘을 작용하는 경우뿐만 아니라 중력, 전기력과 같이 두 물체가 서로 떨어져서 힘을 작용하는 경우에도 성립한다.

(2) 작용 반작용 현상

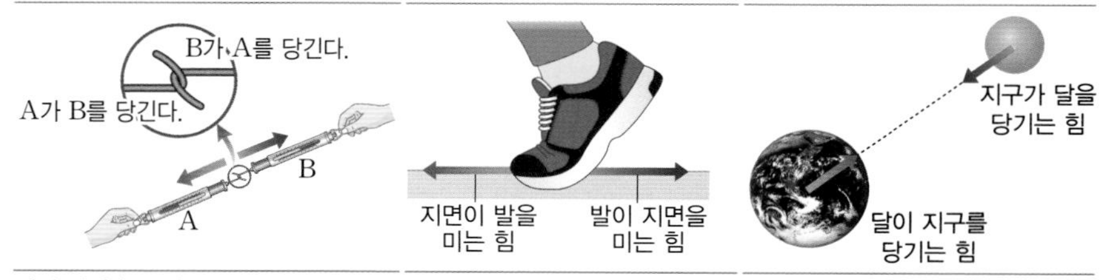

용수철저울 A가 B를 당기는 힘과 B가 A를 당기는 힘의 크기가 같으므로, 두 용수철저울의 눈금은 같은 값을 가리킨다.	사람이 걸을 때 발이 지면을 뒤로 밀면 같은 크기의 힘으로 지면이 발을 앞으로 밀어 나아간다.	지구가 달을 당기면 같은 크기의 힘으로 달이 지구를 당긴다.

2. 뉴턴 운동 제3법칙(작용 반작용 법칙)

물체 A가 물체 B에 힘(F_{AB})을 작용하면, 동시에 물체 B도 물체 A에 크기가 같고 방향이 반대인 힘(F_{BA})을 작용한다.

$$F_{AB}=-F_{BA}$$

3. 작용 반작용과 두 힘의 평형

작용 반작용 관계인 두 힘과 힘의 평형 관계인 두 힘은 모두 크기가 같고, 방향이 반대이며 동일 작용선상에서 동시에 작용한다. 작용 반작용 관계인 두 힘은 서로 다른 물체에 작용하는 힘으로 합성할 수 없지만, 평형을 이루는 두 힘은 한 물체에 작용하는 힘으로 합성할 수 있다. 즉, 작용 반작용 관계인 두 힘은 각각의 물체에 작용점이 있고, 힘의 평형을 이루는 두 힘은 한 물체에 작용점이 있다.

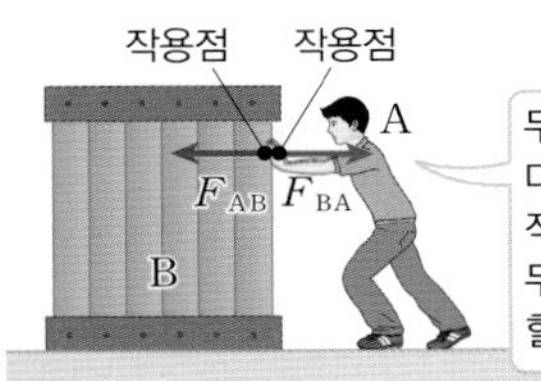

두 힘이 서로 다른 물체에 작용하므로 두 힘을 합성할 수 없다.

(가) 작용 반작용 관계의 두 힘

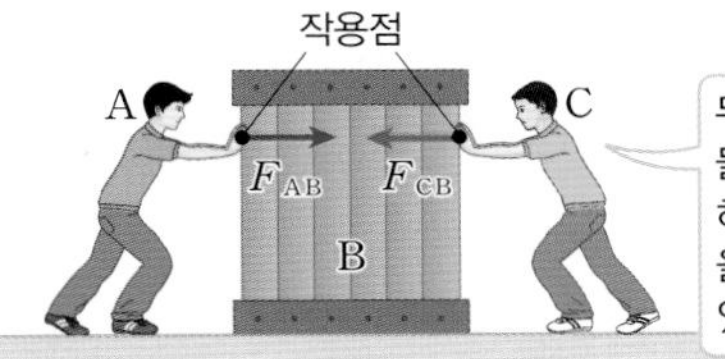

두 힘이 같은 물체에 작용하므로 두 힘을 합성할 수 있다.

(나) 평형 관계의 두 힘

▲ 작용 반작용과 두 힘의 평형

예 지구 위에 책상이 있고, 수평한 책상면 위에 꽃병이 놓여 있다.(힘의 관계를 이해하기 쉽게 각 접촉 부분이 떨어져 있는 것처럼 그렸다.)

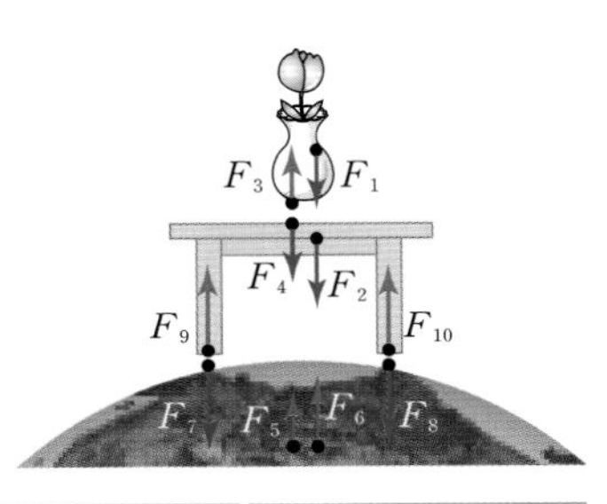

F_1: 꽃병에 작용하는 중력
F_2: 책상에 작용하는 중력
F_3: 책상이 꽃병을 떠받치는 수직 항력
F_4: 꽃병이 책상을 누르는 힘
F_5: 꽃병이 지구를 끌어당기는 힘
F_6: 책상이 지구를 끌어당기는 힘
F_7, F_8: 책상이 지구를 누르는 힘
F_9, F_{10}: 지구가 책상을 떠받치는 수직 항력

(1) **작용 반작용 관계:** 두 물체 사이의 관계에서 어떤 물체가 힘을 작용하는가를 생각해야 한다. 각각의 물체에 작용점이 1개씩 있다.

작용	F_1(지구가 꽃병에 작용)	F_2(지구가 책상에 작용)	F_4(꽃병이 책상에 작용)	F_7, F_8(책상이 지구에 작용)
반작용	F_5(꽃병이 지구에 반작용)	F_6(책상이 지구에 반작용)	F_3(책상이 꽃병에 반작용)	F_9, F_{10}(지구가 책상에 반작용)

(2) **평형 관계:** 한 물체가 받는 모든 힘들을 생각해야 한다. 작용하는 힘은 2개 이상이고, 물체가 정지해 있거나 등속 직선 운동을 할 때 합력 $F=0$이다.

물체	꽃병	책상	지구
힘의 평형	$F_1+F_3=0$	$F_2+F_4+F_9+F_{10}=0$	$F_5+F_6+F_7+F_8=0$

시야 확장 ➕ 생활 속 작용 반작용

❶ 미끄러운 빙판길에 있는 자동차

미끄러운 빙판길 위에서 자동차의 바퀴는 제자리에서 회전만 하게 된다. 이때 빙판길에 모래를 뿌리면 마찰력이 생기므로 바퀴가 빙판길에 힘을 작용하게 되고, 그 반작용으로 빙판길도 바퀴에 힘을 작용하여 바퀴가 앞으로 이동하게 된다.

❷ 우주 공간에서 움직이는 우주인

우주인은 추진 장치를 통해 우주 공간에서 자유롭게 움직인다. 만약 추진 장치가 없다면 영화에서처럼 소화기를 이용하여 움직일 수도 있다. 소화기를 분사하면 소화기가 소화제를 뿜어내는 힘의 반작용으로 소화제도 소화기에 힘을 작용하므로 소화기를 잡고 있는 우주인이 움직이게 된다.

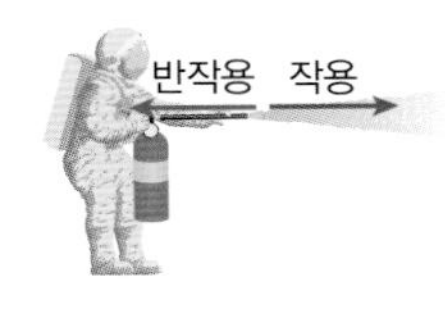

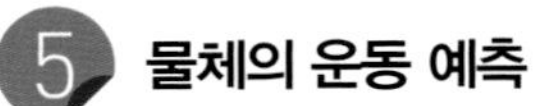

5 물체의 운동 예측

집중 분석 1권 40쪽~41쪽

일상생활에서 우리는 물체의 운동을 예측해야 하는 경우가 많이 존재한다. 배드민턴을 칠 때 셔틀콕의 운동을 파악하여 셔틀콕이 움직이는 경로를 예측해야 원하는 위치에서 셔틀콕을 칠 수 있다. 또, 자전거를 탈 때 주변 사람이나 물체의 운동을 예측해야 안전하게 자전거를 탈 수 있다. 이때 물체의 운동은 물체의 질량과 물체에 작용한 알짜힘을 통해 예측할 수 있다.

1. 물체의 운동 예측

(1) 물체에 작용하는 알짜힘이 0인 경우

물체에 작용하는 알짜힘이 0일 때 물체의 가속도는 0이므로 뉴턴 운동 제1법칙(관성 법칙)에 따라 정지해 있는 물체는 계속 정지해 있고, 운동하고 있는 물체는 계속 등속 직선 운동을 할 것이다. 이때 물체의 속도를 알면 등속 직선 운동의 식인 $s=vt$를 통해 임의의 시간에서의 변위(위치)를 구할 수 있다.

(2) 물체에 작용하는 알짜힘이 일정한 경우

물체에 운동 방향 또는 운동 반대 방향으로 일정한 알짜힘이 작용하는 경우 물체의 가속도도 일정하므로 물체는 등가속도 직선 운동을 할 것이다. 이때 등가속도 직선 운동의 식인 $v=v_0+at$, $s=v_0t+\frac{1}{2}at^2$을 통해 임의의 시간에서의 속도와 변위(위치)를 구할 수 있다.

2. 두 물체 이상일 때 운동 방정식의 적용

질량이 m인 한 물체에 하나의 힘 F가 작용한다면 뉴턴 운동 제2법칙(가속도 법칙)에 따라 운동 방정식 $F=ma$에 대입하여 가속도 a를 구하면 되지만, 물체가 여러 개이고 여러 힘이 동시에 작용하고 있다면 각각의 물체에 작용하는 힘을 찾아 운동 방정식을 세운 후 연립하여 풀어야 한다. 운동 방정식을 세우고 풀어가는 과정은 다음과 같은 단계를 거치면 편리하다.

(1) 운동 방정식의 적용 단계

현상 파악하기	문제에 제시된 조건이나 상황을 토대로 이미 알고 있는 과학 지식과 경험을 총동원하여 물체가 어떻게 움직일지 대략적으로 파악한다.
물체에 작용하는 힘 찾기	문제에 제시된 힘 이외에도 중력, 장력 등과 같이 그 물체의 외부에서 작용하고 있는 힘을 모두 찾는다. 힘은 눈에 보이지 않으므로 뉴턴 운동 제3법칙(작용 반작용 법칙)을 적용하여 빠지는 힘이 없도록 주의를 기울여 구해야 한다.
운동 방정식 세우기	각각의 물체에 작용하는 힘의 합력을 모두 구한 후 $F=ma$에 대입하여 각각의 물체에 대한 운동 방정식을 세운다. $F_1+F_2+F_3+\cdots=ma$
계산하기	운동 방정식을 연립하여 푼다.
확인하기	계산된 결과가 처음에 파악한 현상과 배치되거나 과학적인 오류가 없는지 확인한다.

두 물체 이상일 때 문제 풀이 요령

단계	방법
1단계	각각의 물체에 대하여 직접 받는 힘을 표시한다.
2단계	각각의 물체에 대하여 가속도의 방향을 정한다.
3단계	각각의 물체에 대하여 운동 방정식을 세운다.
4단계	연립 방정식을 통해 값을 구한다.

(2) **두 물체를 연결했을 때 운동 방정식 적용하기**

그림과 같이 마찰이 없는 수평면 위에 질량이 m, M인 물체 A, B가 실로 연결되어 있고, A를 수평 방향의 일정한 힘 F로 계속 당기고 있다. 이때 각 물체의 가속도, 실의 장력, 알짜힘은 다음과 같다.

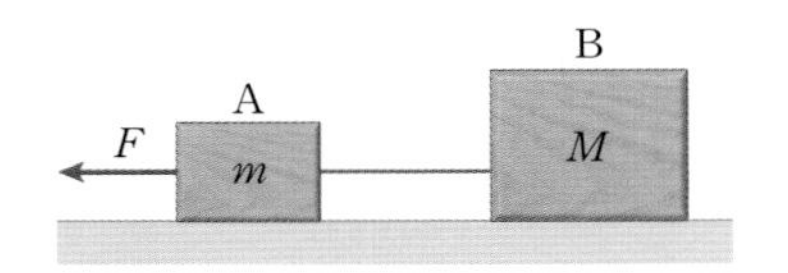

① 현상 파악하기

- A, B를 실로 연결한 후 마찰이 없는 수평면에서 수평 방향의 힘 F로 당기고 있으므로 두 물체가 함께 운동할 것이다.
- 물체의 질량과 물체에 작용하는 알짜힘이 일정하므로 두 물체는 등가속도 직선 운동을 할 것이다.

② 물체에 작용하는 힘 찾기: A와 B가 실로 연결되어 있지 않다면 힘 F에 의해 A만 끌려갈 것이다. 그러나 A와 B가 실로 연결되어 있으므로 A는 B를 끌고 간다. 이때 A는 실을 통해 B를 당기게 되는데 이 힘을 T라고 하면 그 반작용으로 B도 A를 크기가 같고 방향이 반대인 $-T$의 힘으로 당긴다. 즉, A에는 왼쪽으로 F, 오른쪽으로 $-T$의 힘이 작용하므로 A에 작용하는 알짜힘은 $F-T$이고, B에 작용하는 힘은 T뿐이므로 B에 작용하는 알짜힘은 T이다.

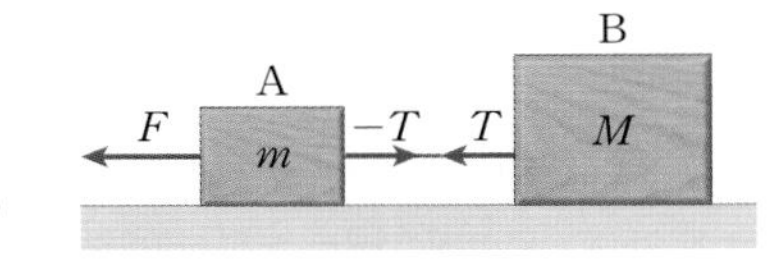

③ 운동 방정식 세우기: A와 B가 함께 움직이므로 두 물체의 가속도는 같다.

- A의 운동 방정식: $F-T=ma$ ……… ㉠
- B의 운동 방정식: $T=Ma$ ……… ㉡

④ 계산하기: ㉠, ㉡식을 연립하여 풀면 $a=\frac{F}{m+M}$, $T=\frac{M}{m+M}F$이다. 이때 A와 B에 작용하는 알짜힘 F_A, F_B는 다음과 같다.

$$F_A=ma=\frac{m}{m+M}F,\ F_B=Ma=\frac{M}{m+M}F=T$$

⑤ 확인하기: A와 B에 작용하는 힘을 합하면 $F_A+F_B=\frac{m}{m+M}F+\frac{M}{m+M}F=F$로 작용한 힘 F와 같다. 즉, 힘 F가 A와 B에 나뉘어 작용하고 있음을 알 수 있다.

[또 다른 풀이]

물체 A와 B가 힘 F에 의해 함께 운동하므로 두 물체를 하나의 물체처럼 간주할 수 있다. 즉, 질량이 $m+M$인 한 물체에 힘 F가 작용하는 것과 같다. 이때 물체의 가속도 $a=\frac{F}{m+M}$이고, A와 B에 작용하는 알짜힘 F_A, F_B는 다음과 같다.

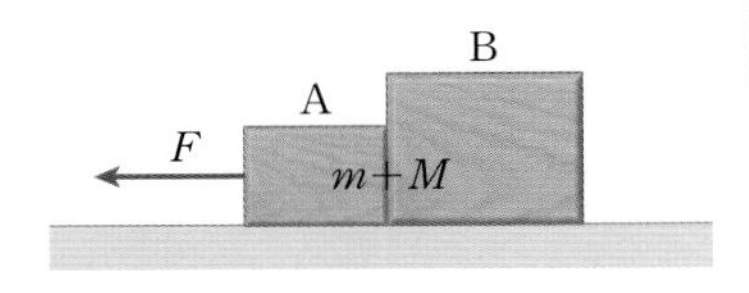

$F_A=ma=\frac{m}{m+M}F$, $F_B=Ma=\frac{M}{m+M}F$

장력 T는 줄을 통해 B에 작용하는 힘과 같으므로 $T=F_B=\frac{M}{m+M}F$이다.

수평면에서 연직 방향의 힘

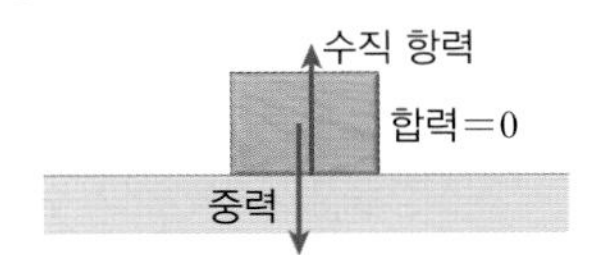

수평면에서 정지해 있는 물체에는 중력과 수직 항력이 작용하는데 중력과 수직 항력은 크기가 같고, 방향이 반대이므로 상쇄되어 합력은 0이 된다. 즉, 수평면에서 정지해 있는 물체에 연직 방향으로 작용하는 합력은 0이므로 힘을 표시할 때 생략할 수 있다. 그러나 빗면에 놓인 물체에 작용하는 중력과 수직 항력은 같지 않으므로 이때는 모두 표시하여 합력을 구해야 한다.

힘 F의 반작용

제시된 문제에서 힘 F가 어떻게 작용하는지 언급되어 있지 않으므로 힘을 작용하는 주체가 무엇인지 구체적으로 알 수 없다. 그러나 F의 반작용은 줄을 당기는 사람 혹은 장치에 작용한다. 이때 힘의 크기는 F와 같고, 방향은 F와 반대 방향이다. 이 힘의 작용점은 사람 혹은 장치에 있으므로 물체 A, B와는 무관하다. 따라서 A, B에 힘 F의 반작용을 표시할 필요가 없다.

과정이 살아 있는 **탐구**

힘, 질량, 가속도 사이의 관계

수레를 이용한 실험을 통해 힘과 가속도, 질량과 가속도 사이의 관계를 이해할 수 있다.

과정

1 실험대에 1 m 자를 설치하고, 동영상 촬영이 가능한 디지털카메라나 스마트 기기를 설치한다.

2 질량 0.5 kg인 수레를 1 N의 힘으로 잡아당기면서 수레의 운동을 촬영한다.

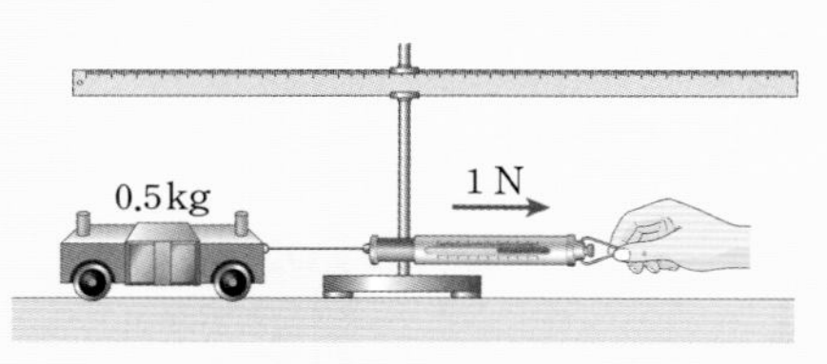

실험 1

3 수레의 질량을 일정하게 하고, 수레에 작용하는 힘의 크기를 2배, 3배로 변화시키면서 과정 **2**를 반복한다.

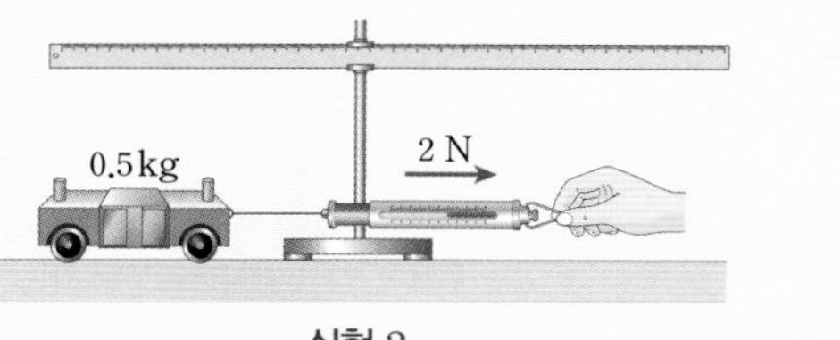

실험 2

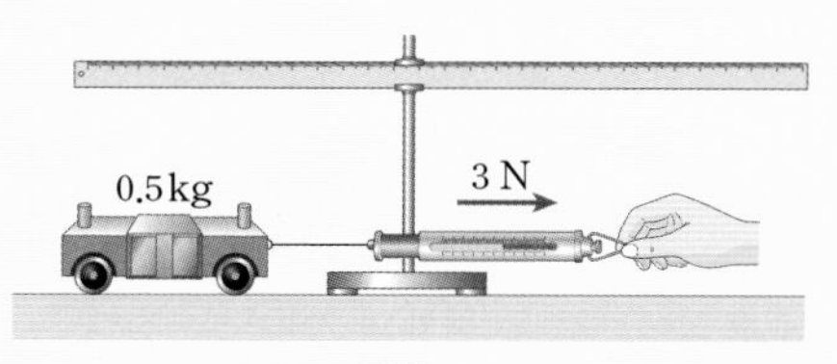

실험 3

4 수레에 작용하는 힘을 일정하게 하고, 수레에 추를 올려 수레의 질량을 2배, 3배로 변화시키면서 과정 **2**를 반복한다.

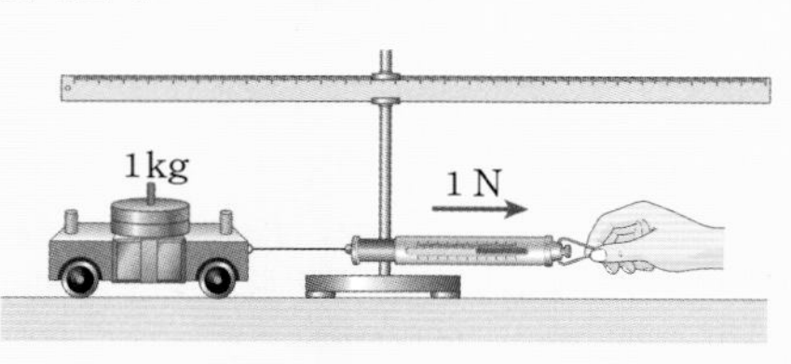

실험 4

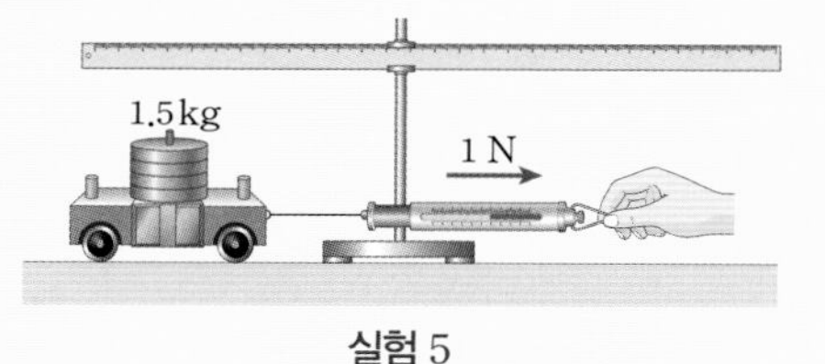

실험 5

5 촬영한 파일을 동영상 분석 프로그램으로 재생하고, 0.1초 간격으로 수레의 위치를 확인하여 표에 기록한 다음, 수레의 속도와 가속도를 계산한다.

6 실험 결과를 토대로 가속도와 힘 사이의 관계 그래프와 가속도와 질량 사이의 관계 그래프를 그린다.

유의점

수레를 잡아당길 때 일정한 힘을 작용해야 하므로 용수철저울의 눈금이 변하지 않도록 한다.

결과

1 실험 1에서 수레의 운동을 분석한 결과는 다음과 같다.

시간(s)	0		0.1		0.2		0.3		0.4		0.5
위치(m)	0		0.010		0.040		0.091		0.160		0.250
구간 거리(m)		0.010		0.030		0.051		0.069		0.090	
구간 평균 속도(m/s)		0.10		0.30		0.51		0.69		0.90	
속도 차이(m/s)			0.20		0.21		0.18		0.21		
가속도(m/s²)			2.0		2.1		1.8		2.1		

표를 이용하여 구간 평균 속도와 가속도 구하기

• 구간 평균 속도 $= \dfrac{\text{구간 거리}}{\text{시간}}$

예 $\dfrac{0.01\ \text{m}}{0.1\ \text{s}} = 0.1\ \text{m/s}$

• 가속도 $= \dfrac{\text{속도 차이}}{\text{시간}}$

예 $\dfrac{0.2\ \text{m/s}}{0.1\ \text{s}} = 2\ \text{m/s}^2$

2 위와 같은 방법으로 수레의 질량과 작용한 힘의 크기를 변화시켜 분석한 결과 수레의 평균 가속도는 다음과 같다.

① 수레의 질량이 일정하고, 수레에 작용하는 힘의 크기를 변화시키는 경우

구분	실험 1	실험 2	실험 3
질량(kg)	0.5	0.5	0.5
힘(N)	1	2	3
평균 가속도(m/s^2)	2.0	4.1	6.0

② 수레에 작용하는 힘의 크기가 일정하고, 수레의 질량을 변화시키는 경우

구분	실험 1	실험 4	실험 5
질량(kg)	0.5	1	1.5
힘(N)	1	1	1
평균 가속도(m/s^2)	2.0	1.0	0.7

3 가속도-힘 그래프와 가속도-질량 그래프는 다음과 같다.

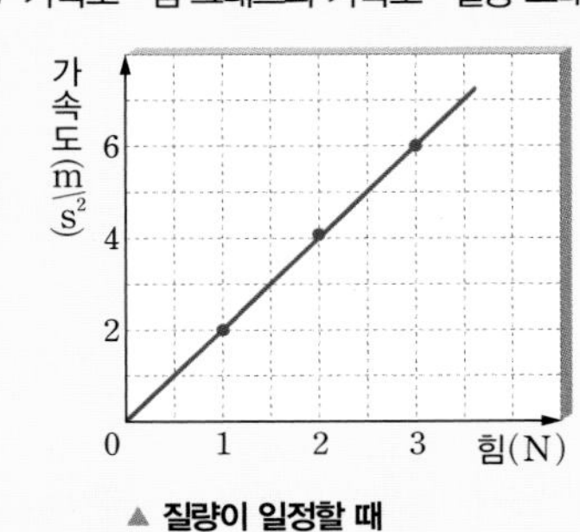

▲ 질량이 일정할 때

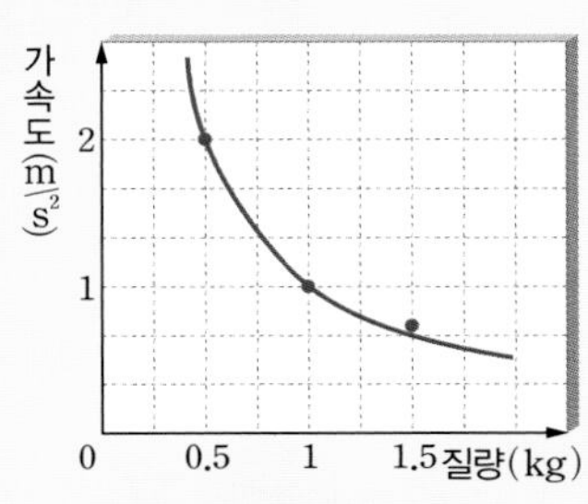

▲ 힘의 크기가 일정할 때

정리

- 가속도와 힘의 관계: 물체의 질량이 일정할 때 가속도의 크기는 작용한 힘의 크기에 비례한다. ➡ $a \propto F$
- 가속도와 질량의 관계: 물체에 작용한 힘의 크기가 일정할 때 가속도의 크기는 물체의 질량에 반비례한다. ➡ $a \propto \frac{1}{m}$
- 물체에 힘이 작용할 때 가속도의 크기는 힘의 크기에 비례하고 질량에 반비례하므로 다음과 같다.

$$a \propto \frac{F}{m}$$

관계 그래프 그리기
실험을 할 때 마찰력과 같은 외부 요인과 측정에서 오차가 발생하므로 실험 결과를 토대로 물리량 사이의 관계 그래프를 그릴 때 측정값을 표시한 점들을 바로 연결하면 꺾은선 그래프가 되거나 구불구불한 곡선 그래프가 된다. 이와 같은 그래프로는 두 물리량 사이의 관계를 알기 어렵다. 따라서 점을 직접 연결하지 않고, 점들의 분포를 가장 잘 나타낼 수 있는 직선이나 곡선으로 그린다. 이때 직선이나 곡선에서 벗어난 점들은 그 차이만큼의 오차가 있음을 나타낸다.

탐구 확인 문제

> 정답과 해설 6쪽

01 위 실험에 대한 설명으로 옳은 것만을 보기에서 있는 대로 고르시오.

보기
ㄱ. 수레의 질량이 일정할 때 가속도의 크기는 힘의 크기에 비례한다.
ㄴ. 수레에 작용하는 힘의 크기가 일정할 때 수레의 질량을 2배로 증가하면 가속도의 크기도 2배로 증가한다.
ㄷ. 수레에 작용하는 힘의 크기가 일정할 때 속도-시간 그래프에서 기울기는 수레의 질량이 증가할수록 작아진다.

① ㄱ ② ㄴ ③ ㄱ, ㄴ
④ ㄱ, ㄷ ⑤ ㄴ, ㄷ

02 그림은 마찰이 없는 수평면에서 수레 A, B, C에 각각 수평 방향으로 일정한 힘 F를 작용할 때 수레의 속도를 시간에 따라 나타낸 것이다. 이때 수레 B의 질량은 m이다.

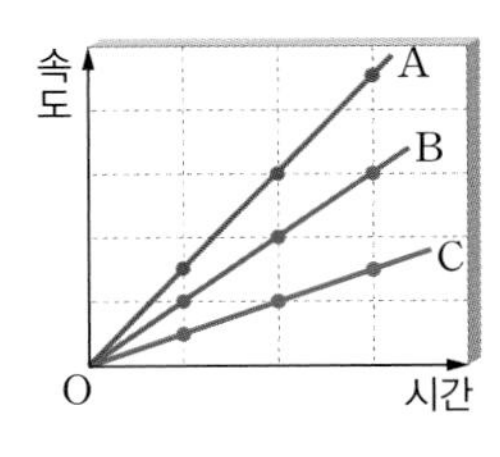

(1) 수레 A, B, C의 가속도의 크기를 부등호로 비교하시오.

(2) 수레 A와 C의 질량을 구하시오.

실전에 대비하는

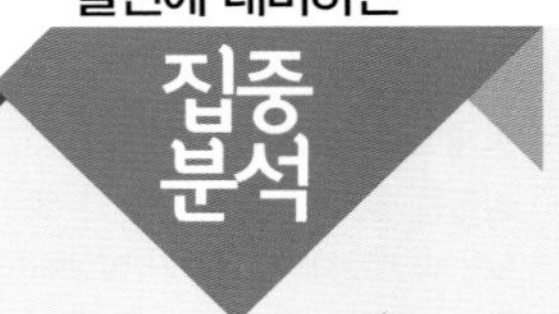

두 물체에 작용하는 힘

뉴턴 운동 제2법칙(가속도 법칙)을 적용할 때 물체가 하나이고 작용한 힘도 하나면 $F=ma$ 식에 대입하여 풀 수 있지만 두 물체에 힘이 작용하는 경우에는 물체에 작용하는 모든 힘을 찾고, 운동 방정식을 세워서 풀어야 한다. 또, 이러한 문제는 등가속도 직선 운동과 역학적 에너지 보존 법칙과 연관지어 다양한 유형으로 출제된다.

❶ 도르래에 매달린 물체가 마찰이 없는 수평면에 놓인 물체를 끌고 가는 경우

질량이 m_A, m_B인 물체 A, B가 도르래를 통해 실로 연결되어 운동한다.

> 현상 파악하기
> - B에 작용하는 중력에 의해 두 물체가 함께 운동한다.
> - 작용하는 힘과 질량이 일정하므로, 두 물체는 등가속도 직선 운동한다.
> - 두 물체는 함께 운동하므로 A, B의 속도의 크기, 가속도의 크기, 변위의 크기는 같다.

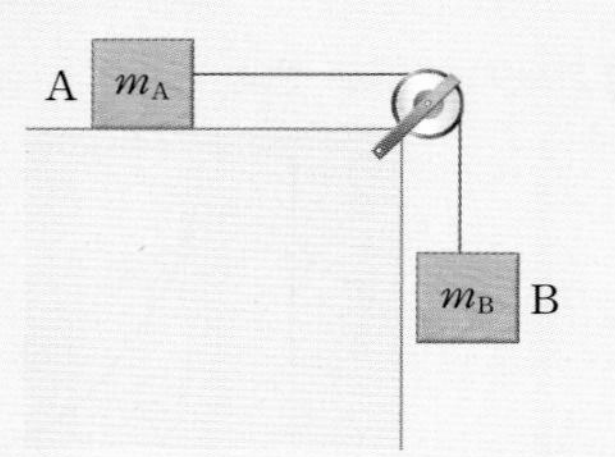

A에 작용하는 중력 m_Ag는 수직 항력과 힘의 평형을 이뤄 상쇄된다.

(1) 두 물체에 작용하는 힘 찾기

- B에 작용하는 중력 m_Bg에 의해 두 물체가 함께 운동한다.
- B가 낙하하면서 A를 당기는 힘인 장력 T가 A에 작용하고, 그 반작용으로 A가 B를 당기는 힘인 장력 $-T$가 B에 작용한다.

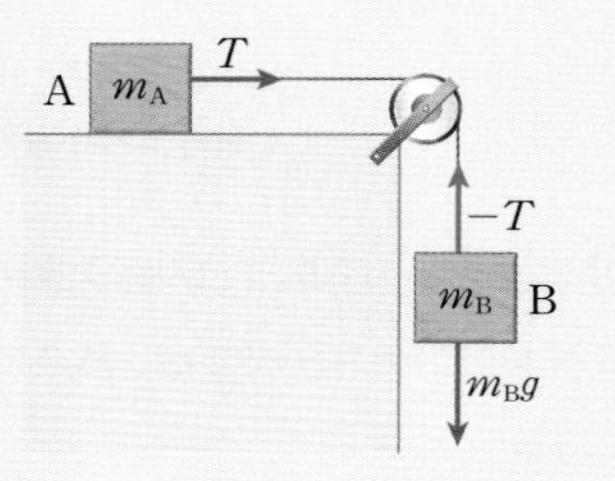

(2) 운동 방정식 세우기: A, B의 가속도를 a라고 하고, A, B가 움직이는 방향을 (+)라고 할 때 운동 방정식은 다음과 같다.

- A의 운동 방정식: $T=m_Aa$ ········· ㉠
- B의 운동 방정식: $m_Bg-T=m_Ba$ ········· ㉡

㉠, ㉡ 식을 연립하여 풀면 $a=\dfrac{m_B}{m_A+m_B}g$, $T=\dfrac{m_Am_B}{m_A+m_B}g$이다. 이때 A, B에 작용하는 알짜힘 F_A, F_B는 다음과 같다.

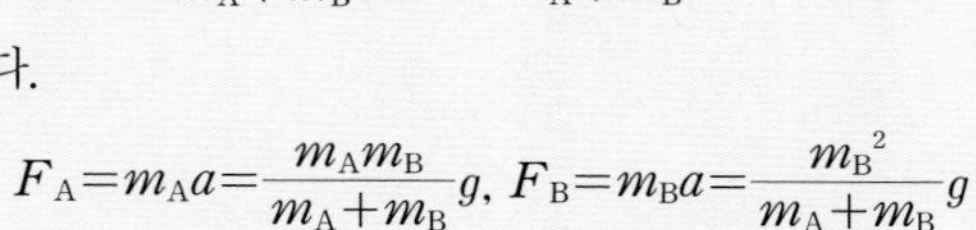

$$F_A=m_Aa=\frac{m_Am_B}{m_A+m_B}g,\ F_B=m_Ba=\frac{m_B^2}{m_A+m_B}g$$

또 다른 풀이

물체 B에 작용하는 중력 m_Bg에 의해 두 물체가 함께 운동하므로 두 물체를 하나의 물체처럼 간주할 수 있다. 즉, 질량이 m_A+m_B인 한 물체에 m_Bg의 힘이 작용한다.

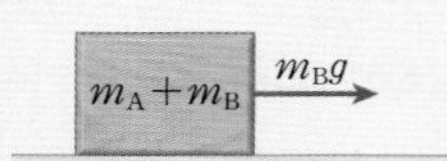

› 정답과 해설 6쪽

1. 그림은 질량이 m, $2m$인 물체 A, B가 도르래를 통해 실로 연결되어 운동하고 있는 모습을 나타낸 것이다. 이에 대한 설명으로 옳은 것만을 보기에서 있는 대로 고른 것은? (단, 중력 가속도는 g이고, 실의 질량, 모든 마찰과 공기 저항은 무시한다.)

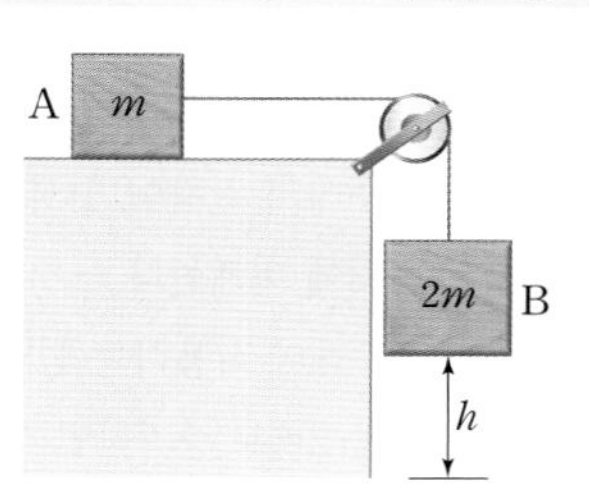

보기

ㄱ. 운동하는 동안 A의 가속도의 크기는 $\dfrac{2}{3}g$이다.

ㄴ. 줄이 B를 당기는 힘의 크기는 $\dfrac{2}{3}mg$이다.

ㄷ. B가 정지 상태에서 운동을 시작하여 h만큼 이동하는 데 걸린 시간은 $\sqrt{4gh}$이다.

① ㄱ ② ㄷ ③ ㄱ, ㄴ ④ ㄴ, ㄷ ⑤ ㄱ, ㄴ, ㄷ

② 도르래에 매달린 두 물체가 반대 방향으로 운동하는 경우

질량이 m_A, m_B인 물체 A, B가 도르래를 통해 실로 연결되어 운동한다. 이때 물체의 질량은 B가 A보다 크다.

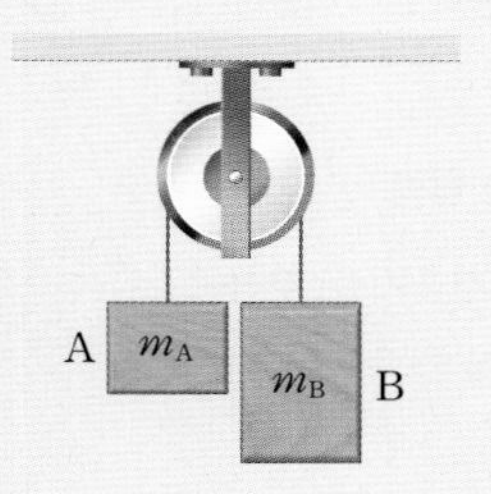

현상 파악하기

- 두 물체에 각각 중력이 작용하지만 물체의 질량이 B가 더 크므로 B가 아래로 내려오면서 A를 끌어올린다. 즉, A와 B에 작용하는 중력의 크기 차이에 의해 두 물체가 함께 운동한다.
- 작용하는 힘과 질량이 일정하므로, 두 물체는 등가속도 직선 운동한다.
- 두 물체는 함께 운동하므로 A, B의 속도의 크기, 가속도의 크기, 변위의 크기는 같다.

(1) 두 물체에 작용하는 힘 찾기

- A에는 중력 $m_A g$가 작용하고, B에는 중력 $m_B g$가 작용한다. 이때 중력은 모두 연직 아래로 작용하며 중력 $m_A g$와 $m_B g$의 차이에 의해 두 물체가 함께 운동한다.
- B가 낙하하면서 A를 끌어올리는 힘인 장력 T가 A에 작용하고, 그 반작용으로 A가 B를 당기는 힘인 장력 $-T$가 B에 작용한다.

(2) 운동 방정식 세우기: A, B의 가속도를 a라고 하고, A, B가 움직이는 방향을 $(+)$라고 할 때 운동 방정식은 다음과 같다.

- A의 운동 방정식: $T-m_A g=m_A a$ ……… ㉠
- B의 운동 방정식: $m_B g-T=m_B a$ ……… ㉡

㉠, ㉡ 식을 연립하여 풀면 $a=\dfrac{m_B-m_A}{m_A+m_B}g$, $T=\dfrac{2m_A m_B}{m_A+m_B}g$이다. 이때 A, B에 작용하는 알짜힘 F_A, F_B는 다음과 같다.

$$F_A=m_A a=\frac{m_A(m_B-m_A)}{m_A+m_B}g,\ F_B=m_B a=\frac{m_B(m_B-m_A)}{m_A+m_B}g$$

또 다른 풀이

물체 A와 B에 작용하는 중력의 차이 $m_B g-m_A g$에 의해 두 물체가 함께 운동하므로 두 물체를 하나의 물체처럼 간주할 수 있다. 즉, 질량이 m_A+m_B인 한 물체에 $m_B g-m_A g$의 힘이 작용한다.

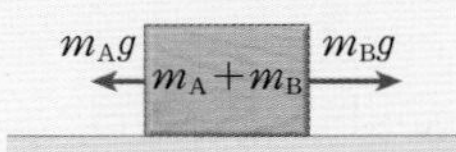

유제

2. 그림은 질량이 m, $3m$인 물체 A, B가 도르래를 통해 실로 연결되어 운동하고 있는 모습을 나타낸 것이다. 이에 대한 설명으로 옳은 것만을 보기에서 있는 대로 고른 것은? (단, 중력 가속도는 g이고, 실의 질량, 모든 마찰과 공기 저항은 무시한다.)

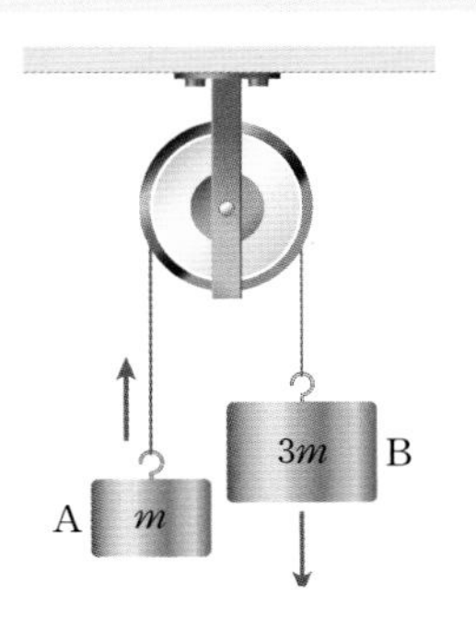

보기

ㄱ. 실이 A를 당기는 힘의 크기는 $1.5mg$이다.
ㄴ. B의 가속도의 크기는 $0.5g$이다.
ㄷ. B에 작용하는 알짜힘의 크기는 $2mg$이다.

① ㄴ　② ㄷ　③ ㄱ, ㄴ　④ ㄱ, ㄷ　⑤ ㄱ, ㄴ, ㄷ

차이를 만드는

심화

힘의 합성과 분해

뉴턴 운동 제2법칙(가속도 법칙)을 적용하려면 물체에 작용하는 합력(알짜힘)을 구하여야 한다. 나란하게 작용하는 힘의 합력은 방향을 고려하여 힘의 크기를 더하거나 빼서 구할 수 있다. 하지만 빗면을 따라 미끄러져 내려가는 물체의 운동과 같이 나란하지 않게 작용하는 힘의 합력을 구하기 위해서는 벡터의 합성과 분해를 이용하여야 한다.

❶ 비스듬히 끌고 가는 가방에 작용하는 합력

그림과 같이 가방에 지면에 대해 θ의 기울기를 갖는 힘 F를 작용하여 끌고 갈 때 가방에 작용하는 힘은 다음과 같다.

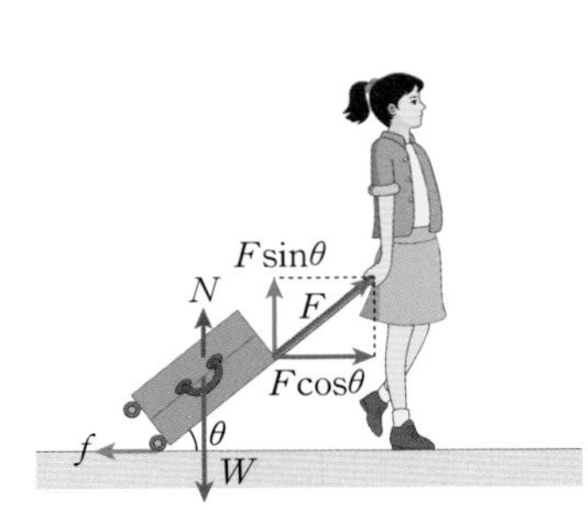

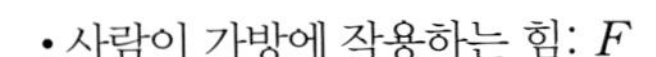

- 사람이 가방에 작용하는 힘: F
- 가방에 작용하는 중력: $W=mg$
- 가방에 작용하는 수직 항력: N
- 마찰력: f(크기: $\mu' N$, 방향: 운동 반대 방향)

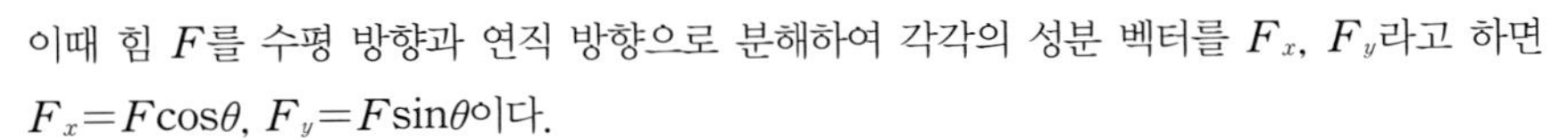

이때 힘 F를 수평 방향과 연직 방향으로 분해하여 각각의 성분 벡터를 F_x, F_y라고 하면 $F_x=F\cos\theta$, $F_y=F\sin\theta$이다.

- 수평 방향의 합력: $F_x-f=F\cos\theta-f$
- 연직 방향의 합력: $F_y+N-W=F\sin\theta+N-W=0$

따라서 가방에 작용하는 알짜힘은 수평 방향으로 $F\cos\theta-f$이고, $F=ma$ 식에 의해 가방의 가속도 a는 다음과 같다.

$$a=\frac{F}{m}=\frac{F\cos\theta-f}{m}=\frac{F\cos\theta-\mu'(W-F\sin\theta)}{m}$$

마찰력
운동하고 있는 물체에 작용하는 마찰력의 크기는 $f'=\mu' N$이고, 이때 μ'은 운동 마찰 계수이다.

연직 방향의 운동 상태가 변하지 않으므로 합력은 0이다. 따라서 수직 항력의 크기는 다음과 같다.
$N=W-F\sin\theta$

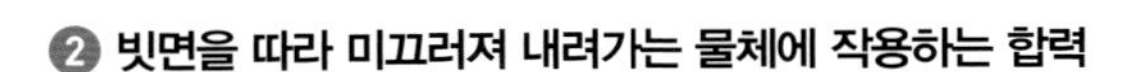

❷ 빗면을 따라 미끄러져 내려가는 물체에 작용하는 합력

그림과 같이 지면에 대해 θ의 기울기를 갖는 빗면에서 질량이 m인 물체가 빗면을 따라 내려갈 때 물체에 작용하는 힘은 다음과 같다.

- 물체에 작용하는 중력: $W=mg$
- 물체에 작용하는 수직 항력: N
- 마찰력: f(크기: $\mu' N$, 방향: 빗면 위 방향)

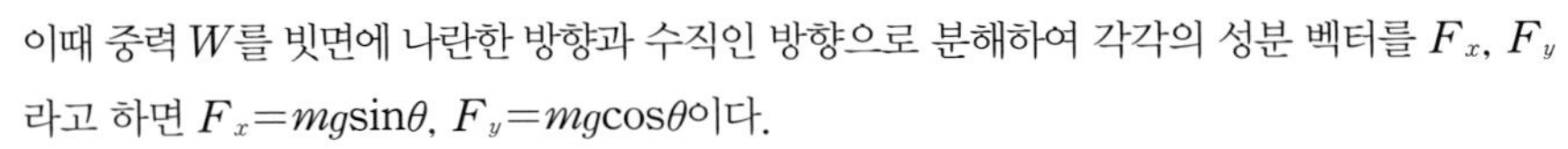

이때 중력 W를 빗면에 나란한 방향과 수직인 방향으로 분해하여 각각의 성분 벡터를 F_x, F_y라고 하면 $F_x=mg\sin\theta$, $F_y=mg\cos\theta$이다.

- 빗면에 나란한 방향의 합력: $F_x-f=mg\sin\theta-f$
- 빗면에 수직인 방향의 합력: $N-F_y=N-mg\cos\theta=0$

따라서 물체에 작용하는 알짜힘은 빗면에 나란한 방향으로 $mg\sin\theta-f$이고, $F=ma$ 식에 의해 물체의 가속도 a는 다음과 같다.

$$a=\frac{F}{m}=\frac{mg\sin\theta-f}{m}=g\sin\theta-\mu' g\cos\theta$$

만약 마찰력이 없다면 물체는 가속도가 $g\sin\theta$인 등가속도 직선 운동을 할 것이다.

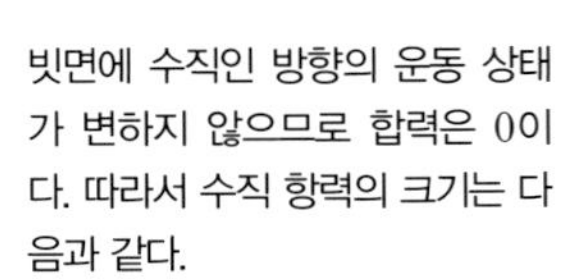

빗면에 수직인 방향의 운동 상태가 변하지 않으므로 합력은 0이다. 따라서 수직 항력의 크기는 다음과 같다.
$N=mg\cos\theta$

정답과 해설 6쪽

02 뉴턴 운동 법칙

1 힘

1. **힘** 물체의 모양이나 운동 상태를 변화시키는 원인이 되는 것
- 힘의 3요소: 힘의 크기, 힘의 방향, 힘의 (❶)

2. **힘의 합성과 평형**
- 합력((❷)): 한 물체에 여러 힘이 동시에 작용할 때 여러 힘과 같은 효과를 내는 하나의 힘

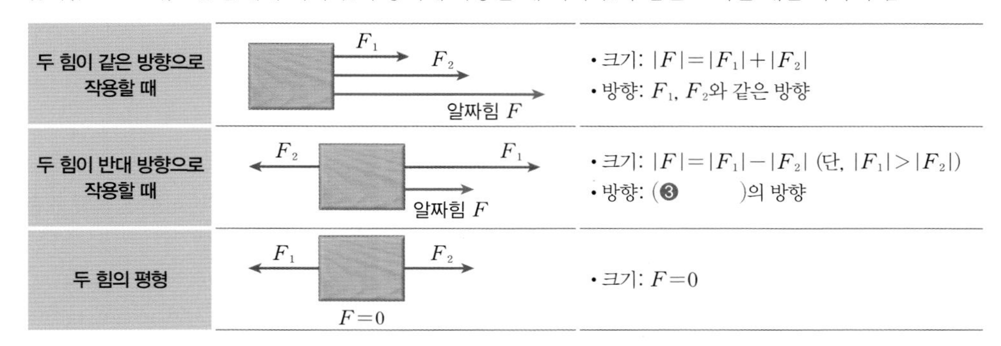

두 힘이 같은 방향으로 작용할 때		• 크기: $\lvert F\rvert=\lvert F_1\rvert+\lvert F_2\rvert$ • 방향: F_1, F_2와 같은 방향
두 힘이 반대 방향으로 작용할 때		• 크기: $\lvert F\rvert=\lvert F_1\rvert-\lvert F_2\rvert$ (단, $\lvert F_1\rvert>\lvert F_2\rvert$) • 방향: (❸)의 방향
두 힘의 평형		• 크기: $F=0$

2 뉴턴 운동 제1법칙 (관성 법칙)

1. **관성** 물체가 현재의 운동 상태를 그대로 유지하려는 성질
- 물체의 질량이 클수록 관성이 (❹).

2. **뉴턴 운동 제1법칙(관성 법칙)** 물체에 작용하는 알짜힘이 0이면 정지해 있는 물체는 계속 정지해 있고, 운동하고 있는 물체는 계속 등속 직선 운동을 한다.

3 뉴턴 운동 제2법칙 (가속도 법칙)

1. **힘, 질량, 가속도 사이의 관계**
- 물체의 질량이 일정할 때 가속도의 크기는 작용한 (❺)의 크기에 비례한다.
- 물체에 작용한 알짜힘의 크기가 일정할 때 가속도의 크기는 물체의 질량에 (❻)한다.

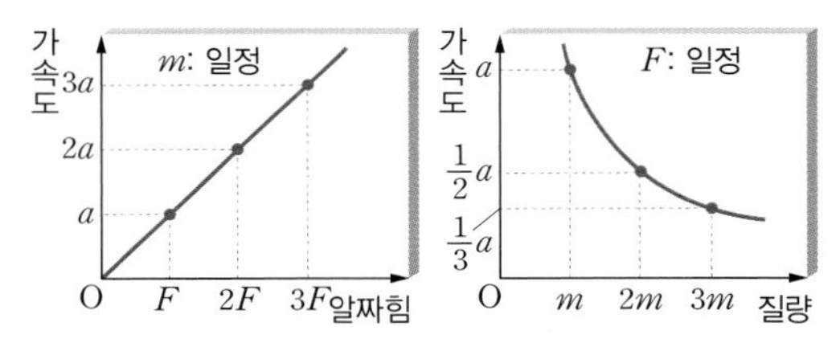

2. **뉴턴 운동 제2법칙(가속도 법칙)** 물체의 가속도는 물체에 작용한 알짜힘에 비례하고 물체의 질량에 반비례한다. → $F=ma$

4 뉴턴 운동 제3법칙 (작용 반작용 법칙)

1. **뉴턴 운동 제3법칙(작용 반작용 법칙)** 물체 A가 물체 B에 힘(F_{AB})을 작용하면, 동시에 물체 B도 물체 A에 크기가 같고 방향이 반대인 힘(F_{BA})을 작용한다. → $F_{AB}=-F_{BA}$

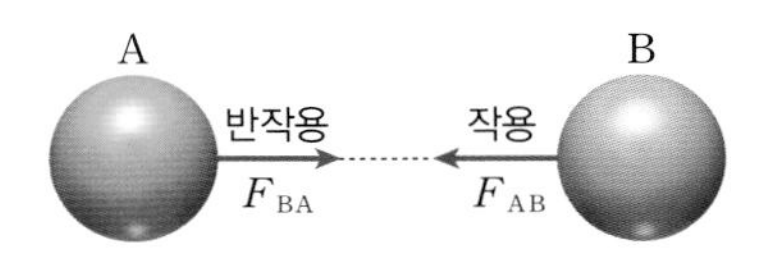

- 작용과 반작용은 동일 작용선상에서 동시에 작용하는 힘이다.
- 작용과 반작용은 힘의 크기가 같고, 힘의 방향이 (❼)이다.
- 작용 반작용은 모든 힘에 대해 성립하며, 항상 한 쌍으로 존재한다.

2. **작용 반작용과 두 힘의 평형**

구분	작용 반작용 관계	평형 관계
공통점	동일 작용선상에서 동시에 작용하며, 힘의 (❽)가 같고 힘의 (❾)이 반대이다.	
차이점	서로 다른 물체에 작용하는 힘으로 합성할 수 없다.	한 물체에 작용하는 힘으로 합성할 수 있다.

01 힘에 대한 설명으로 옳은 것만을 보기에서 있는 대로 고르시오.

보기
ㄱ. 물체의 모양이나 운동 상태를 변화시킨다.
ㄴ. 크기와 방향을 가진 물리량이다.
ㄷ. 단위로 J(줄)을 사용한다.
ㄹ. 물체 사이의 상호 작용으로, 상호 작용하는 두 힘은 크기가 같고 방향이 반대이다.

02 관성에 대한 설명으로 옳은 것은 ○, 옳지 않은 것은 ×로 표시하시오.

(1) 물체에 작용하는 알짜힘이 0일 때 물체가 현재의 운동 상태를 그대로 유지하려는 성질을 관성이라고 한다. ( )
(2) 물체의 질량이 클수록 관성이 크다. ( )
(3) 정지해 있는 물체는 관성이 없다. ( )

03 그림과 같이 지면 위에 있는 질량이 10 kg인 물체를 연직 위 방향으로 200 N의 힘으로 끌어올렸다. 이 물체의 가속도의 크기는 몇 m/s^2인지 구하시오. (단, 중력 가속도는 10 m/s^2이다.)

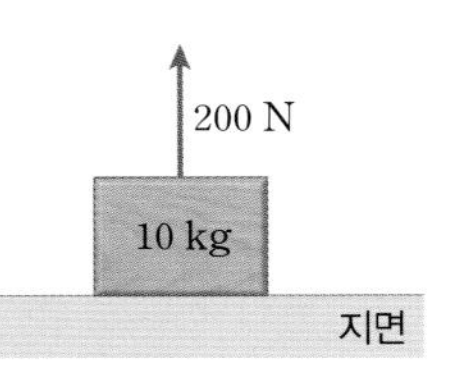

04 50 N보다 큰 장력이 걸리면 끊어지는 줄이 있다. 이 줄에 질량이 2 kg인 물체를 매달아 끌어올릴 때, 물체가 얻을 수 있는 최대 가속도의 크기는 몇 m/s^2인지 구하시오. (단, 중력 가속도는 10 m/s^2이다.)

05 작용 반작용 법칙과 관련된 현상을 보기에서 있는 대로 고르시오.

보기
ㄱ. 땅을 발로 힘껏 밀면 몸이 공중으로 떠오른다.
ㄴ. 운전자는 안전을 위해 안전띠를 매야 한다.
ㄷ. 공을 배트로 때리면 공의 운동 방향이 변한다.
ㄹ. 노로 물을 뒤로 밀면 배가 앞으로 움직인다.
ㅁ. 버스가 커브 길을 달릴 때 승객의 몸이 한쪽으로 쏠린다.

06 그림과 같이 철수가 바퀴가 달린 의자 위에 앉아서 벽을 밀었더니 뒤로 밀려나갔다. 철수가 벽을 미는 동안 벽과 철수에 작용하는 힘은 A, B와 같이 나타났다. 철수의 운동과 작용한 힘에 대한 설명으로 옳은 것만을 보기에서 있는 대로 고르시오. (단, 바닥은 수평하고, 의자 바퀴와 바닥 사이의 마찰은 무시한다.)

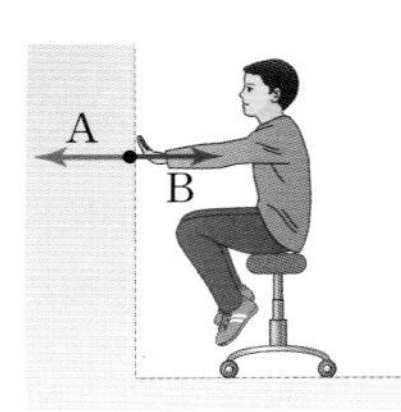

보기
ㄱ. A와 B의 크기는 같다.
ㄴ. A와 B는 힘의 평형을 이룬다.
ㄷ. 철수가 벽에서 분리된 후 철수에 작용하는 알짜힘은 0이다.

07 그림과 같이 용수철저울 A, B를 연결하고 무게가 6 N인 추를 매달았다.

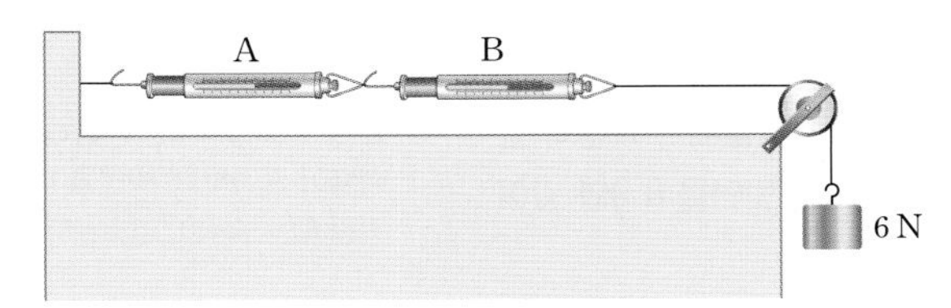

용수철저울 A와 B가 가리키는 눈금은 몇 N인지 각각 쓰시오. (단, 용수철저울과 실의 무게, 모든 마찰은 무시한다.)

08 그림은 책상에 놓인 꽃병에 작용하는 중력 W와 수직 항력 N을 표시한 것이다. 두 힘에 대한 설명으로 옳은 것만을 보기에서 있는 대로 고르시오.

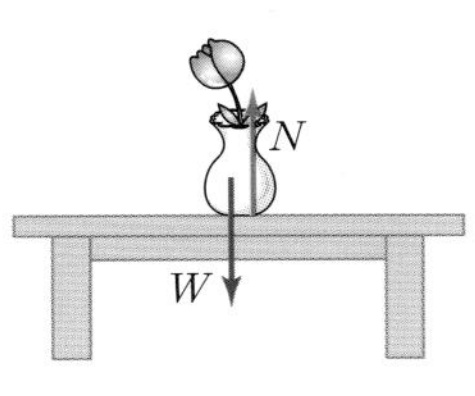

보기
ㄱ. 중력 W와 수직 항력 N은 크기가 같다.
ㄴ. 중력 W와 수직 항력 N은 힘의 평형을 이룬다.
ㄷ. 수직 항력 N과 작용 반작용 관계인 힘은 꽃병이 책상을 누르는 힘이다.

09 그림 (가)와 같이 무거운 원형 강판을 싣고 가는 트럭의 속도가 그림 (나)와 같이 변하였다. 이때 원형 강판을 묶었던 뒷줄이 끊어지는 사고가 발생하였다.

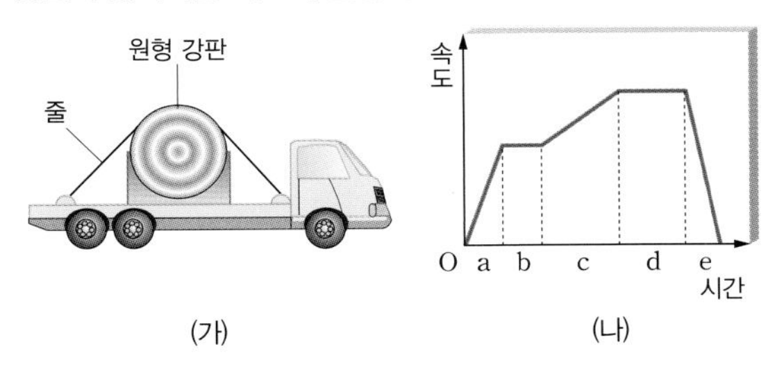

(가) (나)

사고가 일어났을 것으로 추정되는 구간은 a~e 중 어디인지 쓰시오.

10 그림은 마찰이 없는 수평면 위에 질량이 2 kg, 3 kg인 물체 A, B를 실로 연결한 후 B에 수평 방향으로 10 N의 힘을 작용하여 잡아당기는 모습을 나타낸 것이다. (단, 실의 질량은 무시한다.)

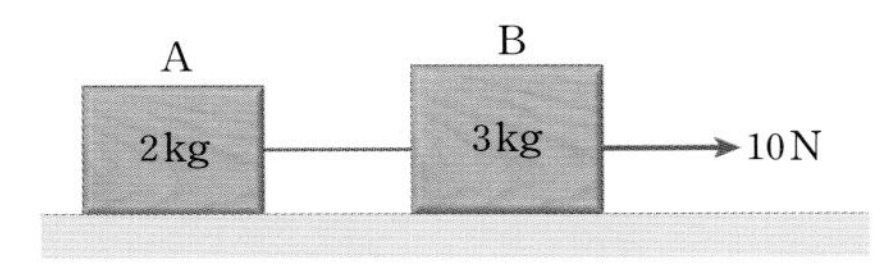

(1) A의 가속도의 크기는 몇 m/s^2인지 구하시오.

(2) 실이 A를 당기는 힘의 크기는 몇 N인지 구하시오.

(3) B에 작용하는 알짜힘의 크기는 몇 N인지 구하시오.

11 그림은 질량이 각각 3 kg인 물체 A, B가 도르래를 통해 실로 연결되어 운동하는 모습을 나타낸 것이다. 이때 (가) B의 가속도의 크기와 (나) 실이 A를 당기는 힘의 크기를 구하시오. (단, 중력 가속도는 10 m/s^2이고, 실의 질량, 모든 마찰과 공기 저항은 무시한다.)

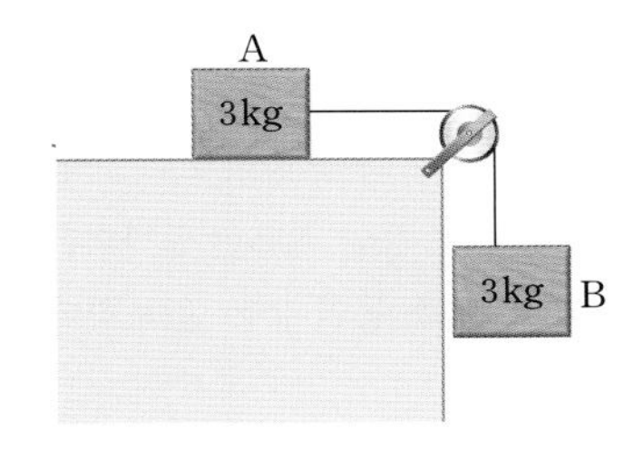

12 그림은 질량이 2 kg, 3 kg인 추 A, B가 도르래를 통해 실로 연결되어 운동하는 모습을 나타낸 것이다. 이때 (가) A의 가속도의 크기와 (나) 실이 B를 당기는 힘의 크기를 구하시오. (단, 중력 가속도는 10 m/s^2이고, 실의 질량, 모든 마찰과 공기 저항은 무시한다.)

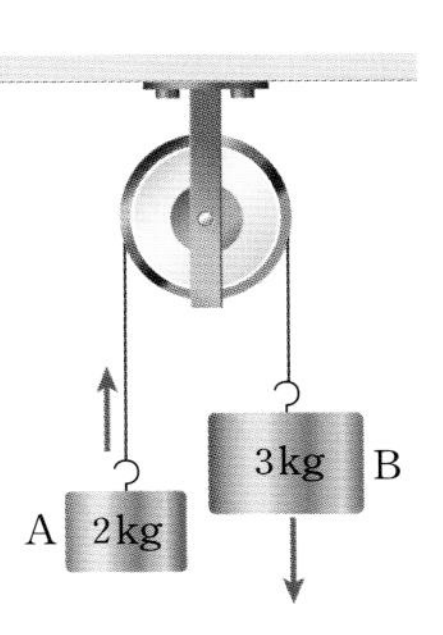

01

> 뉴턴 운동 제1법칙(관성 법칙)

그림과 같이 마찰을 무시할 수 있는 빗면의 A점에서 물체를 가만히 놓으니 물체가 A점과 같은 높이인 반대쪽 빗면 (가)의 B점까지 올라갔다 내려왔다. 이어서 반대쪽 빗면을 (나)와 같이 완만하게, (다)와 같이 수평으로 하고 A점에서 각각 물체를 가만히 놓았다.

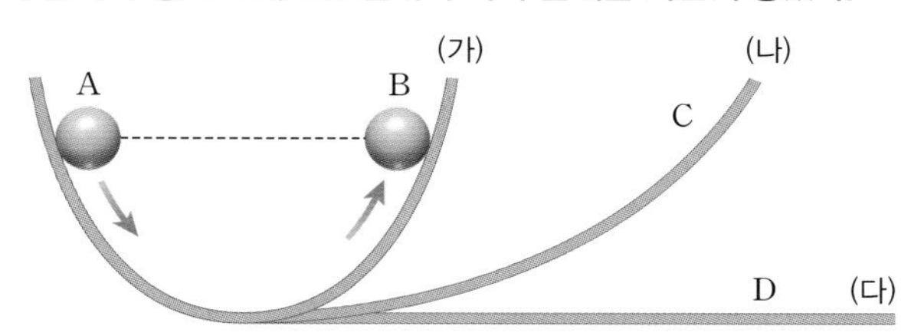

이에 대한 설명으로 옳지 않은 것은? (단, 공기 저항은 무시한다.)

① A점에서 내려올 때는 물체의 속력이 증가한다.
② B점으로 올라갈 때는 물체의 속력이 감소한다.
③ (나)에서 물체는 A점과 같은 높이까지 올라간다.
④ (다)에서 물체의 속력은 일정하다.
⑤ B, C, D점에서 물체에 작용하는 알짜힘의 크기는 같다.

• 물체가 빗면을 따라 내려올 때는 속력이 증가하고, 빗면을 따라 올라갈 때는 속력이 감소한다.

02

> 힘과 가속도의 관계

수평면 위에 정지해 있는 물체에 다음과 같이 힘이 작용하였다.

- 0~5초 동안 수평 방향으로 2 N의 알짜힘이 작용하였다.
- 5초~10초 동안 작용한 알짜힘은 0이다.
- 10초~15초 동안 운동 반대 방향으로 4 N의 알짜힘이 작용하였다.

0~15초 동안 물체의 속도를 시간에 따라 나타낸 그래프를 개략적으로 그렸을 때 가장 타당한 것은? (단, 모든 마찰은 무시한다.)

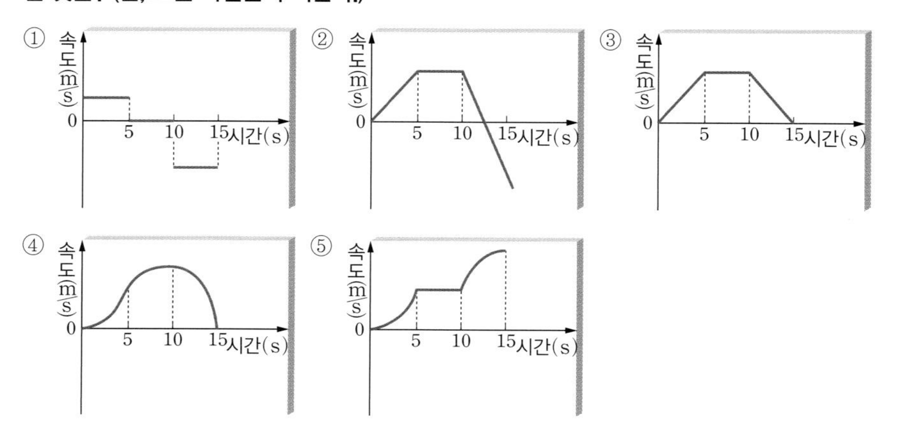

• 힘이 운동 방향으로 작용하면 속력이 증가하고, 운동 반대 방향으로 작용하면 속력이 감소한다.

03

> 질량과 가속도의 관계

그림 (가)는 마찰이 없는 수평면에서 질량이 m인 수레에 수평 방향으로 일정한 힘 F를 작용하면서 수레의 운동을 기록하는 모습을 나타낸 것이다. 그림 (나)는 수레에 추를 올려 질량 $2m$, $3m$으로 증가시키면서 일정한 힘 F로 당겼을 때 수레의 속도를 시간에 따라 나타낸 것이다.

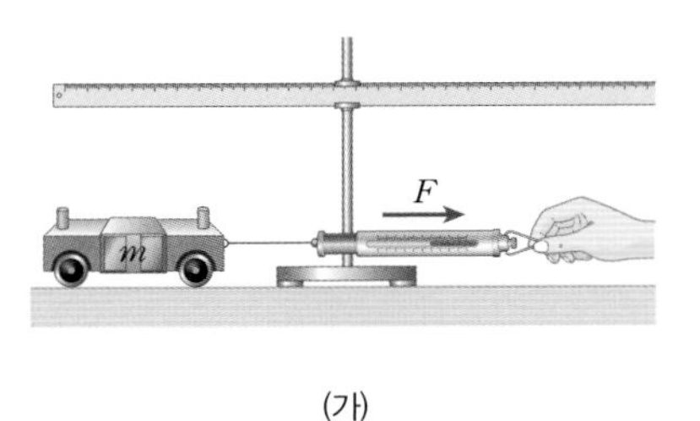

(가)

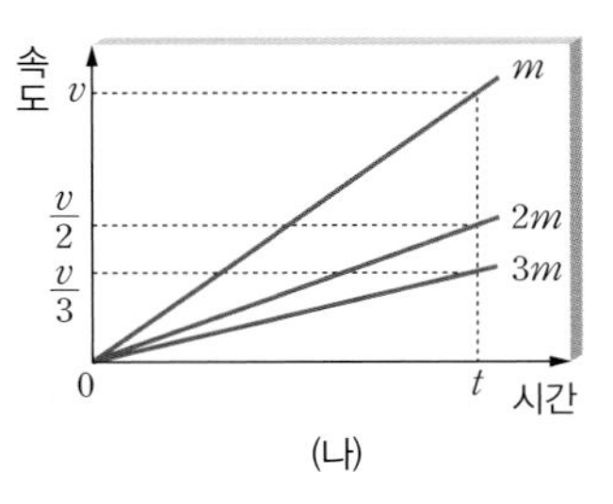

(나)

수레의 질량과 가속도 사이의 관계를 나타낸 그래프로 옳은 것은?

①
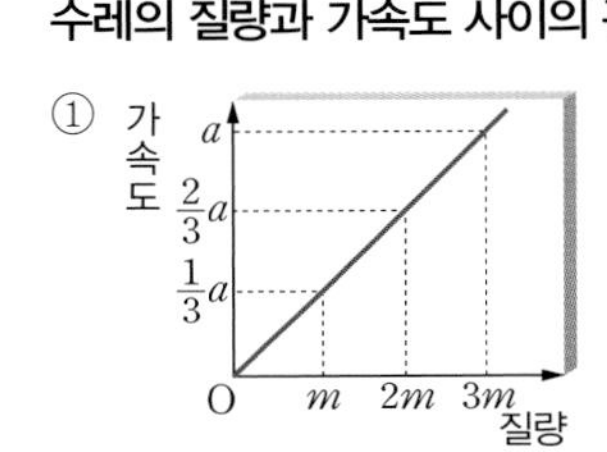

②
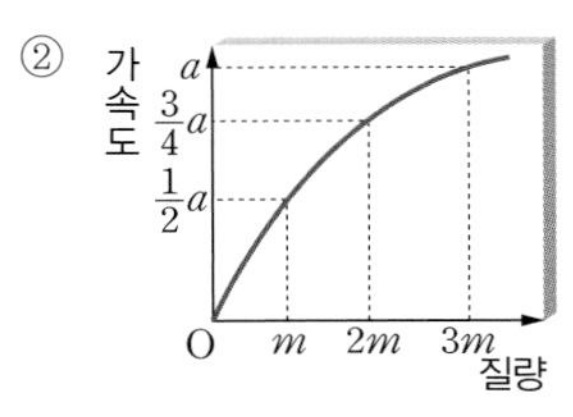

③
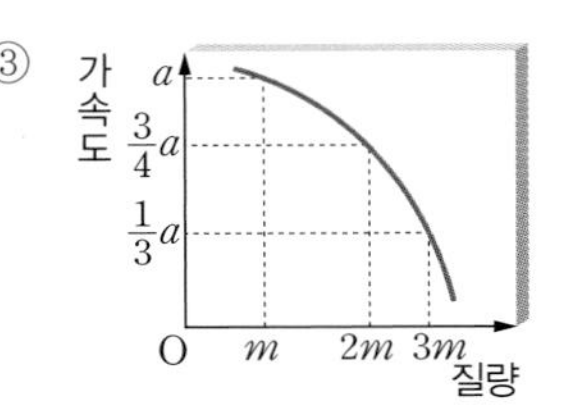

④
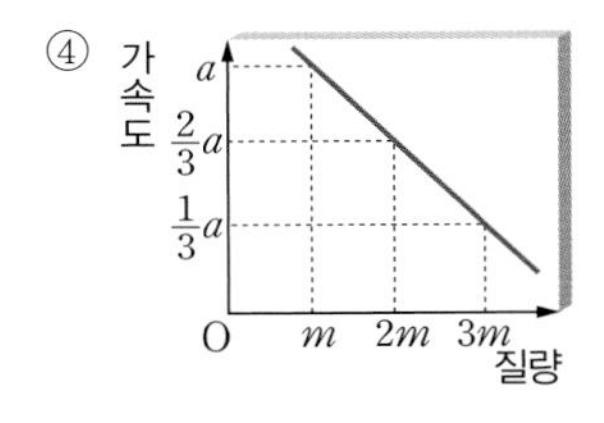

⑤
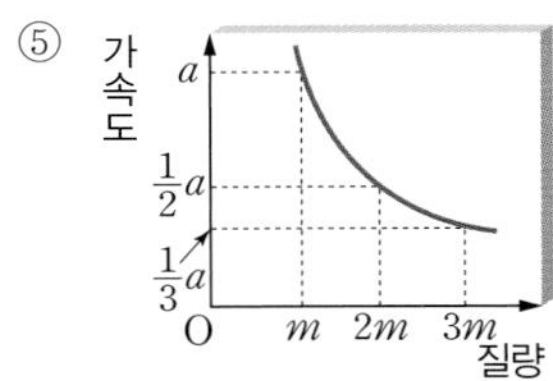

• 속도-시간 그래프에서 기울기는 가속도를 나타낸다.

04

> 뉴턴 운동 제2법칙(가속도 법칙)

그림은 마찰이 없는 수평면에서 질량이 4 kg인 물체가 직선 운동하는 동안 속도를 시간에 따라 나타낸 것이다. 물체의 운동에 대한 설명으로 옳은 것만을 보기에서 있는 대로 고른 것은? (단, 공기 저항은 무시한다.)

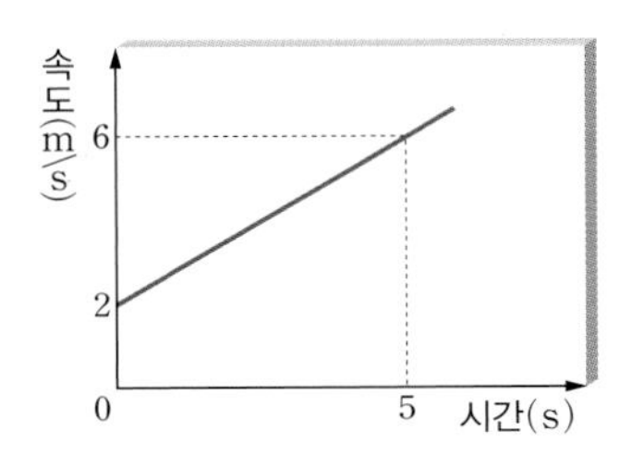

보기

ㄱ. 가속도의 크기는 $0.8\ m/s^2$이다.
ㄴ. 물체에 작용한 알짜힘의 크기는 4 N이다.
ㄷ. 0~5초 동안 이동한 거리는 30 m이다.

① ㄱ ② ㄴ ③ ㄱ, ㄷ ④ ㄴ, ㄷ ⑤ ㄱ, ㄴ, ㄷ

• 속도-시간 그래프에서 기울기는 가속도를, 넓이는 변위를 나타낸다.

05

> 뉴턴 운동 제2법칙(가속도 법칙)

그림 (가)는 마찰이 없는 수평면 위에 정지해 있는 질량이 m인 물체에 수평 방향으로 힘 F를 작용하는 모습을 나타낸 것이고, 그림 (나)는 힘의 크기를 시간에 따라 나타낸 것이다.

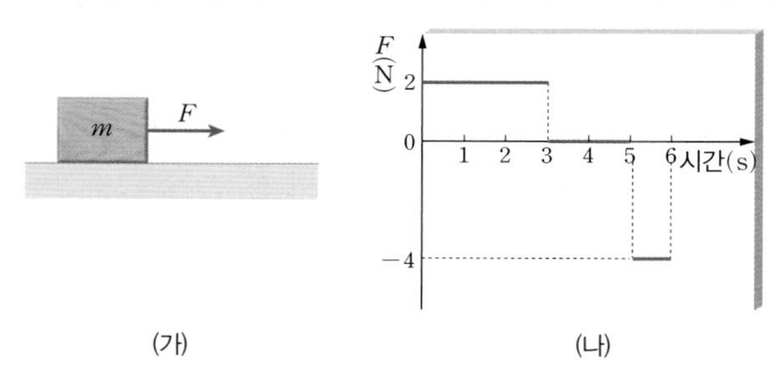

(가) (나)

물체의 운동에 대한 설명으로 옳은 것만을 보기에서 있는 대로 고른 것은? (단, 공기 저항은 무시한다.)

보기

ㄱ. 가속도의 크기는 5초~6초 동안이 가장 크다.
ㄴ. 1초일 때와 6초일 때 속력은 같다.
ㄷ. 0~2초 동안에 이동한 거리는 5초~6초 동안에 이동한 거리와 같다.

① ㄱ ② ㄴ ③ ㄱ, ㄷ ④ ㄴ, ㄷ ⑤ ㄱ, ㄴ, ㄷ

• 물체에 작용하는 알짜힘이 일정할 때 물체는 가속도가 일정한 운동을 한다.

06

> 뉴턴 운동 제2법칙(가속도 법칙)

그림 (가)는 지면 위에 정지해 있는 질량이 2 kg인 물체에 연직 위 방향으로 힘 F가 작용하는 모습을 나타낸 것이고, 그림 (나)는 힘의 크기를 시간에 따라 나타낸 것이다.

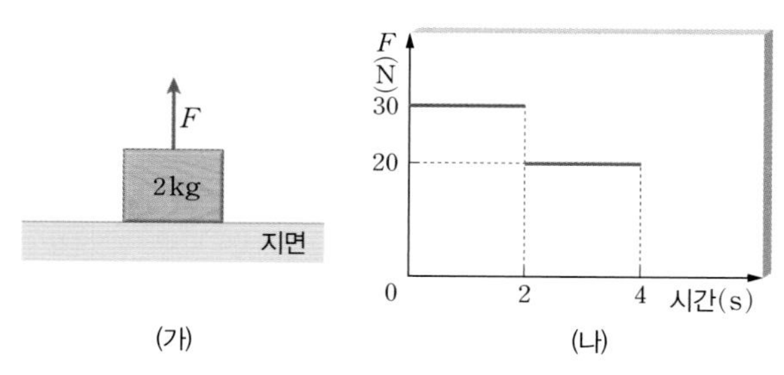

(가) (나)

물체가 올라간 최고 높이는? (단, 중력 가속도는 10 m/s²이고, 공기 저항은 무시한다.)

① 10 m ② 20 m ③ 30 m ④ 35 m ⑤ 45 m

• 물체는 속도가 0이 될 때 최고점에 도달한다.

07

> 뉴턴 운동 제2법칙(가속도 법칙)

그림 (가), (나)는 용수철저울로 연결된 물체 A, B를 마찰이 없는 수평면 위에 놓은 후 수평 방향으로 크기가 일정한 힘 F를 A, B에 각각 작용하는 모습을 나타낸 것이다. 이때 용수철저울에 측정된 힘의 크기가 각각 6 N, 2 N이었다.

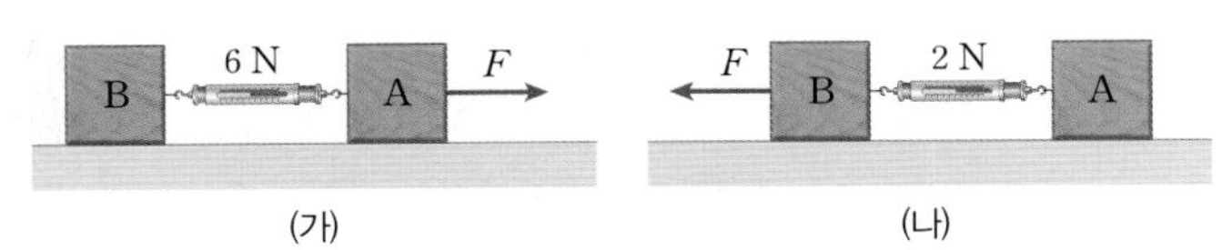

이에 대한 설명으로 옳은 것만을 보기에서 있는 대로 고른 것은? (단, 용수철저울의 질량, 공기 저항은 무시한다.)

보기

ㄱ. B의 가속도의 크기는 (가)에서가 (나)에서의 3배이다.

ㄴ. 질량은 B가 A의 3배이다.

ㄷ. (나)에서 B에 작용하는 알짜힘은 6 N이다.

① ㄱ ② ㄷ ③ ㄱ, ㄴ ④ ㄴ, ㄷ ⑤ ㄱ, ㄴ, ㄷ

물체에 작용하는 알짜힘은 물체의 질량에 가속도를 곱한 값과 같다.

고난도 08

> 뉴턴 운동 제2법칙(가속도 법칙)

그림은 마찰이 없는 수평면 위에 질량이 m인 물체가 P점을 v_0의 속력으로 통과한 후 Q점을 $\frac{1}{4}v_0$의 속력으로 통과하는 모습을 나타낸 것이다. PQ 사이에서 물체에는 수평 방향으로 크기가 일정한 힘 F가 작용하고, 물체가 PQ 사이를 이동하는 데 걸린 시간은 T이다.

이에 대한 설명으로 옳은 것만을 보기에서 있는 대로 고른 것은? (단, 물체의 크기, 공기 저항은 무시한다.)

보기

ㄱ. F의 방향은 물체의 운동 방향과 반대이다.

ㄴ. F의 크기는 $\frac{3mv_0}{4T}$이다.

ㄷ. PQ 사이의 거리는 $\frac{3}{4}v_0T$이다.

① ㄱ ② ㄷ ③ ㄱ, ㄴ ④ ㄴ, ㄷ ⑤ ㄱ, ㄴ, ㄷ

물체에 작용하는 알짜힘이 일정할 때 물체는 가속도가 일정한 운동을 한다. 이때 물체의 이동 거리는 평균 속도에 걸린 시간을 곱한 값과 같다.

09

> 뉴턴 운동 제3법칙(작용 반작용 법칙)

그림은 마찰이 없는 수평한 얼음판 위에 정지해 있던 두 스케이트 선수 A와 B가 마주보고 서로 밀었을 때 A와 B의 속력을 시간에 따라 나타낸 것이다.

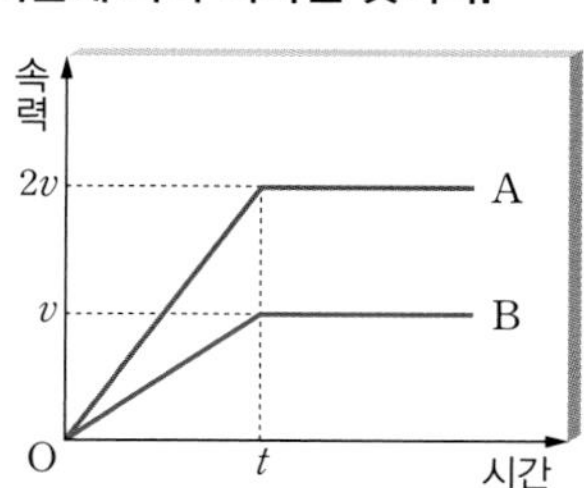

이에 대한 설명으로 옳은 것만을 보기에서 있는 대로 고른 것은? (단, A, B는 동일 직선상에서 운동하였다.)

보기
ㄱ. 서로 미는 동안 A의 가속도의 크기는 B의 2배이다.
ㄴ. 서로 미는 동안 A가 받은 힘의 크기는 B의 2배이다.
ㄷ. A의 질량은 B의 2배이다.

① ㄱ ② ㄴ ③ ㄷ ④ ㄱ, ㄴ ⑤ ㄱ, ㄷ

• 두 스케이트 선수가 서로 미는 힘은 작용 반작용 관계이다.

10

> 중력과 뉴턴 운동 제3법칙(작용 반작용 법칙)

그림과 같이 중력 가속도가 g인 지면 위에 질량이 m, M인 물체 A, B가 정지된 상태로 놓여 있다.

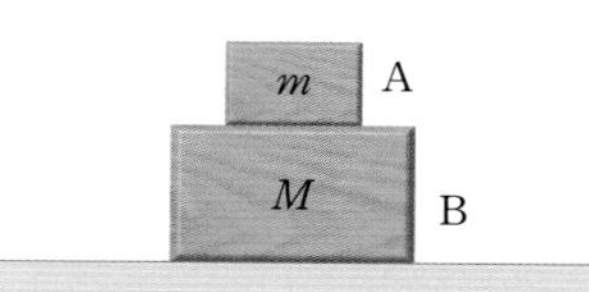

각 물체에 작용하는 힘에 대한 설명으로 옳은 것만을 보기에서 있는 대로 고른 것은?

보기
ㄱ. A와 지구는 mg의 힘으로 서로 끌어당긴다.
ㄴ. B가 A를 밀어올리는 힘의 크기는 mg이다.
ㄷ. 지면이 B의 밑면을 밀어올리는 힘의 크기는 Mg이다.

① ㄱ ② ㄴ ③ ㄷ ④ ㄱ, ㄴ ⑤ ㄱ, ㄴ, ㄷ

• 지구가 물체를 당기는 힘인 중력을 작용이라고 하면 물체가 지구를 당기는 힘을 반작용이라고 한다.

11

> 힘의 평형과 뉴턴 운동 제3법칙(작용 반작용 법칙)

그림 (가)는 수평면 위에 자석 B를 놓고 천장에 고정된 용수철에 자석 A를 매달았을 때 용수철이 늘어난 상태로 A가 정지해 있는 모습을 나타낸 것이다. 그림 (나)는 (가)에서 B의 극을 반대로 했을 때 A가 정지해 있는 모습을 나타낸 것이다. 이때 용수철이 늘어난 길이는 (가)가 (나)보다 길다.

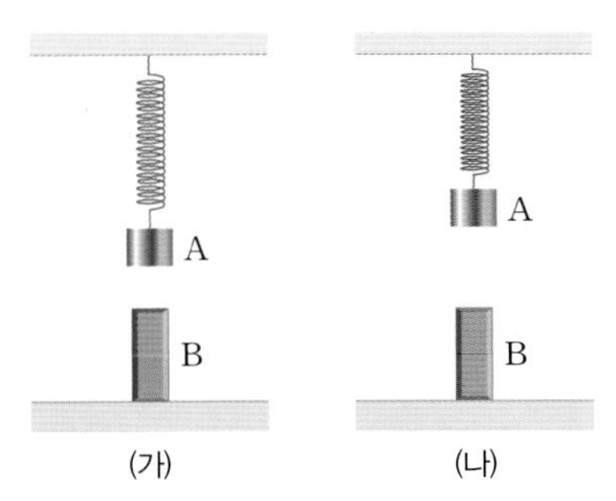

이에 대한 설명으로 옳은 것만을 보기에서 있는 대로 고른 것은? (단, A와 B, 용수철은 같은 연직선상에 있다.)

보기
ㄱ. (가)에서 A에 작용하는 탄성력과 중력은 크기가 같다.
ㄴ. (나)에서 A가 B에 작용하는 자기력의 크기와 B가 A에 작용하는 자기력의 크기는 같다.
ㄷ. B가 수평면을 누르는 힘의 크기는 (가)가 (나)보다 크다.

① ㄱ ② ㄴ ③ ㄷ ④ ㄱ, ㄴ ⑤ ㄴ, ㄷ

자석에 작용하는 힘들이 평형을 이루므로 자석이 정지해 있고, 두 자석 사이에 작용하는 자기력은 서로 작용 반작용 관계이므로 자기력의 크기는 같다.

12

> 힘의 평형과 뉴턴 운동 제3법칙(작용 반작용 법칙)

그림은 마찰이 없는 수평면 위에 질량이 1 kg, 2 kg, 3 kg인 물체 A, B, C를 접촉하여 놓고, 수평 방향으로 18 N의 힘을 작용하여 A를 미는 모습을 나타낸 것이다.

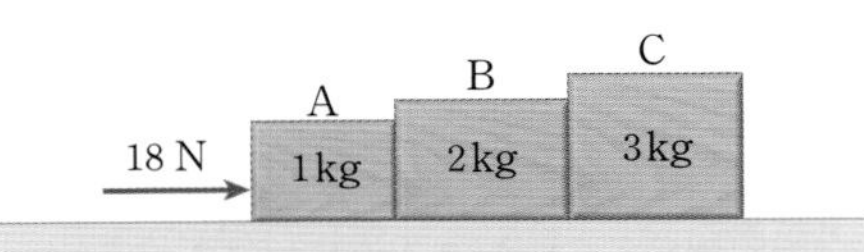

이에 대한 설명으로 옳은 것만을 보기에서 있는 대로 고른 것은?

보기
ㄱ. A의 가속도의 크기는 3 m/s^2이다.
ㄴ. B에 작용하는 알짜힘의 크기는 6 N이다.
ㄷ. C가 B에 작용하는 힘의 크기는 6 N이다.

① ㄱ ② ㄴ ③ ㄱ, ㄴ ④ ㄱ, ㄷ ⑤ ㄱ, ㄴ, ㄷ

물체에 작용하는 알짜힘은 물체의 질량에 가속도를 곱한 값과 같다.

13 > 도르래에 연결된 두 물체의 운동

그림 (가)는 물체 A와 무게가 10 N인 물체 B가 도르래를 통해 실로 연결되어 함께 운동하는 모습을 나타낸 것이고, 그림 (나)는 A를 10 N의 힘으로 당기고 있는 모습을 나타낸 것이다. 이때 A의 가속도의 크기는 (가)에서가 (나)에서의 $\frac{1}{3}$배이다.

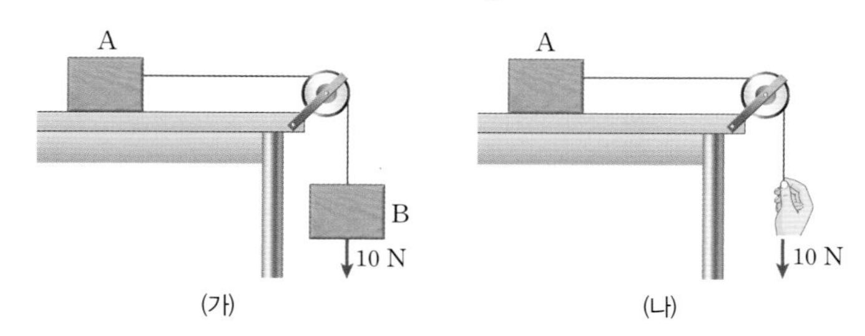

(가) (나)

A의 질량은 얼마인가? (단, 중력 가속도는 10 m/s^{2}이고, 실의 질량, 모든 마찰과 공기 저항은 무시한다.)

① 0.2 kg ② 0.5 kg ③ 0.8 kg ④ 1 kg ⑤ 1.2 kg

- 두 물체가 실로 연결되어 함께 운동할 때 실이 각 물체에 작용하는 힘의 크기는 같다.

14 > 도르래에 연결된 두 물체의 운동

그림 (가)는 물체 A와 B가 도르래를 통해 실로 연결되어 있을 때 전동기가 A를 수평면과 나란한 방향으로 끌어당기는 모습을 나타낸 것이고, 그림 (나)는 A의 속력을 시간에 따라 나타낸 것이다. 이때 A의 질량은 1 kg이고, 2초인 순간 전동기와 A를 연결한 실이 끊어졌다.

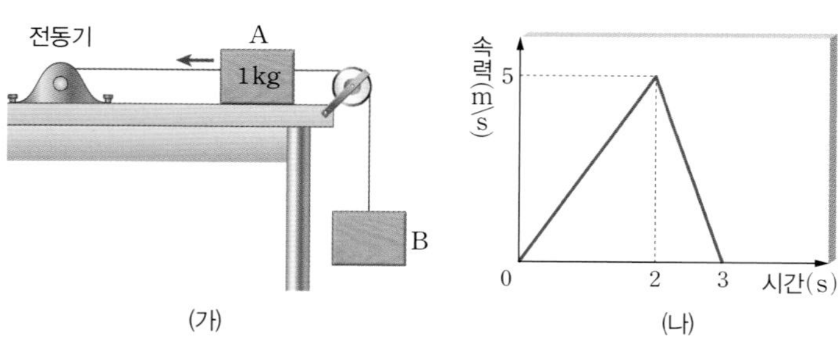

(가) (나)

이에 대한 설명으로 옳은 것만을 보기에서 있는 대로 고른 것은? (단, 중력 가속도는 10 m/s^{2}이고, 실의 질량, 모든 마찰과 공기 저항은 무시한다.)

보기
ㄱ. 2초를 전후하여 A와 B의 운동 방향이 반대가 된다.
ㄴ. B의 질량은 1 kg이다.
ㄷ. 전동기가 A를 당기는 힘의 크기는 20 N이다.

① ㄱ ② ㄴ ③ ㄱ, ㄷ ④ ㄴ, ㄷ ⑤ ㄱ, ㄴ, ㄷ

- 속력-시간 그래프에서 기울기는 가속도의 크기를 나타낸다.

15

> 도르래에 연결된 두 물체의 운동

그림 (가)는 질량이 1 kg, 4 kg인 물체 A와 B가 도르래를 통해 실로 연결되어 있을 때 A를 손으로 잡아 정지해 있는 모습을 나타낸 것이고, 그림 (나)는 손을 놓았을 때 A와 B가 함께 운동하는 모습을 나타낸 것이다.

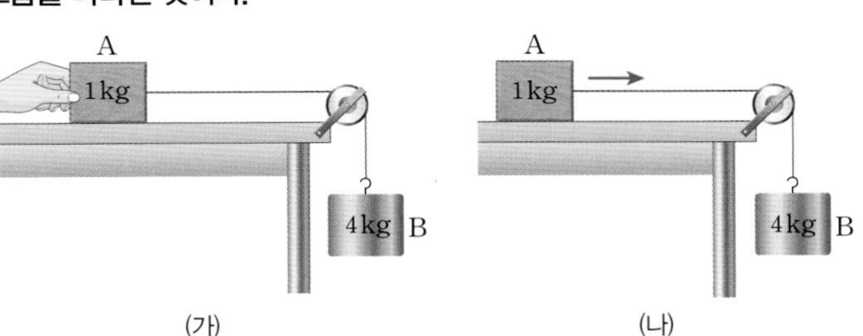

(가) (나)

이에 대한 설명으로 옳은 것만을 보기에서 있는 대로 고른 것은? (단, 중력 가속도는 10 m/s^{2}이고, 실의 질량, 모든 마찰과 공기 저항은 무시한다.)

보기

ㄱ. (가)에서 실이 A를 당기는 힘의 크기는 40 N이다.
ㄴ. (나)에서 실이 B를 당기는 힘의 크기는 6 N이다.
ㄷ. (나)에서 B가 4 m 낙하했을 때 A의 속력은 10 m/s이다.

① ㄱ ② ㄷ ③ ㄱ, ㄴ ④ ㄴ, ㄷ ⑤ ㄱ, ㄴ, ㄷ

• (나)에서 B에 작용하는 중력에 의해 A와 B가 함께 운동한다.

16

> 도르래에 연결된 세 물체의 운동

그림 (가)는 물체 A, B, C를 실 p, q로 연결한 후, A에 연직 방향으로 일정한 힘 F를 작용했을 때 세 물체가 정지해 있는 모습을 나타낸 것이다. 그림 (나)는 A를 놓은 순간부터 물체가 운동하여 C가 지면에 닿은 후, B가 C와 충돌하기 전까지 A의 속력을 시간에 따라 나타낸 것이다.

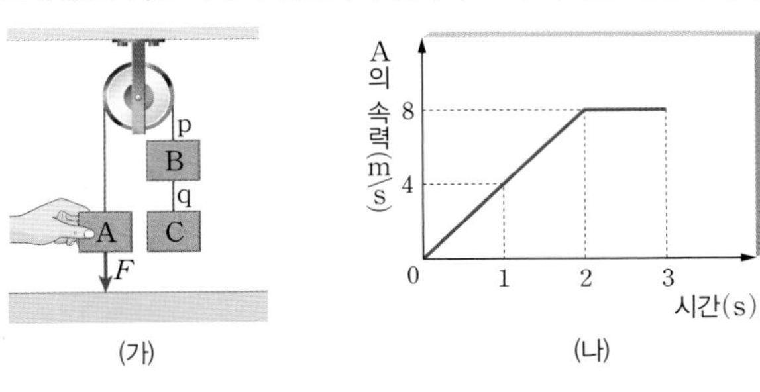

(가) (나)

이에 대한 설명으로 옳은 것만을 보기에서 있는 대로 고른 것은? (단, 중력 가속도는 10 m/s^{2}이고, 실의 질량, 모든 마찰과 공기 저항은 무시한다.)

보기

ㄱ. F의 크기는 C에 작용하는 중력의 크기와 같다.
ㄴ. 질량은 A가 C의 $\frac{3}{4}$배이다.
ㄷ. 1초일 때 p가 B를 당기는 힘의 크기는 q가 B를 당기는 힘의 크기보다 작다.

① ㄱ ② ㄴ ③ ㄷ ④ ㄱ, ㄴ ⑤ ㄴ, ㄷ

• 속력-시간 그래프에서 기울기는 가속도의 크기를 나타낸다.

03 운동량과 충격량

학습 Point 운동량 > 운동량 보존 법칙 > 충격량 > 충격력을 줄이는 방법

1 운동량 보존 법칙

물리량 중에는 질량이나 에너지처럼 변화가 일어날 때 항상 일정하게 보존되는 것들이 있다. 이러한 물리량에 관한 보존 법칙은 자연 현상을 설명하는 데 편리하게 이용된다. 운동량도 보존되는 물리량 중 하나로, 운동량 보존 법칙은 충돌이나 분열 등의 현상을 간단하게 분석할 수 있게 해 준다.

1. 직선상에서 두 물체의 충돌 문제

그림과 같이 직선상에서 질량이 m_A, m_B인 물체 A, B가 각각 v_A, v_B의 속도로 운동하다가 충돌한 후 A가 v_A'의 속도로 운동하였다면 충돌한 후 B의 속도 v_B'은 어떻게 구할 수 있을까?

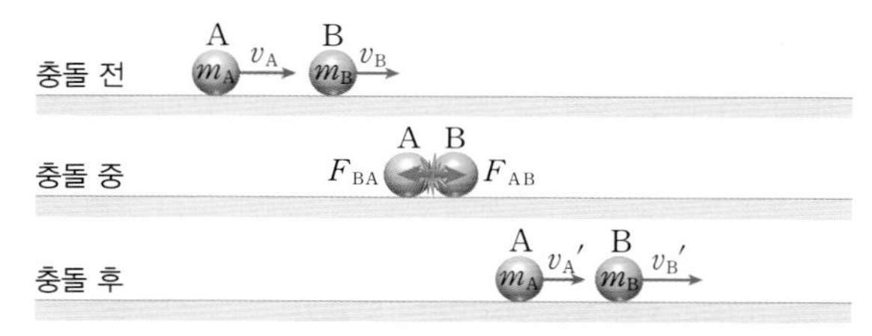

▲ 직선상에서 두 물체의 충돌

이 문제를 운동 방정식으로 풀려면 B가 A와 충돌하는 동안 받는 힘에 대해 알아야 한다. 그러나 충돌하는 동안 B에 힘이 작용하는 것은 분명하지만, 그 힘의 크기가 시간에 따라 얼마인지 정확하게 알 수는 없으므로, B의 가속도와 충돌 후 속도를 구하는 것도 쉽지 않다. 그런데 앞에서 배운 뉴턴 운동 제3법칙에 의해 A와 B가 충돌하면서 A가 B에 F_{AB}의 힘을 작용하면, 동시에 B도 A에 크기가 같고 방향이 반대인 F_{BA}의 힘을 작용하는 것을 알 수 있다. 따라서 A와 B를 고립계로 생각하면, 다음과 같은 관계가 성립한다.

$$F_{AB}+F_{BA}=0$$

즉, 고립계에서 물체 사이에 작용하는 힘을 모두 더하면 그 합은 0이 된다. 위의 식을 뉴턴 운동 제2법칙에 적용하여 정리하면 다음과 같다.

$$m_Aa_A+m_Ba_B=m_A\frac{\Delta v_A}{\Delta t}+m_B\frac{\Delta v_B}{\Delta t}=0 \rightarrow \frac{\Delta(m_Av_A+m_Bv_B)}{\Delta t}=0$$

위 식으로부터 $m_Av_A+m_Bv_B$의 값은 시간에 따라 변하지 않고 일정하게 보존되는 것을 알 수 있다. 즉, 고립계에서 각 물체의 질량과 속도의 곱인 mv라는 물리량의 합은 항상 보존되는데, 이 물리량을 운동량이라고 한다. 이를 통해 충돌한 후 B의 속도 v_B'을 쉽게 구할 수 있다.

고립계
외부와 상호 작용을 하지 않는 계로, 에너지나 물질이 외부에서 들어오거나 외부로 빠져나가지 않으며, 외부에서 힘이 작용하지 않는다.

2. 운동량

도로 위에서 트럭과 승용차가 같은 속도로 달리고 있을 때 승용차를 멈추게 하는 것보다 질량이 큰 트럭을 멈추게 하는 것이 더 어렵다. 또, 날아오는 야구공을 손으로 받을 때 야구공의 속도가 빠를수록 손에 미치는 충격이 더 크다. 이와 같이 운동하고 있는 물체의 질량이 크거나 속도가 빠를수록 운동의 효과는 더 큰데, 이와 관련된 물리량이 운동량이다.

(1) **운동량:** 물체가 운동할 때 물체의 질량에 속도를 곱한 물리량을 운동량이라고 한다. 질량이 m인 물체가 속도 v로 운동하고 있을 때 운동량 p는 다음과 같다.

운동량=질량×속도, $p=mv$ (단위: kg·m/s)

① **운동량의 방향:** 운동량은 크기와 방향을 모두 갖는 벡터량으로, 운동량의 방향은 속도의 방향과 같다. 직선상에서 물체가 운동할 때 한쪽 방향의 운동량을 (+)라 하면, 반대 방향의 운동량은 (−)로 나타낸다.

② **운동량의 크기:** 질량이 클수록, 속도가 빠를수록 크다.

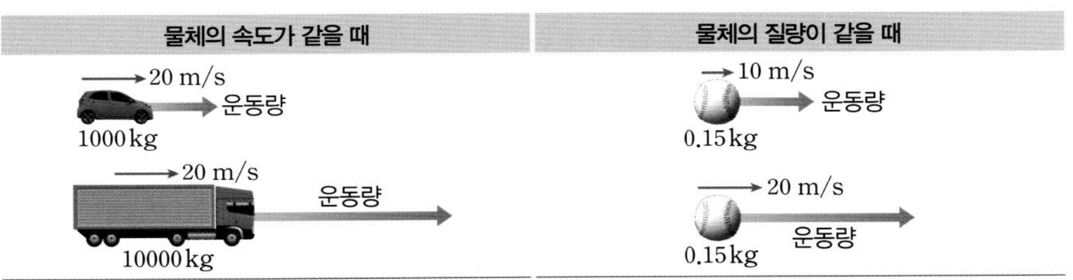

질량이 작은 승용차보다 질량이 큰 트럭의 운동량이 더 크다.	속도가 느린 야구공보다 속도가 빠른 야구공의 운동량이 더 크다.

(2) **운동량의 변화량:** 운동량의 변화량 Δp는 나중 운동량 mv에서 처음 운동량 mv_0을 뺀 값이다.

$$\Delta p=mv-mv_0$$

운동량은 벡터량이므로, 운동량의 변화량을 계산할 때는 방향을 고려해야 한다.

시선 집중 ★ 운동량의 변화량 계산하기

경우	계산	벡터	설명
운동량이 증가할 때 (2 kg, 1 m/s → 3 m/s)	2 kg×3 m/s−2 kg×1 m/s=4 kg·m/s	2 kg·m/s, 4 kg·m/s, 6 kg·m/s	운동량의 변화량은 처음 운동량의 방향과 같다.
운동량이 감소할 때 (2 kg, 3 m/s → 1 m/s)	2 kg×1 m/s−2 kg×3 m/s=−4 kg·m/s	6 kg·m/s, 2 kg·m/s, −4 kg·m/s	운동량의 변화량은 처음 운동량의 방향과 반대이다.
운동량의 방향이 반대가 될 때 (2 kg, 2 m/s → −3 m/s)	2 kg×(−3 m/s)−2 kg×2 m/s=−10 kg·m/s	−6 kg·m/s, 4 kg·m/s, −10 kg·m/s	운동량의 변화량은 처음 운동량의 방향과 반대이다.

물체의 운동량

물체 A와 B의 운동량의 크기가 같더라도 방향이 다르면 운동량은 다르다. 직선상에서 물체가 운동할 때 오른쪽 방향을 (+)라고 하면 물체의 운동량은 다음과 같다.

- A의 운동량: $-mv$
- B의 운동량: mv

(3) **운동량과 힘의 관계:** 달리는 트럭의 브레이크를 밟아 운동 반대 방향으로 힘을 작용하면 트럭의 속도가 감소하여 정지하고, 트럭의 운동량은 0이 된다. 이때 브레이크를 세게 밟아 더 큰 힘을 작용하면 트럭은 더 짧은 시간에 정지한다. 즉, 물체에 작용한 알짜힘이 클수록 시간에 따른 운동량의 변화량이 크다. 이와 같은 물체의 운동량의 변화량과 물체에 작용하는 힘 사이의 관계는 뉴턴 운동 제2법칙을 통해 이끌어 낼 수 있다. 물체의 질량이 일정할 때 운동량과 힘의 관계는 다음과 같다.

$$F=ma=m\frac{\Delta v}{\Delta t}=\frac{\Delta mv}{\Delta t}=\frac{\Delta p}{\Delta t}$$

즉, Δt 동안의 운동량의 변화량 Δp는 그 물체에 작용하는 알짜힘과 같다. 물체의 운동 변화를 나타내기 위해 뉴턴 운동 제2법칙에서는 가속도 a를 사용하였는데 운동량과 힘의 관계를 통해 운동량 p의 시간에 대한 변화량을 사용해도 된다는 것을 확인할 수 있다. 위 식은 뉴턴 운동 제2법칙의 일반적인 표현으로, 시간에 따라 속도가 변하는 물체의 운동 이외에도 질량이 변하는 물체의 운동에 적용하여 물체의 운동 변화를 알 수 있다.

3. 운동량 보존 법칙

탐구 1권 64쪽

두 물체가 충돌할 때 각각의 물체의 운동량은 변하지만 두 물체의 운동량의 총합은 충돌 전후 변하지 않고 일정하게 유지된다. 이처럼 외력이 작용하지 않고 물체들 사이에서만 힘이 작용한다면 힘이 작용하기 전후 물체들의 운동량의 총합은 일정하게 보존되는데, 이를 운동량 보존 법칙이라고 한다. 그림과 같이 직선상에서 질량이 m_1, m_2인 물체 A, B가 각각 v_1, v_2의 속도로 운동하다가 충돌한 후 속도가 v_1', v_2'이 되었을 때 다음 식이 성립한다.

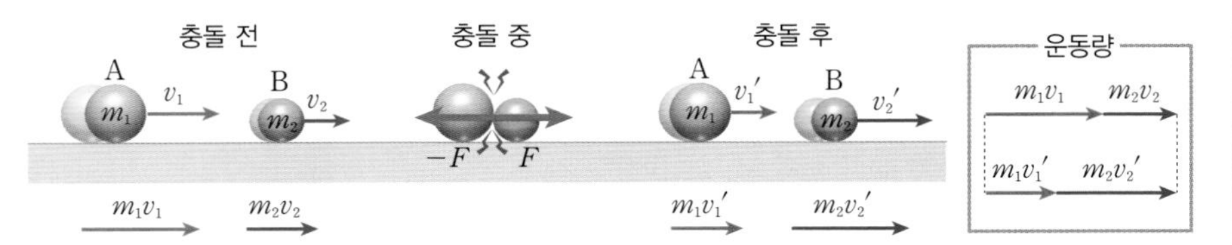

$$m_1v_1+m_2v_2=m_1v_1'+m_2v_2'$$

충돌 전 운동량의 총합=충돌 후 운동량의 총합

(1) 운동량 보존 법칙은 2개 이상의 물체들로 이루어진 물체계에서도 성립한다. 즉, 질량이 m_1, m_2, m_3, …인 여러 물체들로 이루어진 물체계에서 물체 사이에서만 힘이 작용하여 속도가 m_1은 v_1에서 v_1'으로, m_2는 v_2에서 v_2'으로, … 되었다면 다음 식이 성립한다.

$$m_1v_1+m_2v_2+m_3v_3+\cdots=m_1v_1'+m_2v_2'+m_3v_3'+\cdots$$

(2) 운동량 보존 법칙은 두 물체가 충돌할 때 한 물체로 합쳐지는 융합, 한 물체가 2개 이상의 물체로 나누어지는 분열 등의 경우에도 항상 성립한다.

(3) 물체 사이에서만 힘이 작용하는 경우 항상 작용 반작용 법칙이 성립한다. 이때 각 물체에 힘이 작용하는 시간이 같으므로 운동량 변화량의 합은 항상 0이 된다.

(4) 외력이 작용하면 물체계의 전체 운동량은 변한다. 그러나 단단한 물체가 충돌할 때와 같이 물체끼리 힘이 작용하는 시간이 매우 짧을 때(마찰력이나 중력 등 외력에 의한 물체의 속도 변화가 무시될 때) 물체의 운동량의 총합은 거의 보존된다.

물체의 운동량 보존

외력이 작용하지 않는다면 고립계를 이루는 물체들의 전체 운동량은 보존된다. 하지만 일반적으로 고립계 안에서 물체들은 서로 상호 작용하므로 각 물체의 운동량은 보존되지 않는다.

중력이 작용할 때 운동량 보존

질량이 m_1, m_2인 물체 A, B가 공중에서 날아가다가 충돌할 때 충돌 전, 충돌하는 순간, 충돌 후 A, B의 속도는 중력이 작용하므로 계속 변한다. 그러나 두 물체가 충돌할 때 충돌 시간이 매우 짧다면 충돌하는 동안의 중력에 의한 속도 변화량을 무시할 수 있다. 따라서 충돌 직전 속도 v_1, v_2와 충돌 직후 속도 v_1', v_2' 사이에는 운동량이 보존되므로 다음과 같은 식이 성립한다.

$$m_1v_1+m_2v_2=m_1v_1'+m_2v_2'$$

충돌 직후 속도는 v_1', v_2'이지만 그 후 중력에 의해 속도는 계속 변하게 된다.

4. 운동량 보존 법칙의 적용

운동량 보존 법칙을 이용하면 물체가 충돌하거나 융합, 분열하는 등의 과정에서 일어나는 속도 변화를 정량적으로 예측할 수 있다.

(1) **두 물체가 충돌하는 경우:** 그림과 같이 직선상에서 질량이 m_1, m_2인 물체 A, B가 각각 v_1, v_2의 속도로 운동하다가 충돌한 후 v_1', v_2'의 속도로 운동하였다.

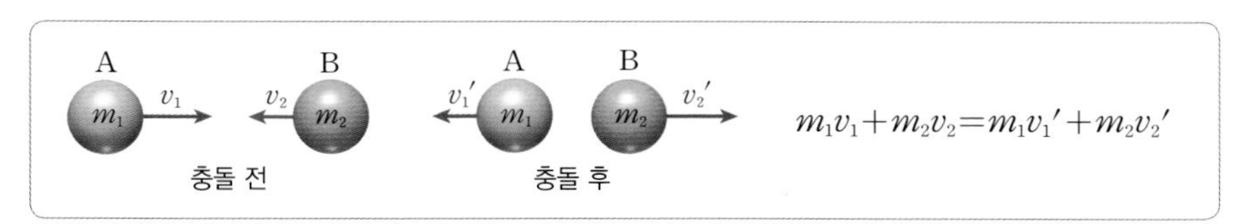

예 수평면에서 물체 A, B가 충돌할 때 충돌 후 B의 속도 v는 다음과 같다.

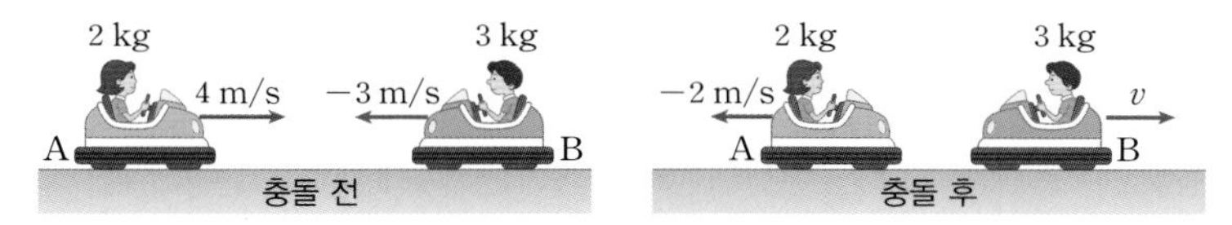

$$2\text{ kg}\times4\text{ m/s}+3\text{ kg}\times(-3\text{ m/s})=2\text{ kg}\times(-2\text{ m/s})+3\text{ kg}\times v \rightarrow v=1\text{ m/s}$$

(2) **두 물체가 한 물체로 융합하는 경우:** 그림과 같이 직선상에서 질량이 m_1, m_2인 물체 A, B가 각각 v_1, v_2의 속도로 운동하다가 충돌한 후 한 물체로 융합하여 v의 속도로 운동하였다.

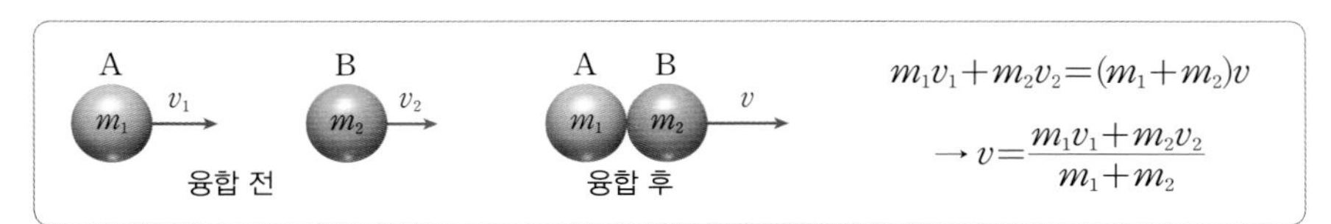

예 수평면에서 물체 A, B가 충돌한 후 융합하여 한 덩어리가 되어 운동할 때 융합 후 A, B의 속도 v는 다음과 같다.

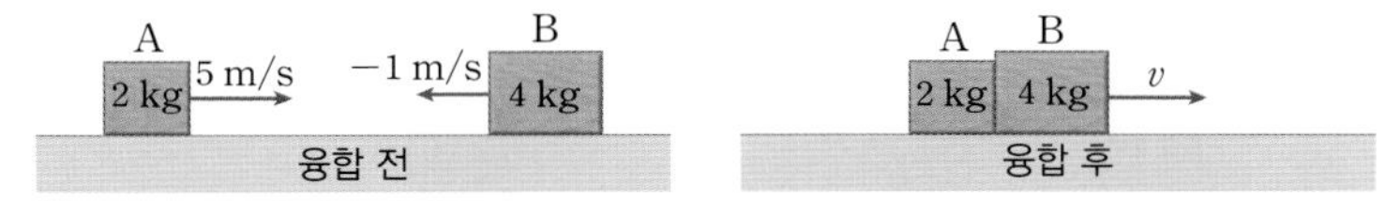

$$2\text{ kg}\times5\text{ m/s}+4\text{ kg}\times(-1\text{ m/s})=(2\text{ kg}+4\text{ kg})\times v \rightarrow v=1\text{ m/s}$$

(3) **한 물체가 두 물체로 분열하는 경우:** 그림과 같이 직선상에서 정지해 있던 한 물체가 질량이 m_1, m_2인 물체 A, B로 분열하여 각각 v_1, v_2의 속도로 운동하였다.

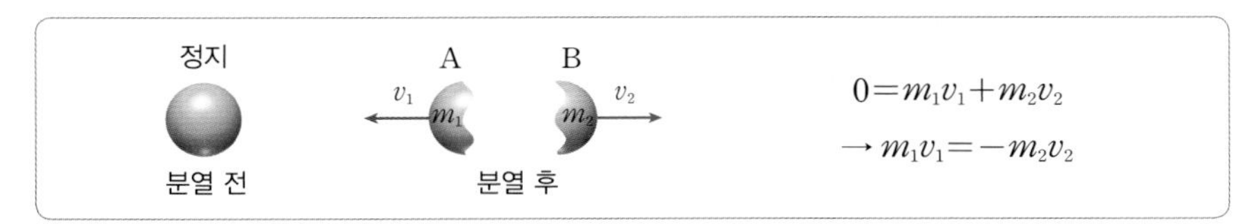

예 수평면에서 정지해 있던 물체가 물체 A, B로 분열하여 운동할 때 분열 후 B의 속도 v는 다음과 같다.

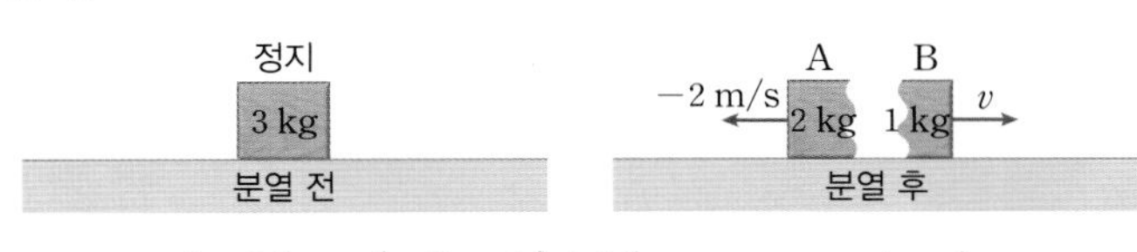

$$0=2\text{ kg}\times(-2\text{ m/s})+1\text{ kg}\times v \rightarrow v=4\text{ m/s}$$

물체가 융합하는 경우
- 융합한 물체는 융합하기 전 운동량이 큰 물체의 운동 방향으로 운동한다.
- 3개 이상의 물체가 충돌하여 융합할 때도 운동량 보존 법칙은 성립한다.

물체가 분열하는 경우
- 분열한 두 물체는 서로 반대 방향으로 운동하고, 질량이 작은 물체의 속력이 더 빠르다.
- 한 물체가 3개 이상의 물체로 분열할 때도 운동량 보존 법칙은 성립한다.

충격량과 운동량 변화량의 관계

집중 분석 1권 62쪽~63쪽

액셀러레이터는 자동차의 가속 장치로, 액셀러레이터를 밟으면 자동차의 속도는 증가하게 된다. 액셀러레이터를 짧게 밟았을 때보다 길게 밟았을 때 자동차의 속도가 더 많이 증가하는 것처럼 물체의 속도 증가량은 물체에 작용하는 힘의 크기뿐만 아니라 힘이 작용한 시간과도 밀접한 관련이 있다.

1. 충격량

⑴ **충격량:** 물체에 작용한 힘에 힘이 작용한 시간을 곱한 물리량을 충격량이라고 한다. 즉, 충격량은 어떤 시간 동안 물체에 작용한 힘의 총량을 의미한다. 물체에 F의 힘을 시간 t 동안 작용할 때 충격량 I는 다음과 같다.

충격량=힘×시간, $I=Ft$ (단위: N·s)

① **충격량의 크기:** 물체에 작용한 힘의 크기와 힘이 작용한 시간에 비례한다.
② **충격량의 방향:** 물체에 작용한 힘의 방향과 같다.

⑵ **힘－시간 그래프:** 물체에 작용하는 힘의 크기가 일정할 때 힘－시간 그래프는 그림 (가)와 같다. 이때 그래프와 시간축이 이루는 넓이는 힘 F와 시간 t의 곱으로 충격량 I를 의미한다. 그림 (나)와 같이 물체에 작용하는 힘의 크기가 시간에 따라 변할 때 시간 t를 매우 짧은 시간 간격 Δt 만큼씩 구분해 주면 Δt 동안의 힘의 크기가 일정하다고 볼 수 있다. 어떤 시각에서 Δt 동안 힘이 F로 일정하다면 그림 (나)에서 빗금 친 작은 직사각형 넓이에 해당하는 $F\Delta t$는 Δt 동안 물체가 받은 충격량이다. 시간 t 동안의 물체가 받은 충격량은 작은 직사각형 넓이를 모두 합한 것과 같으며 이는 그림 (나)에서 그래프와 시간축이 이루는 넓이와 같다.

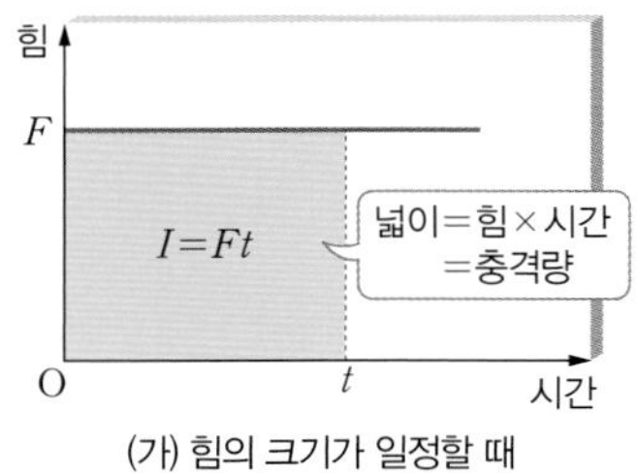

(가) 힘의 크기가 일정할 때

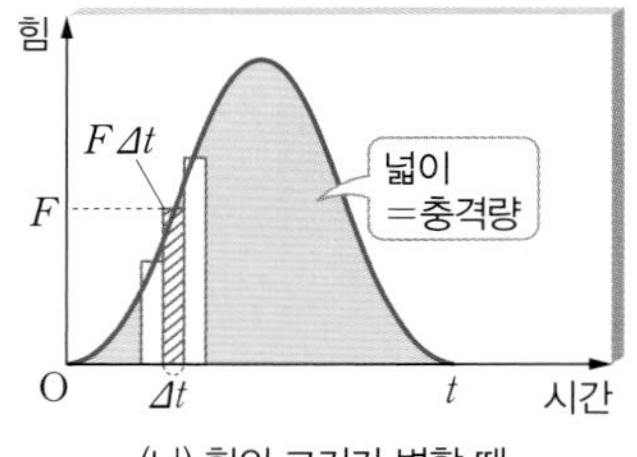

(나) 힘의 크기가 변할 때

▲ **힘－시간 그래프**

그래프 넓이 구하기
수학에서 그래프 넓이를 구하기 위해 적분을 이용하며 충격량은 다음과 같은 식으로 표현된다.

$$I=\int F(t)dt$$

⑶ **충격량을 크게 하는 방법:** 물체에 작용한 힘의 크기를 크게 하거나 힘이 작용한 시간을 길게 하면 충격량이 커지게 된다. 일상생활에서 충격량을 크게 할 때는 힘의 크기를 크게 하거나 다음과 같이 힘이 작용한 시간을 길게 하는 방법도 이용된다.

총신이 긴 소총	야구의 타법
총신이 길수록 총알을 밀어내는 힘을 작용하는 시간이 길어져 충격량이 커지므로 총알이 더 멀리 날아가게 된다.	야구 방망이를 끝까지 휘두르면 야구 방망이가 야구공에 힘을 작용하는 시간이 길어져 충격량이 커지므로 야구공이 더 멀리 날아가게 된다.

운동 경기에서 충격량을 크게 하는 방법
야구나 골프에서 야구 방망이나 골프채를 끝까지 휘두르는 동작을 팔로 쓰루(follow through)라고 한다. 무리하게 힘을 작용하려고 하면 타점이 부정확해져 원하는 방향으로 공을 보내기 어렵고, 공에 작용하는 힘이 클수록 반작용도 커서 몸이 받는 충격도 증가한다. 따라서 힘을 작용한 시간을 길게 하는 방법은 사람이 받는 충격을 줄이면서 충격량을 크게 하는 효과적인 방법이다.

2. 충격량과 운동량 변화량의 관계

물체에 힘을 작용하면 물체의 속도가 변하고, 물체의 속도가 변하면 운동량의 변화가 생긴다. 그림과 같이 직선상에서 속도 v_0로 운동하고 있는 질량이 m인 물체에 일정한 힘 F가 시간 Δt 동안 작용하여 속도가 v로 변했다면 가속도 $a=\frac{v-v_0}{\Delta t}$이므로 뉴턴 운동 제2법칙을 다음과 같이 나타낼 수 있다.

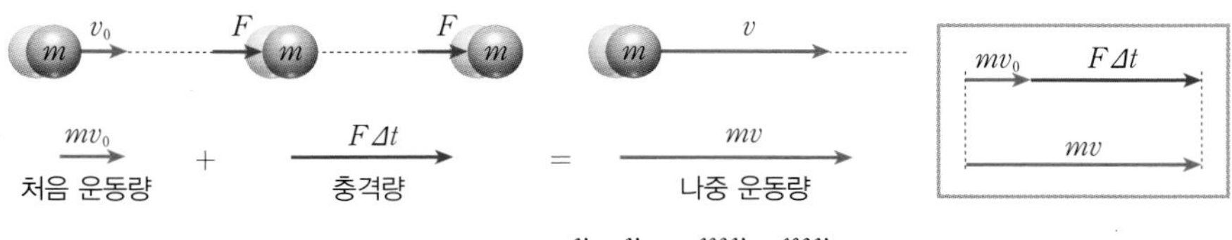

$$F=ma=m\frac{v-v_0}{\Delta t}=\frac{mv-mv_0}{\Delta t}$$

이 식의 양변에 시간 Δt를 곱하면 다음과 같다.

$$F\Delta t=mv-mv_0$$

이 식에서 힘과 힘이 작용한 시간의 곱은 충격량이므로 물체에 작용한 충격량은 운동량의 변화량과 같음을 알 수 있다.

충격량과 운동량의 단위 비교
- 충격량의 단위: N·s
- 운동량의 단위: kg·m/s

즉, 1 N·s=1 kg·m/s^2×s=1 kg·m/s이므로, 충격량과 운동량의 단위는 같다.

$$I=\Delta p=mv-mv_0$$

충격량=운동량의 변화량=나중 운동량−처음 운동량

(1) 충격량과 운동량 변화량의 관계를 이용한 충격량 구하기

질량이 50 g인 테니스공이 10 m/s의 속력으로 벽에 수직으로 충돌한 후 반대 방향으로 5 m/s의 속력으로 튀어나왔을 때 테니스공과 벽이 받은 충격량은 다음과 같다.

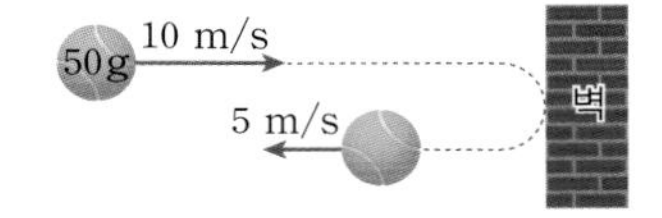

① **테니스공의 운동량 변화량의 크기:** 운동량의 변화량은 나중 운동량에서 처음 운동량을 뺀 값이므로 $|\Delta p|=|0.05\text{ kg}\times(-5\text{ m/s})-0.05\text{ kg}\times10\text{ m/s}|=0.75\text{ kg·m/s}$이다.

② **테니스공이 받은 충격량의 크기:** 충격량은 운동량의 변화량과 같으므로 0.75 N·s이다.

③ **벽이 받은 충격량의 크기:** 작용 반작용 법칙에 따라 벽이 받은 충격량의 크기는 테니스공이 받은 충격량의 크기와 같으므로 0.75 N·s이다.

시야 확장 + 작용한 힘이 일정하지 않을 때 충격량 구하기

그림과 같이 속력이 v_0인 물체에 힘 F_0이 시간 t_0 동안 작용하여 속력이 v_1이 되고, 계속하여 힘 F_1이 시간 t_1 동안 작용하여 속력이 v_2가 되었다. 이때 물체의 운동량은 보존되므로 다음과 같다.

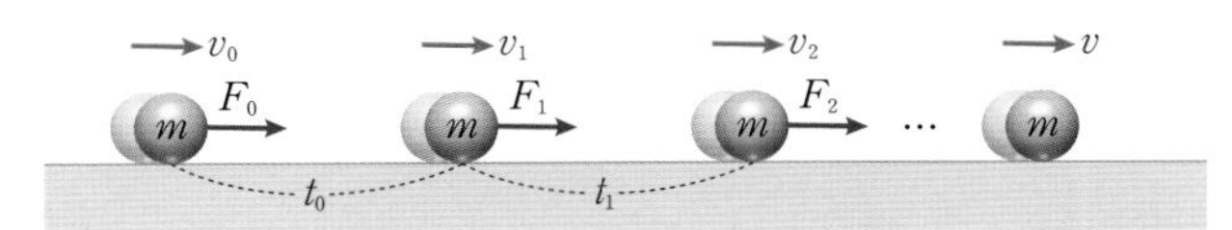

$$mv_1-mv_0=F_0t_0 \cdots\cdots ㉠ \quad mv_2-mv_1=F_1t_1 \cdots\cdots ㉡$$

㉠과 ㉡식을 더하면 $mv_2-mv_0=F_0t_0+F_1t_1$이다. 따라서 힘이 F_0, F_1, F_2, …로 변하고, 각각 t_0, t_1, … 동안 작용하여 그 결과 속도가 v_0에서 v로 변했다면 $mv-mv_0=F_0t_0+F_1t_1+\cdots$이다. 즉, 물체의 운동량의 변화량은 그 변화 사이에 주어진 충격량의 총합과 같다.

3 충돌과 충격 완화 장치

높은 곳에서 뛰어내려 바닥에 착지할 때 무릎을 구부리거나 야구 경기에서 포수가 두툼한 글러브를 끼는 것 등은 모두 힘이 작용할 때 사람이나 물체에 작용하는 충격을 줄이기 위해서이다.

1. 충격력

물체가 충돌할 때 시간에 따라 변하는 힘의 크기를 정확하게 측정하기는 어렵다. 그러나 작용한 힘에 시간을 곱한 충격량은 운동량의 변화량으로부터 쉽게 구할 수 있다. 배트로 공을 칠 때 공을 치기 전후 공의 속력은 스피드 건(speed gun)과 같은 장치로 쉽게 측정할 수 있으므로 공의 운동량의 변화량으로부터 배트가 공에 작용한 충격량을 알 수 있다. 이때 공이 받은 충격량을 충돌 시간으로 나누면 배트가 공을 치는 짧은 시간 동안 작용한 힘의 평균 값을 구할 수 있는데, 이를 충격력이라고 한다.

(1) **충격력:** 충돌하는 물체가 받은 충격량을 충돌 시간으로 나눈 평균 힘이다.

$$\overline{F}=\frac{\Delta p}{\Delta t}=\frac{I}{\Delta t}$$

(2) **힘-시간 그래프에서 충격력:** 물체가 충돌할 때 일반적으로 물체에 작용하는 힘의 크기는 일정하지 않고, 시간에 따라 변한다. 힘의 크기가 시간에 따라 변하는 힘-시간 그래프에서 물체가 받은 충격량 I는 충격력 $\overline{F}$에 시간 Δt를 곱한 값인 직사각형의 넓이로 구할 수 있다.

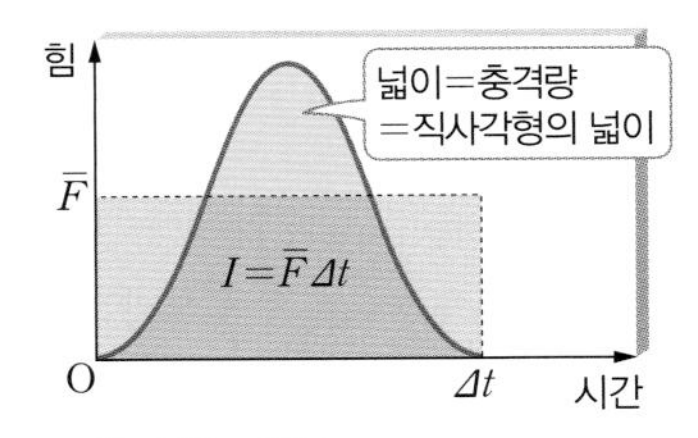

▲ 힘-시간 그래프

충격량과 충격력
두 물체가 충돌할 때 주고받는 힘은 뉴턴 운동 제3법칙(작용 반작용 법칙)에 의해 크기가 같고 방향이 반대이다. 이때 두 물체가 충격력을 주고받는 시간이 같으므로 두 물체 사이에 주고받는 충격량의 크기는 같고 방향은 반대이다.

2. 충격력과 충돌 시간의 관계

충돌하는 물체가 받는 충격량이 일정하다면 충격력은 충돌 시간에 따라 달라진다. 그림과 같이 동일한 달걀 A, B를 같은 높이에서 가만히 놓아 각각 딱딱한 접시와 푹신한 방석에 떨어뜨렸을 때 충격력과 충돌 시간의 관계는 다음과 같다.

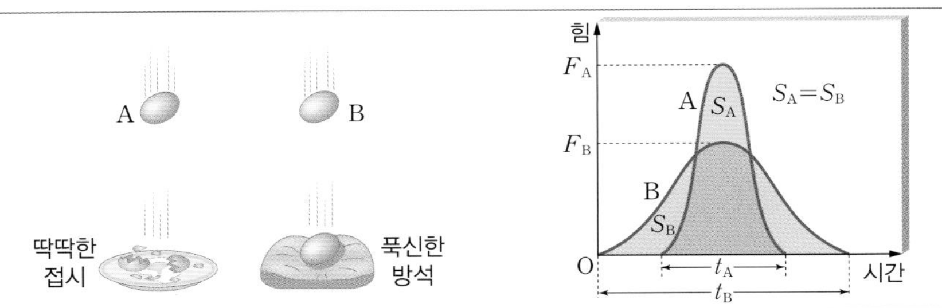

운동량의 변화량	A와 B는 같은 높이에서 떨어지므로 충돌 직전 운동량이 같고, 충돌 후 모두 정지하므로 충돌 후 운동량은 0이다. → $\Delta p_A=\Delta p_B$
충격량	충격량은 운동량의 변화량과 같다. → $I_A=I_B$
충돌 시간	딱딱한 접시에 떨어진 A보다 푹신한 방석에 떨어진 B의 충돌 시간이 더 길다. → $t_A<t_B$
힘의 최댓값	충격량이 같을 때 충돌 시간이 짧을수록 힘의 최댓값이 더 크다. → $F_A>F_B$
결론	충돌 시간이 짧은 A는 큰 힘을 받아 깨지고, 충돌 시간이 긴 B는 작은 힘을 받아 깨지지 않는다.

즉, 충격량이 일정할 때 충돌 시간이 길수록 물체가 받는 충격력(평균 힘)의 크기는 작아진다.

3. 충격력을 줄이는 방법

일상생활에서는 사람이나 물체가 받는 충격을 줄이기 위해 다양한 방법을 사용한다. 높은 곳에서 뛰어내릴 때 무릎을 구부리는 동작, 공을 받을 때 손을 뒤로 빼는 동작 등을 통해 충격을 줄이거나 경기장 안전 펜스, 공기 안전 매트 등과 같이 탄성이 있거나 푹신한 재질로 되어 있는 충격 완화 장치를 사용하여 충격을 줄인다.

모자 안쪽에 탄성이 있는 벨트 등을 대어 만든 안전모는 물체가 머리와 충돌할 때 충돌 시간을 길게 하여 머리가 받는 충격력을 줄인다.

깨지기 쉬운 물건을 운반할 때 사용하는 에어캡은 충돌 시간을 길게 하여 물건이 받는 충격력을 줄인다.

야구 선수는 야구공을 받을 때 글러브를 끼고 손을 뒤로 빼는 동작을 하여 손에 작용하는 충격력을 줄인다.

탄성이 있는 소재를 넣어 두툼하게 만든 권투 장갑은 권투 시합을 할 때 충돌 시간을 길게 하여 선수가 받는 충격력을 줄인다.

자동차의 에어백과 범퍼는 자동차가 충돌할 때 충돌 시간을 길게 하여 충격력을 줄임으로써 부상의 정도나 위험을 감소시킨다.

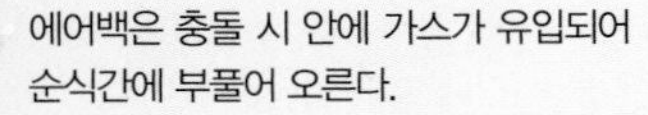

에어백은 충돌 시 안에 가스가 유입되어 순식간에 부풀어 오른다.

범퍼는 내부가 비어 있고, 플라스틱과 같이 부서지기 쉬운 소재로 만들어 충돌 시 쉽게 찌그러진다.

유도 선수는 바닥에 넘어질 때 어깨, 옆구리, 무릎, 발 등을 연속적으로 바닥과 충돌시켜 바닥과의 충돌 시간을 길게 하여 선수가 받는 충격력을 줄인다.

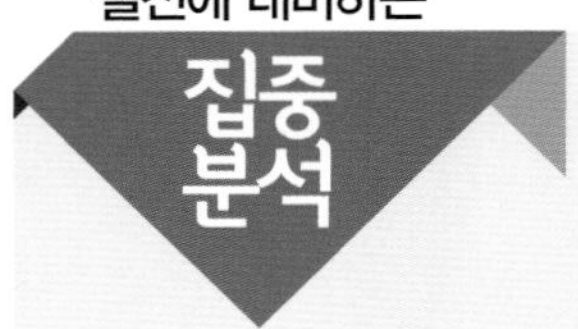

힘-시간 그래프

힘-시간 그래프는 시간에 따른 힘의 변화를 나타내는 그래프로, 그래프와 시간축이 이루는 넓이는 충격량을 의미한다. 이를 통해 물체에 힘이 작용했을 때 물체의 운동량의 변화량과 충격력을 구할 수 있다. 이처럼 힘-시간 그래프는 다양한 정보를 제공하므로 힘-시간 그래프를 능숙하게 분석할 수 있어야 한다.

그림과 같이 골프채로 골프공을 칠 때 골프공에 작용하는 힘에 의해 골프공이 찌그러진다. 골프채와 골프공이 처음 접촉할 때 골프공에 힘이 작용하기 시작하는데 이 힘은 골프공이 찌그러들수록 증가하다가 골프공이 최대로 찌그러졌을 때 최대가 된다. 이후 골프공에 작용하는 힘은 찌그러진 골프공이 펴지면서 감소하다가 골프채로부터 완전히 떨어졌을 때 0이 된다. 이와 같이 물체가 충돌하는 대부분의 경우 물체에 작용하는 힘의 크기는 일정하지 않고 시간에 따라 변한다.

❶ 힘-시간 그래프가 시간축에 나란한 직선 모양인 경우

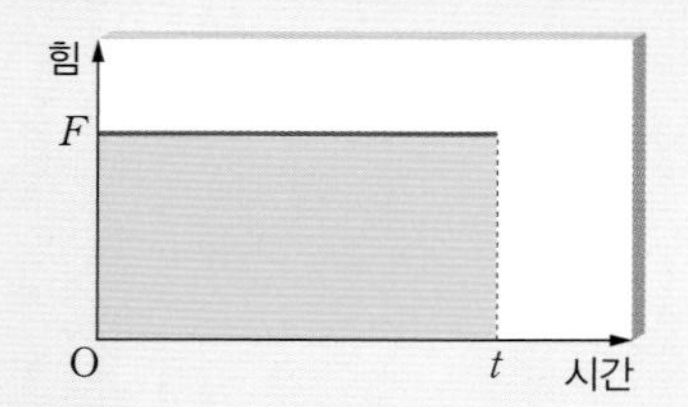

- 힘의 크기가 일정하다.

➡ 물체는 등가속도 직선 운동을 한다. 예 자유 낙하 운동

- 그래프와 시간축이 이루는 넓이$=I=Ft=\Delta p$

예제

❶ 그림은 마찰이 없는 수평면 위에 정지해 있는 질량이 1 kg인 물체에 수평 방향으로 작용한 힘을 시간에 따라 나타낸 것이다.

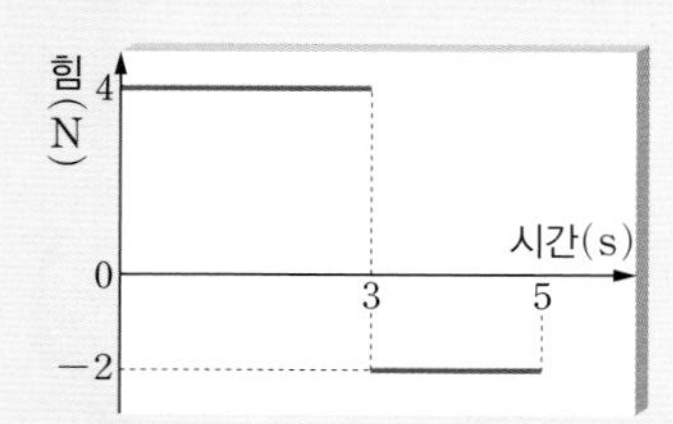

(1) 0~5초 동안 물체가 받은 충격량의 크기는 몇 N·s인지 구하시오.

(2) 5초일 때 물체의 운동량의 크기는 몇 kg·m/s인지 구하시오.

(3) 3초일 때 물체의 속도는 몇 m/s인지 구하시오.

정답 (1) 8 N·s (2) 8 kg·m/s (3) 12 m/s

해설 (1) $I=4\text{ N}\times3\text{ s}-2\text{ N}\times2\text{ s}=8\text{ N}\cdot\text{s}$

(2) 물체가 받은 충격량은 운동량의 변화량과 같으므로, 5초일 때 운동량의 크기는 8 kg·m/s이다.

(3) 3초일 때 물체의 속도를 v라고 하면 물체의 운동량의 변화량은 $1\text{ kg}\times v-0=12\text{ kg}\cdot\text{m/s}$이므로 $v=12\text{ m/s}$이다.

❷ 힘-시간 그래프가 삼각형 모양인 경우

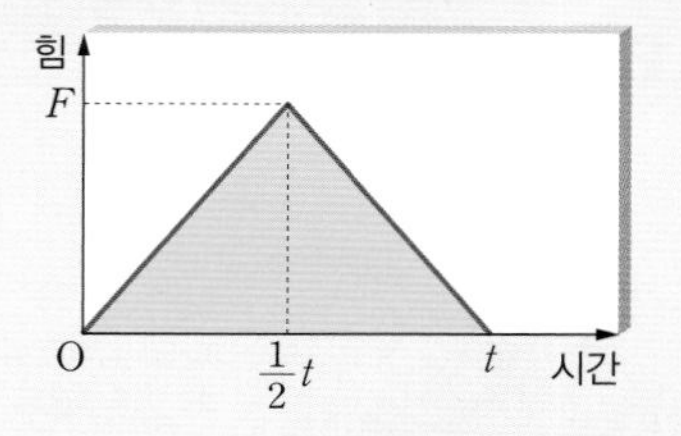

- 힘의 크기가 일정하게 변한다. ➡ 힘의 방향이 변하지 않으므로 정지해 있던 물체의 경우 운동량은 계속 증가한다.
- 그래프와 시간축이 이루는 넓이$=I=\dfrac{Ft}{2}=\Delta p$

예제

❷ 그림은 마찰이 없는 수평면 위에 정지해 있는 질량이 5 kg인 물체에 수평 방향으로 작용한 힘을 시간에 따라 나타낸 것이다.

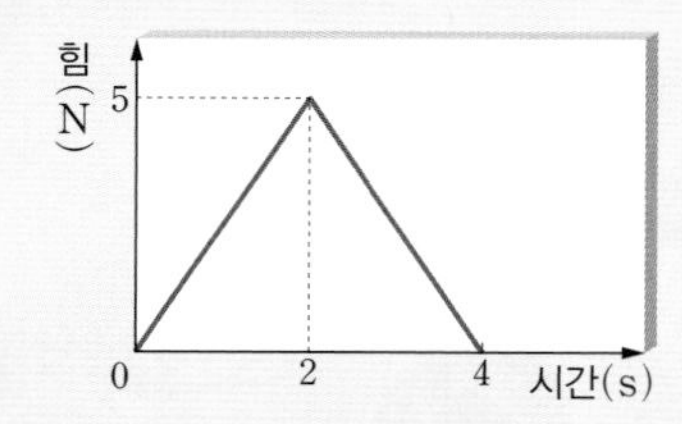

(1) 0~4초 동안 물체가 받은 충격량의 크기는 몇 N·s인지 구하시오.

(2) 4초일 때 물체의 운동량의 크기는 몇 kg·m/s인지 구하시오.

(3) 4초일 때 물체의 속도는 몇 m/s인지 구하시오.

정답 (1) 10 N·s (2) 10 kg·m/s (3) 2 m/s

해설 (1) $I=\dfrac{1}{2}\times5\text{ N}\times4\text{ s}=10\text{ N}\cdot\text{s}$

(2) 물체가 받은 충격량은 운동량의 변화량과 같으므로, 4초일 때 운동량의 크기는 10 kg·m/s이다.

(3) 4초일 때 물체의 속도를 v라고 하면 물체의 운동량의 변화량은 $5\text{ kg}\times v-0=10\text{ kg}\cdot\text{m/s}$이므로 $v=2\text{ m/s}$이다.

③ 힘-시간 그래프가 곡선 모양인 경우

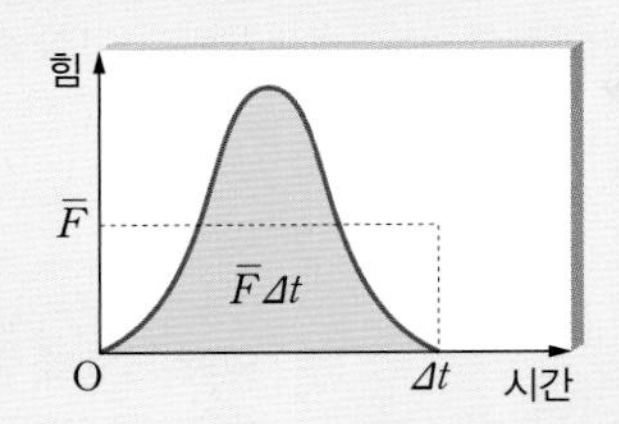

- 힘의 크기가 변한다. ➡ 힘의 방향이 변하지 않으므로 정지해 있던 물체의 경우 운동량은 계속 증가한다.
- 그래프와 시간축이 이루는 넓이$=I=\overline{F}\Delta t=\Delta p$

➡ 충격력(평균 힘) $\overline{F}=\dfrac{I}{\Delta t}=\dfrac{\Delta p}{\Delta t}$

- 그래프가 곡선 모양인 경우 비교하기

힘-시간 그래프	비교
힘, F_A, F_B, A, S_A, $S_A=S_B$, B, S_B, O, t_A, t_B, 시간	• 충격량: $I_A=I_B$ • 운동량의 변화량: $\Delta p_A=\Delta p_B$ • 힘이 작용한 시간: $t_A<t_B$ • 힘의 최댓값: $F_A>F_B$

예제

③ 그림 (가)는 마찰이 없는 수평면에서 질량이 m인 공 A, B가 각각 $2v$, v의 속력으로 다가올 때 수평 방향으로 차는 모습을 나타낸 것이다. 그림 (나)는 A, B에 작용한 힘의 크기를 시간에 따라 나타낸 것으로, 그래프와 시간축이 이루는 넓이는 $4mv$로 같다. (단, 공은 동일 직선상에서 운동한다.)

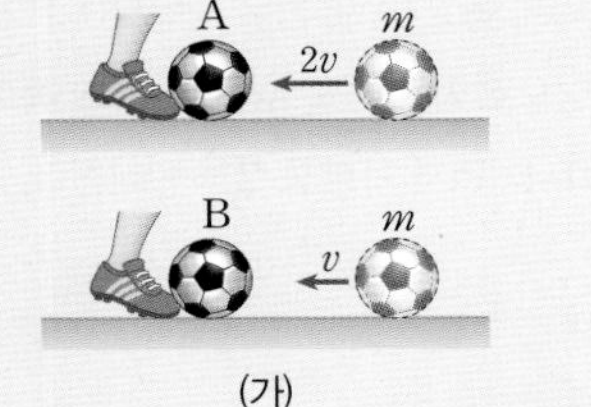

(가)

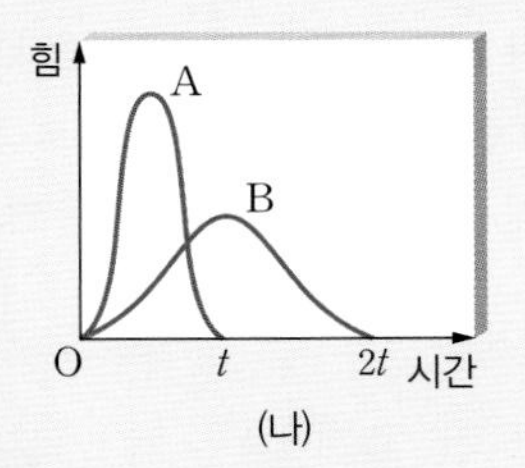

(나)

(1) 공이 받은 충격력의 크기를 비교하시오.
(2) 충돌 후 공의 속도의 크기를 비교하시오.

정답 (1) A>B (2) A<B

해설 (1) 그래프와 시간축이 이루는 넓이는 충격량을 나타내고, 물체가 받은 충격력의 크기는 $\dfrac{\text{충격량}}{\text{충돌 시간}}$이므로 A가 B의 2배이다.

(2) 충격량은 운동량의 변화량과 같다. 오른쪽을 (+), A와 B의 나중 속도를 각각 v_A', v_B'이라고 할 때 A와 B가 받은 충격량은 다음과 같다.

- A: $m\times v_A'-m\times(-2v)=4mv$
- B: $m\times v_B'-m\times(-v)=4mv$

따라서 충돌 후 A의 속도는 $2v$이고, B의 속도는 $3v$이므로 충돌 후 공의 속도의 크기는 A가 B보다 작다.

> 정답과 해설 12쪽

유제

그림 (가)는 동일한 장난감 자동차가 속도 v로 각각 콘크리트 벽과 짚더미에 충돌한 후 정지한 모습을 나타낸 것이고, 그림 (나)는 충돌하는 동안 장난감 자동차에 작용한 힘의 크기를 시간에 따라 구분없이 나타낸 것이다.

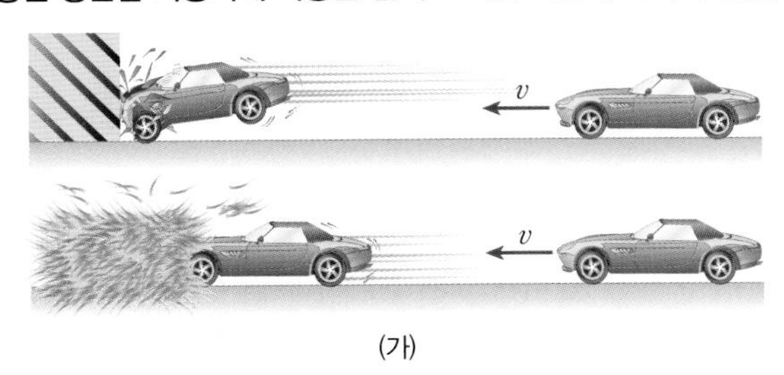

(가)

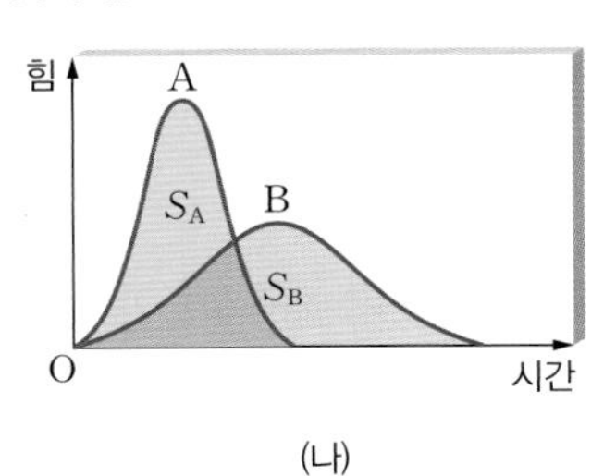

(나)

이에 대한 설명으로 옳은 것만을 보기에서 있는 대로 고른 것은?

보기
ㄱ. (나)에서 콘크리트 벽에 충돌할 때 자동차가 받은 힘의 크기를 나타낸 그래프는 B이다.
ㄴ. (나)에서 $S_A=S_B$이다.
ㄷ. 충돌하는 동안 자동차가 받은 충격력의 크기는 같다.

① ㄱ　② ㄴ　③ ㄱ, ㄷ　④ ㄴ, ㄷ　⑤ ㄱ, ㄴ, ㄷ

과정이 살아 있는 **탐구**

수레를 이용한 운동량 보존 실험

수레를 이용한 실험을 통해 두 물체가 충돌할 때 충돌 전후 두 물체의 운동량의 합이 일정하게 보존됨을 이해할 수 있다.

과정

1 실험대에 1 m 자를 설치하고, 동영상 촬영이 가능한 디지털카메라나 스마트 기기를 설치한다.

2 질량 1 kg인 수레 A, B를 실험대 위에 놓고, A에 힘을 작용하여 B와 충돌시키는 과정을 촬영한다.

3 촬영한 파일을 동영상 분석 프로그램으로 재생하고, 수레 A, B의 속도를 계산한다.

4 수레 A, B에 추를 올려 질량을 변화시키면서 과정 **2**, **3**을 반복한다.

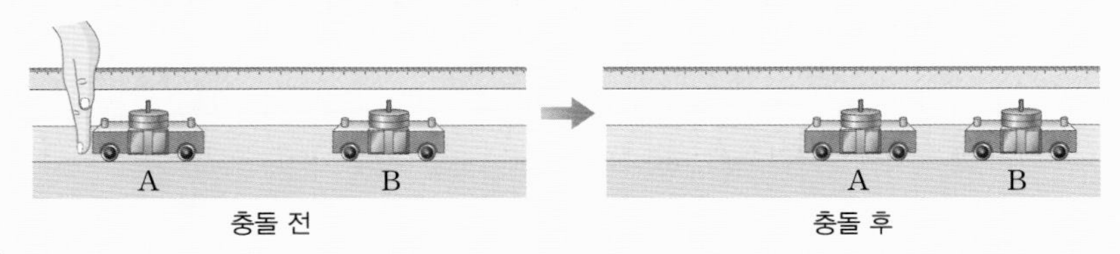

유의점
충돌 전후 두 수레가 직선상에서 운동하게 한다. 만약 수레의 운동 방향이 달라지면 속도를 측정하는 데 오차가 발생한다.

결과

수레 A와 B의 운동을 분석한 결과는 다음과 같다.

충돌 전		충돌 후			수레 A, B의 운동량의 합	
수레 A		수레 A	수레 B			
질량(kg)	속도(m/s)	속도(m/s)	질량(kg)	속도(m/s)	충돌 전 (kg·m/s)	충돌 후 (kg·m/s)
1	0.20	0.01	1	0.19	0.20	0.20
1	0.22	0.06	2	0.08	0.22	0.22
2	0.18	0.10	1	0.16	0.36	0.36

수레의 속도 구하기
수레가 운동하는 동안 마찰에 의해 속도가 조금씩 감소하므로 충돌 직전과 직후의 수레 간격을 이용하여 속도를 구한다.

정리

• 충돌하는 동안 A의 속도는 감소하고, B의 속도는 증가한다. 즉, A와 B의 운동량은 모두 변한다.
• 충돌하기 전후 운동량의 합은 같다. 즉, 충돌 전후 운동량의 총합은 일정하게 보존된다.

탐구 확인 문제

> 정답과 해설 12쪽

01 **그림은 마찰이 없는 수평면에서 질량이 2 kg인 수레 A가 정지해 있는 질량이 1 kg인 수레 B를 향하여 0.2 m/s의 속도로 운동하다가 충돌한 후 A가 0.1 m/s의 속도로 운동하는 모습을 나타낸 것이다.**

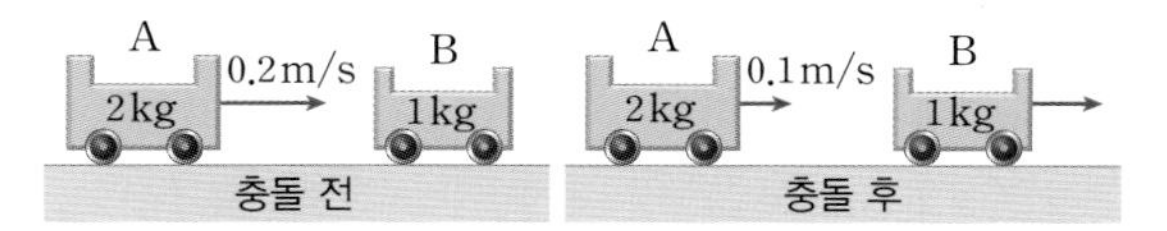

충돌 후 B의 속도는? (단, A, B는 동일 직선상에서 운동한다.)

① −0.2 m/s ② −0.1 m/s ③ 0.1 m/s
④ 0.2 m/s ⑤ 0.3 m/s

02 **그림은 마찰이 없는 수평면에서 질량이 m인 수레 A가 정지해 있는 질량이 m인 수레 B를 향하여 v의 속도로 운동하다가 충돌한 후 한 덩어리가 되어 동일 직선상에서 운동하는 모습을 나타낸 것이다.**

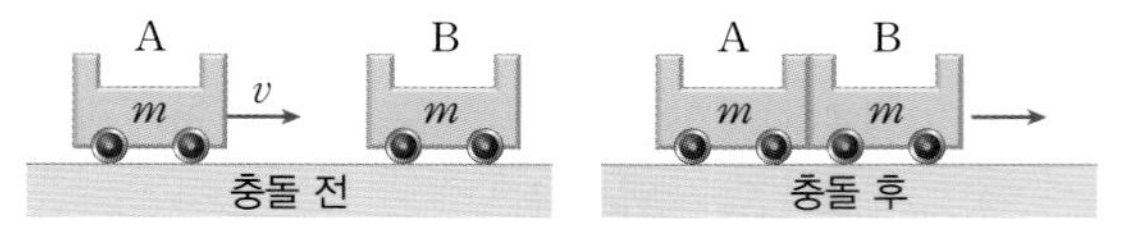

(1) 충돌 후 A, B의 속도를 구하시오.

(2) 충돌 전후 A, B의 운동량과 운동량의 합이 어떻게 변하는지 쓰시오.

차이를 만드는

여러 가지 충돌과 운동량 보존

일상생활에서 우리는 배트와 야구공의 충돌, 볼링공과 핀의 충돌, 자동차의 충돌 등 다양한 충돌 현상을 경험한다. 물체가 충돌할 때 물체의 운동량의 총합은 항상 일정하게 보존되지만 충돌 후 물체의 운동은 모두 다르게 나타난다.

❶ 반발 계수

찰흙 덩어리는 바닥과 충돌한 후 잘 튀어 오르지 않지만 테니스공은 잘 튀어 오른다. 이처럼 충돌하는 물체가 무엇으로 만들어졌는가에 따라 충돌 후 모습이 다르다.

(1) **반발 계수(e)**: 두 물체가 충돌하기 전 두 물체의 상대 속도에 대한 충돌한 후 상대 속도의 비를 반발 계수라고 하며, 0에서 1 사이의 값을 갖는다. 충돌하는 물체들의 반발하는 정도를 나타내는 반발 계수는 충돌 전의 상대 속도나 물체의 질량에는 관계없고, 두 물체를 구성하는 물질에 따라 결정된다. 충돌하는 물체가 화약 등에 의해 폭발하는 경우에는 폭발에 의해 화학 에너지가 운동 에너지로 변하게 되어 e가 1보다 큰 값을 갖는다.

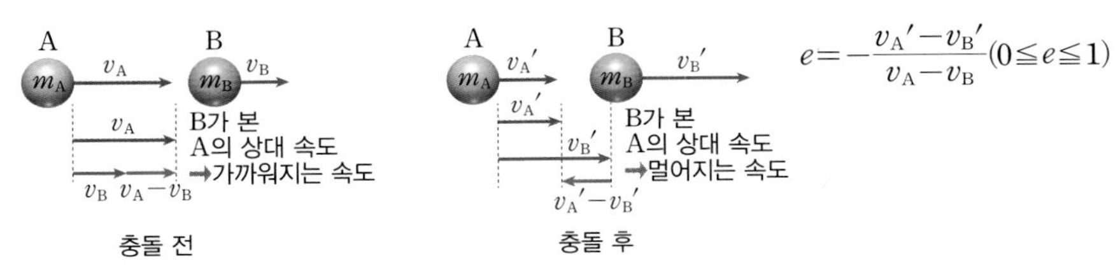

$$e=-\frac{v_A'-v_B'}{v_A-v_B}(0\leq e\leq 1)$$

(2) **반발 계수를 측정하는 방법**

① 공이 벽에 수직으로 충돌한 후 튀어 나오는 경우

운동 상태	• 충돌 전후 벽은 정지해 있으므로 속도는 0이다. • 공은 v의 속도로 벽과 충돌한 후 v'의 속도로 튀어 나왔다.
반발 계수	$e=-\frac{v'}{v}$

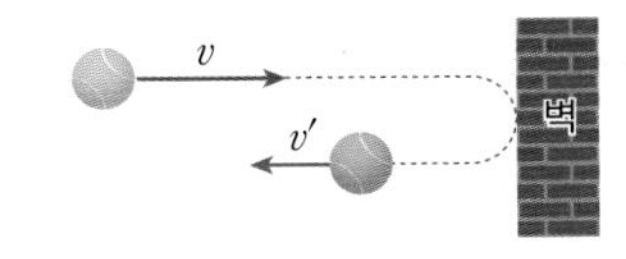

② 높이 h인 곳에서 자유 낙하한 공이 바닥과 충돌한 후 튀어 오르는 경우

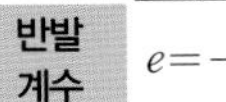

운동 상태	• 충돌 전후 바닥은 정지해 있으므로 속도는 0이다. • 공은 충돌 전 v의 속도로 바닥과 충돌한 후 v'의 속도로 튀어 올랐다.
반발 계수	$e=-\frac{v'}{v}=\sqrt{\frac{h'}{h}}$

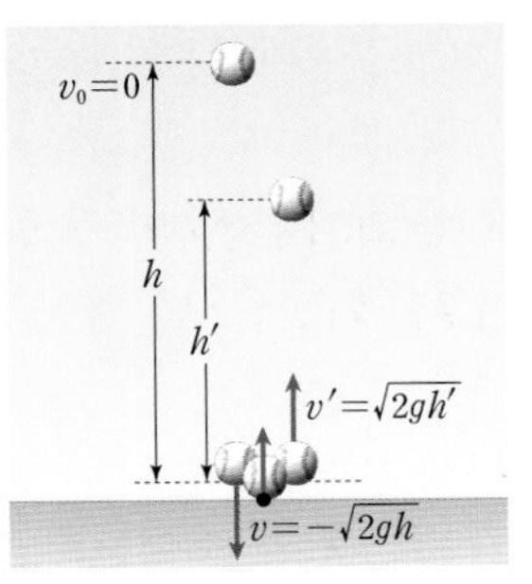

등가속도 직선 운동 식인 $2as=v^2-v_0^2$을 통해 충돌 직전 공의 속도 $v=-\sqrt{2gh}$이므로 충돌 직후 공의 속도 $v'=-ev=e\sqrt{2gh}$이다. 충돌한 후 공이 튀어 올라간 최고 높이를 h'이라고 하면 $-2gh'=0^2-v'^2$이므로 $h'=\frac{v'^2}{2g}=e^2h$이다. 이때 반발 계수 $e=-\frac{v'}{v}=\sqrt{\frac{h'}{h}}$이므로 h와 h'를 통해 반발 계수 e를 구할 수 있다.

상대 속도
움직이는 관측자가 본 다른 물체의 속도로 A에 대한 B의 상대 속도(=A가 바라본 B의 상대 속도)는 B의 속도에서 A의 속도를 빼서 구한다.

$$v_{AB}=v_B-v_A$$

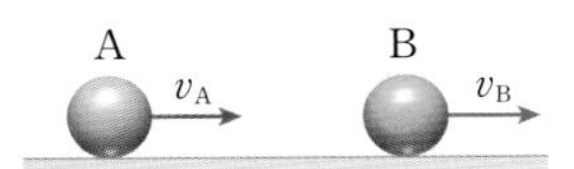

❷ 여러 가지 충돌

(1) 충돌의 종류

물체가 충돌할 때 반발 계수에 관계없이 운동량 보존 법칙이 성립하며, 반발 계수에 따라 물체의 충돌을 완전 탄성 충돌, 비탄성 충돌, 완전 비탄성 충돌로 구분한다.

① 완전 탄성 충돌(탄성 충돌)

$e=1$일 때의 충돌로, 원자나 분자들 사이의 충돌처럼 충돌 후에도 물체들의 전체 운동 에너지가 손실되지 않고 보존되는 경우를 완전 탄성 충돌 또는 탄성 충돌이라고 한다. 즉, 충돌 전후의 상대 속도의 크기가 같다. 질량이 같은 움직이는 물체와 정지해 있는 물체가 완전 탄성 충돌을 하면 충돌을 통해 움직이던 물체의 운동량이 정지한 물체에 모두 전달되어 움직이던 물체는 정지하게 되고, 정지해 있던 물체는 튕겨 나가게 된다.

완전 탄성 충돌

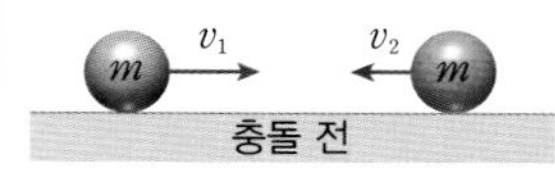

② 비탄성 충돌

$0<e<1$일 때의 충돌로, 충돌 후 물체들의 전체 운동 에너지가 보존되지 않고 일부 감소하는 경우를 비탄성 충돌이라고 한다. 즉, 충돌 후 상대 속도의 크기가 충돌 전보다 작아진다. 일상생활에서 일어나는 대부분의 충돌은 모두 비탄성 충돌에 해당한다. 비탄성 충돌로 인해 손실된 물체의 운동 에너지는 충돌 후 열에너지, 소리 에너지 등과 같이 다른 에너지로 전환된다.

비탄성 충돌

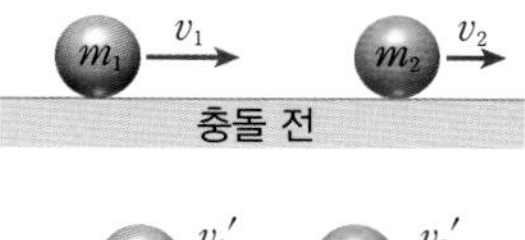

③ 완전 비탄성 충돌

$e=0$일 때의 충돌로, 화살이 표적에 박힐 때처럼 충돌 후 물체들이 한 덩어리가 되어 물체들의 전체 운동 에너지가 보존되지 않고 감소하는 경우를 완전 비탄성 충돌이라고 한다. 즉, 충돌 후 상대 속도는 0이 된다.

완전 비탄성 충돌

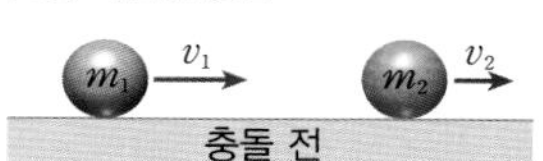

충돌의 종류	반발 계수	운동량	운동 에너지
완전 탄성 충돌	$e=1$	보존	보존
비탄성 충돌	$0<e<1$	보존	일부 손실
완전 비탄성 충돌	$e=0$	보존	최대 손실

(2) 직선상의 충돌

그림과 같이 직선상에서 질량이 m_1, m_2인 두 물체가 각각 v_1, v_2의 속도로 운동하다가 충돌한 후 v_1', v_2'의 속도로 운동하였다. 반발 계수가 e일 때 충돌 후 속도 v_1', v_2'는 운동량 보존 법칙과 반발 계수의 식을 이용하여 구할 수 있다.

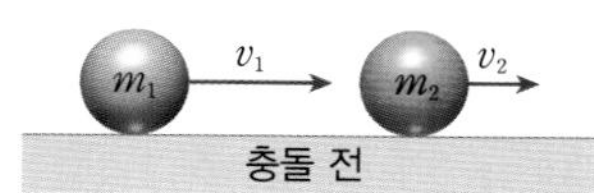

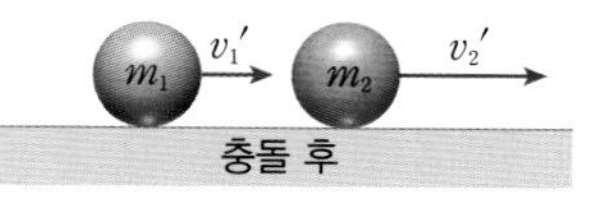

① 운동량 보존 법칙 식: $m_1v_1+m_2v_2=m_1v_1'+m_2v_2'$

② 반발 계수 식: $v_2'-v_1'=e(v_1-v_2)$

두 식을 연립하여 풀면 다음과 같다.

$$v_1'=v_1-\frac{m_2(1+e)}{m_1+m_2}(v_1-v_2),\ v_2'=v_2+\frac{m_1(1+e)}{m_1+m_2}(v_1-v_2)$$

> 정답과 해설 12쪽

03 운동량과 충격량

① 운동량 보존 법칙

1. **운동량** 물체가 운동할 때 물체의 질량에 속도를 곱한 물리량

운동량=질량×속도, $p=mv$ (단위: kg·m/s)

• 물체의 질량이 클수록, 속도가 빠를수록 운동량의 크기는 (❶).

• 운동량의 방향은 속도의 방향과 같다.

2. **운동량 보존 법칙** 물체가 충돌할 때 외력이 작용하지 않으면 충돌 전후 물체의 운동량의 총합은 일정하게 (❷)된다.

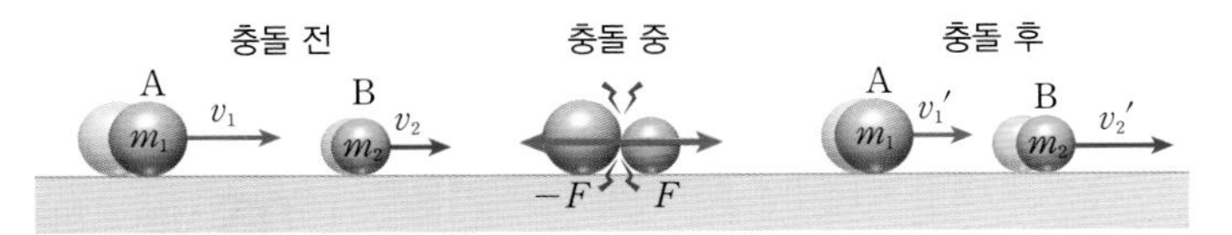

$$m_1v_1+m_2v_2=m_1v_1'+m_2v_2'$$

② 충격량과 운동량 변화량의 관계

1. **충격량** 물체에 작용한 힘에 힘이 작용한 시간을 곱한 물리량

충격량=힘×힘이 작용한 시간, $I=Ft$ (단위: N·s)

• 충격량의 방향은 물체에 작용한 (❸)의 방향과 같다.

2. **충격량과 운동량 변화량의 관계** 물체에 작용한 충격량은 운동량의 변화량과 (❹).

$$F\Delta t=mv-mv_0$$

③ 충돌과 충격 완화 장치

1. **충격력** 충돌하는 물체가 받은 충격량을 충돌 시간으로 나눈 평균 힘

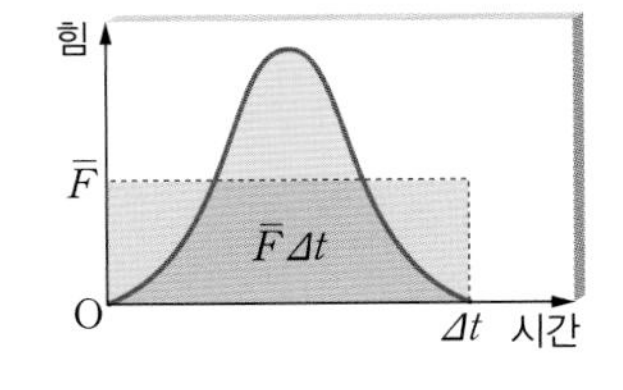

• 물체에 작용한 힘을 시간에 따라 나타낸 힘-시간 그래프에서 그래프와 시간축이 이루는 넓이는 (❺)을 의미한다. 힘의 크기가 시간에 따라 변할 때 물체가 받은 충격량은 (❻)에 시간을 곱한 값인 직사각형의 넓이로 구할 수 있다.

2. **충격력과 충돌 시간의 관계** 충격량이 같을 때 충돌 시간이 길수록 물체가 받는 힘의 크기는 작아진다.

예 동일한 달걀 A, B를 같은 높이에서 가만히 놓아 각각 딱딱한 접시와 푹신한 방석에 떨어뜨렸을 때

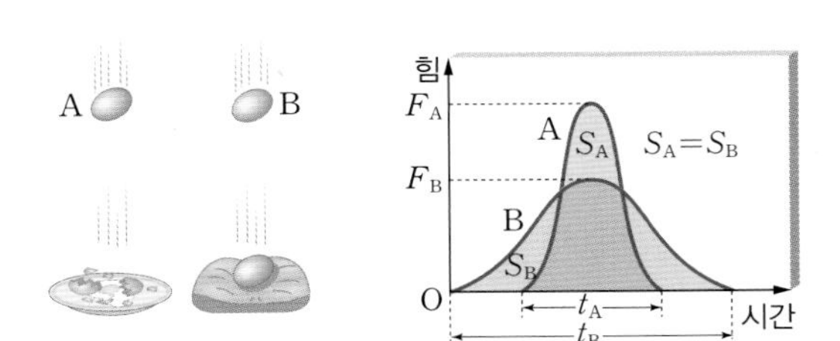

운동량의 변화량	$\Delta p_A=\Delta p_B$
충격량	I_A(❼)I_B
충돌 시간	$t_A<t_B$
힘의 최댓값	F_A(❽)F_B

• 충격력을 줄이는 방법: 충격량이 일정할 때 (❾)을 길게 한다.

01 그림과 같이 수평면에서 질량이 2 kg, 1 kg인 물체 A, B가 서로 반대 방향으로 1 m/s, 2 m/s의 속력으로 운동하고 있다.

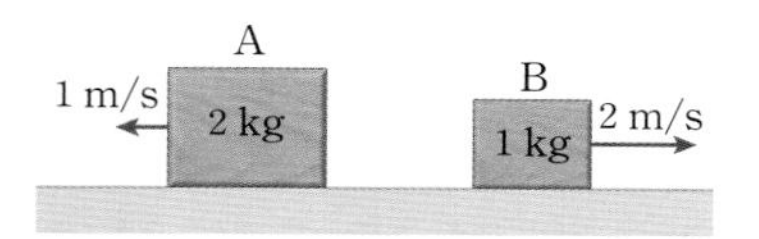

이에 대한 설명으로 옳은 것은 ○, 옳지 않은 것은 ×로 표시하시오.

(1) A의 운동량의 크기는 2 kg·m/s이다. ( )

(2) A와 B의 운동량의 방향은 반대이다. ( )

(3) A와 B의 운동량은 같다. ( )

02 수평면을 따라 질량이 2 kg인 물체가 오른쪽으로 1 m/s의 속도로 운동하다 2초 후 동일 직선상에서 왼쪽으로 4 m/s의 속도로 운동한다. 2초 동안 물체의 운동량 변화량의 크기는 몇 kg·m/s인지 구하시오.

03 그림과 같이 마찰이 없는 수평면 위에 정지해 있는 질량이 2 kg인 물체에 수평 방향으로 일정한 힘 F가 0.5초 동안 작용하여 물체의 속도가 6 m/s가 되었다.

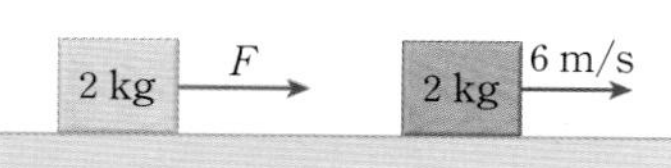

(1) 0.5초 동안 변화한 물체의 운동량의 크기는 몇 kg·m/s인지 구하시오.

(2) F의 크기는 몇 N인지 구하시오.

04 그림은 마찰이 없는 수평면에서 질량이 m_A인 수레 A가 정지해 있는 질량이 m_B인 수레 B를 향하여 v_0의 속도로 운동하다가 충돌한 후 한 덩어리가 되어 동일 직선상에서 운동하는 모습을 나타낸 것이다.

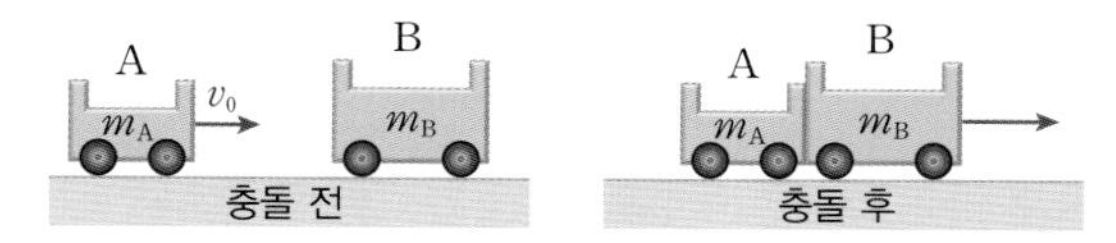

충돌하는 동안 B가 받은 충격량의 크기를 구하시오.

05 그림은 마찰이 없는 수평면에서 질량이 m, $2m$인 물체 A, B가 각각 $2v$, v의 속도로 운동하다가 충돌한 후 동일 직선상에서 A가 v의 속도로 운동하는 모습을 나타낸 것이다.

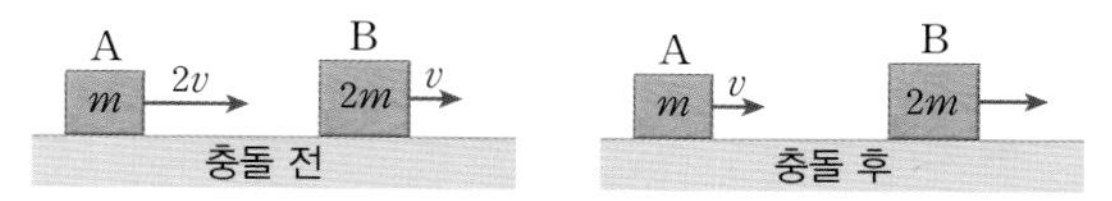

이에 대한 설명으로 옳은 것만을 보기에서 있는 대로 고르시오.

보기

ㄱ. 충돌 후 B의 속도는 $1.5v$이다.

ㄴ. A가 받은 충격량의 크기는 mv이다.

ㄷ. A가 받은 충격량의 크기는 B가 받은 충격량의 크기보다 작다.

06 그림 (가)는 마찰이 없는 수평면에서 질량이 m인 물체가 벽을 향해 $2v$의 속도로 등속 직선 운동을 하는 모습이고, 그림 (나)는 물체의 속도를 시간에 따라 나타낸 것이다.

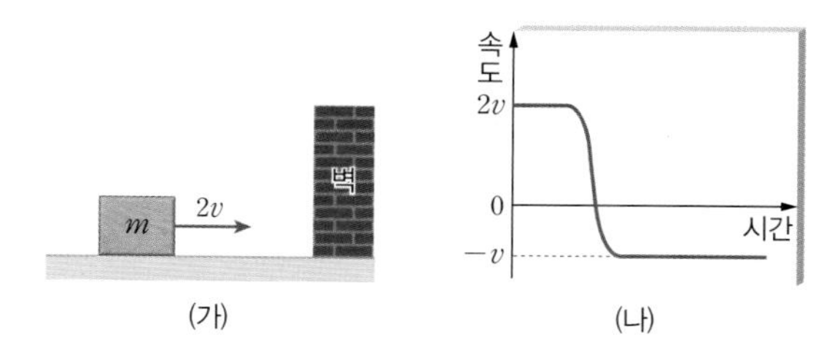

(가) (나)

충돌하는 동안 물체가 받은 충격량의 크기를 구하시오. (단, 물체는 동일 직선상에서 운동한다.)

07 그림은 마찰이 없는 수평면을 따라 직선 운동하던 질량이 3 kg인 물체에 수평 방향으로 힘을 작용하는 동안 물체의 속도를 시간에 따라 나타낸 것이다.

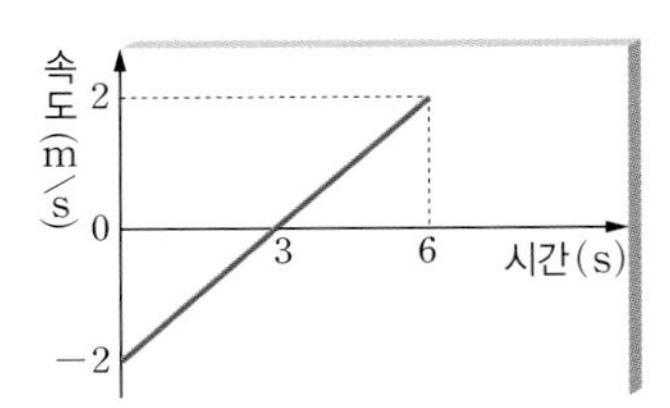

0~6초 동안 물체가 받은 충격량의 크기는 몇 N·s인지 구하시오.

08 그림은 마찰이 없는 수평면을 따라 직선 운동하던 질량이 2 kg인 물체에 수평 방향으로 힘을 작용하는 동안 물체의 운동량을 시간에 따라 나타낸 것이다.

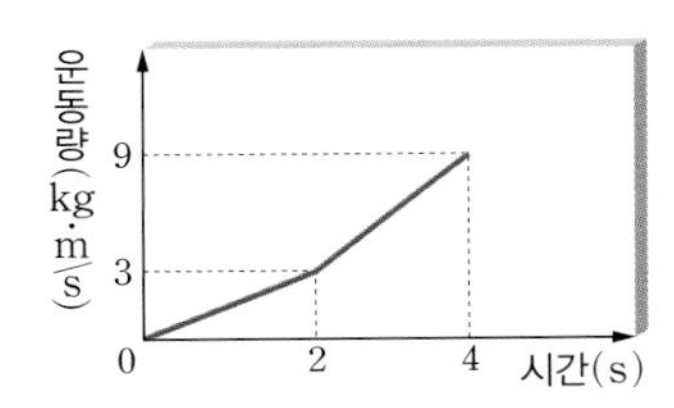

(1) 1초일 때 물체에 작용한 힘의 크기는 몇 N인지 구하시오.

(2) 3초일 때 가속도의 크기는 몇 m/s^2인지 구하시오.

(3) 2초~4초 동안 물체가 받은 충격량의 크기는 몇 N·s인지 구하시오.

09 그림은 동일한 유리컵 A, B를 같은 높이에서 가만히 놓아 각각 돌판과 방석에 떨어뜨렸을 때 모습을 나타낸 것이다. 이에 대한 설명으로 옳은 것만을 보기에서 있는 대로 고르시오.

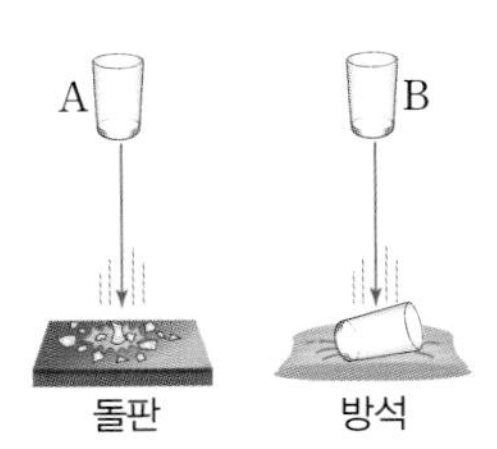

보기
ㄱ. 충돌하기 직전 A와 B의 운동량은 같다.
ㄴ. A가 받은 충격량은 B가 받은 충격량보다 크다.
ㄷ. A에 작용한 충격력은 B에 작용한 충격력보다 크다.

10 그림은 마찰이 없는 수평면에서 질량이 m인 물체가 v_0의 속도로 운동하고 있을 때 운동 방향으로 작용한 힘을 시간에 따라 나타낸 것이다. 이때 그래프와 시간축이 이루는 넓이는 mv_0이다.

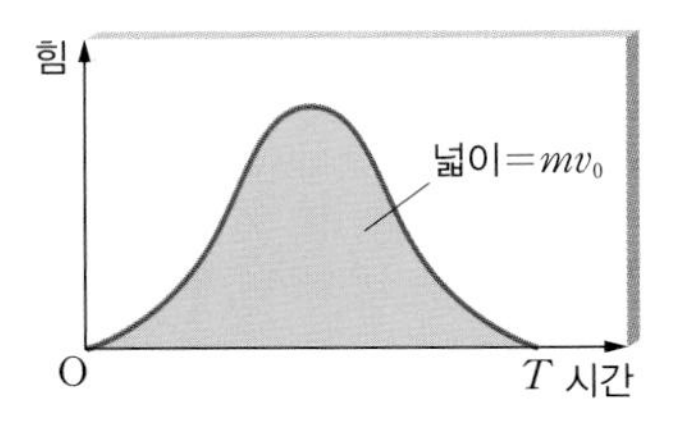

이에 대한 설명으로 옳은 것은 ○, 옳지 않은 것은 ×로 표시하시오.

(1) 물체가 받은 충격량의 크기는 mv_0이다. ( )

(2) 힘이 작용한 후 물체의 속력은 v_0이다. ( )

(3) 물체에 작용한 충격력의 크기는 $\frac{mv_0}{T}$이다. ( )

11 다음은 충격량과 충격력에 대한 설명이다.

물체가 받는 충격량이 일정하다면 충격력은 충돌 시간에 따라 달라진다. 즉, 다음 힘-시간 그래프에서 그래프 A, B와 시간축이 이루는 넓이가 같을 때 충격력은 충돌 시간이 긴 B가 더 작다.

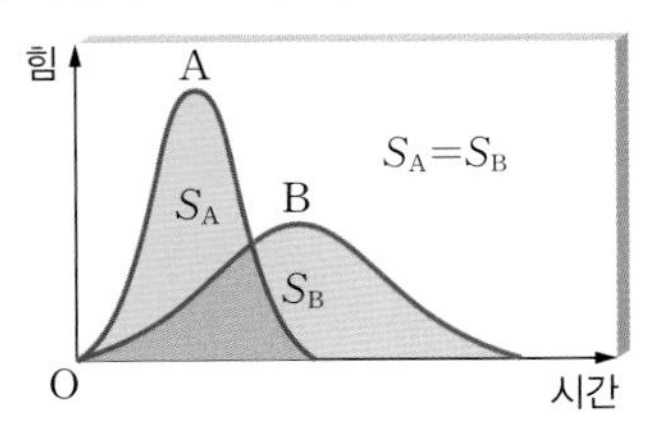

B와 같은 원리로 설명할 수 있는 것을 보기에서 있는 대로 고르시오.

보기
ㄱ. 자동차의 에어백
ㄴ. 야구의 타법
ㄷ. 태권도 경기용 보호대
ㄹ. 포신을 길게 한 대포
ㅁ. 자동차의 범퍼

01

> 운동량 보존 법칙

그림 (가)는 마찰이 없는 수평면 위에 질량이 $5m$으로 같은 수레 A, B가 정지해 있고, 수레 A 위에 질량이 m인 철수가 서 있는 모습을 나타낸 것이다. (나)는 철수가 수레 A 위를 달리다가 수평 방향으로 v의 속도로 A를 떠나는 모습을 나타낸 것이고, (다)는 철수가 수레 B 위를 달리다가 수평 방향으로 $1.5v$의 속도로 B를 떠나는 모습을 나타낸 것이다.

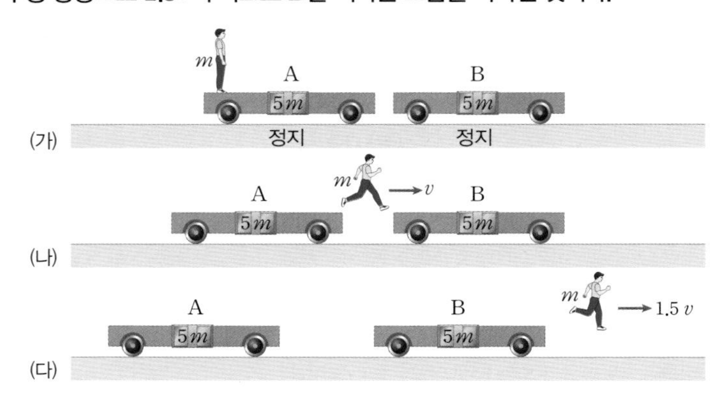

(나)와 (다)에서 수레 A와 B의 속력이 각각 v_A, v_B일 때 $\frac{v_A}{v_B}$는?

① $\frac{1}{2}$ ② $\frac{1}{3}$ ③ $\frac{2}{3}$ ④ $\frac{3}{2}$ ⑤ 2

- 철수가 수레 위에서 이동하는 동안 철수와 수레의 운동량은 변하지만 전체 운동량은 보존된다.

고난도 02

> 운동량 보존 법칙

그림은 물체 A를 높이 h인 곳에 가만히 놓아 수평면에 정지해 있는 물체 B와 충돌하게 한 후, A가 수평면에서 v의 속도로 운동하고 B가 최고 높이 $2h$인 곳까지 올라가는 모습을 나타낸 것이다. A와 B의 질량은 각각 $3m$, m이고, 충돌하기 직전 A의 속도는 v_0이며 양쪽 빗면의 경사각은 같다.

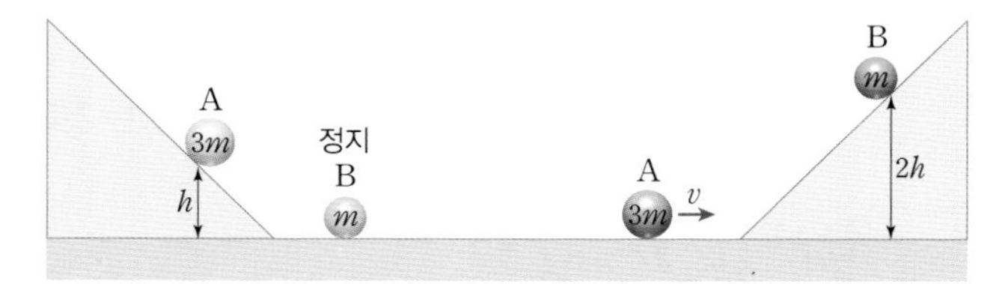

충돌 후 A의 속도 v는? (단, 물체의 크기와 모든 마찰, 공기 저항은 무시한다.)

① $\left(1-\frac{\sqrt{2}}{2}\right)v_0$ ② $\left(2-\frac{\sqrt{2}}{2}\right)v_0$ ③ $\left(1-\frac{\sqrt{2}}{3}\right)v_0$
④ $\frac{\sqrt{3}}{2}v_0$ ⑤ $\left(3-\frac{\sqrt{3}}{2}\right)v_0$

- 빗면의 경사각이 같을 때 빗면에서 물체의 가속도의 크기는 같다.

03

> 충격량과 운동량 변화량의 관계

그림 (가)는 마찰이 없는 수평면에서 질량이 2 kg인 물체 A와 질량을 알 수 없는 물체 B가 운동하는 모습을 나타낸 것이고, 그림 (나)는 A와 B의 위치를 시간에 따라 나타낸 것이다.

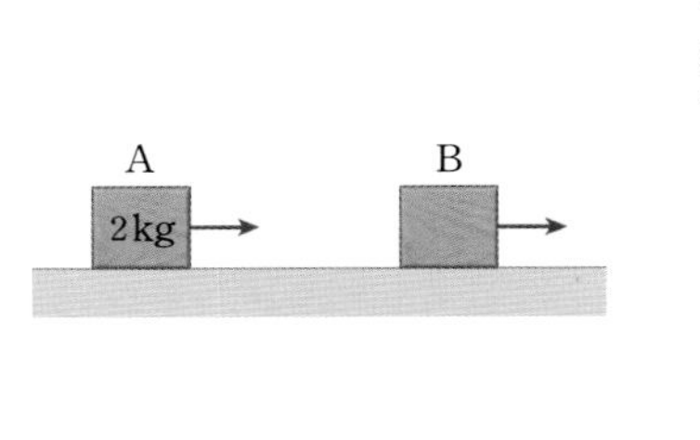

(가)

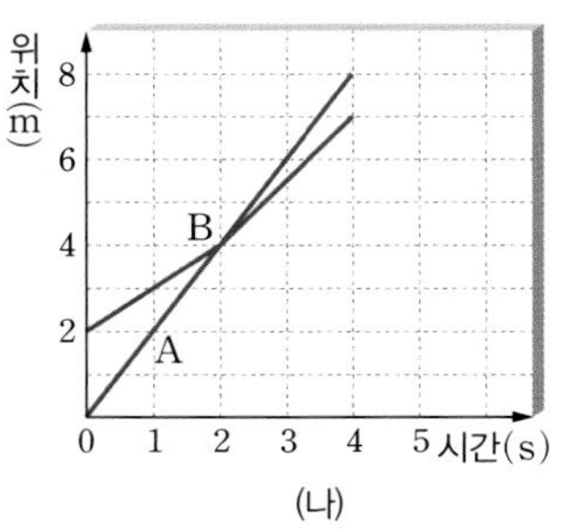

(나)

이에 대한 설명으로 옳은 것만을 보기에서 있는 대로 고른 것은? (단, 물체의 크기는 무시하며 물체는 동일 직선상에서 운동한다.)

보기

ㄱ. B의 질량은 1 kg이다.

ㄴ. 충돌하는 동안 A의 운동량 변화량의 크기는 1 kg·m/s이다.

ㄷ. 충돌하는 동안 A와 B가 받은 충격량은 크기와 방향이 같다.

① ㄱ ② ㄱ, ㄴ ③ ㄱ, ㄷ ④ ㄴ, ㄷ ⑤ ㄱ, ㄴ, ㄷ

• 위치－시간 그래프에서 기울기는 속도를 나타낸다.

04

> 충격량과 운동량 변화량의 관계

그림은 마찰이 없는 수평면에서 운동하는 물체 A와 B에 시간 t_1에서 t_2까지 운동 방향과 나란하게 같은 크기의 힘을 작용할 때 A와 B의 속도를 시간에 따라 나타낸 것이다.

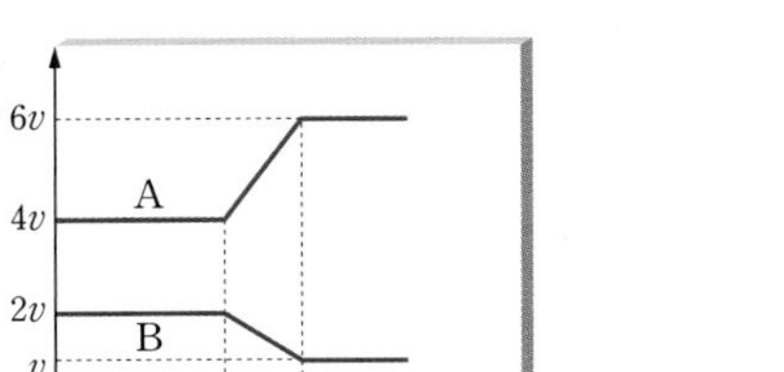

이에 대한 설명으로 옳은 것만을 보기에서 있는 대로 고른 것은? (단, 물체는 동일 직선상에서 운동한다.)

보기

ㄱ. 질량은 A가 B의 $\frac{1}{2}$배이다.

ㄴ. t_1에서 t_2까지 운동량 변화량의 크기는 A가 B의 2배이다.

ㄷ. t_1에서 t_2까지 A와 B에 작용한 힘의 방향은 반대이다.

① ㄱ ② ㄴ ③ ㄱ, ㄷ ④ ㄴ, ㄷ ⑤ ㄱ, ㄴ, ㄷ

• 물체에 힘이 작용할 때 가속도의 크기는 힘의 크기에 비례하고 질량에 반비례한다.

05

> 충격량과 운동량 변화량의 관계

그림 (가)는 수평면에서 질량이 m, $2m$인 수레 A와 B가 용수철이 압축된 상태에서 오른쪽으로 6 m/s의 속도로 운동하는 모습을 나타낸 것이다. 그림 (나)는 용수철이 팽창한 후 A와 B가 $-v$, $4v$의 속도로 운동하는 모습을 나타낸 것이다.

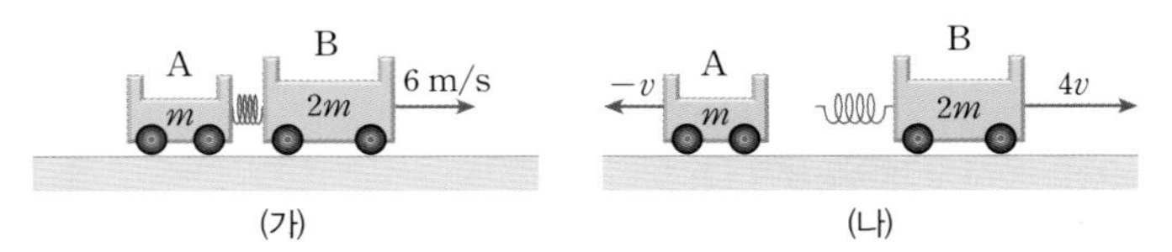

(가) (나)

이에 대한 설명으로 옳은 것만을 보기에서 있는 대로 고른 것은? (단, 용수철의 질량과 모든 마찰은 무시하고, 오른쪽을 (+)로 나타낸다.)

보기

ㄱ. v=2 m/s이다.
ㄴ. (나)에서 A와 B의 운동량의 합은 $18m$이다.
ㄷ. 용수철이 팽창하는 동안 A와 B가 받은 충격량의 크기는 $4m$으로 같다.

① ㄱ ② ㄴ ③ ㄱ, ㄷ ④ ㄴ, ㄷ ⑤ ㄱ, ㄴ, ㄷ

- 용수철이 팽창하기 전후 전체 운동량은 보존된다.

06

> 충격량과 운동량 변화량의 관계

그림 (가)는 질량이 m으로 같은 물체 A, B가 도르래를 통해 실로 연결되어 있을 때 빗면에 놓인 A를 손으로 잡아 정지해 있는 모습을 나타낸 것이다. 이때 지면에서 B까지의 거리는 h이다. 그림 (나)는 손을 놓았을 때 B가 $\frac{g}{4}$의 가속도로 등가속도 직선 운동을 하는 모습을 나타낸 것이다.

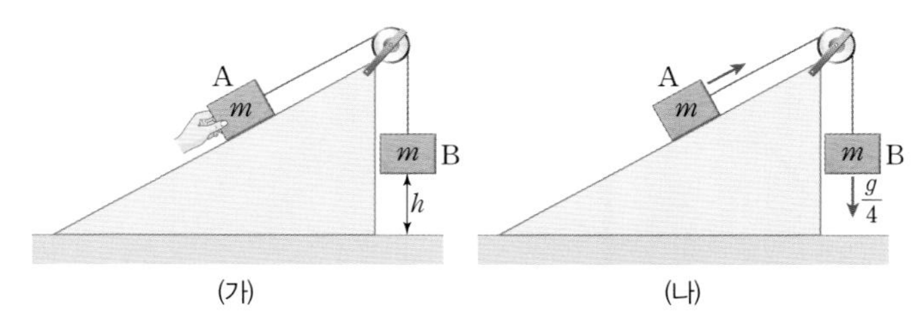

(가) (나)

이에 대한 설명으로 옳은 것만을 보기에서 있는 대로 고른 것은? (단, 중력 가속도는 g이고, 실의 질량, 모든 마찰과 공기 저항은 무시한다.)

보기

ㄱ. (가)에서 실이 A를 당기는 힘의 크기는 $\frac{mg}{2}$이다.
ㄴ. (나)에서 B가 지면에 도달할 때까지 알짜힘에 의해 받은 충격량의 크기는 $m\sqrt{\frac{gh}{2}}$이다.
ㄷ. (나)에서 B가 지면에 도달하는 순간 A의 운동량의 크기는 $m\sqrt{\frac{gh}{2}}$이다.

① ㄱ ② ㄴ ③ ㄱ, ㄷ ④ ㄴ, ㄷ ⑤ ㄱ, ㄴ, ㄷ

- 충격량은 힘과 힘이 작용한 시간을 곱한 값이다.

07 힘-시간 그래프

그림은 마찰이 없는 수평면에 정지해 있는 물체 A와 B에 수평 방향으로 작용한 알짜힘을 각각 시간에 따라 나타낸 것이다. 이때 A의 질량은 B보다 크고, 두 그래프의 아래 넓이는 같다.

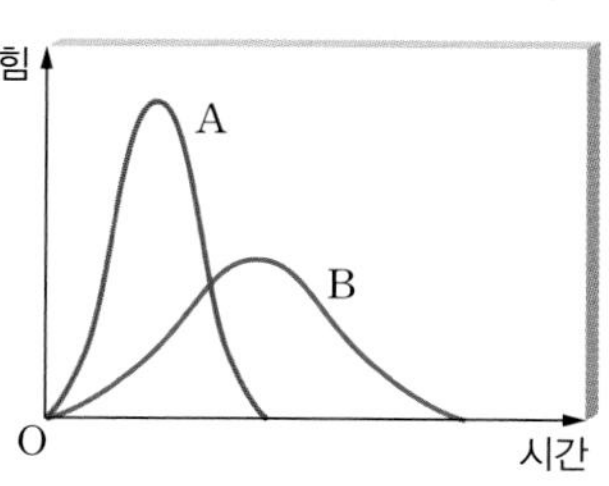

이에 대한 설명으로 옳은 것만을 보기에서 있는 대로 고른 것은?

보기
ㄱ. 힘이 작용한 후 A와 B의 운동량의 크기는 같다.
ㄴ. 힘을 작용하는 동안 A와 B가 받은 충격량의 크기는 같다.
ㄷ. 힘이 작용한 후 속력은 A가 B보다 작다.

① ㄱ ② ㄴ ③ ㄱ, ㄷ ④ ㄴ, ㄷ ⑤ ㄱ, ㄴ, ㄷ

- 힘-시간 그래프에서 그래프와 시간축이 이루는 넓이는 충격량을 나타낸다.

08 운동량-시간 그래프

그림은 마찰이 없는 수평면에서 v의 속력으로 운동하던 물체가 벽과 충돌했을 때 충돌 전부터 충돌 후까지 물체의 운동량을 시간에 따라 나타낸 것이다.

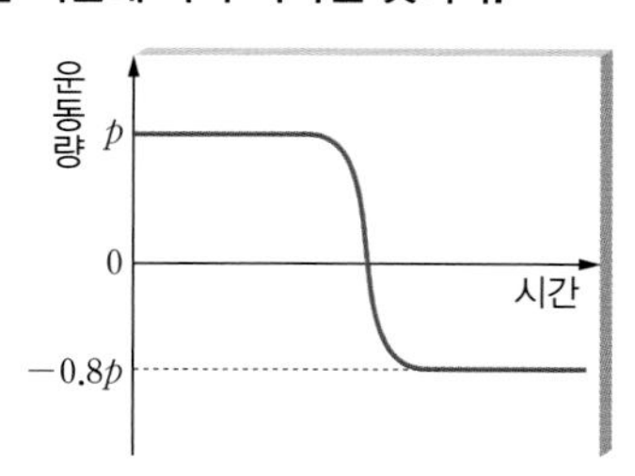

이에 대한 설명으로 옳은 것만을 보기에서 있는 대로 고른 것은? (단, 물체는 동일 직선상에서 운동한다.)

보기
ㄱ. 충돌 후 물체의 속력은 $0.8v$이다.
ㄴ. 충돌하는 동안 물체가 벽에 작용한 충격량의 크기는 $1.8p$이다.
ㄷ. 물체가 벽으로부터 받은 힘의 크기는 벽이 물체로부터 받은 힘의 크기보다 더 크다.

① ㄱ ② ㄴ ③ ㄷ ④ ㄱ, ㄴ ⑤ ㄴ, ㄷ

- 물체가 벽에 충돌할 때 받는 충격량만큼 물체의 운동량이 변한다. 이때 물체와 벽 사이에 작용하는 힘은 작용 반작용 관계이다.

09 > 충격량과 운동량 변화량의 관계

그림 (가)는 마찰이 없는 수평면에서 질량이 각각 m, $2m$, m인 세 물체 A, B, C가 운동하는 모습을 나타낸 것이고, 그림 (나)는 B와 C가 충돌할 때까지 세 물체의 위치를 시간에 따라 나타낸 것이다. B와 C가 충돌한 후 A, B와 C는 함께 운동한다.

(가) (나)

이에 대한 설명으로 옳은 것만을 보기에서 있는 대로 고른 것은? (단, 물체의 크기는 무시하고, 세 물체 모두 동일 직선상에서 운동한다.)

보기

ㄱ. A와 B가 충돌한 후 두 물체는 함께 운동한다.

ㄴ. A와 B가 충돌하는 동안 A가 받은 충격량의 크기는 m이다.

ㄷ. B와 C가 충돌한 후 C의 속력은 1.2 m/s이다.

① ㄱ ② ㄷ ③ ㄱ, ㄴ ④ ㄴ, ㄷ ⑤ ㄱ, ㄴ, ㄷ

- 위치 - 시간 그래프에서 기울기는 속도를 나타낸다. 이때 기울기의 부호가 반대이면 속도의 방향이 반대이다.

10 > 충격량과 운동량 변화량의 관계

그림 (가)는 마찰이 없는 수평면에서 물체 A, B가 각각 v, $3v$의 속도로 운동하고, 물체 C는 정지해 있는 모습을 나타낸 것이다. 그림 (나)는 B가 C에 충돌하고 이어 A에 충돌한 후 A, B, C가 각각 $-0.6v$, v_B, $1.8v$의 속도로 운동하는 모습을 나타낸 것이다. 이때 A, B, C의 질량은 각각 m, $2m$, $4m$이고, 모두 동일 직선상에서 운동한다.

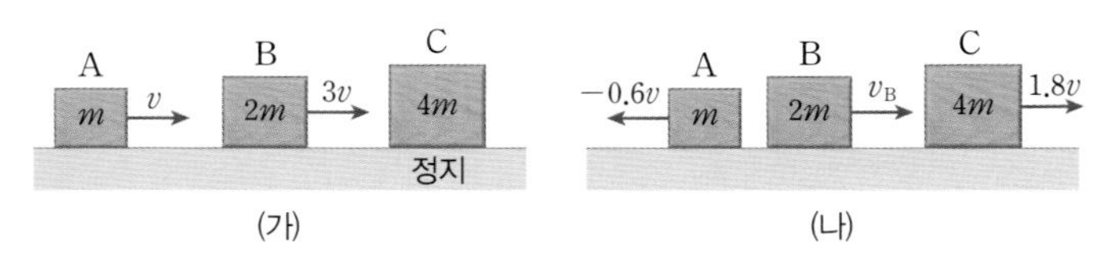

(가) (나)

이에 대한 설명으로 옳은 것만을 보기에서 있는 대로 고른 것은? (단, 물체의 크기는 무시하고, 오른쪽을 (+)로 나타낸다.)

보기

ㄱ. B와 C가 충돌하는 동안 B가 받은 충격량의 크기는 $7.2mv$이다.

ㄴ. B가 A에 충돌하는 동안 B의 운동량 변화량의 크기는 $1.6mv$이다.

ㄷ. $v_B=0.4v$이다.

① ㄱ ② ㄷ ③ ㄱ, ㄴ ④ ㄴ, ㄷ ⑤ ㄱ, ㄴ, ㄷ

- 운동 방향이 반대이면 운동량의 방향도 반대이다.

고난도

11 › 충격량과 운동량 변화량의 관계

그림 (가)는 질량이 m, $3m$인 물체 A, B가 도르래를 통해 실로 연결되어 있을 때 수평면에 놓인 A를 수평 방향의 힘 F로 당겨 정지해 있는 모습을 나타낸 것이고, 그림 (나)는 손을 놓았을 때 A가 d만큼 이동한 순간 실이 끊어지는 모습을 나타낸 것이다.

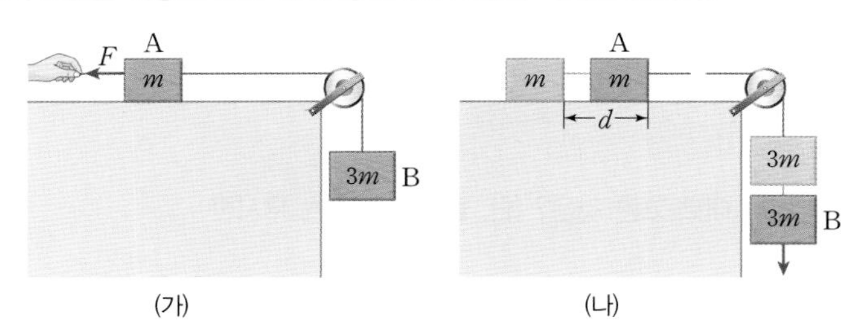

(가) (나)

이에 대한 설명으로 옳은 것만을 보기에서 있는 대로 고른 것은? (단, 중력 가속도는 g이고, 실의 질량, 모든 마찰과 공기 저항은 무시한다.)

보기

ㄱ. (가)에서 F의 크기는 $4mg$이다.

ㄴ. A가 운동을 시작하여 d만큼 이동하는 동안 받은 충격량의 크기는 $m\sqrt{\frac{3}{2}gd}$이다.

ㄷ. 실이 끊어지고 1초 후 B의 운동량의 크기는 A의 운동량의 크기보다 $3mg$만큼 크다.

① ㄱ ② ㄴ ③ ㄱ, ㄷ ④ ㄴ, ㄷ ⑤ ㄱ, ㄴ, ㄷ

- 실이 끊어진 후 B는 가속도가 g인 등가속도 직선 운동을 한다.

12 › 충격량과 운동량 변화량의 관계

그림은 질량이 m인 물체 A, B가 도르래를 통해 실로 연결되어 정지해 있고, 질량이 $2m$인 물체 C를 손으로 잡아 정지해 있는 모습을 나타낸 것으로 B와 C 사이의 거리는 h이고, C 내부는 뚫려 있어 자유롭게 움직일 수 있다. 0초일 때 C를 가만히 놓아 낙하시키니 C가 B에 충돌한 후 함께 운동한다.

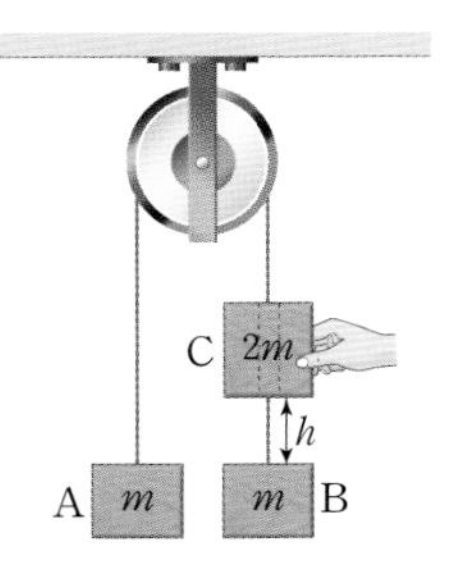

이에 대한 설명으로 옳은 것만을 보기에서 있는 대로 고른 것은? (단, 중력 가속도는 g이고, 실의 질량, 모든 마찰과 공기 저항은 무시하며 C와 B가 충돌한 시간은 무시할 정도로 짧다.)

보기

ㄱ. C는 $\sqrt{\frac{2h}{g}}$초일 때 B와 충돌한다.

ㄴ. C가 B에 충돌한 직후 C의 속력은 $\sqrt{\frac{gh}{2}}$이다.

ㄷ. C와 B가 함께 운동하는 동안 실이 A를 당기는 힘의 크기는 $\frac{3mg}{2}$이다.

① ㄱ ② ㄴ ③ ㄱ, ㄷ ④ ㄴ, ㄷ ⑤ ㄱ, ㄴ, ㄷ

- 두 물체가 충돌하기 전후 운동량은 보존된다.

13

> 충격량과 운동량 변화량의 관계

그림과 같이 마찰이 없는 수평면에서 물체 A는 v의 속도로 등속 직선 운동을 하고, 물체 B, C는 정지해 있다. A와 B, C가 차례로 충돌한 후 동일 직선상에서 함께 운동한다. A, B, C의 질량은 각각 m, $2m$, $3m$이고, 처음 A와 B, B와 C 사이의 거리는 d로 같았다.

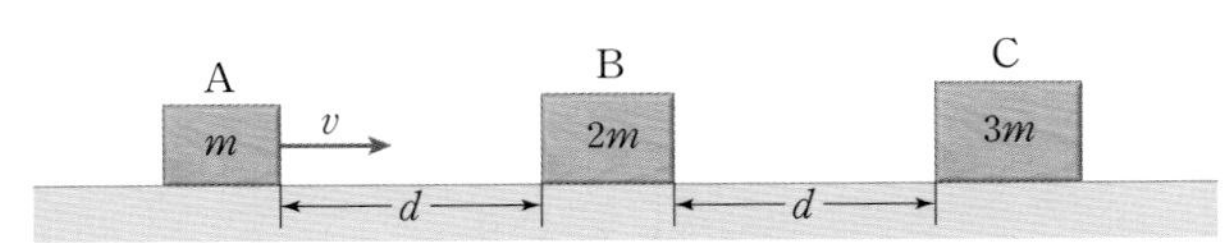

이에 대한 설명으로 옳은 것만을 보기에서 있는 대로 고른 것은? (단, 물체의 크기는 무시한다.)

보기

ㄱ. A, B, C가 함께 운동하는 동안 속력은 $\frac{v}{6}$이다.

ㄴ. B가 A와 C로부터 받은 충격량의 합은 mv이다.

ㄷ. A가 B에 충돌하는 데 걸린 시간은 B가 C에 충돌하는 데 걸린 시간의 $\frac{1}{3}$배이다.

① ㄱ ② ㄴ ③ ㄱ, ㄷ ④ ㄴ, ㄷ ⑤ ㄱ, ㄴ, ㄷ

• 충돌하기 전후 전체 운동량은 보존된다.

14

> 충격량과 운동량 변화량의 관계

다음은 장난감 자동차의 충돌에 관한 실험이다.

(가) 장난감 자동차가 수평면을 따라 일정한 속력으로 달리다가 나무 도막에 충돌한 후 나무 도막과 함께 거리 x만큼 이동한 다음 정지하였다.

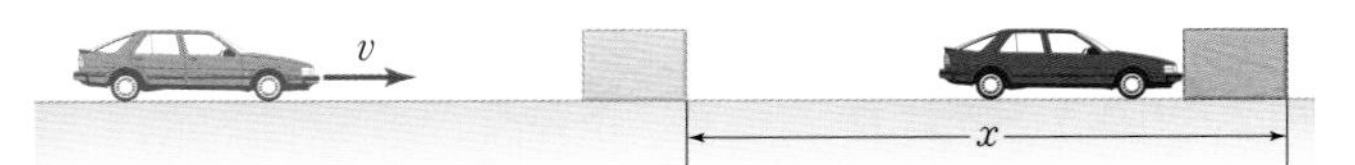

(나) 장난감 자동차가 수평면을 따라 실험 (가)와 같은 속력으로 달리다가 고정된 나무 도막에 부딪친 다음 정지하였다.

이에 대한 설명으로 옳은 것만을 보기에서 있는 대로 고른 것은?

보기

ㄱ. 자동차가 나무 도막에 부딪쳐 정지할 때까지 감소한 운동량은 (나)에서 더 크다.

ㄴ. 자동차가 나무 도막에 부딪쳐 정지할 때까지 받은 충격량은 (나)에서 더 크다.

ㄷ. 자동차가 나무 도막에 충돌하는 동안 받은 충격력은 (나)에서 더 크다.

① ㄱ ② ㄷ ③ ㄱ, ㄴ ④ ㄱ, ㄷ ⑤ ㄴ, ㄷ

• 충격량이 같더라도 힘을 받는 시간에 따라 충격력은 달라진다.

읽을거리 관성의 이용

관성은 일상생활에서 다양하게 이용된다. 그중 자동차의 안전띠와 지진계 그리고 우주선이 발사될 때 관성이 어떻게 이용되는지 알아보자.

❶ 자동차의 안전띠

자동차가 100 km/h의 속력으로 달리고 있다면 그 자동차를 타고 있는 사람 역시 100 km/h의 속력으로 달리고 있다고 할 수 있다. 그런데 자동차 앞에 장애물이 나타나 급브레이크를 밟으면 자동차의 속력은 급격히 줄어들지만, 자동차 안의 사람은 관성에 의해 여전히 100 km/h의 속력으로 가려고 한다. 즉, 자동차가 급정거할 때 자동차의 바퀴는 브레이크 라이닝(brake lining)에 의해 회전이 멈추게 되고, 자동차의 관성에 의해 미끄러지면서 마찰력을 받지만 자동차 안의 사람은 외부로부터 아무런 힘도 받지 않는다. 따라서 안전띠를 매지 않으면 몸이 앞쪽으로 100 km/h의 속력으로 운동하여 앞 유리에 부딪치게 된다.

안전띠는 운행 중에 생기는 충격으로부터 사람을 보호하는 장치로, 안전띠의 구조는 그림과 같다. 정상적인 경우에 톱니바퀴는 사람이 안전띠를 풀거나 조일 수 있게 해 준다. 그러나 사고가 발생하여 자동차가 급정거를 하면 좌석 밑에 있는 질량이 큰 물체가 관성에 의해 앞쪽으로 밀리면서 막대가 회전하게 된다. 회전한 막대는 톱니바퀴와 맞물려져 안전띠가 더 이상 풀어지지 않게 해 준다.

안전띠
톱니바퀴
막대
축
자동차 앞쪽
질량이 큰 물체

❷ 지진계

지각 속에서 지진이 발생하면 지진파가 전달되어 땅이 흔들리게 된다. 이때 지진의 세기나 지진이 발생한 지역 등은 지진계를 이용하여 알아낼 수 있다. 그림 (가)와 같이 무거운 추를 매단 실의 한끝을 잡고 손을 좌우로 빠르게 흔들면 무거운 추는 관성 때문에 쉽게 흔들리지 않고 손만 좌우로 흔들린다. 이러한 원리를 이용한 것이 그림 (나)의 지진계이다. 지진파가 전달되면 지진계는 땅의 흔들림과 같이 흔들리지만 무거운 추는 관성 때문에 흔들리지 않는다. 따라서 추에 달린 펜이 흔들리는 회전 원통의 기록지에 지진파를 기록하게 된다.

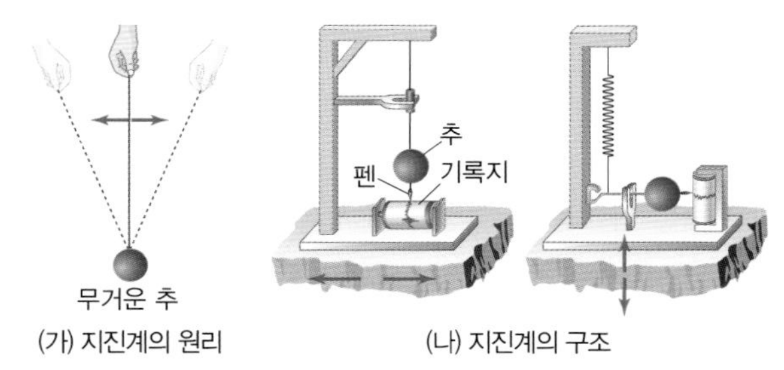

(가) 지진계의 원리 (나) 지진계의 구조

▲ 지진계

❸ 우주선의 발사

지구는 태양 주위를 공전하면서 자전하고 있다. 지구에 있는 모든 물체들은 지구와 같은 속력으로 운동하고 있으므로 우주선을 지구의 자전 방향인 동쪽으로 발사하면 태양을 기준으로 볼 때 우주선은 '지구 자전 속력+로켓 추진에 의한 속력'으로 날아가게 된다. 만약 우주선을 지구의 공전 방향으로 발사하면 관성에 의해 우주선도 지구의 공전 속력을 가지므로 태양을 기준으로 볼 때 우주선은 '지구의 공전 속력+지구의 자전 속력+로켓 추진에 의한 속력'으로 날아가게 된다.

01

> 속도-시간 그래프

그림 (가)는 물체 A, B가 동일 직선상에서 16 m 떨어져 있다가 A가 먼저 오른쪽으로 출발하고 2초 후 B가 왼쪽으로 출발한 모습을 나타낸 것이다. 그림 (나)는 두 물체의 속도를 시간에 따라 나타낸 것이다.

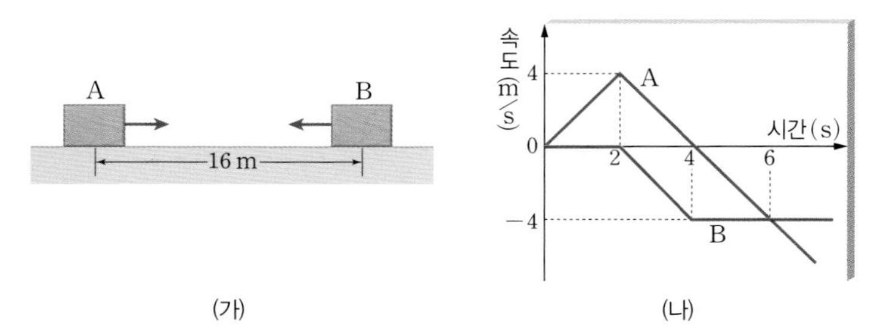

(가) (나)

이에 대한 설명으로 옳은 것만을 보기에서 있는 대로 고른 것은? (단, 물체의 크기는 무시한다.)

보기

ㄱ. 4초일 때 A와 B 사이의 거리는 4 m이다.
ㄴ. 2초~4초 동안 A와 B 사이의 거리는 일정하다.
ㄷ. 6초일 때 A와 B가 만난다.

① ㄱ ② ㄴ ③ ㄱ, ㄴ ④ ㄱ, ㄷ ⑤ ㄴ, ㄷ

• 속도-시간 그래프에서 기울기는 가속도를 나타내고, 그래프와 시간축이 이루는 넓이는 변위를 나타낸다.

02

> 가속도 운동

그림 (가)는 마찰이 없는 빗면 위에 가만히 놓아 미끄러져 내려오는 물체의 모습을, 그림 (나)는 비스듬히 던져 올린 물체의 모습을 일정한 시간 간격으로 나타낸 것이다.

(가) (나)

이에 대한 설명으로 옳은 것만을 보기에서 있는 대로 고른 것은?

보기

ㄱ. (가)에서 물체의 운동 방향은 변하지 않는다.
ㄴ. (나)의 최고점에서 물체의 속력은 0이다.
ㄷ. (가)와 (나)에서 모두 물체의 속력은 계속해서 변한다.

① ㄱ ② ㄴ ③ ㄱ, ㄷ ④ ㄴ, ㄷ ⑤ ㄱ, ㄴ, ㄷ

• 물체의 위치를 일정한 시간 간격으로 나타낼 때 물체 사이의 간격이 클수록 속력이 크다.

03

> 등가속도 직선 운동

그림은 물체 A를 정지 상태에서 자유 낙하시키고, 1초 후에 같은 지점에서 정지 상태인 물체 B를 자유 낙하시키는 것을 나타낸 것이다. 두 물체가 낙하하는 동안 두 물체에 대한 설명으로 옳은 것만을 보기에서 있는 대로 고른 것은? (단, 물체의 크기와 공기 저항은 무시한다.)

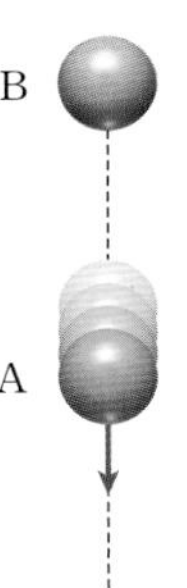

보기

ㄱ. A와 B의 가속도의 크기는 같다.

ㄴ. 3초일 때 A의 속력은 B의 속력의 2배이다.

ㄷ. B가 낙하한 후 A와 B 사이의 거리는 일정하다.

① ㄱ ② ㄷ ③ ㄱ, ㄴ ④ ㄴ, ㄷ ⑤ ㄱ, ㄴ, ㄷ

- 두 물체는 처음 속도가 0이고, 가속도가 g인 등가속도 직선 운동을 한다.

04

> 등속 직선 운동과 등가속도 직선 운동

그림과 같이 직선 도로에서 기준선을 동시에 통과한 자동차 A, B가 도로와 나란하게 400 m를 이동하여 도착선을 동시에 통과하였다. 그동안 A는 등가속도 직선 운동을, B는 등속 직선 운동을 하였고, 기준선을 통과하는 순간 A, B의 속력은 각각 15 m/s, 10 m/s이었다.

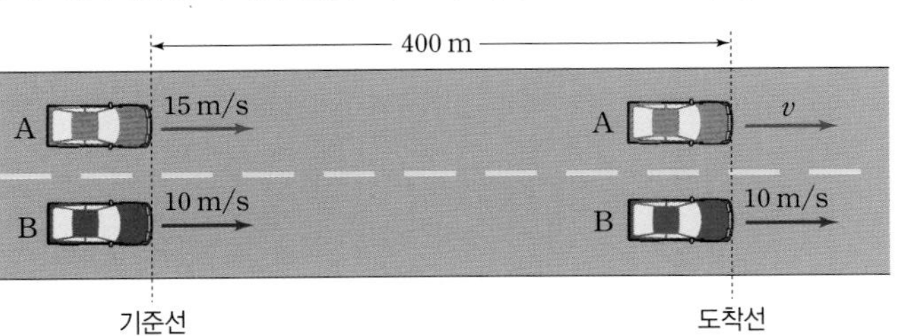

이에 대한 설명으로 옳은 것만을 보기에서 있는 대로 고른 것은?

보기

ㄱ. A의 가속도의 크기는 0.25 m/s^{2}이다.

ㄴ. 도착선을 통과할 때 A의 속도의 크기는 5 m/s이다.

ㄷ. 기준선을 통과하는 순간부터 20초 동안 이동한 거리는 B가 A보다 크다.

① ㄱ ② ㄴ ③ ㄱ, ㄴ ④ ㄱ, ㄷ ⑤ ㄱ, ㄴ, ㄷ

- 두 자동차는 기준선과 도착선을 모두 동시에 통과하였으므로 걸린 시간과 변위가 같다.

05

> 등가속도 직선 운동과 뉴턴 운동 제2법칙(가속도 법칙)

그림 (가), (나)는 수평면 위에 있는 물체 A, B에 각각 10 N의 힘을 수평 방향으로 작용하였더니 각각 2 m/s², 5 m/s²의 가속도로 등가속도 직선 운동을 하는 모습을 나타낸 것이다. 그림 (다)는 A와 B를 함께 붙여 7 N의 힘을 수평 방향으로 작용하는 모습을 나타낸 것이다.

2 m/s² 10 N → A (가)　　5 m/s² 10 N → B (나)　　7 N → A B (다)

이에 대한 설명으로 옳은 것만을 보기에서 있는 대로 고른 것은? (단, 모든 마찰은 무시한다.)

보기
- ㄱ. A의 질량 : B의 질량=5 : 2이다.
- ㄴ. (다)에서 두 물체의 가속도의 크기는 1 m/s²이다.
- ㄷ. (다)에서 B가 A에 작용하는 힘의 크기는 5 N이다.

① ㄱ　② ㄴ　③ ㄱ, ㄴ　④ ㄱ, ㄷ　⑤ ㄴ, ㄷ

• 물체의 가속도의 크기는 힘의 크기에 비례하고, 질량에 반비례한다.

06

> 뉴턴 운동 제2법칙(가속도 법칙)과 뉴턴 운동 제3법칙(작용 반작용 법칙)

그림 (가)는 0.2초 동안 수평인 얼음판 위에 정지해 있던 물체를 철수가 미는 동시에 영희가 줄을 당기고 있는 모습을 나타낸 것이다. 그림 (나)는 철수와 영희가 각각 물체와 줄에 힘을 작용하는 순간부터 철수와 영희의 속력을 시간에 따라 나타낸 것이다. 이때 철수와 영희, 물체의 질량은 각각 65 kg, 50 kg, 60 kg이고, 모두 동일 직선상에서 운동한다.

철수 물체 줄 영희 얼음판

(가)

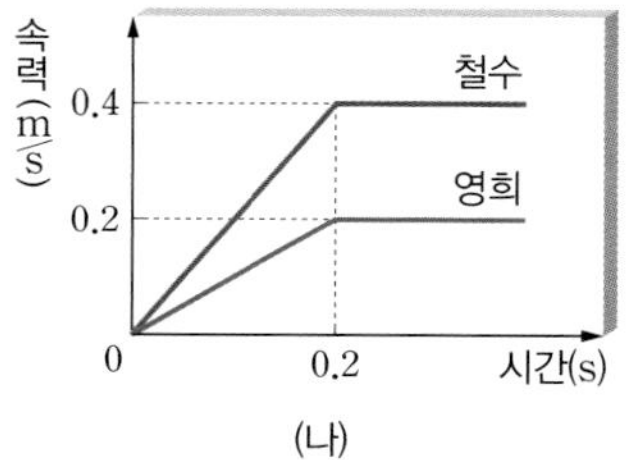

(나)

0~0.2초 동안 철수, 영희, 물체의 운동에 대한 설명으로 옳은 것만을 보기에서 있는 대로 고른 것은? (단, 줄의 질량, 모든 마찰과 공기 저항은 무시한다. 또한, 철수와 영희가 각각 물체와 줄에 작용한 힘의 방향은 수평 방향이다.)

보기
- ㄱ. 철수의 운동 방향은 영희의 운동 방향과 반대이다.
- ㄴ. 영희가 줄을 당기는 힘의 크기는 50 N이다.
- ㄷ. 물체의 가속도의 크기는 3 m/s²이다.

① ㄱ　② ㄷ　③ ㄱ, ㄴ　④ ㄴ, ㄷ　⑤ ㄱ, ㄴ, ㄷ

• 속력－시간 그래프에서 기울기는 가속도의 크기를 나타낸다.

07

> 실로 연결된 두 물체의 운동

그림 (가)는 물체 A가 질량이 m인 물체 B와 도르래를 통해 실로 연결되어 정지해 있는 모습을 나타낸 것이다. 이때 A와 B의 높이 차는 $2h$이다. 그림 (나)는 (가)의 상태에서 B를 연직 아래 방향의 일정한 힘 F로 당겼을 때 A와 B의 높이가 같아진 순간의 모습을 나타낸 것이다.

• 도르래를 통해 실로 연결된 두 물체가 정지해 있을 때 두 물체의 무게는 같다.

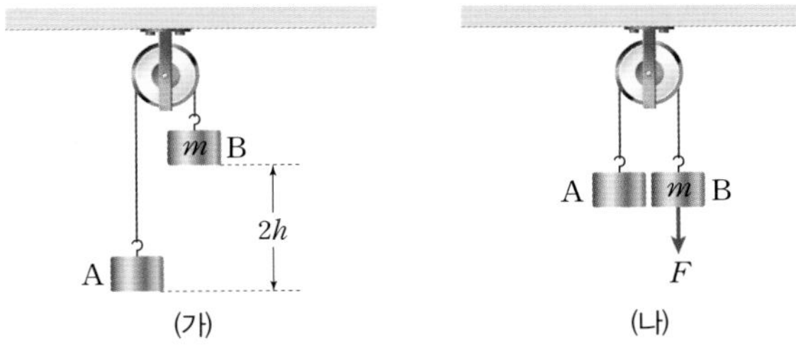

이에 대한 설명으로 옳은 것만을 보기에서 있는 대로 고른 것은? (단, 중력 가속도는 g이고, 실의 질량과 도르래의 마찰 및 공기 저항은 무시한다.)

보기

ㄱ. A의 질량은 m이다.

ㄴ. A와 B의 높이가 같아진 순간 A의 속력은 $\sqrt{\frac{Fh}{m}}$이다.

ㄷ. (나)에서 실이 B를 당기는 힘의 크기는 $mg+F$이다.

① ㄱ ② ㄷ ③ ㄱ, ㄴ ④ ㄴ, ㄷ ⑤ ㄱ, ㄴ, ㄷ

08

> 실로 연결된 세 물체의 운동

그림은 물체 B를 수평면 위에 놓고 양쪽으로 물체 A와 C를 도르래를 통해 실로 연결했을 때 함께 운동하는 모습을 나타낸 것이다. 이때 A, B, C의 질량은 각각 3 kg, 5 kg, 2 kg이다.

• A와 C에 작용하는 힘은 중력과 실의 장력이다.

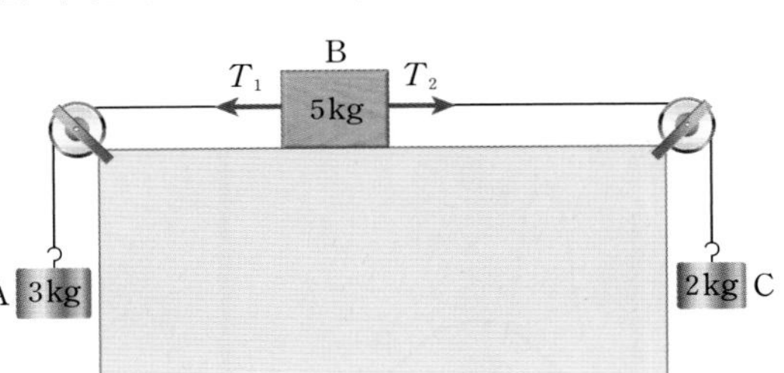

B에 작용하는 실의 장력을 각각 T_1, T_2라고 할 때 이에 대한 설명으로 옳은 것만을 보기에서 있는 대로 고른 것은? (단, 중력 가속도는 10 m/s^{2}이고, 실의 질량, 모든 마찰과 공기 저항은 무시한다.)

보기

ㄱ. A의 가속도의 크기는 1 m/s^{2}이다.

ㄴ. T_1이 T_2보다 10 N 더 크다.

ㄷ. 세 물체에 작용한 알짜힘의 크기는 같다.

① ㄱ ② ㄱ, ㄴ ③ ㄱ, ㄷ ④ ㄴ, ㄷ ⑤ ㄱ, ㄴ, ㄷ

09

> 충격량과 운동량 변화량의 관계

그림 (가)는 마찰이 없는 수평면 위에 물체 B, C가 정지해 있고, 물체 A가 B를 향해 운동하는 모습을 나타낸 것이다. A가 B와 충돌한 후 B는 C와 충돌하여 한 덩어리가 되어 운동한다. 그림 (나)는 B가 C와 충돌하기 직전까지 A와 B의 위치를 시간에 따라 나타낸 것이다. 이때 A와 C의 질량은 각각 2 kg, 1 kg이다.

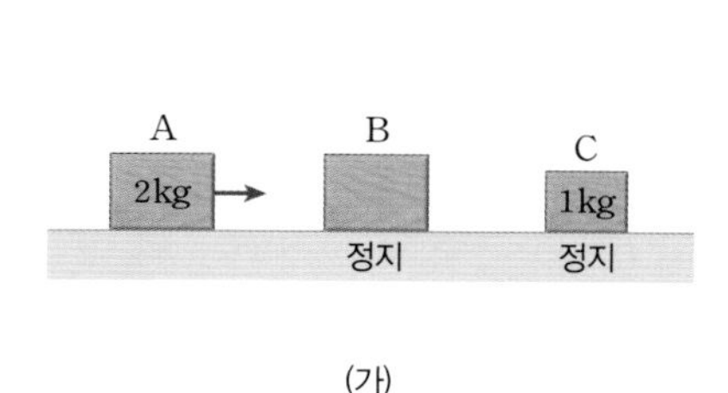

(가)

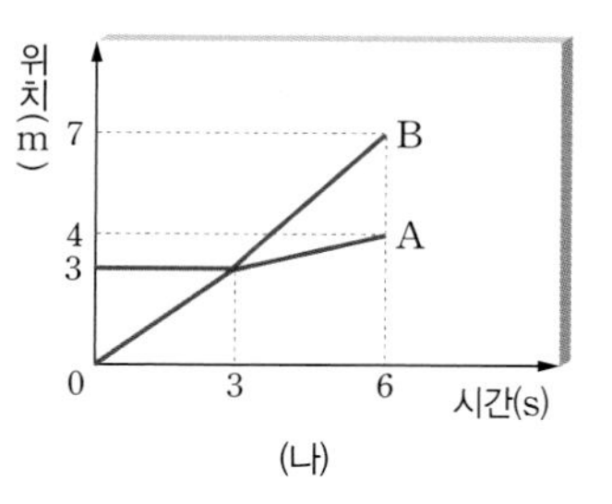

(나)

이에 대한 설명으로 옳은 것만을 보기에서 있는 대로 고른 것은? (단, 물체의 크기는 무시한다.)

보기

ㄱ. B의 질량은 1 kg이다.

ㄴ. A와 B가 충돌하는 동안 B가 A로부터 받은 충격량의 크기는 충돌 전후 A의 운동량의 변화량보다 작다.

ㄷ. 한 덩어리가 된 B와 C의 속력은 $\frac{2}{3}$ m/s이다.

① ㄱ ② ㄴ ③ ㄱ, ㄴ ④ ㄱ, ㄷ ⑤ ㄴ, ㄷ

• 마찰이 없는 수평면에서 물체끼리 충돌하므로 충돌 전후 전체 운동량은 보존된다.

10

> 힘-시간 그래프

그림 (가)는 동일한 테니스공 A, B를 같은 높이에서 가만히 놓아 각각 나무판과 모래판에 떨어뜨렸을 때 모습을 나타낸 것이다. 이때 나무판에 떨어진 A는 위로 튀어 올랐으나 모래판에 떨어진 B는 튀어 오르지 않았다. 그림 (나)는 A와 B에 작용한 힘의 크기를 시간에 따라 나타낸 것이다.

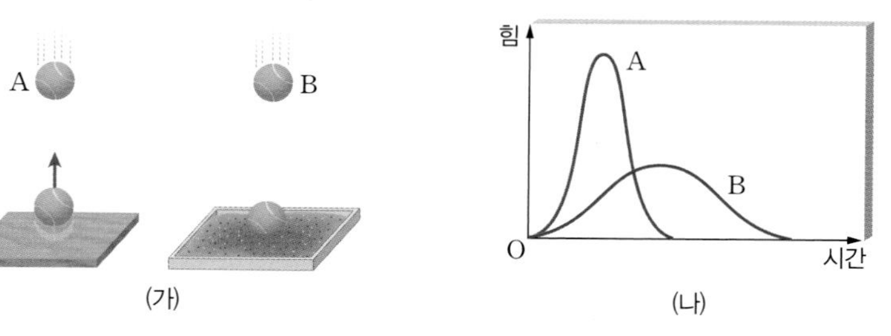

(가) (나)

이에 대한 설명으로 옳은 것만을 보기에서 있는 대로 고른 것은?

보기

ㄱ. A와 B가 받은 충격량은 같다.

ㄴ. A가 받은 충격력은 B보다 크다.

ㄷ. 충돌 전후 A의 운동량 변화량의 크기는 B보다 크다.

① ㄱ ② ㄴ ③ ㄷ ④ ㄱ, ㄴ ⑤ ㄴ, ㄷ

• 물체에 가해진 충격량만큼 운동량이 변한다.

11

> 힘-시간 그래프

그림 (가)는 마찰이 없는 수평면 위에 물체 A가 정지해 있는 물체 B를 향해 v_0의 속력으로 운동하는 모습을 나타낸 것이다. A, B는 질량이 m으로 같고, 충돌 후 등속 직선 운동을 한다. 그림 (나)는 충돌하는 동안 A가 B로부터 받는 힘의 크기를 시간에 따라 나타낸 것이며, 그래프와 시간축이 이루는 넓이는 $\frac{2}{3}mv_0$이다.

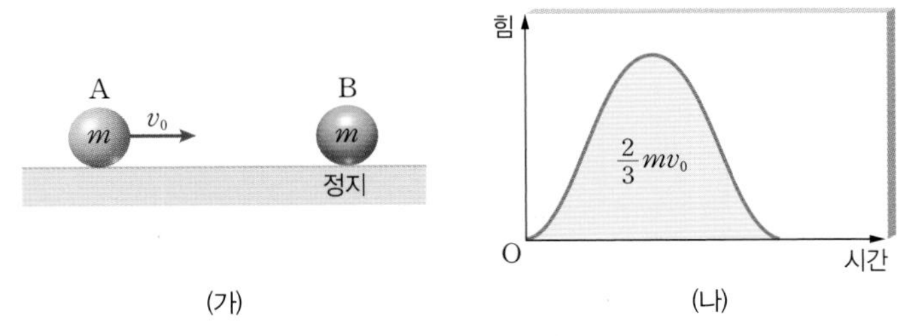

(가) (나)

이에 대한 설명으로 옳은 것만을 보기에서 있는 대로 고른 것은? (단, 공기 저항과 물체의 크기는 무시한다.)

보기

ㄱ. 충돌 후 A의 속력은 $\frac{1}{3}v_0$이다.

ㄴ. 충돌 후 A와 B의 운동량 합의 크기는 mv_0이다.

ㄷ. 충돌하는 동안 B가 받은 충격량의 크기는 $\frac{1}{3}mv_0$이다.

① ㄱ ② ㄷ ③ ㄱ, ㄴ ④ ㄴ, ㄷ ⑤ ㄱ, ㄴ, ㄷ

- 힘-시간 그래프에서 그래프와 시간축이 이루는 넓이는 충격량을 나타낸다.

12

> 충격량과 운동량 변화량의 관계

그림 (가)는 수평면 위에 질량이 m인 수레가 v의 속도로 등속 직선 운동을 하는 모습을 나타낸 것이고, 그림 (나)는 (가)의 상태에서 연직 아래 방향으로 질량이 m인 모래주머니를 수레에 떨어뜨려 수레가 V의 속도로 등속 직선 운동을 하는 모습을 나타낸 것이다.

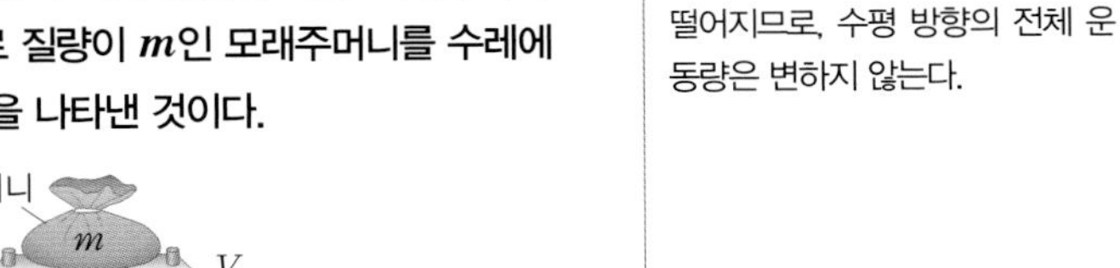

(가) (나)

모래주머니가 수레 위에 떨어지기 전후 수레의 운동에 대한 설명으로 옳은 것만을 보기에서 있는 대로 고른 것은? (단, 수레와 바닥 사이의 마찰은 무시한다.)

보기

ㄱ. (나)에서 수레의 속도 V는 (가)에서 수레의 속도 v보다 작다.

ㄴ. (가)에서 수레의 운동량과 (나)에서 수레와 모래주머니의 운동량의 합은 같다.

ㄷ. 모래주머니가 수레에 접촉하는 순간부터 수레 위에 완전히 놓일 때까지 수레에 작용하는 모든 힘의 합력은 0이다.

① ㄱ ② ㄱ, ㄴ ③ ㄱ, ㄷ ④ ㄴ, ㄷ ⑤ ㄱ, ㄴ, ㄷ

- 모래주머니가 연직 아래 방향으로 떨어지므로, 수평 방향의 전체 운동량은 변하지 않는다.

01

그림은 직선 운동을 하는 자전거의 속도를 시간에 따라 나타낸 것이다. 이 그래프에서 속도 $v=\sqrt{144-t^2}$으로 표현된다. (단, $\pi=3.14$로 한다.)

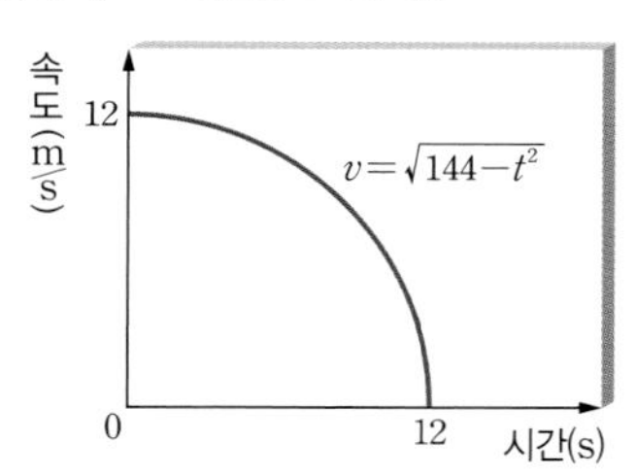

(1) $0\sim12$초 동안 자전거의 평균 속력을 풀이 과정과 함께 구하시오.

(2) $0\sim12$초 동안 자전거의 평균 가속도를 풀이 과정과 함께 구하시오.

KEY WORDS
- 속도-시간 그래프

02

그림은 물체 A가 점 P를 v_0의 속력으로 지나는 순간 점 Q에서 물체 B를 가만히 놓는 모습을 나타낸 것이다. B를 놓는 순간부터 시간 T초 후에 A와 B가 만난다. 이때 B의 속력은 $3v_0$이다. (단, A, B는 동일 직선상에서 운동하고, 중력은 주어진 그림에서 B로부터 A를 향하는 방향으로 작용한다. 물체의 크기와 공기 저항은 무시한다.)

(1) PQ 사이의 거리를 풀이 과정과 함께 구하시오.

(2) A와 B가 만나는 순간 A의 속도를 풀이 과정과 함께 구하시오.

(3) A가 최고점에 도달한 순간 A와 B 사이의 거리를 풀이 과정과 함께 구하시오.

KEY WORDS
- 등가속도 직선 운동
- 자유 낙하 운동

03

그림과 같이 질량이 m으로 같은 철수와 영희가 도르래에 걸쳐진 줄의 양쪽에 매달려 있다. 이때 위쪽에 있는 영희는 가만히 매달려 있고, 철수는 줄을 당겨서 a의 가속도로 올라가고 있다. (단, 줄의 질량, 모든 마찰과 공기 저항은 무시한다.)

KEY WORDS
- 장력
- 뉴턴 운동 제2법칙 (가속도 법칙)

(1) 철수가 올라가는 동안 영희의 가속도의 크기를 풀이 과정과 함께 구하시오.

(2) 영희가 도르래에 도달하기 전에 철수가 영희의 높이까지 올라갈 수 있는지 설명하시오.

04

그림과 같이 수평인 지면 위에 놓인 질량이 M인 나무판에 줄을 연결하여 도르래에 걸친 후, 그 한끝을 나무판 위에 서 있는 질량이 m인 사람이 연직 아래 방향으로 잡아당긴다. (단, 중력 가속도는 g이고, 줄의 질량, 모든 마찰과 공기 저항은 무시한다.)

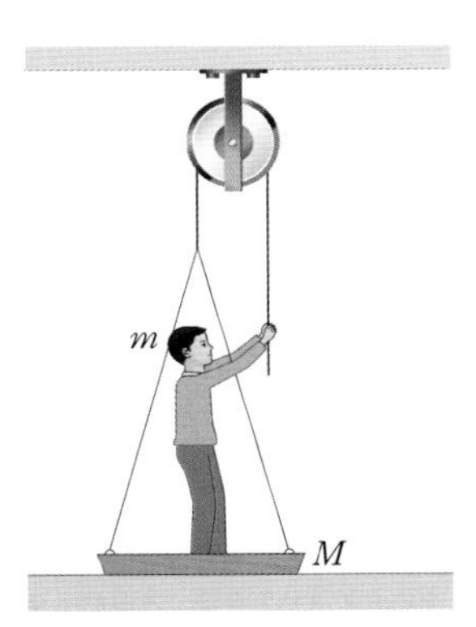

KEY WORDS
- 뉴턴 운동 제3법칙 (작용 반작용 법칙)
- 힘의 평형

(1) 사람이 줄을 연직 아래 방향의 힘 T로 잡아당기며 정지해 있을 때 나무판이 사람을 연직 위 방향으로 밀어올리는 힘의 크기 N_1을 풀이 과정과 함께 구하시오.

(2) 나무판과 지면 사이에 작용하는 힘의 크기 N을 풀이 과정과 함께 구하시오.

(3) 사람이 줄을 잡아당기는 힘을 증가시키면 사람이 서 있는 상태로 나무판을 들어 올릴 수 있는지 설명하시오.

05

그림은 물체 A, B, C가 도르래를 통해 실로 연결되어 있을 때 A는 정지해 있고, B와 C는 등가속도 직선 운동을 하는 모습을 나타낸 것이다. 이때 B와 C의 질량은 각각 $3m$, m이다. (단, 중력 가속도는 g이고, 실과 도르래의 질량, 모든 마찰과 공기 저항은 무시한다.)

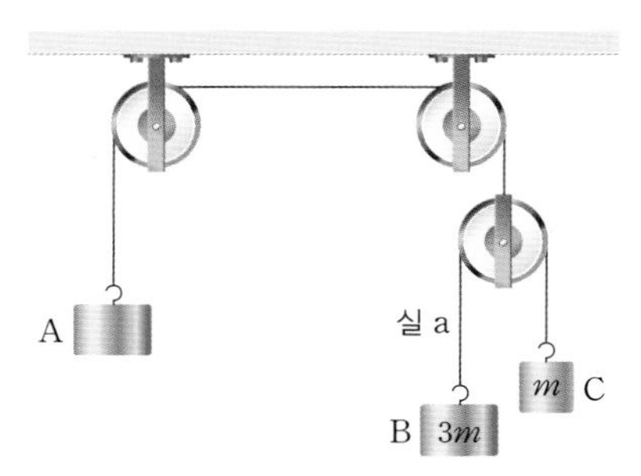

(1) 실 a의 장력을 풀이 과정과 함께 구하시오.

(2) A의 질량을 풀이 과정과 함께 구하시오.

KEY WORDS
- 뉴턴 운동 제2법칙 (가속도 법칙)
- 힘의 평형

06

그림은 마찰이 없는 수평면 위에 정지해 있는 질량이 2 kg인 물체에 수평 방향으로 일정한 힘 F를 작용하는 동안 물체의 위치를 시간에 따라 나타낸 것이다. 4초 동안 물체가 받은 충격량의 크기를 풀이 과정과 함께 구하시오.

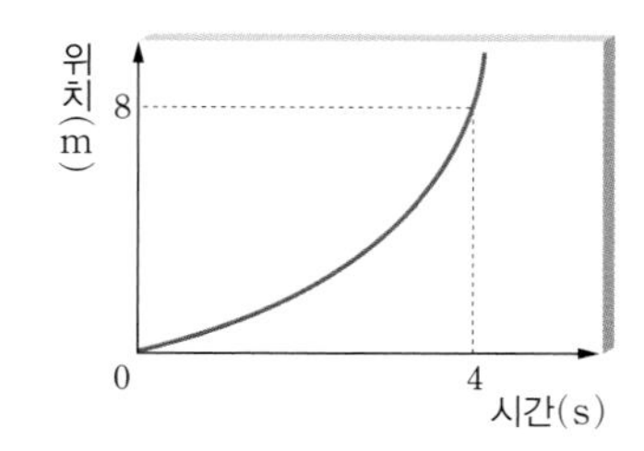

KEY WORDS
- 위치-시간 그래프
- 뉴턴 운동 제2법칙 (가속도 법칙)
- 등가속도 직선 운동
- 운동량의 변화량과 충격량

07

그림과 같이 마찰이 없는 수평면 위에 물체 A와 C는 각각 $2v$, v의 속도로 운동하고, 물체 B는 정지해 있다. A와 B가 충돌한 직후 A에 대한 B의 속도는 $2v$이며, B와 C는 충돌한 후 한 덩어리가 되어 운동한다. 이때 A, B, C의 질량은 m으로 모두 같다.

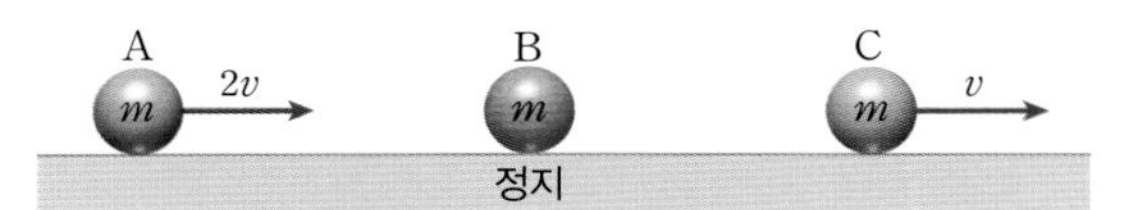

한 덩어리가 된 B와 C의 속도의 크기를 풀이 과정과 함께 구하시오. (단, A, B, C는 동일 직선상에서 운동하고, 물체의 크기와 공기 저항은 무시한다.)

KEY WORDS
- 운동량 보존 법칙
- 상대 속도

08

그림과 같이 수평 방향으로 0.1 m/s의 속력으로 등속 직선 운동을 하는 컨베이어 벨트 위에 1분당 1000개의 과자가 연직 아래 방향으로 떨어진다.

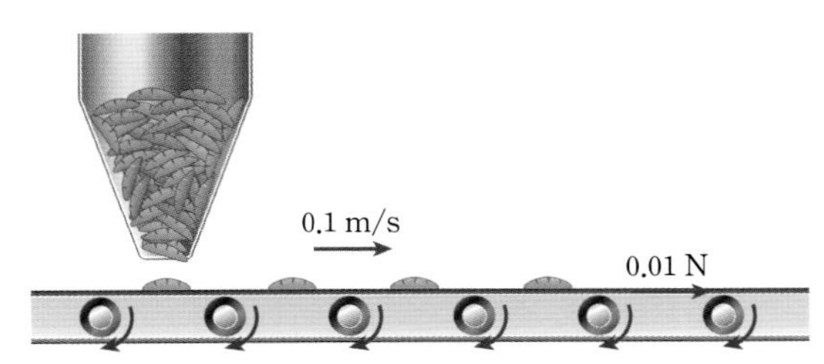

이 과정이 진행되는 동안 벨트를 움직이게 하는 데 필요한 힘이 0.01 N일 때 과자 1개의 질량은 몇 kg인지 구하시오.

KEY WORDS
- 운동량의 변화량과 충격량

HighTop

2
에너지와 열

단원 Preview

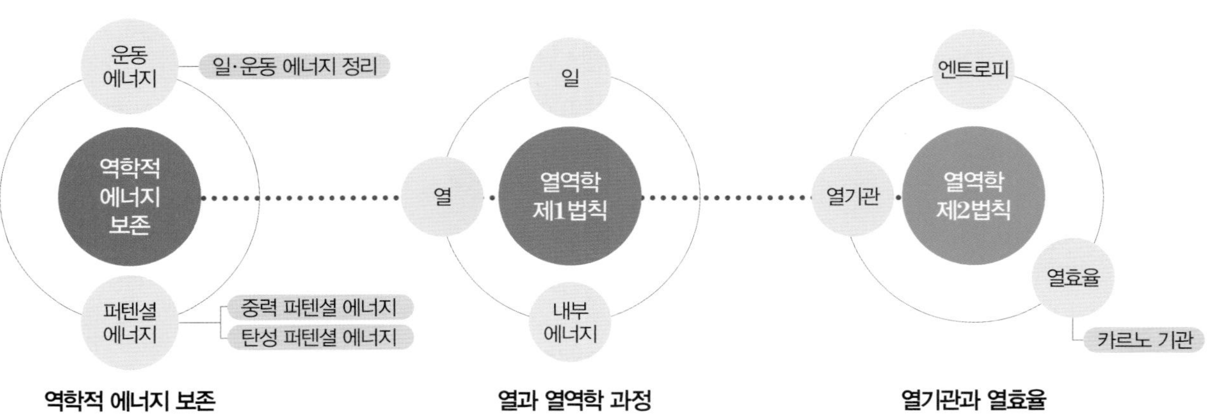

역학적 에너지 보존

열과 열역학 과정

열기관과 열효율

01 역학적 에너지 보존

학습 Point 운동 에너지 > 퍼텐셜 에너지 > 역학적 에너지 보존 법칙 > 역학적 에너지가 보존되지 않는 경우

1 일

물리학에서의 기본 목표 중 하나는 에너지에 대한 탐구이다. 이것은 우주의 모든 상호 작용들은 한 형태에서 다른 형태로 에너지가 전환되거나 한 계에서 다른 계로 에너지를 전달하는 것과 관련이 있기 때문이다. 에너지가 전환될 수 있는 한 가지 방식이 바로 일인데, 여기서 일이란 일상생활에서 말하는 신체적, 정신적 노동과는 그 의미가 다르다. 물리학에서의 일은 하나의 계에서 다른 계로 전달되는 에너지이고, 계에 일을 한다는 것은 에너지를 전달하는 행위를 말한다.

1. 일

(1) **일의 정의:** 물체에 힘을 가하여 물체를 이동시켰을 때 힘이 물체에 일을 하였다고 한다. 예를 들어 물체를 위로 들어 올리거나 마찰이 있는 면에서 물체를 밀어 이동시킬 때 힘이 물체에 일을 한 것이 된다.

그림과 같이 물체에 일정한 힘 F가 작용하는 동안에 물체가 힘의 방향으로 거리 s만큼 이동하였다면, 이때 힘이 물체에 한 일(또는 힘을 작용한 사람이 물체에 한 일) W는 힘과 힘의 방향으로 이동한 거리의 곱이며, 다음과 같이 정의한다.

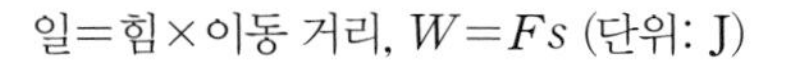

일=힘×이동 거리, $W=Fs$ (단위: J)

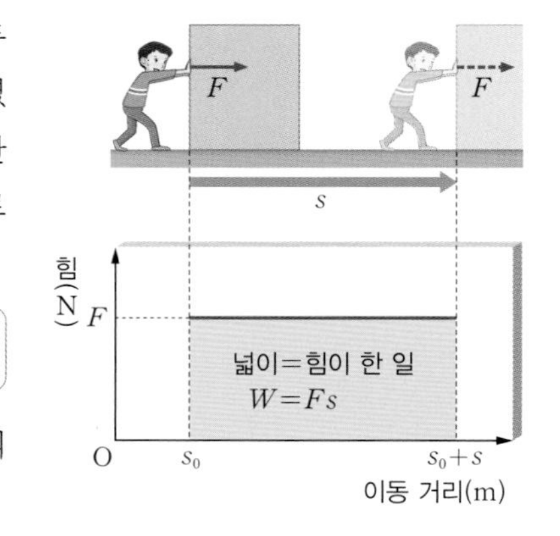

일은 방향이 없이 크기만 가지는 물리량으로, 일의 양은 힘-이동 거리 그래프의 아래 넓이와 같다.

(2) **일의 단위:** 일의 단위는 에너지의 단위와 같은 J(줄)을 사용한다. 1 J은 1 N의 힘이 물체에 작용하여 물체가 힘의 방향으로 1 m 이동하였을 때 힘이 한 일의 양이다.

$$1\ \text{J}=1\ \text{N}\times1\ \text{m}=1\ \text{N}\cdot\text{m}=1\ \text{kg}\cdot\text{m}^2/\text{s}^2$$

(3) **일의 부호:** 일을 한다는 것은 물체에 가한 힘을 통해 외부와 물체 사이에 에너지가 전달되는 것을 의미한다. 이때 에너지가 이동하는 방향에 따라 힘이 물체에 한 일은 (+)와 (−)의 값을 모두 가질 수 있다.

① **$W>0$인 경우:** 물체가 힘의 방향으로 이동한 경우로, 외부에서 물체로 에너지가 전달된다.
예 물체를 연직 위로 들어 올릴 때 힘이 물체에 한 일

② **$W<0$인 경우:** 물체가 힘이 작용한 방향의 반대 방향으로 이동한 경우로, 물체에서 외부로 에너지가 전달된다. **예** 슬라이딩하는 야구 선수에게 마찰력이 한 일

일의 표현식 $W=Fs$
이 식을 사용해 힘이 물체에 한 일을 계산하기 위해서는 몇 가지 조건이 있다.
- 힘의 크기와 방향이 일정해야 한다.
- 물체가 힘의 방향으로 움직여야 한다.
- 물체가 강체(힘을 가해도 모양과 부피가 변하지 않는 물체)처럼 단단하여 물체의 모든 부분이 동일하게 움직여야 한다.

한 일이 0인 경우
- 마찰이 없는 수평인 얼음판에서 미끄러지는 물체처럼, 힘을 작용하지 않아도 물체가 움직일 때($F=0$)
- 바위를 밀어도 움직이지 않는 것처럼, 힘을 작용해도 물체가 움직이지 않을 때($s=0$)
- 등속 원운동 하는 물체에 구심력이 한 일처럼, 힘의 방향과 물체의 이동 방향이 수직일 때($F\perp s$)

2. 여러 개의 힘이 하나의 물체에 한 일

그림과 같이 하나의 물체에 두 힘 F_1, F_2가 동시에 작용하여 물체가 거리 s만큼 이동하였을 때 두 힘 F_1, F_2가 물체에 한 일은 다음과 같다.

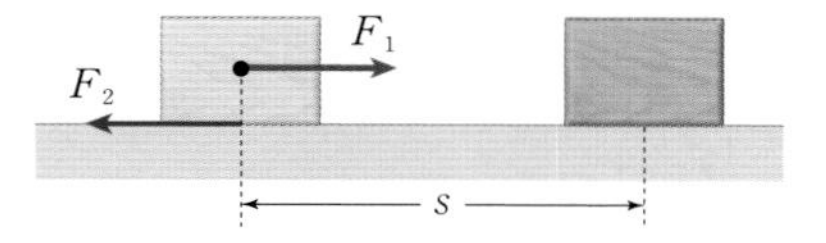

• F_1이 한 일: $W_1=F_1s$ • F_2가 한 일: $W_2=F_2s$

F_1과 F_2의 합력을 F라고 하면, $F=F_1+F_2$이므로, 합력 F가 한 일 W는 다음과 같다.

$$W=Fs=F_1s+F_2s=W_1+W_2$$

즉, 한 물체에 여러 개의 힘이 작용할 때, 물체의 운동 방향과 같은 방향의 힘은 (+)의 일을 하고, 물체의 운동 방향과 반대 방향의 힘은 (−)의 일을 한다. 따라서 합력이 한 일은 각 힘이 한 일의 총합과 같다.

3. 힘의 크기가 변할 때의 일

물체에 작용하는 힘이 물체의 위치에 관계없이 일정한 경우, 힘이 물체에 한 일은 힘-이동 거리 그래프의 아래 넓이와 같다.

물체에 운동 방향으로 작용하는 힘의 크기가 그림 (가)와 같이 물체의 위치에 따라 변하는 경우, 전체 이동 거리를 짧은 구간 Δs로 나누면, 물체가 Δs만큼 이동하는 동안 힘 F의 크기는 거의 일정하다고 할 수 있다. 이 구간에서 힘 F가 한 일은 $F\Delta s$이고, 이것은 Δs 구간의 작은 직사각형의 넓이와 같다. 이렇게 각 구간마다 힘이 한 일을 모두 더하면 이동하는 동안 힘이 한 일을 근사적으로 구할 수 있다.

그림 (나)와 같이 Δs를 더 좁은 구간으로 나눌수록 더욱 정확한 값을 구할 수 있다.

Δs를 0에 가깝도록 충분히 작게 잡으면 s_1에서 s_2까지 이동하는 동안 힘이 한 일은 그림 (다)와 같이 힘-이동 거리 그래프의 아래 부분의 넓이와 같다. 즉, 힘의 크기가 물체의 위치에 따라 변하는 경우도 힘이 물체에 한 일은 힘-이동 거리 그래프의 아래 부분의 넓이이다.

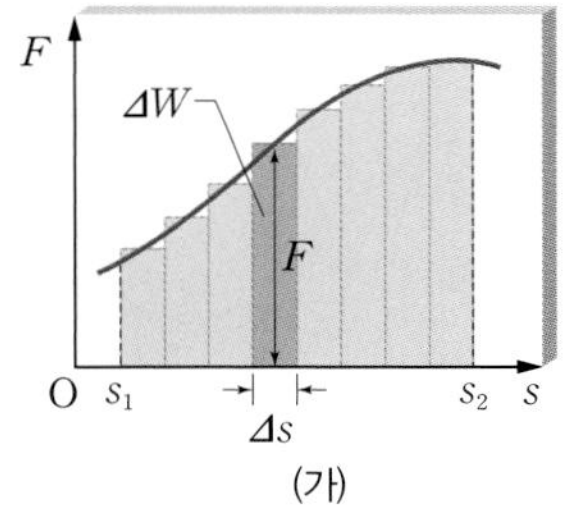

(가)

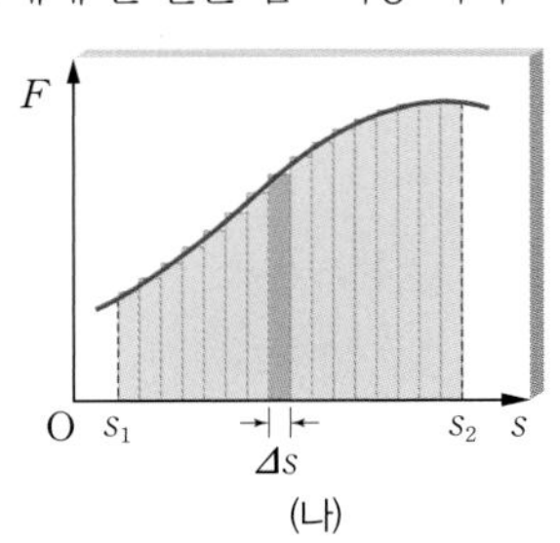

(나)

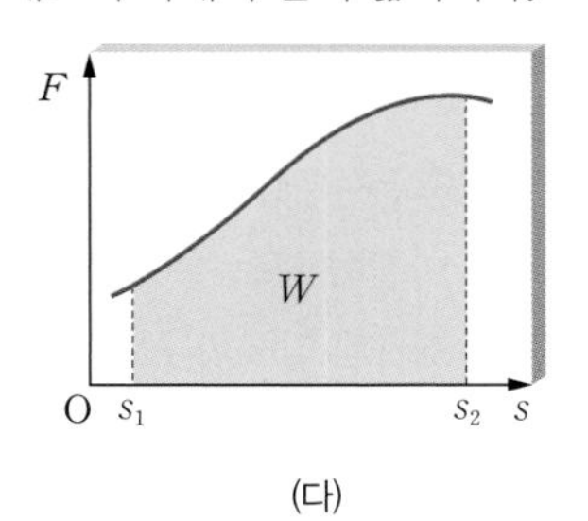

(다)

▲ **힘-이동 거리 그래프와 일**

시야 확장 + 힘의 방향과 물체의 이동 방향이 다를 때의 일

그림과 같이 힘 F의 방향과 각 θ를 이루는 방향으로 물체가 거리 s만큼 이동하였을 때, 물체의 이동 방향의 힘은 $F\cos\theta$이므로 힘 F가 물체에 한 일 W는 다음과 같다.

$$W=F\cos\theta\cdot s=Fs\cos\theta$$

따라서 $\theta=90°$일 때 힘이 물체에 한 일은 0이 되고, $90°<\theta\leq180°$일 때 힘이 물체에 한 일은 (−)가 된다.

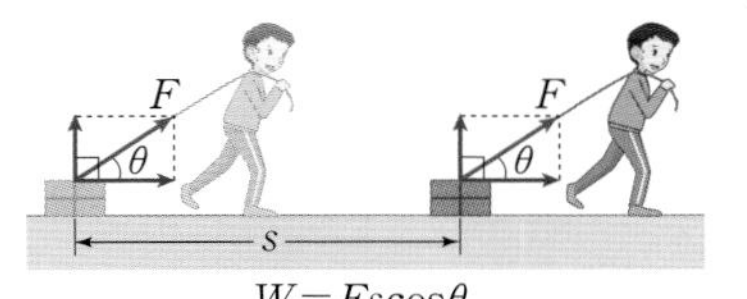

▲ **힘의 방향과 물체의 이동 방향이 각 θ를 이룰 때**

힘과 일의 관계

힘의 크기가 일정한 경우나 변하는 경우에 모두 힘-이동 거리 그래프의 아래 부분의 넓이=일(W)이다. 이 관계를 수학적으로 표현하면 $W=\int_{s_1}^{s_2}F\,ds$이다.

(−)의 일

사람이 강아지에 줄을 연결하여 산책할 때 사람은 강아지에게 (−)의 일을 한다.

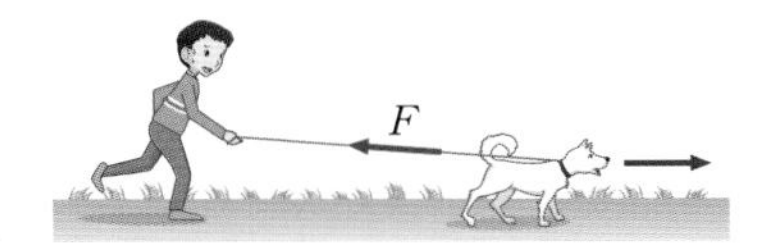

2 운동 에너지

볼링공을 던지는 사람이 볼링공에 일을 하면 볼링공의 속력이 증가하고, 이 볼링공은 굴러가 볼링 핀을 쓰러뜨리는 일을 할 수 있다. 이렇게 물체에 일을 하면 물체는 에너지를 얻고, 에너지를 가진 물체는 다른 물체에 다시 일을 할 수 있다.

1. 에너지

그림과 같이 운동하는 물체 A는 용수철에 매달린 물체 B를 미는 일을 할 수 있다. 이처럼 어떤 물체가 다른 물체에 일을 할 수 있는 능력을 가질 때, 이 물체는 에너지를 가지고 있다고 말한다.

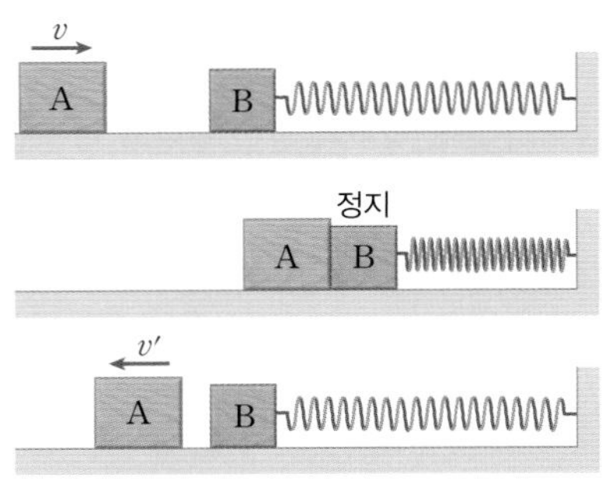

▲ 에너지와 일

A는 B에 매달린 용수철을 압축하다가 어느 순간 정지한다. 이것은 A가 B에 일을 하여 에너지를 잃었기 때문이다. 한편, 일을 받은 B는 다시 A를 반대 방향으로 밀고 나가는 일을 할 수 있으므로, 에너지를 가진다. B가 가진 에너지는 A로부터 받은 일로 인해 생긴 것이다. 이처럼 한 물체가 가진 에너지는 일을 통해 다른 물체에 전달될 수 있다.

(1) **에너지:** 어떤 계가 가지는 일을 할 수 있는 능력(가능성)으로, 일과 마찬가지로 방향이 없이 크기만 가지는 물리량이다.

(2) **에너지의 단위:** 에너지는 일로 전환될 수 있는 물리량으로, 단위도 일의 단위와 같은 J을 사용한다.

에너지의 여러 가지 단위

에너지는 전기 에너지, 화학 에너지, 열에너지, 빛에너지, 핵에너지, 운동 에너지, 퍼텐셜 에너지 등 많은 종류가 있다. 에너지의 종류에 따라 cal(칼로리), Wh(와트시), eV(전자볼트) 등의 단위가 사용되기도 한다. 이때 에너지 단위 사이의 환산 관계는 다음과 같다.

- 1 cal=4.2 J
- 1 Wh=3600 J
- 1 eV=1.60×10^{-19} J

2. 운동 에너지

구르는 볼링공은 볼링 핀을 쓰러뜨리는 일을 할 수 있고, 흐르는 물은 물레방아를 돌리는 일을 할 수 있는 것처럼, 운동하는 물체는 정지할 때까지 다른 물체에 일을 할 수 있는 능력을 가진다. 이렇게 물체의 운동과 관련된 에너지를 운동 에너지라고 한다.

(1) **운동하는 물체가 가지는 에너지:** 그림과 같이 마찰이 없는 수평면에서 질량 m인 수레가 v_1의 속도로 운동하고 있을 때, 수레에 일정한 크기의 알짜힘 F를 운동 방향으로 작용하여 수레를 거리 s만큼 이동시켰을 때 수레의 속도가 v_2가 되었다면, 힘이 수레에 한 일 W는 다음과 같다.

$$W=Fs$$

뉴턴 제2법칙에 의해 수레는 가속도가 $a=\frac{F}{m}$로 일정한 운동을 하므로, 등가속도 직선 운동의 식 $2as=v_2{}^2-v_1{}^2$을 적용하면 알짜힘이 수레에 한 일 W는 다음과 같다.

$$W=mas=m\times\left(\frac{v_2{}^2-v_1{}^2}{2}\right)=\frac{1}{2}mv_2{}^2-\frac{1}{2}mv_1{}^2$$

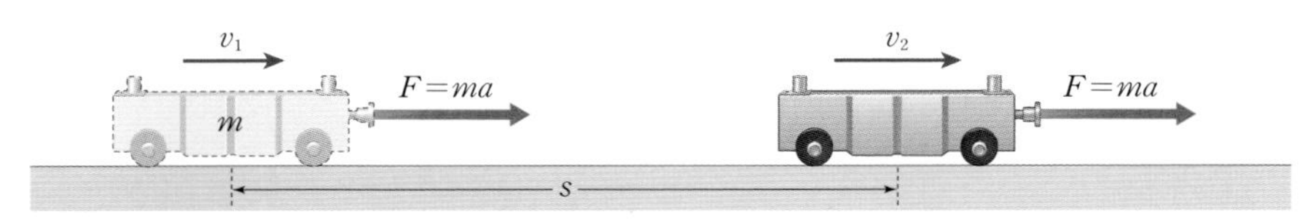

앞의 식에서 $\frac{1}{2}mv_1^2$과 $\frac{1}{2}mv_2^2$은 속도 v로 나타나는 물리량 $\frac{1}{2}mv^2$의 처음 값과 나중 값임을 알 수 있다. 즉, 수레에 알짜힘 F를 작용하여 일을 하면 $\frac{1}{2}mv^2$에 해당하는 물리량이 변하는데, 이것을 물체의 운동과 관련된 에너지인 운동 에너지로 정의한다.

(2) **운동 에너지:** 운동하는 물체가 가지는 에너지로, 질량이 m(kg)이고 속도가 v(m/s)인 물체의 운동 에너지 E_k는 다음과 같다.

$$E_k = \frac{1}{2}mv^2 \text{ (단위: J)}$$

① 운동 에너지는 방향이 없이 크기만을 가지는 물리량이다.

② 운동 에너지의 단위: 일의 단위와 같은 J을 사용한다.

3. 일·운동 에너지 정리

앞의 식으로부터 물체에 알짜힘이 작용하여 일을 할 때 물체의 속력만 변한다면 알짜힘이 물체에 한 일은 물체의 운동 에너지 변화량과 같은 것을 알 수 있다.

$$W = \frac{1}{2}mv_2^2 - \frac{1}{2}mv_1^2 = E_{k2} - E_{k1} = \Delta E_k$$

물체에 한 일=운동 에너지 변화량

이것을 일·운동 에너지 정리라고 한다. 일·운동 에너지 정리는 (+)의 일과 (−)의 일에 모두 적용된다. 즉, 알짜힘이 물체에 한 일이 (+)이면 물체의 운동 에너지가 증가하여 속력이 증가한다. 반대로 알짜힘이 물체에 한 일이 (−)이면 물체의 운동 에너지가 감소하여 속력은 감소한다.

구분	$W>0$일 때	$W<0$일 때
운동 에너지 변화	증가	감소
속력 변화	증가	감소

투수가 야구공에 (+)의 일을 하면, 야구공의 운동 에너지가 증가하여 속력이 증가한다.

포수가 야구공에 (−)의 일을 하면, 야구공의 운동 에너지가 감소하여 속력이 감소한다.

▲ **투수와 포수가 야구공에 하는 일**

알짜힘이 한 일과 속력 변화

일·운동 에너지 정리에서 알짜힘이 하는 일에 따라 변하는 것은 물체의 속도가 아니라 물체의 속력임에 주의한다. 예를 들어 등속 원운동 하는 물체는 물체에 작용하는 구심력의 방향과 물체의 운동 방향이 수직이어서 알짜힘이 물체에 하는 일은 0이다. 따라서 물체의 속도는 변하지만, 물체의 속력은 일정하다.

3 퍼텐셜 에너지

높은 곳에서 떨어지는 물은 낮은 곳에서 떨어지는 물보다 아래에 있는 물레방아를 더 잘 돌린다. 또 늘어난 용수철에 매달린 물체는 용수철이 원래 길이로 돌아가면서 일을 할 수 있다. 이처럼 서로 힘을 작용하는 물체들로 이루어진 계에서 물체들은 위치에 따라 잠재적인 에너지를 가지기도 한다.

1. 퍼텐셜 에너지

물체가 힘이 작용하는 공간에서 기준 위치(지면, 평형 위치 등)와 다른 위치에 있을 때 물체는 물체에 작용하는 힘에 의하여 위치가 변하면서 일을 할 수 있으며, 물체의 위치에 따라 할 수 있는 일의 양이 다르다. 이렇게 위치에 따라 잠재적으로 가지고 있다가 위치가 변하면서 일을 할 수 있는 능력을 퍼텐셜 에너지(potential energy) 또는 위치 에너지라고 하며, E_p로 표시한다. 운동 에너지는 물체 각각에 대해 나타낼 수 있지만, 퍼텐셜 에너지는 서로 힘을 작용하는 물체들로 이루어진 계에서 나타난다.

(1) **퍼텐셜 에너지의 종류:** 물체 사이에 작용하는 힘의 종류에 따라 중력에 의한 퍼텐셜 에너지, 탄성력에 의한 퍼텐셜 에너지, 만유인력에 의한 퍼텐셜 에너지, 전기력에 의한 퍼텐셜 에너지, 분자력에 의한 퍼텐셜 에너지 등이 있다.

(2) **퍼텐셜 에너지의 양:** 물체가 기준 위치까지 이동하는 동안에 다른 물체에 할 수 있는 일의 양으로 나타낸다.

① 퍼텐셜 에너지는 방향이 없이 크기만을 가지는 물리량이다.

② 퍼텐셜 에너지의 단위: 일의 단위와 같은 J을 사용한다.

(3) **퍼텐셜 에너지의 기준 위치**

① 물리학에서는 퍼텐셜 에너지의 차잇값만이 의미를 가지므로, 퍼텐셜 에너지의 기준 위치는 편리한 대로 정할 수 있다.

② 기준 위치에서 퍼텐셜 에너지는 0이다.

③ 퍼텐셜 에너지는 기준 위치를 어디로 정하는지에 따라 달라지지만, 퍼텐셜 에너지의 차는 두 위치의 차에 의해 결정되므로 기준 위치에 따라 변하지 않는다.

계(System)
계는 관찰하고자 하는 우주의 한 부분으로, 1개 이상의 구성 요소를 가지며, 구성 요소 사이에 상호 작용을 한다. 계를 제외한 나머지 부분을 주위라고 한다.
계는 크게 다음과 같은 세 가지로 분류한다.

- 고립계: 주위와 물질 및 에너지 교환을 모두 하지 않는 계
- 닫힌계: 주위와 에너지는 교환할 수 있으나, 물질 교환을 하지 않는 계
- 열린계: 주위와 물질 및 에너지 교환을 할 수 있는 계

2. 중력이 작용하는 계의 퍼텐셜 에너지

지표면 근처에서 힘을 가해 책을 서서히 들어 올리면, 힘이 한 일만큼 계의 에너지가 증가해야 한다. 하지만 책의 속력이 일정하므로 운동 에너지는 변하지 않는다. 그러면 책에 한 일은 어떻게 된 것일까?

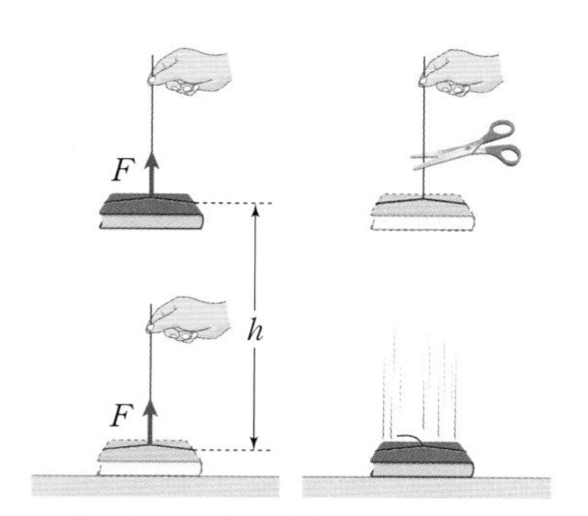

▲ 책을 들어 올리는 일과 중력이 책에 한 일

만약 들어 올린 위치에서 책을 놓는다면, 중력이 책에 일을 하여 운동 에너지가 증가할 것이다. 떨어지는 동안 중력이 책에 하는 일은 들어 올리는 힘이 책에 한 일과 같다. 즉, 책을 들어 올리는 동안 한 일은 책과 지구로 이루어진 계에 잠재적인 에너지, 즉 퍼텐셜 에너지로 저장된다. 이 퍼텐셜 에너지는 책과 지구 사이에 작용하는 중력과 관계된 에너지이므로, 중력 퍼텐셜 에너지라고 한다.

(1) **중력에 의한 퍼텐셜 에너지의 양:** 그림과 같이 지표면 근처에서 질량 m인 책을 서서히 들어 올릴 때 책에 가하는 힘은 책의 무게와 같은 mg가 된다. 임의의 높이 h_1에서 h_2까지 책을 서서히 들어 올리는 동안 책에 한 일 W는 다음과 같다.

$$W=mg(h_2-h_1)=mgh_2-mgh_1$$

위의 식에서 우변은 높이 h로 나타나는 물리량 mgh의 나중 값과 처음 값의 차임을 알 수 있다. 즉, 물체에 무게와 같은 힘을 연직 위로 작용하여 서서히 들어 올리는 일을 하면 mgh에 해당하는 에너지가 변하는데, 이것을 중력이 작용하는 공간에서 물체의 높이와 관련된 에너지인 중력 퍼텐셜 에너지로 정의한다.

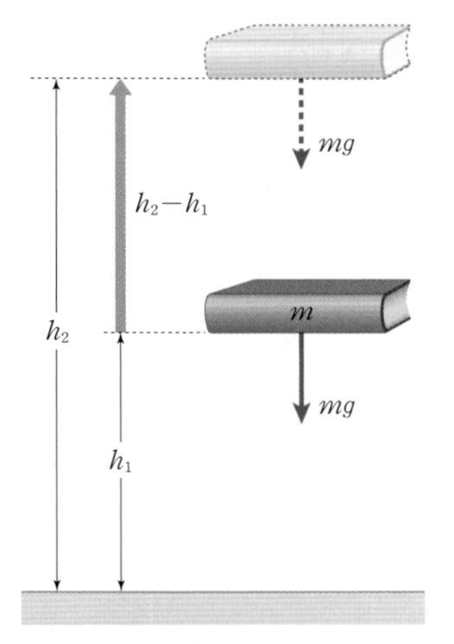

▲ 중력 퍼텐셜 에너지

(2) **중력 퍼텐셜 에너지:** 물체의 높이에 따라 가지는 에너지로, 질량이 m(kg)인 물체가 기준면에서 높이 h(m)인 곳에 있을 때 중력 퍼텐셜 에너지 E_p는 다음과 같다.

$$E_p=mgh \ (g\text{: 중력 가속도}) \ (\text{단위: J})$$

① 기준면은 편리한 대로 정할 수 있으며, 보통 지면을 기준면으로 한다.

② 물체가 운동하는 동안 중력이 하는 일은 중력 퍼텐셜 에너지의 차와 같으며, 물체의 운동 경로에 관계없이 두 지점 사이의 연직 높이의 차로만 결정된다.

지면으로부터 높이에 따른 퍼텐셜 에너지

중력 퍼텐셜 에너지 $E_p=mgh$는 중력 mg가 일정하다고 생각하는 범위, 즉 지구 반지름 R에 비해 높이 h가 $h \ll R$(h가 매우 작음)인 범위에서 적용된다. 만일 인공위성과 같이 높이 h가 매우 큰 경우에는 만유인력에 의한 퍼텐셜 에너지가 적용된다.

(−)값의 중력 퍼텐셜 에너지

운동 에너지와 달리 중력 퍼텐셜 에너지는 (−)값을 가질 수 있다. 이때 (−)값의 중력 퍼텐셜 에너지는 물체가 기준면에 있을 때 ($E_p=0$)보다 그만큼 중력 퍼텐셜 에너지가 작은 것을 의미한다.

시야 확장 ⊕ 중력이 하는 일과 물체의 이동 경로

질량 m인 물체가 중력($F=mg$)을 받으면서 운동하여 그 높이가 변할 때 중력은 물체에 일을 한다.

(가) 물체가 자유 낙하 할 때, mg의 힘을 받으며 높이 h만큼 이동하므로 중력이 물체에 한 일은 $W=Fs=mgh$가 된다.

(나) 물체가 경사각이 θ인 마찰이 없는 빗면을 따라 거리 s만큼 운동할 때, 물체는 빗면 방향의 분력 $mg\sin\theta$를 받으며 높이 $h=s\sin\theta$만큼 이동하므로, 중력이 물체에 한 일은 $W=Fs=mg\sin\theta \cdot s=mgs\sin\theta=mgh$가 된다. 즉, 중력이 한 일은 빗면의 경사각 θ에는 관계없고, 중력 방향으로 이동한 거리인 높이차 h에 의해 정해진다.

(다) 수평으로 던져 낙하시키거나 곡면 위에서 미끄러져 내려올 때, 중력은 연직 아래 방향으로 $F=mg$이므로 높이차 h만큼 낙하하는 동안 중력이 한 일은 $W=Fs=mgh$이다.

(라) 단진자가 중력을 받으면서 진동할 때, 물체에 작용하는 중력이 한 일은 연직 높이 h에 의해 정해진다. 즉, 중력이 한 일은 $W=Fs=mgh$이다.

이처럼 중력이 하는 일은 물체의 운동 경로에 관계없이 높이차 h에 의해 정해진다.

$$W=mgh$$

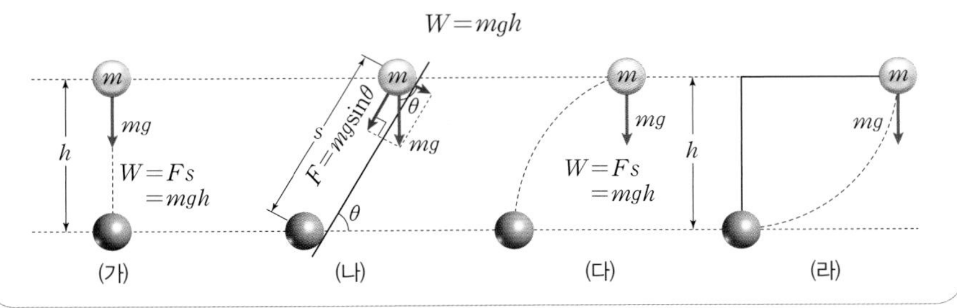

3. 탄성력이 작용하는 계의 퍼텐셜 에너지

잡아당긴 활시위는 화살을 날려 보내는 일을 할 수 있고, 늘어나거나 압축된 용수철은 원래 길이로 되돌아가며 다른 물체에 일을 할 수 있다. 활시위를 잡아당기거나 용수철을 늘어나게 하려면 외부에서 일을 해 주어야 하며, 이 일은 탄성체로 연결된 계에 잠재적인 에너지, 즉 퍼텐셜 에너지로 저장된다. 이와 같이 탄성력과 관계된 퍼텐셜 에너지를 탄성 퍼텐셜 에너지라고 한다.

(1) **용수철에 매달린 물체에 작용하는 탄성력(훅 법칙):** 용수철이 늘어나거나 압축되면 원래 길이로 되돌아가려는 방향으로 탄성력이 작용한다. 용수철 상수가 k(N/m)인 용수철의 길이가 x(m)만큼 늘어났을 때 용수철에 매달린 물체가 받는 탄성력 F는 다음과 같이 용수철이 변형된 길이에 비례한다.

$$F=-kx \ (k\text{: 용수철 상수})$$

이때 (−)는 탄성력의 방향이 변형된 방향의 반대임을 나타낸다.

용수철 상수
용수철의 탄성력 식에서 비례 상수 k를 용수철 상수라고 한다. k는 용수철의 길이, 재질 등에 따라 결정되는 상수로, 단위는 N/m이다.

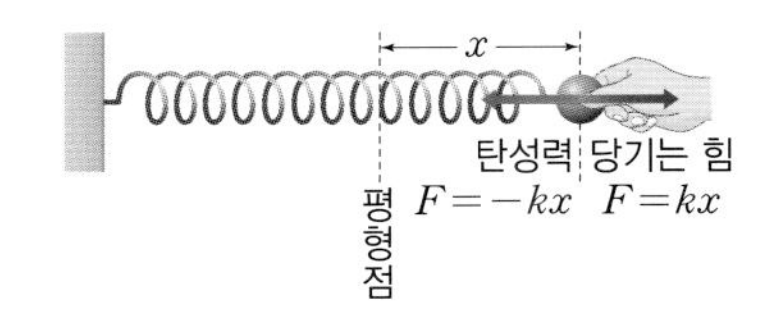

(2) **탄성력에 의한 퍼텐셜 에너지의 양:** 그림과 같이 한쪽이 고정된 용수철에 물체를 매달고 물체를 서서히 움직일 때 물체를 당기는 힘은 탄성력과 크기가 같고 방향은 반대가 된다. 물체를 임의의 위치 x_1에서 x_2까지 움직이는 동안 물체를 당기는 힘이 한 일 W는 힘-변형된 길이 그래프에서 색칠한 부분의 넓이로, 다음과 같다.

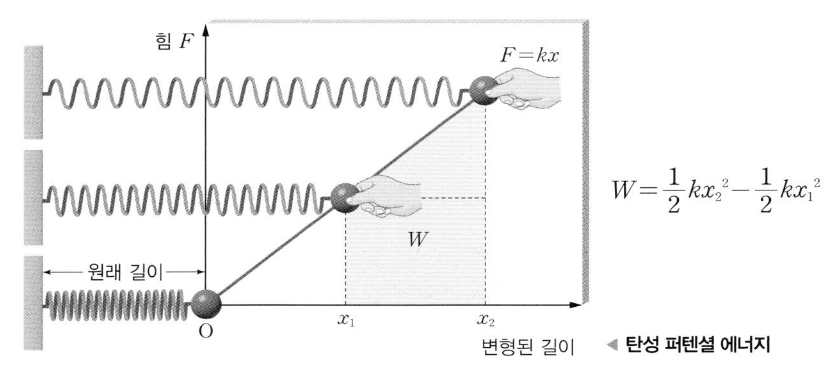

$$W=\frac{1}{2}kx_2^2-\frac{1}{2}kx_1^2$$

◀ **탄성 퍼텐셜 에너지**

위의 식에서 우변은 용수철의 평형점에서 늘어난 위치 x로 나타나는 물리량 $\frac{1}{2}kx^2$의 나중 값과 처음 값의 차임을 알 수 있다. 즉, 용수철에 매달린 물체를 서서히 당기는 일을 하면 $\frac{1}{2}kx^2$에 해당하는 에너지가 변하는데, 이것이 탄성력이 작용할 때의 퍼텐셜 에너지인 탄성 퍼텐셜 에너지이다.

(3) **탄성 퍼텐셜 에너지:** 물체 사이에 탄성력이 작용하는 계에서 물체의 위치에 따라 가지는 에너지로, 용수철 상수가 k(N/m)인 용수철이 길이가 x(m)만큼 변형되었을 때 용수철에 저장된 탄성 퍼텐셜 에너지 E_p는 다음과 같다.

$$E_\text{p}=\frac{1}{2}kx^2 \ (\text{단위: J})$$

① 용수철이 변형되지 않았을 때($x=0$)를 보통 탄성 퍼텐셜 에너지가 0인 기준점으로 한다.
② 탄성 퍼텐셜 에너지는 x^2에 비례하므로, (−)값을 가지지 않는다.

용수철의 변형된 길이에 따른 탄성 퍼텐셜 에너지

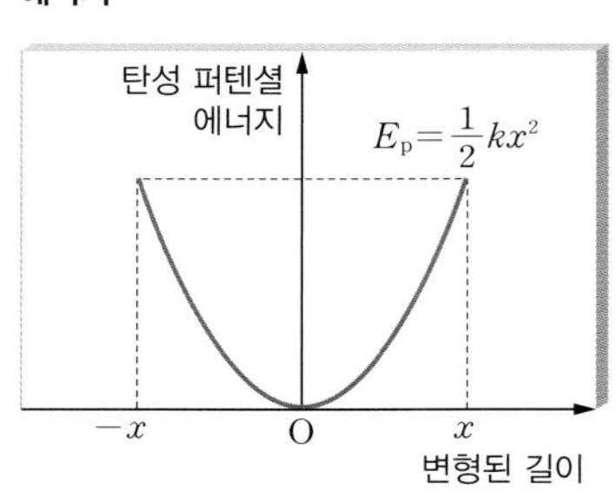

4 역학적 에너지 보존

롤러코스터는 높은 곳에서 서서히 움직이다 낮은 곳에서 빠르게 움직이고, 그네는 낮은 곳을 지날 때 빠르고 높은 곳을 지날 때 느리다. 이렇게 물체가 운동하면서 높이나 빠르기가 변할 때 물체의 운동 에너지, 퍼텐셜 에너지가 어떻게 변하는지 살펴보자.

1. 운동 에너지와 퍼텐셜 에너지의 전환

(1) 중력이 작용할 때의 운동 에너지와 중력 퍼텐셜 에너지의 변화

그림과 같이 높이 H에서 질량 m인 물체가 자유 낙하하는 경우, 기준면으로부터의 높이가 h_1, h_2인 두 점 A, B를 지나는 순간 물체의 속력이 v_1, v_2가 되었다고 하자. 물체가 A에서 B까지 낙하하는 동안 중력이 한 일은 감소한 중력 퍼텐셜 에너지와 같다.

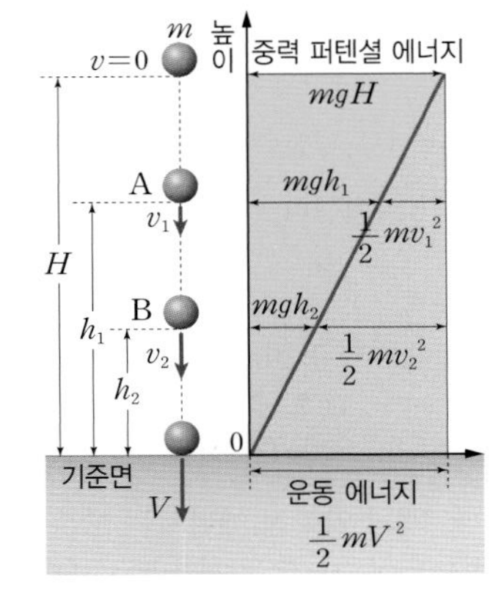

$$W=Fs=mg(h_1-h_2) \cdots\cdots ①$$

또, 일·운동 에너지 정리에 의해 중력이 물체에 한 일은 물체의 운동 에너지 변화량과 같다.

$$W=\Delta E_k=\frac{1}{2}mv_2^2-\frac{1}{2}mv_1^2 \cdots\cdots ②$$

①, ② 식에서 $\frac{1}{2}mv_2^2-\frac{1}{2}mv_1^2=mgh_1-mgh_2$가 되고, 이를 정리하면 다음과 같이 운동 에너지와 중력 퍼텐셜 에너지의 합이 보존되는 것을 알 수 있다.

$$\frac{1}{2}mv_1^2+mgh_1=\frac{1}{2}mv_2^2+mgh_2=\text{일정}\left(=\frac{1}{2}mV^2=mgH\right)$$

(2) 탄성력이 작용할 때의 운동 에너지와 탄성 퍼텐셜 에너지의 변화

그림과 같이 마찰이 없는 수평면 위에서 한쪽을 고정시킨 용수철 상수가 k인 용수철에 질량이 m인 물체를 매달고 평형점으로부터 용수철이 A만큼 늘어나는 지점에서 물체를 가만히 놓으면, 물체는 탄성력을 받아 운동한다. 물체가 위치 x_1, x_2인 지점을 지날 때의 속도를 각각 v_1, v_2라고 하면, 물체가 P점에서 Q점으로 이동하는 동안 탄성력이 물체에 한 일만큼 탄성 퍼텐셜 에너지가 감소하고, 물체의 운동 에너지가 증가하므로 다음 식이 성립한다.

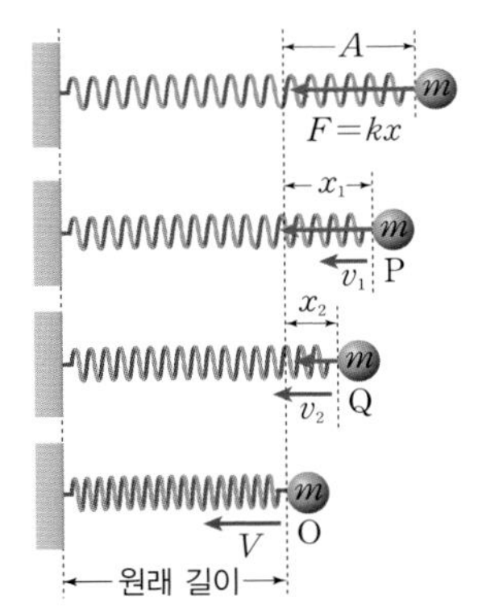

$$W=\frac{1}{2}mv_2^2-\frac{1}{2}mv_1^2=\frac{1}{2}kx_1^2-\frac{1}{2}kx_2^2$$

위의 식을 정리하면 다음과 같이 탄성력에 의한 역학적 에너지가 일정하게 보존되는 것을 알 수 있다. 즉, 용수철이 A만큼 늘어난 위치에서 놓은 물체는 평형 위치에서 속력이 V로 최대가 되었다가 다시 A만큼 압축되며, 일정한 진폭으로 계속 왕복 운동을 한다.

$$\frac{1}{2}mv_1^2+\frac{1}{2}kx_1^2=\frac{1}{2}mv_2^2+\frac{1}{2}kx_2^2=\text{일정}\left(=\frac{1}{2}mV^2=\frac{1}{2}kA^2\right)$$

① 식은 중력 퍼텐셜 에너지를 유도할 때 나온 식과 비슷해 보이지만, 부호가 반대이다. 앞에서 나온 식은 외부에서 계를 이루는 물체에 힘을 가해 일을 하는 경우로, 이때 계의 중력 퍼텐셜 에너지는 증가한다. ① 식은 고립계에서 계를 이루는 물체 사이에 작용하는 중력이 물체에 일을 하는 경우로, 이때 계의 중력 퍼텐셜 에너지는 감소한다.

중력에 의한 역학적 에너지 보존의 적용
중력에 의한 역학적 에너지 보존은 마찰이 무시될 때 중력장 내의 모든 운동, 즉 자유 낙하, 연직 운동, 빗면상의 운동, 곡면상의 운동, 단진자의 운동 등에 모두 적용할 수 있다.

탄성력에 의한 역학적 에너지 보존

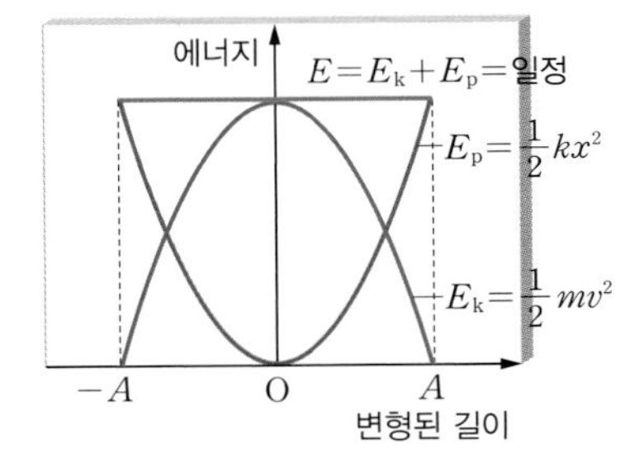

단진동
용수철에 매달린 물체와 같이 변위에 비례하는 복원력을 받으면서 한 점을 중심으로 왕복하는 운동을 단진동이라고 한다.

2. 역학적 에너지 보존 법칙

집중 분석 1권 100쪽~101쪽

중력이나 탄성력은 힘이 물체에 한 일이 물체의 운동 경로와 관계없이 처음 위치와 나중 위치에만 관계되는 힘이다. 어떤 계의 물체가 이러한 힘만을 받아 운동할 때, 힘이 물체에 한 일 W만큼 계의 퍼텐셜 에너지 E_p는 감소한다.

$$W=-\Delta E_p \cdots\cdots ①$$

한편, 일·에너지 정리에 의해 이 힘이 한 일 W만큼 물체의 운동 에너지 E_k는 증가한다.

$$W=\Delta E_k \cdots\cdots ②$$

①, ② 식을 결합하면 다음과 같이 운동 에너지와 퍼텐셜 에너지는 그 중 어느 한 에너지가 증가하면 같은 양만큼 다른 에너지가 감소한다는 것을 알 수 있다.

$$-\Delta E_p=\Delta E_k \text{ 또는 } \Delta E_p+\Delta E_k=0$$

따라서 두 에너지 사이에는 다음과 같은 관계가 성립한다.

$$E_p+E_k=E=\text{일정}$$

(1) **역학적 에너지(E):** 퍼텐셜 에너지와 운동 에너지의 합을 역학적 에너지라고 한다.

(2) **역학적 에너지 보존 법칙:** 주위와 물질과 에너지의 출입이 없는 고립계에서 중력이나 탄성력과 같은 힘만을 받으며 물체가 운동할 때, 계의 역학적 에너지는 보존된다.

$$E=E_{p1}+E_{k1}=E_{p2}+E_{k2}=\text{일정}$$
처음의 역학적 에너지=나중의 역학적 에너지

(3) **역학적 에너지 보존 법칙의 적용:** 그림과 같이 롤러코스터가 중력을 받아 레일을 따라 운동하는 동안 중력 퍼텐셜 에너지와 운동 에너지가 서로 전환된다. 이때 마찰이나 공기 저항이 없다고 가정하면, 롤러코스터가 각 지점을 지날 때 역학적 에너지는 모두 최고점에서 롤러코스터가 가진 중력 퍼텐셜 에너지로 일정하게 보존된다.

$$mgh=mgh_1+\frac{1}{2}mv_1^2=mgh_2+\frac{1}{2}mv_2^2=\frac{1}{2}mv^2$$

위의 식을 이용하면 최저점을 지나는 롤러코스터의 속력 $v=\sqrt{2gh}$가 된다.

보존력

중력, 만유인력, 탄성력, 전기력 등과 같이 물체에 작용하여 해 준 일이 물체의 운동 경로와 상관없이 처음 위치와 나중 위치에 따라서만 정해지는 힘을 말한다.

- 어떤 물체가 A 지점에서 B 지점으로 갔다가 다시 A 지점으로 돌아오는 닫힌 경로를 따라 운동하는 경우, 보존력이 해 준 일은 운동 경로와 상관없이 0이 된다.
- 보존력만을 받으며 운동하는 물체의 역학적 에너지는 보존된다.

계의 역학적 에너지 보존

계의 역학적 에너지가 보존된다는 것은 임의의 한 순간의 퍼텐셜 에너지와 운동 에너지의 합을 다른 순간의 퍼텐셜 에너지와 운동 에너지의 합과 같게 놓을 수 있다는 뜻이다.

$$E_{p1}+E_{k1}=E_{p2}+E_{k2}$$

이때 물체의 운동 경로나 중력이나 탄성력이 한 일 등 다른 요소는 고려할 필요가 없다.

역학적 에너지의 전환

- 물체가 내려갈 때: 감소한 중력 퍼텐셜 에너지=증가한 운동 에너지
- 물체가 올라갈 때: 감소한 운동 에너지=증가한 중력 퍼텐셜 에너지

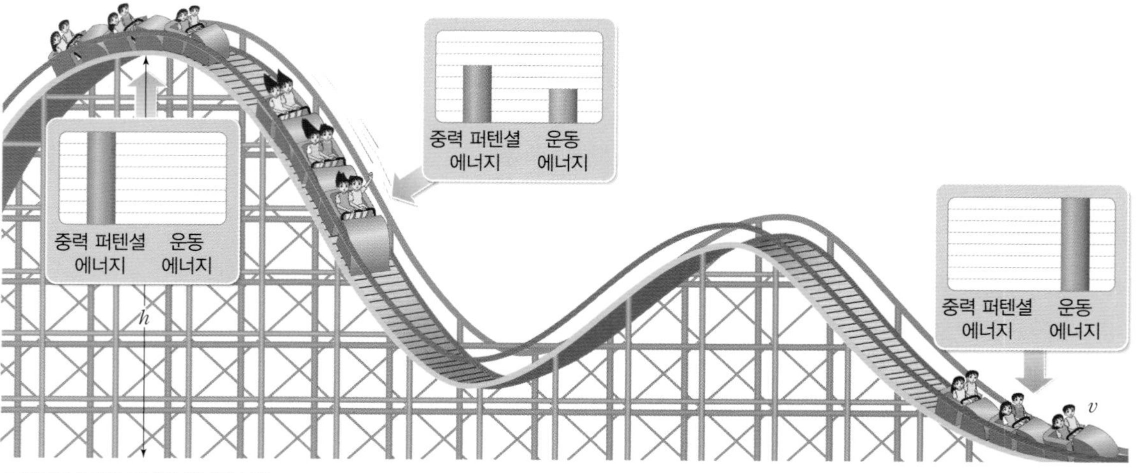

▲ 롤러코스터의 역학적 에너지 보존

3. 역학적 에너지가 보존되지 않는 경우

집중 분석 1권 100쪽 탐구 1권 102쪽

(1) 마찰이나 공기 저항이 작용할 때 계의 역학적 에너지 변화

일상생활에서 물체들은 대부분 마찰력이나 공기 저항력 등을 받으며 운동한다. 높은 곳에서 놓아 떨어뜨린 공도 운동하는 동안 이러한 힘들에 의해 중력이 공에 한 일 중 일부가 열에너지 등으로 빠져나간다.

$$W = \varDelta E_{\mathrm{k}} + \text{열에너지 등}$$

한편, 중력이 공에 한 일만큼 공의 중력 퍼텐셜 에너지는 감소한다.

$$W = -\varDelta E_{\mathrm{p}}$$

위 두 식을 결합하면 다음과 같이 열에너지 등으로 빠져나간 만큼 계의 역학적 에너지는 감소하는 것을 알 수 있다. 그러나 역학적 에너지와 열에너지, 그리고 다른 형태의 여러 에너지를 포함한 총 에너지는 보존된다.

$$\varDelta E_{\mathrm{p}} + (\varDelta E_{\mathrm{k}} + \text{열에너지 등}) = \varDelta E + \text{열에너지 등} = 0$$

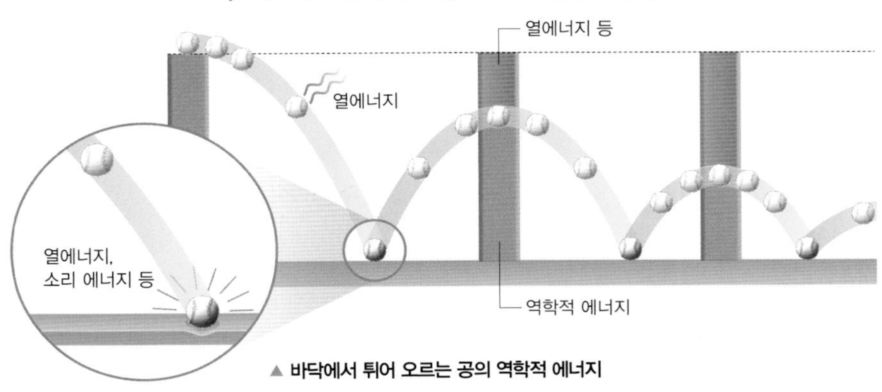

▲ 바닥에서 튀어 오르는 공의 역학적 에너지

(2) 역학적 에너지가 보존되지 않는 예

① **구름에서 떨어지는 빗방울은 지면 근처에서 일정한 속도로 낙하한다.**: 역학적 에너지가 보존된다면 낙하하는 동안 중력 퍼텐셜 에너지가 감소하고 운동 에너지가 증가하므로 속력은 증가해야 한다. 하지만 공기 저항에 의하여 감소한 중력 퍼텐셜 에너지가 열에너지로 전환되며, 역학적 에너지는 감소한다.

② **진자와 같이 물체를 줄에 매달아 흔들어 놓으면 물체의 운동은 계속되지 않고 언젠가 멈추게 된다.**: 이는 공기 저항에 의하여 물체의 역학적 에너지가 열에너지로 전환되기 때문이다. 공기 저항이 있을 때 물체의 역학적 에너지는 보존되지 않고 감소한다.

③ **운동장에서 공을 차면 공은 운동장을 굴러가다가 결국 멈추게 된다.**: 공의 운동 에너지는 공기 저항이나 마찰에 의해서 열에너지로 전환되며, 이 과정에서 역학적 에너지는 감소한다.

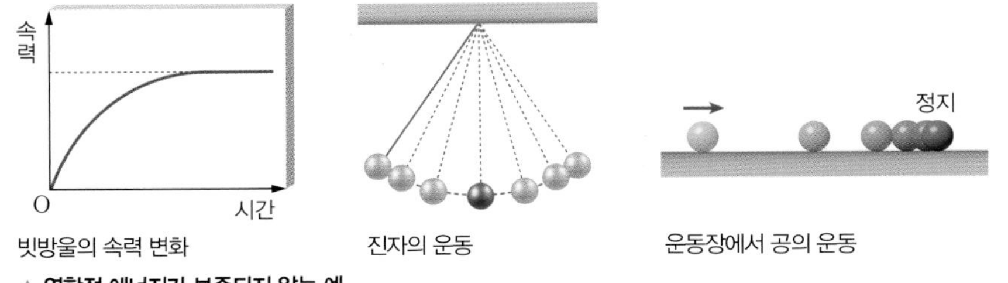

▲ 역학적 에너지가 보존되지 않는 예

비보존력

공기 저항력, 마찰력 등과 같은 힘을 말하며, 물체의 운동 경로에 따라 해 준 일이 달라지는 힘을 말한다.
그림과 같이 책에 작용하는 마찰력이 한 일은 이동 거리가 짧은 (가) 경로가 이동 거리가 긴 (나) 경로보다 작다. 즉, 마찰력은 물체의 운동 경로에 따라 해 준 일이 달라지는 비보존력이다.

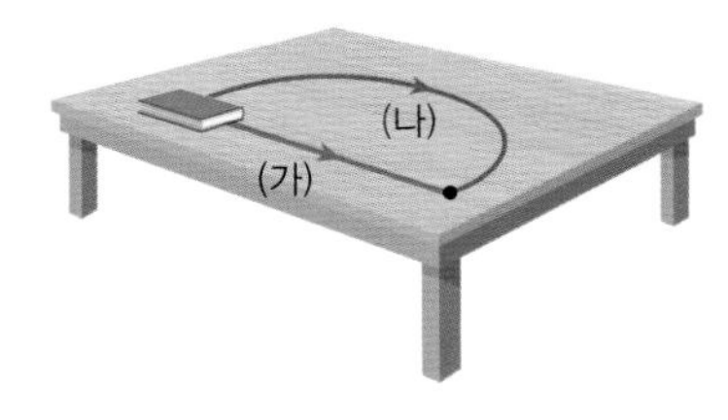

에너지 보존 법칙

비보존력(공기 저항력, 마찰력 등)이 작용하면 역학적 에너지 중 일부 또는 전부가 열에너지 등으로 전환되어 역학적 에너지는 보존되지 않는다. 그러나 열에너지 등을 포함한 전체 에너지는 보존된다. 즉, 모든 에너지는 창조되거나 소멸되는 것이 아니라 단지 다른 형태의 에너지로 전환될 뿐이다. 이 관계를 에너지 보존 법칙이라고 한다.

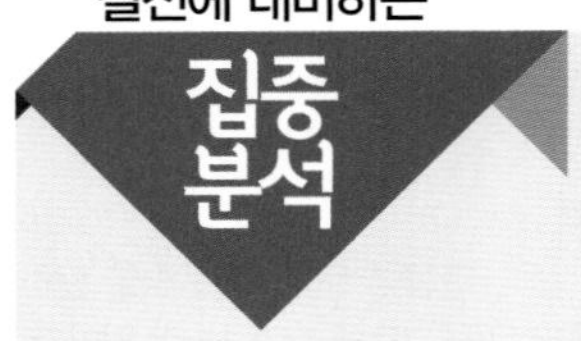

물체의 운동과 역학적 에너지

물체가 곡면에서 운동하여 물체에 작용하는 알짜힘을 정확히 알 수 없어 뉴턴 운동 법칙을 적용할 수 없는 경우, 역학적 에너지 보존 법칙을 적용하여 물체의 속력이나 높이 변화를 구할 수 있다. 역학적 에너지 보존 법칙을 적용하는 상황은 줄에 연결된 물체의 운동이나 일·운동 에너지 정리와 동시에 적용하도록 제시되는 경우가 많다.

중력이 작용하는 공간에서 물체의 높이가 변할 때 역학적 에너지 보존 법칙을 적용할 수 있다. 물체가 내려가는 경우에는 중력 퍼텐셜 에너지가 감소하고 운동 에너지가 증가하며, 올라가는 경우에는 중력 퍼텐셜 에너지가 증가하고 운동 에너지가 감소한다. 이때 물체에 중력 이외의 힘이 작용하면 일·운동 에너지 정리와 함께 역학적 에너지 보존을 고려해야 한다. 그리고 여러 물체가 줄로 연결되어 빗면에서 운동할 때에 한 물체가 내려가고 다른 물체가 올라가는 경우, 각 물체의 중력 퍼텐셜 에너지 변화량과 운동 에너지 변화량을 구하여 역학적 에너지 보존 법칙을 적용한다.

❶ 중력만 작용하는 물체의 역학적 에너지

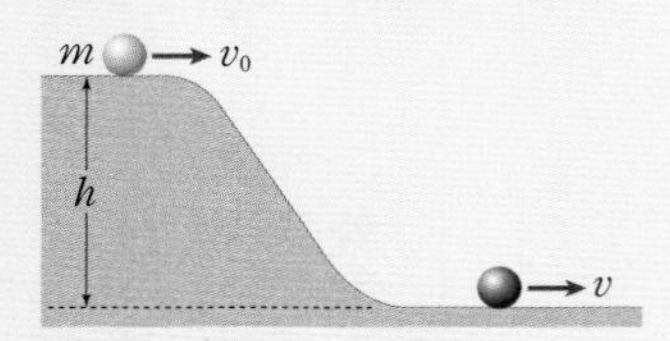

(1) 물체가 위 수평면에 있을 때 역학적 에너지: $\frac{1}{2}mv_0^2+E_0+mgh$ (E_0: 아래 수평면에서 중력 퍼텐셜 에너지)

(2) 물체가 아래 수평면에 있을 때 역학적 에너지: $\frac{1}{2}mv^2+E_0$

(3) 물체가 내려가는 동안 중력이 하는 일: mgh, 수직 항력이 하는 일: 0

➡ 역학적 에너지가 보존되므로 (1)=(2)이다.

$$\frac{1}{2}mv_0^2+mgh=\frac{1}{2}mv^2$$

예제

❶ 그림은 질량이 1 kg인 물체가 2 m/s의 속력으로 수평면에서 운동하다 0.6 m 높이 아래로 내려가 속력 v로 수평면에서 운동하는 것을 나타낸 것이다. (단, 중력 가속도는 10 m/s²이고, 모든 마찰과 공기 저항은 무시한다.)

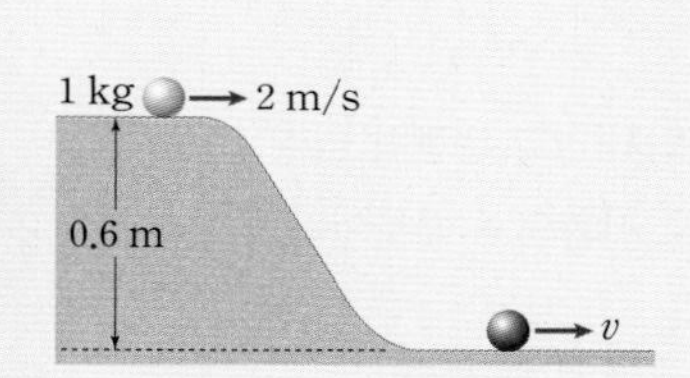

(1) 내려가는 동안 중력이 물체에 한 일은?

(2) 아래 수평면에서 물체의 속력 v는?

정답 (1) 6 J (2) 4 m/s

해설 (1) 중력이 물체에 한 일 $W=mgh=1\text{ kg}\times10\text{ m/s}^2\times0.6\text{ m}=6\text{ J}$이다.

(2) 역학적 에너지 보존 법칙에 의하여 $\frac{1}{2}\times1\text{ kg}\times(2\text{ m/s})^2+1\text{ kg}\times10\text{ m/s}^2\times0.6\text{ m}=\frac{1}{2}\times1\text{ kg}\times v^2$이므로, $v=4\text{ m/s}$이다.

❷ 중력과 다른 힘이 작용하는 물체의 역학적 에너지

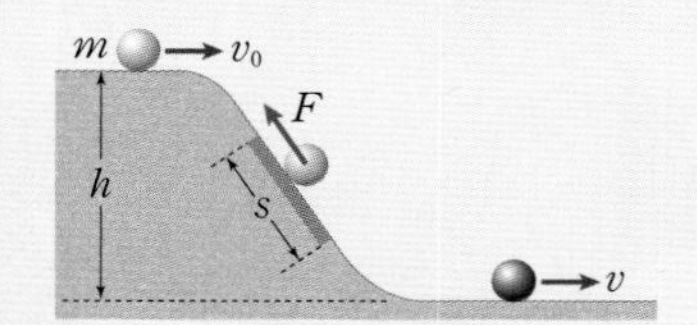

(1) 물체가 위 수평면에 있을 때 역학적 에너지: $\frac{1}{2}mv_0^2+E_0+mgh$ (E_0: 아래 수평면에서 중력 퍼텐셜 에너지)

(2) 물체가 아래 수평면에 있을 때 역학적 에너지: $\frac{1}{2}mv^2+E_0$

(3) 물체가 내려가는 동안 중력이 하는 일: mgh, s 구간을 지나는 동안 작용하는 힘 F가 하는 일: $-Fs$

➡ (1)+힘 F가 한 일=(2)이다.

$$\frac{1}{2}mv_0^2+mgh-Fs=\frac{1}{2}mv^2$$

예제

❷ 그림은 질량이 1 kg인 물체가 2 m/s의 속력으로 수평면에서 운동하다 0.6 m 높이 아래로 내려가 2 m/s의 속력으로 수평면에서 운동하는 것을 나타낸 것이다. 빗면의 0.3 m를 이동하는 동안 물체에는 크기가 F인 힘이 운동 반대 방향으로 작용한다. (단, 중력 가속도는 10 m/s²이고, 공기 저항은 무시한다.)

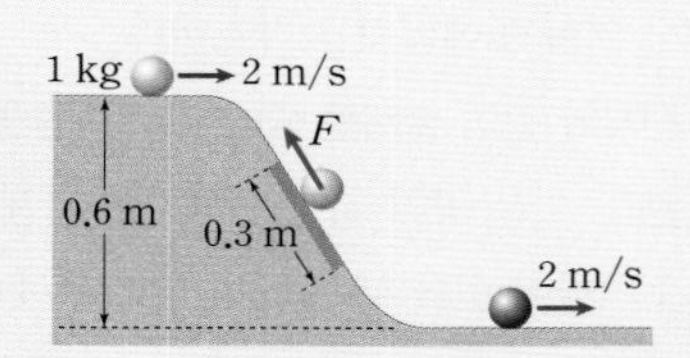

(1) F인 힘이 물체에 한 일은? (2) F는?

정답 (1) −6 J (2) 20 N

해설 (1) 역학적 에너지 보존 법칙에 의하여 $\frac{1}{2}\times1\text{ kg}\times(2\text{ m/s})^2+1\text{ kg}\times10\text{ m/s}^2\times0.6\text{ m}+W=\frac{1}{2}\times1\text{ kg}\times(2\text{ m/s})^2$이므로, $W=-6\text{ J}$이다.

(2) $W=Fs=F\times0.3\text{ m}=6\text{ J}$이므로 $F=20\text{ N}$이다.

③ 빗면 위에 줄로 연결된 물체의 역학적 에너지

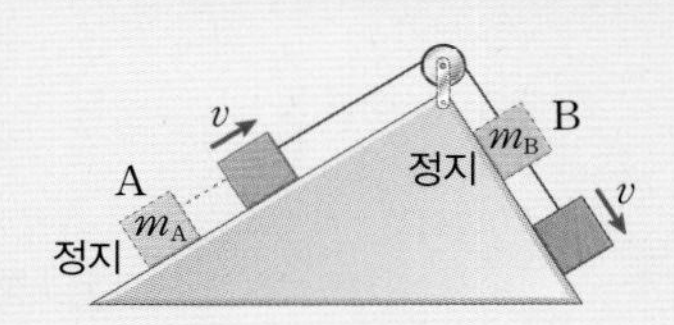

(1) 운동 에너지: 운동 에너지 증가량은 $\frac{1}{2}m_Av^2+\frac{1}{2}m_Bv^2$이다.

(2) 중력 퍼텐셜 에너지: A는 증가하고, B는 감소한다. A, B의 중력 퍼텐셜 에너지 변화량이 각각 ΔE_A, ΔE_B이면 전체 중력 퍼텐셜 에너지의 감소량은 $\Delta E_B-\Delta E_A$이다.

➡ 역학적 에너지 보존 법칙에 의하여 운동 에너지 증가량은 중력 퍼텐셜 에너지 감소량과 같다.

$$\frac{1}{2}m_Av^2+\frac{1}{2}m_Bv^2=\Delta E_B-\Delta E_A$$

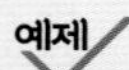

③ 그림과 같이 물체 A, B를 실로 연결하여 빗면에 가만히 놓았더니 속력이 v가 될 때까지 A, B의 높이 변화가 각각 0.4 m, 0.5 m이었다. A, B의 질량은 각각 m_A, m_B이고, A, B의 중력 퍼텐셜 에너지 변화량의 비는 2 : 5이었다. (단, 중력 가속도는 10 m/s²이고, 실의 질량, 모든 마찰과 공기 저항은 무시한다.)

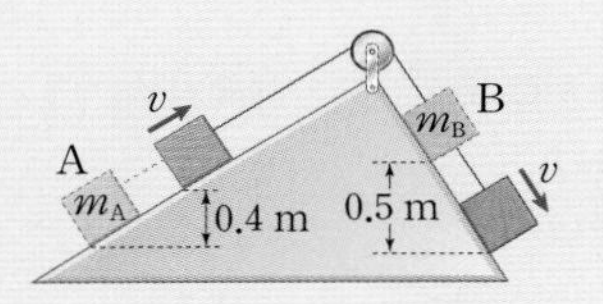

(1) m_A : m_B는?　　(2) v는?

정답 (1) 1 : 2 (2) 2 m/s

해설 (1) $(10m_A\times0.4)$: $(10m_B\times0.5)=2:5$이므로 $m_A:m_B=1:2$이다.
(2) 역학적 에너지 보존 법칙에 따라 $\frac{1}{2}(m+2m)v^2=10m-4m$이므로 $v=2$ m/s이다.

④ 연결되어 일을 얻는 물체의 역학적 에너지

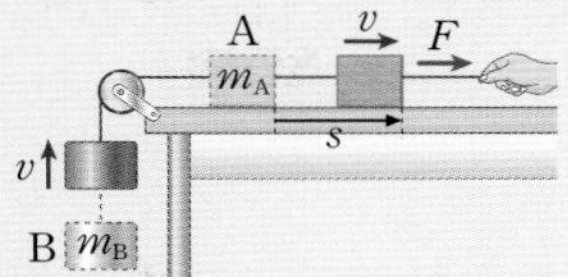

(1) 운동 에너지: 운동 에너지 증가량은 $\frac{1}{2}m_Av^2+\frac{1}{2}m_Bv^2$이다.

(2) 중력 퍼텐셜 에너지: A는 일정하고, B는 증가한다. B의 증가량이 ΔE이면 전체 증가량이 ΔE이다.

(3) 힘 F가 한 일: $W=Fs$

➡ 힘 F가 한 일은 A와 B의 운동 에너지 증가량과 B의 중력 퍼텐셜 에너지 증가량의 합과 같다.

$$\frac{1}{2}m_Av^2+\frac{1}{2}m_Bv^2+\Delta E=Fs$$

예제

④ 그림과 같이 질량이 각각 1 kg, 2 kg인 물체 A, B를 실로 연결하고 P점에 정지해 있던 A에 크기가 F로 일정한 힘을 1초 동안 작용하여 Q점까지 0.5 m 이동시켰다. (단, 중력 가속도는 10 m/s²이고, 실의 질량, 모든 마찰과 공기 저항은 무시한다.)

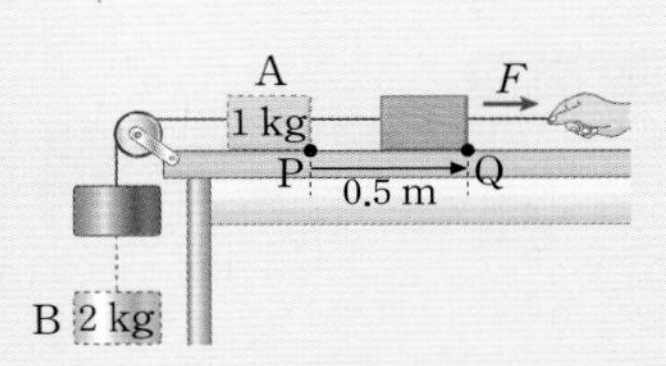

(1) Q에서 A의 속력은?　　(2) F인 힘이 한 일은?

정답 (1) 1 m/s (2) 11.5 J

해설 (1) 물체는 등가속도 직선 운동을 하므로 $\frac{1}{2}a\times(1\text{ s})^2=0.5$ m이다. 따라서 가속도 $a=1$ m/s², Q에서 A의 속력은 1 m/s² × 1 s = 1 m/s이다.
(2) (1 kg + 2 kg) × 1 m/s² = F − 20 N에서 F = 23 N이고, F인 힘이 한 일은 23 N × 0.5 m = 11.5 J이다. 이 값은 A, B의 운동 에너지 증가량 1.5 J과 B의 중력 퍼텐셜 에너지 증가량 10 J의 합과 같다.

› 정답과 해설 21쪽

그림은 물체 B와 실로 연결한 물체 A를 수평면 위의 점 P에서 가만히 놓았더니 오른쪽으로 운동하여 점 Q를 지나는 모습을 나타낸 것이다. P에서 Q까지 거리는 h이고, A에는 크기가 F로 일정한 힘이 왼쪽으로 작용한다. A, B의 질량은 각각 m이고, A가 P에서 Q까지 이동하는 동안 B의 중력 퍼텐셜 에너지 감소량은 B의 운동 에너지 증가량의 3배이다. 이에 대한 설명으로 옳은 것만을 보기에서 있는 대로 고른 것은? (단, 중력 가속도는 g이고, 실의 질량, 모든 마찰과 공기 저항은 무시한다.)

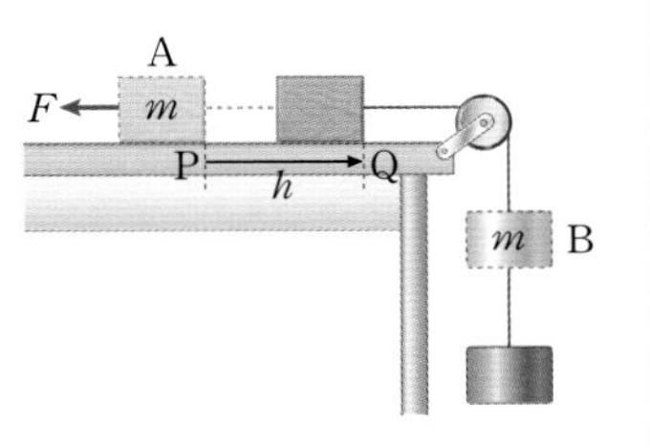

보기

ㄱ. Q에서 A의 속력은 $\sqrt{\frac{2gh}{3}}$이다.　ㄴ. A의 가속도의 크기는 $\frac{g}{3}$이다.　ㄷ. F는 $\frac{mg}{3}$이다.

① ㄱ　② ㄷ　③ ㄱ, ㄴ　④ ㄱ, ㄷ　⑤ ㄱ, ㄴ, ㄷ

과정이 살아 있는
탐구

마찰면에 따른 용수철 진자의 역학적 에너지 감소 비교

마찰면에 따라 용수철 진자의 역학적 에너지가 어떻게 달라지는지 비교할 수 있다.

과정

1 용수철의 한쪽 끝을 고정하고 다른 쪽 끝에 나무 도막을 연결한 다음, 용수철의 처음 길이를 표시한다.

2 나무 도막을 당겨 용수철을 10 cm 늘어나게 한 다음, 나무 도막을 가만히 놓아 진동시키고 진동이 멈출 때까지 걸린 시간을 측정한다. 같은 실험을 세 번 반복하여 평균값을 구한다.

3 실험대 위에 유리판, 사포 등을 놓아 나무 도막이 운동하는 표면의 마찰을 다르게 하고, 과정 **2**를 반복한다.

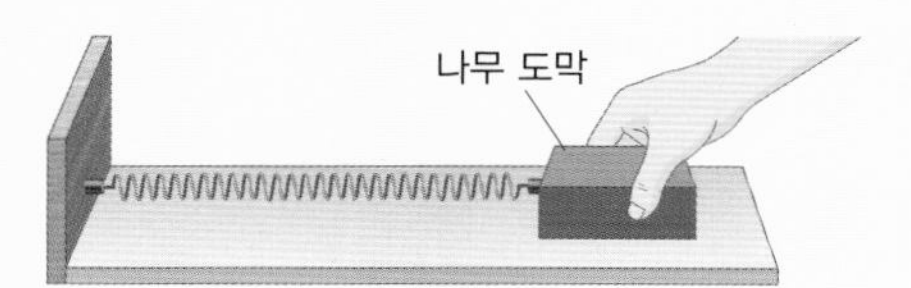

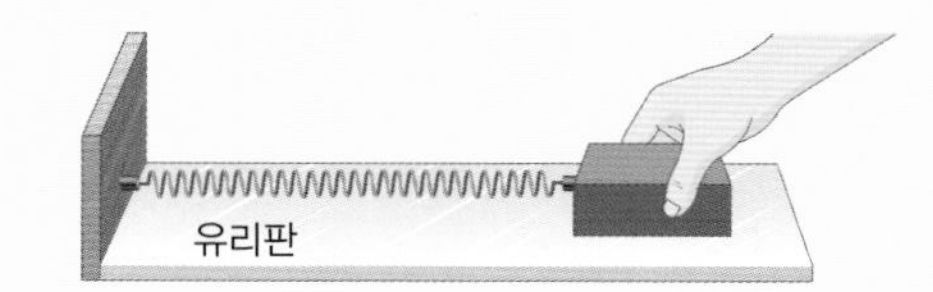

유의점

- 용수철은 미는 용도의 용수철을 사용하면 좋다. 당기는 용도의 용수철을 사용하면 나무 도막이 진동하는 동안 용수철이 휘어지므로 용수철 내부에 관을 넣는 등의 방법을 사용하여 용수철이 휘어지지 않도록 한다.
- 나무 도막이 멈추었을 때 용수철이 원래 길이와 다르면 탄성 퍼텐셜 에너지도 고려하여 역학적 에너지를 분석한다.
- 용수철이 휘어져 나무 도막이 마찰면에서 진동하지 않으면 공기 저항에 의하여 멈추는 실험으로 대체한다. 즉, 나무 도막에 종이를 붙여 접고 펴는 방식으로 날개가 크고 작게 하여 나무 도막이 멈추는 시간을 구한다.

결과 및 해석

마찰면	멈추는 시간 ①	멈추는 시간 ②	멈추는 시간 ③	평균 시간
실험대	35초	37초	34초	35초
유리판	41초	43초	39초	41초
사포	18초	14초	15초	16초

1 나무 도막이 운동하는 시간과 마찰면의 관계: 마찰면이 거칠수록 나무 도막이 운동하는 시간이 짧다.
2 나무 도막이 운동하는 동안 역학적 에너지의 변화: 속력이 점점 느려져 멈추므로 운동 에너지는 감소하고, 중력 퍼텐셜 에너지가 일정하므로 역학적 에너지는 감소한다.
3 나무 도막의 역학적 에너지는 마찰 및 공기 저항에 의하여 감소하며, 열에너지, 소리 에너지 등으로 전환된다.

정리

- 나무 도막이 운동하는 마찰면이 거칠수록 나무 도막의 운동이 빨리 멈춘다.
- 마찰면에서 운동하는 동안 역학적 에너지가 감소한다.
- 감소한 역학적 에너지는 열에너지, 소리 에너지 등으로 전환된다.

탐구 확인 문제

> 정답과 해설 21쪽

01 위 실험에 대한 설명으로 옳은 것은 ○, 옳지 않은 것은 ×로 표시하시오.

(1) 처음 나무 도막을 놓았을 때 탄성 퍼텐셜 에너지는 최대이다. ( )
(2) 나무 도막이 운동하는 동안 역학적 에너지가 열에너지 등으로 전환된다. ( )
(3) 나무 도막의 진동 폭은 10 cm로 일정하다. ( )

02 용수철을 늘인 길이를 2배로 하여 위의 실험을 하였다.

(1) 나무 도막을 놓는 순간의 탄성 퍼텐셜 에너지는 몇 배가 되는가?
(2) 나무 도막이 멈출 때까지 운동하는 거리는 몇 배가 되는가? (단, 나무 도막에는 탄성력과 마찰력만 작용하고, 마찰력의 크기는 일정하며, 공기 저항은 무시한다.)

01 역학적 에너지 보존

❶ 일

1. **일(W)** 물체에 힘 F를 작용하여 물체를 힘의 방향으로 거리 s만큼 이동시켰을 때, 힘이 물체에 한 일 W는 다음과 같다.

$$W=(❶\quad\quad)\ (\text{단위: J=N}\cdot\text{m})$$

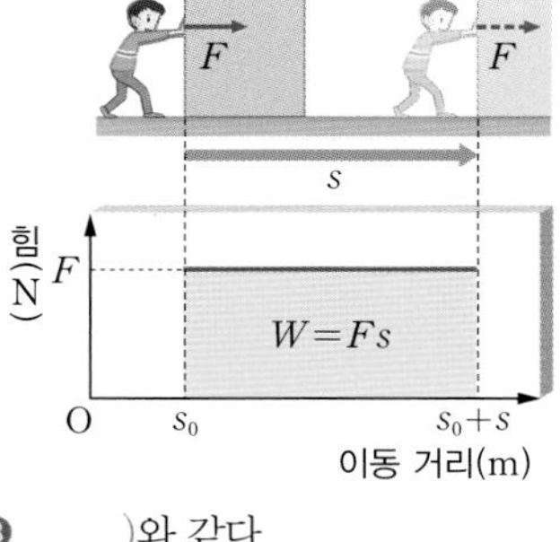

- 힘이 물체에 한 일 $W>0$일 때 외부에서 물체로 에너지가 전달되고, $W<0$일 때 물체에서 외부로 에너지가 전달된다.
- 여러 개의 힘이 하나의 물체에 작용할 때 합력이 한 일은 각 힘이 한 일의 (❷   )과 같다.

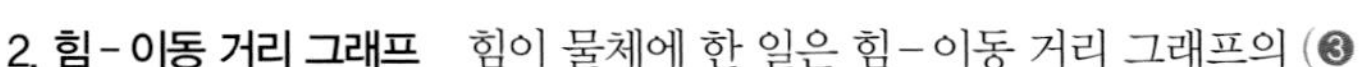

2. **힘-이동 거리 그래프** 힘이 물체에 한 일은 힘-이동 거리 그래프의 (❸   )와 같다.

❷ 운동 에너지

1. **운동 에너지(E_k)** 운동하는 물체가 가지는 에너지 ➡ $E_k=\frac{1}{2}mv^2$ (단위: J)

2. **일·운동 에너지 정리** 알짜힘이 물체에 한 일 W는 물체의 운동 에너지 변화량 ΔE_k와 (❹   ).

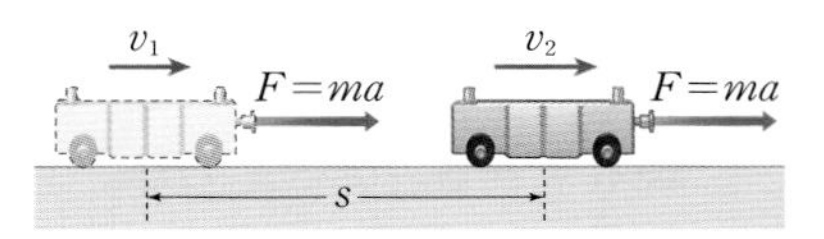

$$W=\frac{1}{2}mv_2^2-\frac{1}{2}mv_1^2=E_{k2}-E_{k1}=\Delta E_k$$

- 알짜힘이 물체에 한 일 $W>0$일 때 물체의 운동 에너지는 (❺   )한다.
- 알짜힘이 물체에 한 일 $W<0$일 때 물체의 운동 에너지는 (❻   )한다.

❸ 퍼텐셜 에너지

1. **퍼텐셜 에너지(E_p)** 중력이나 탄성력이 작용하는 공간에서 물체의 위치에 따라 잠재적으로 가지는 에너지

2. **중력 퍼텐셜 에너지와 탄성 퍼텐셜 에너지**

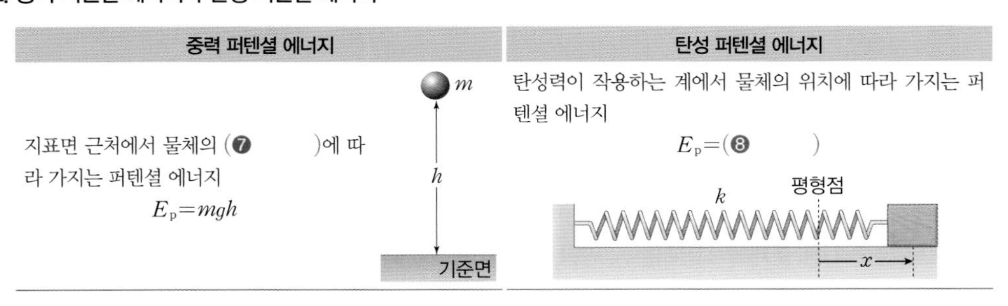

중력 퍼텐셜 에너지	탄성 퍼텐셜 에너지
지표면 근처에서 물체의 (❼)에 따라 가지는 퍼텐셜 에너지 $E_p=mgh$	탄성력이 작용하는 계에서 물체의 위치에 따라 가지는 퍼텐셜 에너지 $E_p=$(❽)

❹ 역학적 에너지 보존

1. (❾   )(E) 퍼텐셜 에너지와 운동 에너지의 합 ➡ $E=E_p+E_k$

2. **역학적 에너지 보존 법칙** 주위와 물질과 에너지의 출입이 없는 고립계에서 중력이나 탄성력과 같은 힘만을 받으며 물체가 운동할 때, 계의 역학적 에너지는 일정하게 보존된다.

중력에 의한 역학적 에너지 보존	탄성력에 의한 역학적 에너지 보존
$E=mgh+\frac{1}{2}mv^2=$일정	$E=\frac{1}{2}kx^2+\frac{1}{2}mv^2=$일정

3. **역학적 에너지가 보존되지 않는 경우** 물체가 (❿   )이나 공기 저항력 등을 받으며 운동할 때, 역학적 에너지의 일부가 열에너지 등으로 빠져나간다. 그러나 역학적 에너지와 열에너지, 다른 형태의 여러 에너지를 포함한 총 에너지는 (⓫   )된다.

> 정답과 해설 21쪽

01 물체에 작용하는 힘이 일을 하는 경우만을 보기에서 있는 대로 고르시오.

보기

ㄱ. 자유 낙하 하는 물체에 작용하는 중력

ㄴ. 지구 주위를 등속 원운동 하는 인공위성에 작용하는 중력

ㄷ. 책상 위에 놓인 책에 작용하는 중력

02 질량 3 kg인 물체에 크기가 50 N으로 일정한 힘을 작용하여 1 m 연직 위로 들어 올렸다. 1 m를 이동하는 동안, 물체에 작용하는 다음의 힘이 한 일을 각각 구하시오. (단, 중력 가속도는 10 m/s^2이고, 공기 저항은 무시한다.)

50 N

1 m

50 N

3 kg

(1) 50 N의 힘

(2) 중력

(3) 알짜힘

03 그림은 정지한 물체에 작용하는 알짜힘을 이동 거리에 따라 나타낸 것이다.

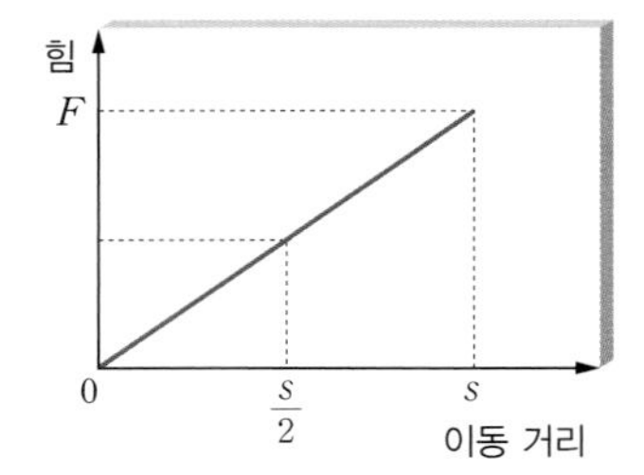

(1) 0에서 $\frac{s}{2}$까지 이동하는 동안 힘이 한 일을 구하시오.

(2) $\frac{s}{2}$에서 s까지 이동하는 동안 힘이 한 일을 구하시오.

04 그림과 같이 마찰이 없는 수평면에서 질량 6 kg인 수레 A와 질량 2 kg인 수레 B를 줄로 연결하여 40 N의 힘으로 30 m만큼 끌고 갔다.

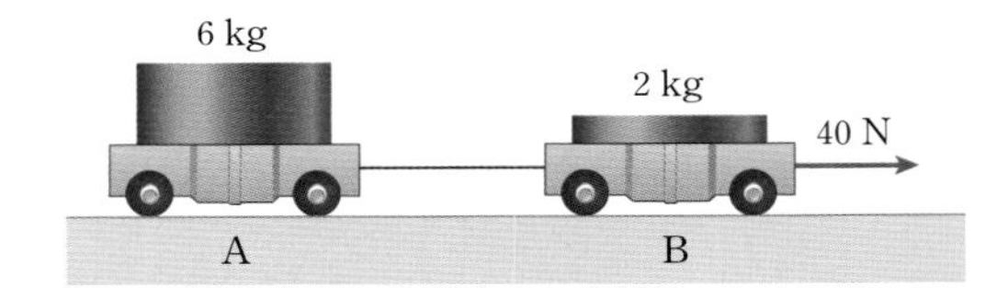

A, B를 힘의 방향으로 30 m만큼 끌고 가는 동안, 줄이 A에 한 일은 몇 J인지 구하시오. (단, 줄의 질량, 공기 저항은 무시한다.)

05 수평인 운동장에서 질량 5 kg인 물체가 10 m/s의 속력으로 운동하다가 정지하였다. 물체가 정지할 때까지 마찰력이 한 일은 몇 J인지 구하시오. (단, 공기 저항은 무시한다.)

06 그림은 마찰을 무시할 수 있는 얼음판 위에서 두 손을 마주 대고 서 있던 두 스케이트 선수 A와 B가 서로 밀었을 때 시간에 따른 A, B의 속력 변화를 나타낸 것이다.

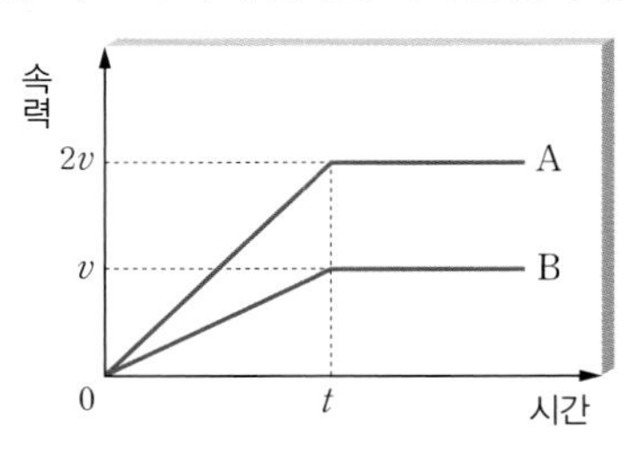

이에 대한 설명으로 옳은 것만을 보기에서 있는 대로 고르시오. (단, A, B는 같은 직선상에서 운동하였다.)

보기

ㄱ. A의 질량은 B의 질량의 2배이다.

ㄴ. t일 때 A의 운동 에너지는 B의 운동 에너지의 2배이다.

ㄷ. 0~t 동안 A가 B에 한 일과 B가 A에 한 일은 같다.

07 그림은 질량이 각각 1 kg인 물체 A, B를 실과 도르래로 연결하고 수평면 위에 있는 A에 크기가 F로 일정한 힘을 수평으로 작용하여 2 m를 이동시키는 것을 나타낸 것이다. F인 힘이 A에 한 일은 32 J이다. (단, 중력 가속도는 10 m/s²이고, 실의 질량, 모든 마찰과 공기 저항은 무시한다.)

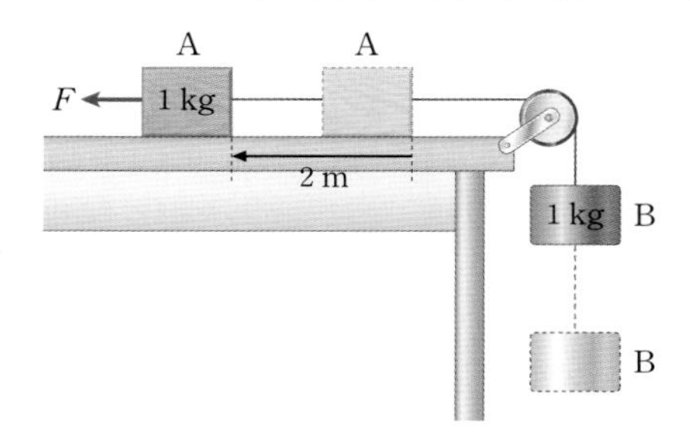

(1) F를 구하시오.

(2) A의 가속도 크기를 구하시오.

(3) 중력이 B에 한 일을 구하시오.

(4) B의 중력 퍼텐셜 에너지 증가량을 구하시오.

(5) A의 운동 에너지 증가량을 구하시오.

08 그림은 0초일 때 연직 위로 20 m/s의 속력으로 던져 올린 질량 0.5 kg인 공의 운동 에너지를 시간에 따라 나타낸 것이다.

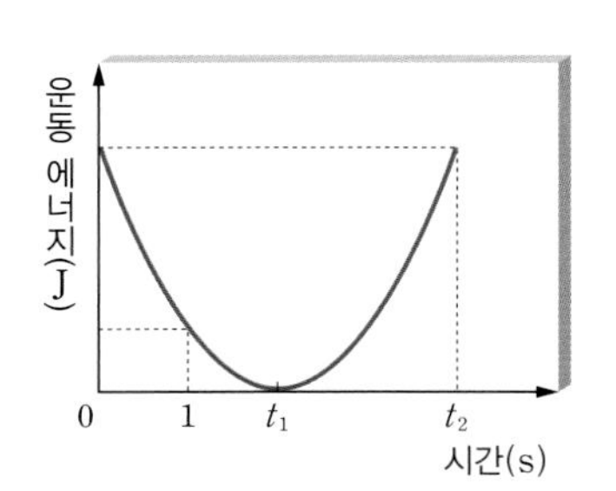

이에 대한 설명으로 옳은 것만을 보기에서 있는 대로 고르시오. (단, 중력 가속도는 10 m/s²이고, 공기 저항은 무시한다.)

보기

ㄱ. 1초일 때 공의 운동 에너지는 25 J이다.

ㄴ. t_1은 2초이다.

ㄷ. t_1~t_2 동안 공이 이동한 거리는 10 m이다.

09 그림과 같이 레일 위의 A점에 물체를 가만히 놓았더니 B점을 지나 C점을 4 m/s의 속력으로 통과하였다. (단, 중력 가속도는 10 m/s²이고, 모든 마찰과 공기 저항은 무시한다.)

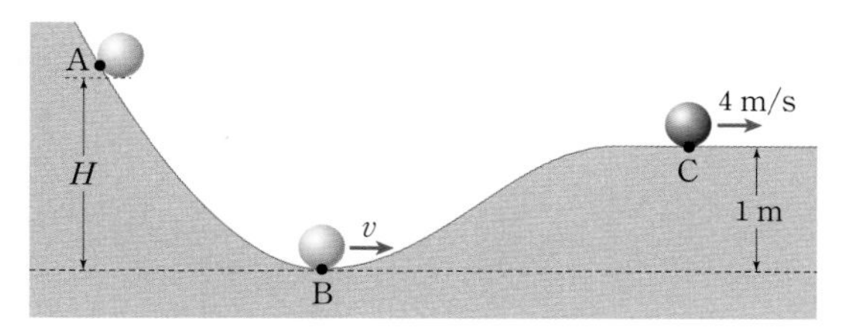

(1) B에서 물체의 속력 v를 구하시오.

(2) A의 높이 H를 구하시오.

10 그림과 같이 용수철의 연직 위 1 m 높이에서 질량 1 kg인 물체를 낙하시켜 용수철 상수가 120 N/m인 용수철을 압축시켰을 때, 용수철의 최대 압축 길이를 구하시오. (단, 중력 가속도는 10 m/s²이고, 모든 마찰과 공기 저항은 무시한다.)

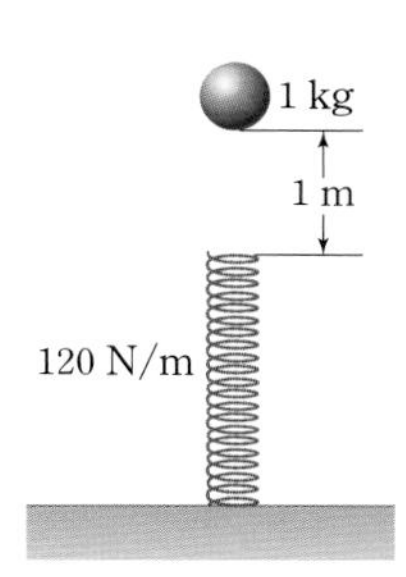

11 그림과 같이 질량 2 kg인 물체가 마찰이 없는 수평면을 따라 운동하다가 마찰이 있는 AB 구간을 지나 용수철 상수가 10 N/m인 용수철을 압축시키려고 한다. AB 구간에서 물체는 운동 반대 방향으로 5 N의 마찰력을 받았다.

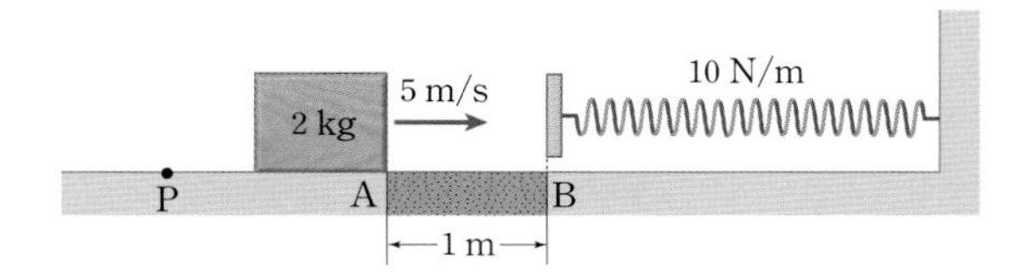

이에 대한 설명으로 옳은 것만을 보기에서 있는 대로 고르시오. (단, 중력 가속도는 10 m/s²이고, 물체의 크기 및 용수철의 질량, 공기 저항은 무시한다.)

보기

ㄱ. 물체가 운동하는 동안 역학적 에너지는 보존된다.

ㄴ. 용수철의 최대 압축 길이는 2 m이다.

ㄷ. 용수철에서 밀려난 후 P점을 지나는 물체의 속력은 5 m/s이다.

01

> 알짜힘과 일

그림 (가)는 질량 3 kg인 물체를 줄에 매달아 전동기로 잡아당기는 것을, (나)는 이 물체의 속력을 시간에 따라 나타낸 것이다.

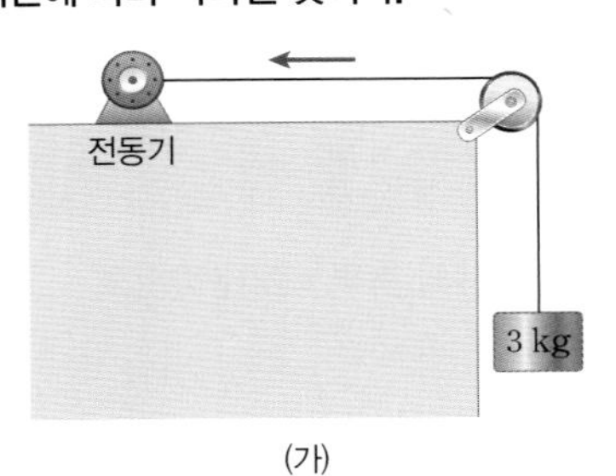

(가)

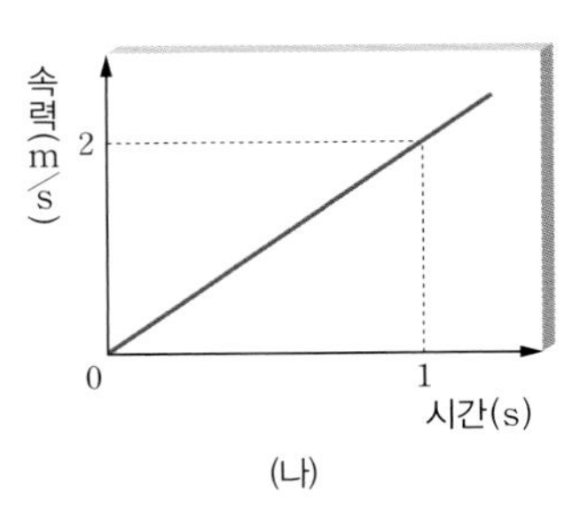

(나)

0초부터 1초까지 알짜힘이 물체에 한 일 W_1과 전동기가 물체에 한 일 W_2를 옳게 짝 지은 것은? (단, 중력 가속도는 10 m/s^{2}이다.)

	W_1	W_2
①	4 J	10 J
②	4 J	30 J
③	6 J	30 J
④	6 J	36 J
⑤	8 J	36 J

• 알짜힘은 물체의 질량과 가속도의 곱이고, 물체가 이동한 거리는 속력 – 시간 그래프의 아래 넓이이다.

02

> 합력과 일

그림 (가)는 마찰이 없는 수평면에서 질량 3 kg인 물체에 크기가 5 N인 힘과 크기가 F인 힘을 서로 반대 방향으로 작용하고 있는 것을, (나)는 이 물체의 속도를 시간에 따라 나타낸 것이다.

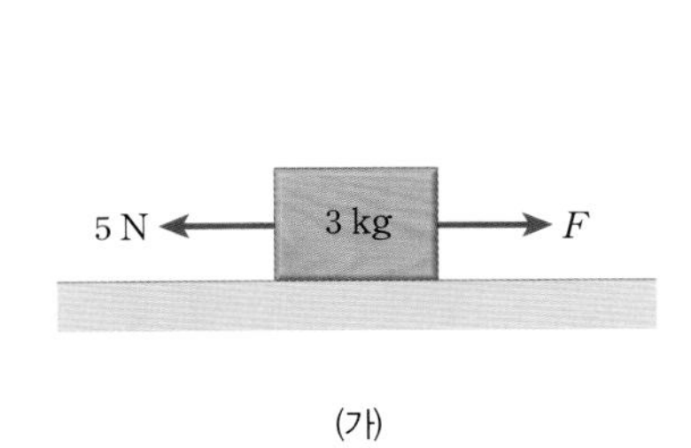

(가)

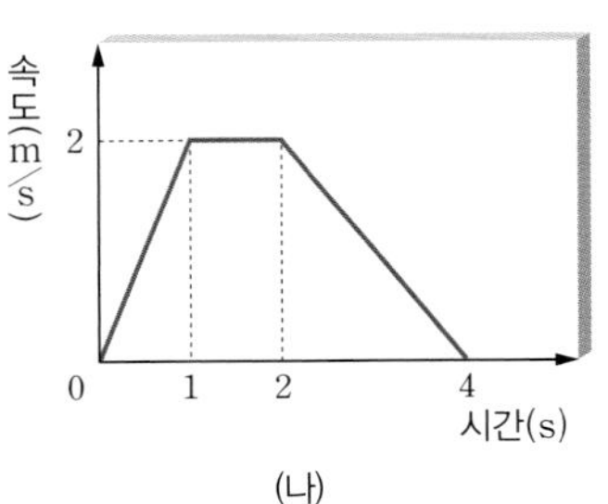

(나)

F의 방향을 (+)로 할 때, 각 구간에서 F가 물체에 한 일을 옳게 짝 지은 것은?

	0~1초	1초~2초	2초~4초
①	9 J	0	−4 J
②	9 J	0	4 J
③	11 J	0	−4 J
④	11 J	10 J	−4 J
⑤	11 J	10 J	4 J

• 한 물체에 두 힘이 동시에 작용할 때 합력이 한 일은 각 힘이 한 일의 총합과 같다.

03

> 일과 에너지

그림 (가), (나)는 줄로 연결되어 정지해 있는 물체 A, B에 전동기가 50 N의 일정한 힘을 각각 작용하여 2 m 이동시키는 것을 나타낸 것이다. A, B의 질량은 각각 2 kg, 1 kg이다.

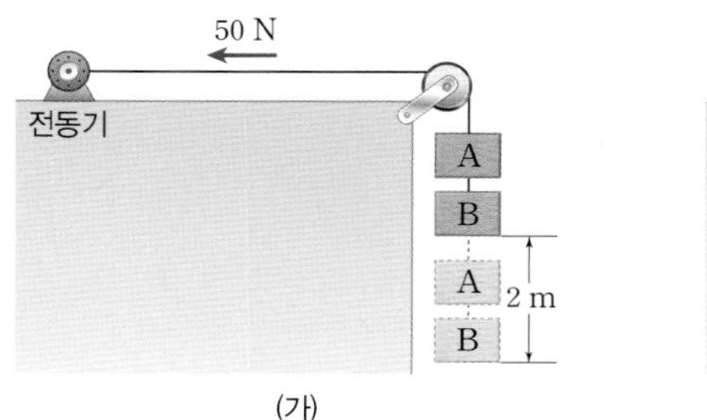

(가)

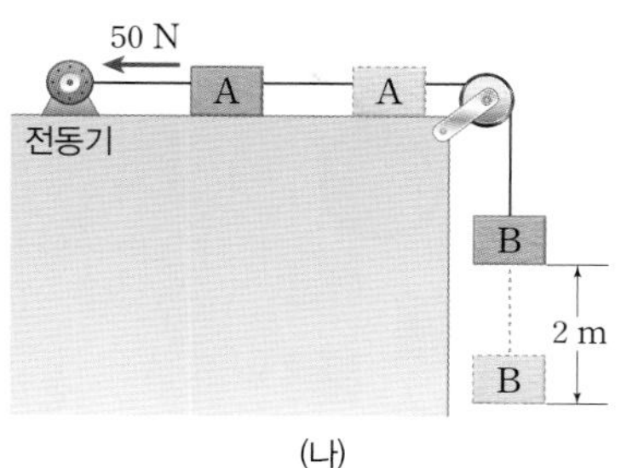

(나)

전동기가 줄을 2 m 당기는 동안, 이에 대한 설명으로 옳은 것만을 보기에서 있는 대로 고른 것은? (단, 중력 가속도는 10 m/s^{2}이고, 줄의 질량, 모든 마찰과 공기 저항은 무시한다.)

보기

ㄱ. (가), (나)에서 전동기가 한 일은 같다.

ㄴ. A의 운동 에너지 증가량은 (나)에서가 (가)에서의 2배이다.

ㄷ. B를 잡아당기는 줄이 B에 한 일은 (나)에서가 (가)에서의 2배이다.

① ㄱ ② ㄷ ③ ㄱ, ㄴ ④ ㄴ, ㄷ ⑤ ㄱ, ㄴ, ㄷ

일은 힘과 이동 거리의 곱이며, 줄이 B를 잡아당기는 힘과 중력의 합력이 B에 작용하는 알짜힘이다.

04

> 일과 에너지

그림은 질량 m인 물체를 줄에 매달아 정지 상태에서 전동기가 F의 일정한 힘으로 잡아당겨 빗면을 따라 거리 s만큼 이동시키는 것을 나타낸 것이다. 거리 s만큼 이동하는 동안 물체의 중력 퍼텐셜 에너지 증가량은 운동 에너지 증가량의 2배이었다.

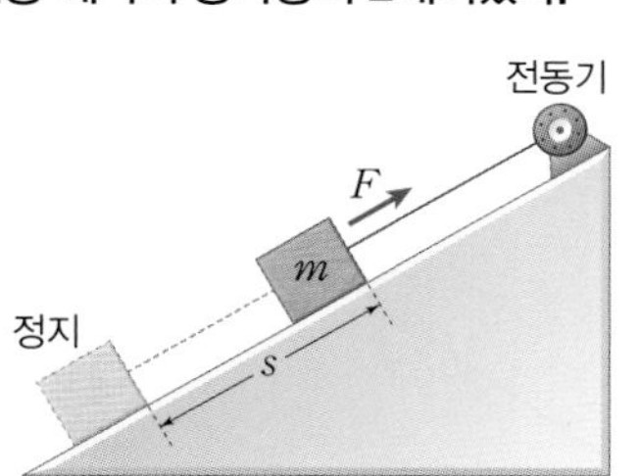

물체가 정지 상태에서 s만큼 이동하는 동안, 이에 대한 설명으로 옳은 것만을 보기에서 있는 대로 고른 것은? (단, 중력 가속도는 g이고, 줄의 질량, 모든 마찰과 공기 저항은 무시한다.)

보기

ㄱ. 전동기가 한 일은 Fs이다.

ㄴ. 물체가 올라간 높이는 $\frac{Fs}{mg}$이다.

ㄷ. 물체의 가속도 크기는 $\frac{F}{2m}$이다.

① ㄱ ② ㄷ ③ ㄱ, ㄴ ④ ㄴ, ㄷ ⑤ ㄱ, ㄴ, ㄷ

힘이 한 일은 물체의 운동 에너지와 중력 퍼텐셜 에너지로 전환되며, 물체는 등가속도 직선 운동을 한다.

05

> 일과 에너지

그림은 줄로 연결되어 정지해 있던 두 물체 A, B를 전동기가 F의 일정한 힘으로 잡아당겨 연직 방향으로 거리 h만큼 이동시키는 것을 나타낸 것이다. A, B의 질량은 각각 $2m$, m이고, h만큼 이동하는 동안 A의 중력 퍼텐셜 에너지 증가량은 운동 에너지 증가량의 3배이었다.

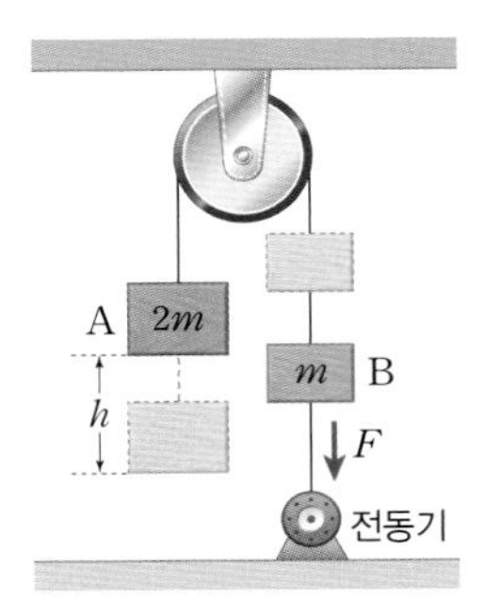

두 물체가 정지 상태에서 h만큼 이동하는 동안 F인 힘이 두 물체에 한 일은? (단, 중력 가속도는 g이고, 줄의 질량, 모든 마찰과 공기 저항은 무시한다.)

① mgh ② $2mgh$ ③ $3mgh$ ④ $4mgh$ ⑤ $5mgh$

• 두 물체에 작용하는 중력과 장력이 일정하므로 두 물체는 등가속도 직선 운동을 한다.

06

> 일과 에너지

그림 (가)는 질량 1 kg인 물체가 기울기가 일정한 빗면을 따라 미끄러져 내려가는 것을, (나)는 이 물체의 속력을 시간에 따라 나타낸 것이다.

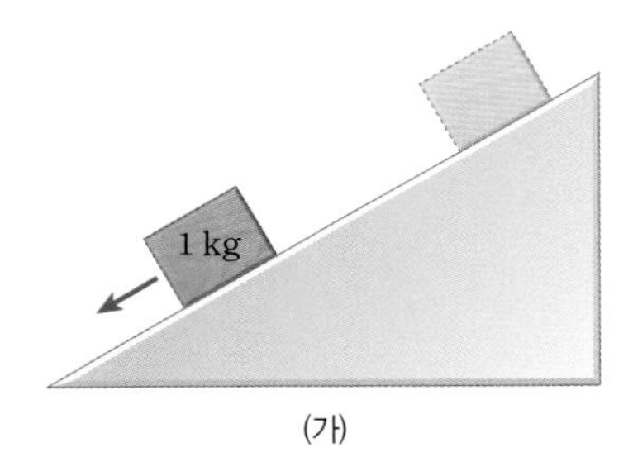

(가)

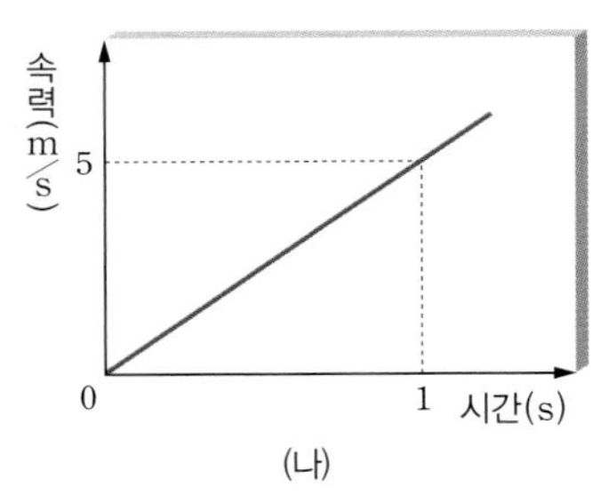

(나)

이에 대한 설명으로 옳은 것만을 보기에서 있는 대로 고른 것은? (단, 중력 가속도는 10 m/s^2이고, 모든 마찰과 공기 저항은 무시한다.)

보기

ㄱ. 물체에 작용하는 알짜힘의 크기는 5 N이다.

ㄴ. 0초부터 1초까지 중력이 물체에 한 일은 25 J이다.

ㄷ. 0초부터 1초까지 물체가 내려간 높이는 1.25 m이다.

① ㄱ ② ㄴ ③ ㄱ, ㄷ ④ ㄴ, ㄷ ⑤ ㄱ, ㄴ, ㄷ

• 속력–시간 그래프의 기울기는 가속도의 크기를 나타내며, 중력이 물체에 한 일만큼 물체의 운동 에너지가 증가한다.

07

> 일과 에너지

그림은 질량이 같은 물체 A와 B가 각각 마찰이 없고 길이가 같은 위아래의 두 길을 따라 기준선 P에서 기준선 Q까지 같은 높이를 올라가는 것을 나타낸 것이다. A, B는 동시에 P를 지나고, 동시에 Q에 도달한다.

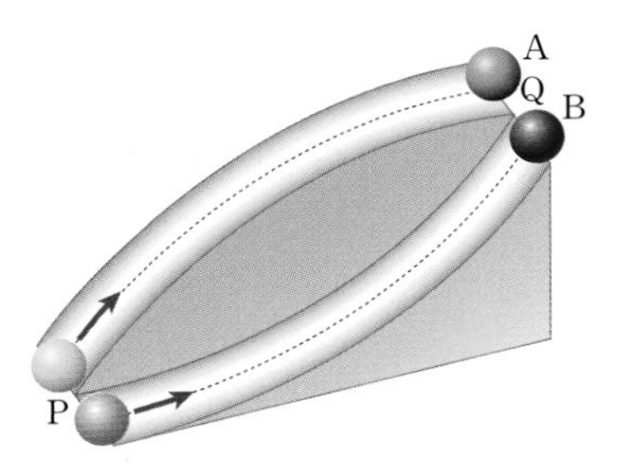

P에서 Q까지 이동하는 동안, 두 물체에 대한 설명으로 옳은 것만을 보기에서 있는 대로 고른 것은? (단, 물체의 크기와 공기 저항은 무시한다.)

보기

ㄱ. 중력이 한 일은 A와 B가 서로 같다.
ㄴ. 운동 에너지 감소량은 A와 B가 서로 같다.
ㄷ. Q에서 역학적 에너지는 A와 B가 서로 같다.

① ㄱ　② ㄷ　③ ㄱ, ㄴ　④ ㄴ, ㄷ　⑤ ㄱ, ㄴ, ㄷ

빗면의 기울기가 클수록 속력이 빨리 변하며, 속력과 시간의 관계 그래프로 나타낼 때 그래프의 아래 넓이가 이동 거리이다.

08

> 탄성력과 일·운동 에너지 정리

그림은 용수철에 질량 m인 물체를 매달고 용수철이 늘어나지 않게 손으로 받치고 있다가 손을 치웠을 때 물체의 최대 낙하 거리가 h인 것을 나타낸 것이다.

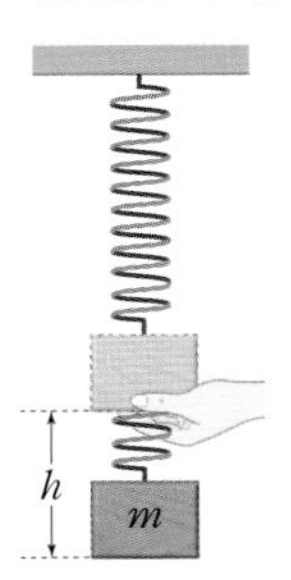

물체가 h만큼 내려가는 동안, 이에 대한 설명으로 옳은 것만을 보기에서 있는 대로 고른 것은? (단, 중력 가속도는 g이고, 용수철의 질량과 공기 저항은 무시한다.)

보기

ㄱ. 용수철 상수는 $\frac{mg}{h}$이다.
ㄴ. 알짜힘이 물체에 한 일은 0이다.
ㄷ. 최하점에서 물체의 탄성 퍼텐셜 에너지는 mgh이다.

① ㄱ　② ㄷ　③ ㄱ, ㄴ　④ ㄴ, ㄷ　⑤ ㄱ, ㄴ, ㄷ

알짜힘이 한 일은 물체의 운동 에너지로 전환된다. 용수철에 매달린 물체가 단진동할 때 평형점은 왕복 거리의 중점이다.

09

> 역학적 에너지 보존

그림은 연직 방향으로 낙하하는 질량 $1\ \mathrm{kg}$인 물체의 위치를 일정한 시간 간격으로 나타낸 것이다. a점과 b점 사이에서 중력 퍼텐셜 에너지 차이는 $4\ \mathrm{J}$이다. b에서의 속력은 a에서의 3배이다.

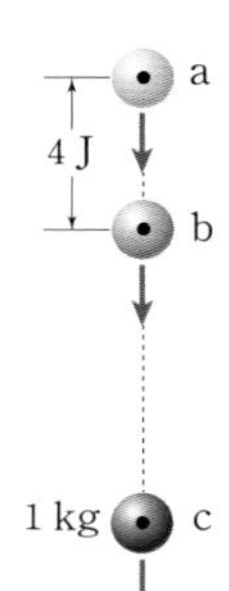

이에 대한 설명으로 옳은 것만을 보기에서 있는 대로 고른 것은? (단, 중력 가속도는 $10\ \mathrm{m/s^2}$이고, 공기 저항은 무시한다.)

보기

ㄱ. a와 b 사이의 거리는 0.2 m이다.
ㄴ. a와 c 사이에서 중력이 물체에 한 일은 8 J이다.
ㄷ. c에서 물체의 운동 에너지는 12.5 J이다.

① ㄱ ② ㄷ ③ ㄱ, ㄴ ④ ㄴ, ㄷ ⑤ ㄱ, ㄴ, ㄷ

• 중력에 의하여 낙하하는 물체의 가속도는 일정하고, 중력이 물체에 하는 일은 낙하 거리에 비례한다.

10

> 역학적 에너지 보존

그림 (가)는 물체 A, B가 실로 연결되어 빗면에 정지해 있는 것을, (나)는 (가)에서 두 물체를 연결한 실이 끊어져 A, B가 같은 시간 동안 $2s$, $3s$의 거리를 이동한 것을 나타낸 것이다.

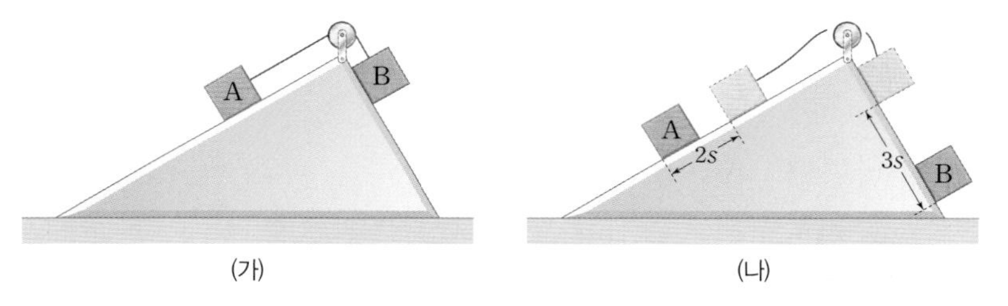

(가) (나)

(나)에 대한 설명으로 옳은 것만을 보기에서 있는 대로 고른 것은? (단, 실의 질량, 모든 마찰과 공기 저항은 무시한다.)

보기

ㄱ. 질량은 A가 B의 $\frac{3}{2}$배이다.
ㄴ. 같은 시간 동안 운동 에너지 증가량은 B가 A의 $\frac{3}{2}$배이다.
ㄷ. 같은 시간 동안 내려간 높이는 B가 A의 $\frac{3}{2}$배이다.

① ㄱ ② ㄷ ③ ㄱ, ㄴ ④ ㄴ, ㄷ ⑤ ㄱ, ㄴ, ㄷ

• 실의 장력은 실이 끊어졌을 때 알짜힘의 크기와 같고, 알짜힘이 한 일은 운동 에너지 증가량과 같다.

11

> 탄성력과 역학적 에너지 보존

그림은 두 물체 A와 B 사이에 용수철을 넣어 압축시킨 후, 동시에 가만히 놓았더니 A와 B가 분리되어 서로 반대 방향으로 운동하여 빗면 위로 올라간 것을 나타낸 것이다. A와 B가 빗면으로 올라간 최고점의 높이는 각각 h, $2h$이고, B의 질량은 m이다.

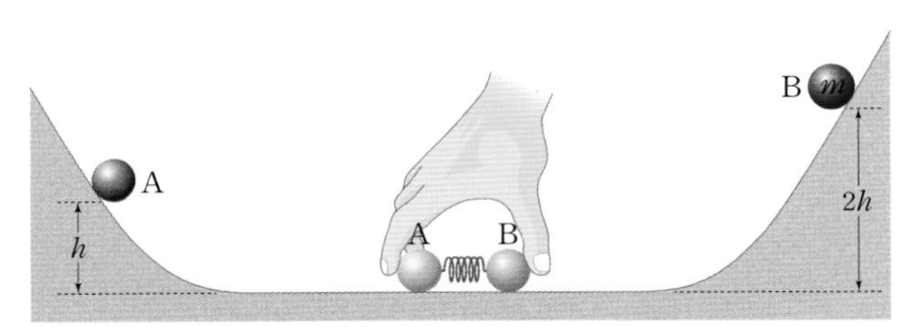

이에 대한 설명으로 옳은 것만을 보기에서 있는 대로 고른 것은? (단, 중력 가속도는 g이고, 물체의 크기와 용수철의 질량, 모든 마찰과 공기 저항은 무시한다.)

보기

ㄱ. A의 질량은 $\sqrt{2}m$이다.

ㄴ. 분리되는 동안 용수철이 B에 한 일은 A에 한 일의 $\sqrt{2}$배이다.

ㄷ. 분리되기 전 용수철에 저장된 탄성 퍼텐셜 에너지는 $(2+\sqrt{2})mgh$이다.

① ㄱ ② ㄷ ③ ㄱ, ㄴ ④ ㄴ, ㄷ ⑤ ㄱ, ㄴ, ㄷ

• A, B가 분리되기 전후 운동량은 보존되며, 용수철이 두 물체에 일을 하여 저장된 탄성 퍼텐셜 에너지는 두 물체의 역학적 에너지로 전환된다.

12

> 역학적 에너지 보존

그림은 P점에 가만히 놓은 질량 m인 물체가 높이 $2h$인 빗면을 내려가 Q점을 지나고, 높이 h인 빗면을 올라가 수평면의 R점을 지나는 것을 나타낸 것이다. R에서부터 물체에는 크기가 일정한 힘이 운동 반대 방향으로 작용하여 물체가 s의 거리를 이동하여 정지한다.

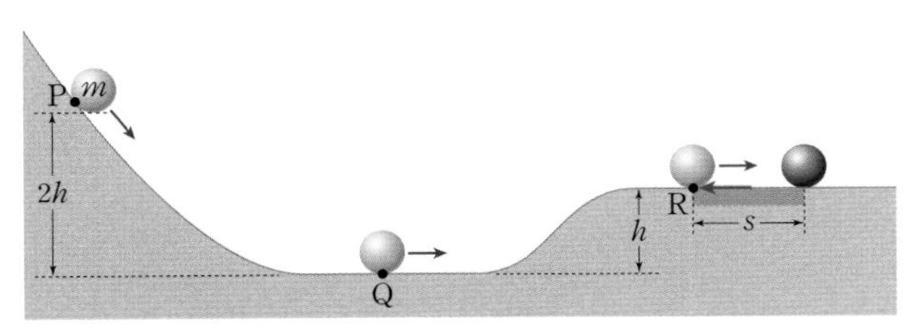

이에 대한 설명으로 옳은 것만을 보기에서 있는 대로 고른 것은? (단, 중력 가속도는 g이고, 물체의 크기와 공기 저항은 무시한다.)

보기

ㄱ. P에서 Q까지 이동하는 동안 중력이 물체에 하는 일은 $2mgh$이다.

ㄴ. 물체가 정지하는 과정에서 손실된 역학적 에너지는 $2mgh$이다.

ㄷ. 물체의 질량이 2배가 되어도 s의 크기는 변하지 않는다.

① ㄱ ② ㄷ ③ ㄱ, ㄴ ④ ㄴ, ㄷ ⑤ ㄱ, ㄴ, ㄷ

• 중력이 하는 일은 중력 퍼텐셜 에너지의 감소량이며, 운동 에너지의 증가량이다.

02 열과 열역학 과정

학습 Point 열, 기체가 외부에 한 일 > 이상 기체의 내부 에너지 > 열역학 제1법칙 > 열역학 과정

온도

앞에서 배운 에너지 보존 법칙에서 에너지의 개념을 역학적 에너지로부터 내부 에너지까지 포함시키는 것으로 일반화하면, 에너지 보존 법칙은 자연의 보편적인 법칙이 된다. 이러한 계의 내부 에너지를 연구하는 열역학은 역학과 전혀 다른 분야가 아니다. 열역학은 기체 분자들의 역학적 현상을 속도, 가속도, 알짜힘처럼 개개의 입자 운동을 설명하는 물리량 대신 다수의 입자들이 모여서 나타내는 부피, 압력, 온도와 같은 물리량을 사용하여 설명한다.

1. 온도

온도는 물체의 따뜻하고 차가운 정도를 수치로 나타낸 것으로, 온도의 눈금은 기준이 되는 온도 2개를 정하고 두 온도 사이를 등분하여 정한다.

(1) **섭씨온도(°C)와 화씨온도(°F):** 일상생활에서는 대부분 섭씨온도를 사용하며, 일부 국가에서 화씨온도를 사용하기도 한다.

구분	섭씨온도(°C)	화씨온도(°F)
정의	1기압 하에서 순수한 물의 어는점(0 °C)과 끓는점(100 °C) 사이를 100 등분한 눈금을 1 °C로 정한 온도 체계	1기압 하에서 물의 어는점(32 °F)과 끓는점(212 °F) 사이를 180 등분한 눈금을 1 °F로 정한 온도 체계
관계	섭씨온도 C와 화씨온도 F의 관계: $C=\frac{5}{9}(F-32)$	

(2) **절대 온도(K, 켈빈):** 온도의 SI 기본 단위로, 이론적으로 모든 물질의 분자 운동이 0이 될 때의 온도인 약 -273 °C를 0 K으로 정하고, 섭씨온도와 동일한 눈금으로 나타낸 온도이다. ➡ 절대 온도 T(K)와 섭씨온도 t(°C)의 관계: $T=273+t$

화씨온도 0
독일의 물리학자 파렌하이트(Fahrenheit, G., 1686~1736)가 정한 온도 체계는 어떻게 유래되었는지에 대하여 여러 가지 설이 있다. 그 중 하나는 날씨에 음(−)수 온도를 사용하지 않기 위하여 추운 지역의 겨울 날씨를 0으로 하고, 사람의 체온을 2의 배수인 96으로 정하였다고 한다.

섭씨온도와 절대 온도의 비교

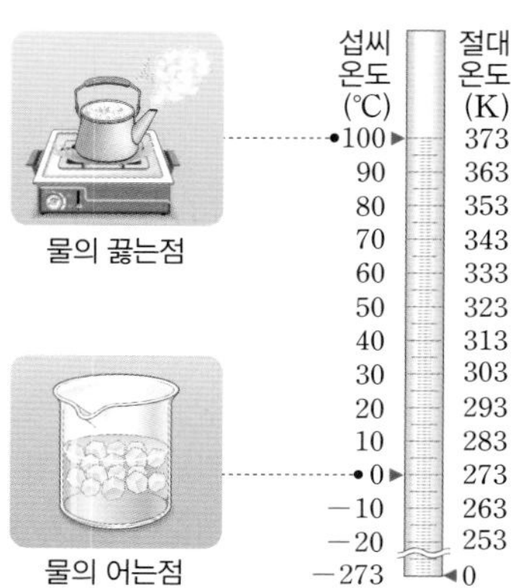

2. 열평형과 열역학 제0법칙

(1) **열평형:** 서로 접촉하고 있는 두 물체 사이에 양 방향으로의 열의 이동이 균형을 이루어, 열의 알짜 이동이 없는 상태이다.

(2) **열역학 제0법칙:** 그림과 같이 물체 A와 P를 접촉했을 때 서로 열평형을 이루고, 물체 B와 P를 접촉했을 때 서로 열평형을 이룬다면, A와 B도 서로 열평형을 이룬다. ➡ 열평형 상태에 있는 A와 B는 온도가 같다. 즉, 두 물체가 열평형 상태에 있으면 두 물체의 온도는 같으며, 그 반대도 성립한다.

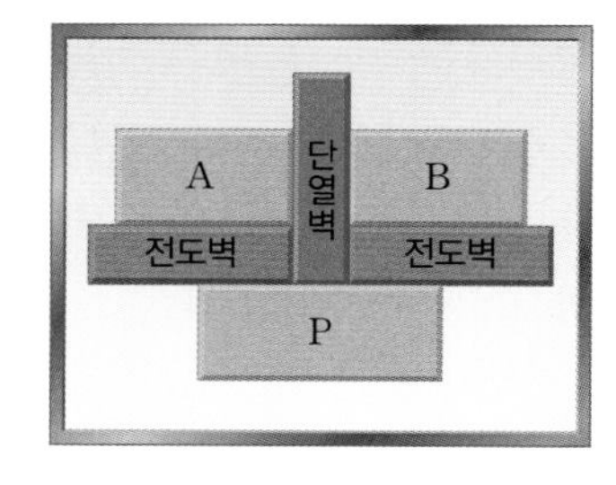

2 열역학에서 열과 일

계와 그 계를 둘러싸고 있는 주위 사이에서는 열과 일을 통해서만 에너지를 주고받는다. 뜨거운 증기가 가진 열을 이용하여 무거운 기차를 움직이거나 방적기를 작동시키는 일을 하는 증기 기관도 이처럼 열과 일을 통해 외부와 에너지를 주고받는 계 중의 하나이다.

1. 열

식탁에 찬 음료수를 올려 두면 점점 미지근해지고, 뜨거운 국도 시간이 지나면 식어 결국 방안 공기의 온도와 같아진다. 이와 같은 온도 변화는 계와 주위 사이의 온도차에 의해 에너지가 전달되어 나타난 결과로, 이렇게 전달되는 에너지를 열이라고 한다.

(1) **열:** 계와 주위 사이의 온도차에 의해 고온에서 저온으로 스스로 이동하는 에너지

① 물체를 이루는 원자나 분자는 끊임없이 운동하며, 온도가 높을수록 빠르게 운동한다.

② 온도가 높은 분자는 온도가 낮은 분자보다 큰 운동 에너지를 가지며, 이들이 접촉하면 충돌에 의해 에너지가 큰 분자에서 에너지가 작은 분자로 에너지가 전달된다.

③ 열은 온도가 높은 곳에서 낮은 곳으로 이동해 가는 분자의 운동 에너지이다.

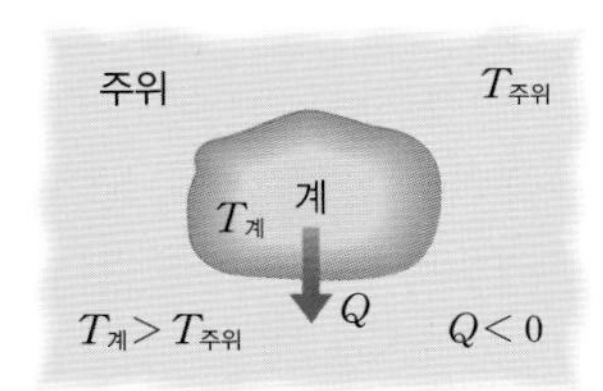

(가) 계의 온도가 주위보다 높을 때 열평형에 도달할 때까지 계에서 주위로 열이 이동한다.

주위 $T_{주위}$ 계 $T_{계}$ $T_{계} = T_{주위}$ $Q = 0$

(나) 계의 온도가 주위와 같을 때 열의 알짜 이동이 없다.

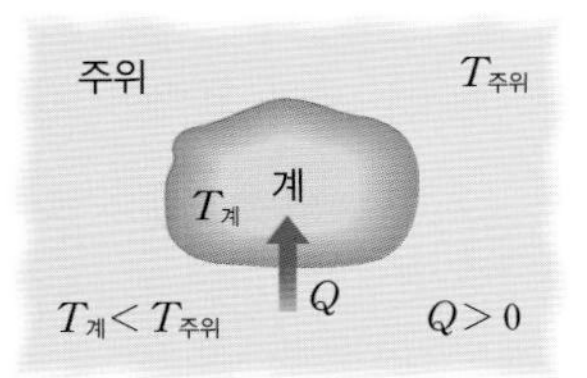

(다) 계의 온도가 주위보다 낮을 때 열평형에 도달할 때까지 주위에서 계로 열이 이동한다.

▲ 계와 주위 사이의 열의 이동

(2) **열의 단위:** 에너지의 단위인 J을 사용한다. 일상생활에서는 kcal도 많이 사용되는데, 1 kcal는 물 1 kg의 온도를 1 K(1 ℃)만큼 높이는 데 필요한 열량이며, 약 4184 J이다.

(3) **열량 보존 법칙:** 온도가 다른 물체 사이에서 열이 이동할 때 고온의 물체가 잃은 열량은 저온의 물체가 얻은 열량과 같다. 이것을 열량 보존 법칙이라고 한다.

고온의 물체가 잃은 열량＝저온의 물체가 얻은 열량

열평형 그래프

온도가 다른 두 물체가 접촉하면 온도가 높은 물체에서 낮은 물체로 열이 이동한다. 이때 온도가 높은 물체는 열이 빠져나가며 온도가 점점 낮아지고, 온도가 낮은 물체는 열을 얻어 온도가 점점 높아진다. 두 물체의 온도가 같아지는 순간 열평형 상태가 되어 온도가 일정하다.

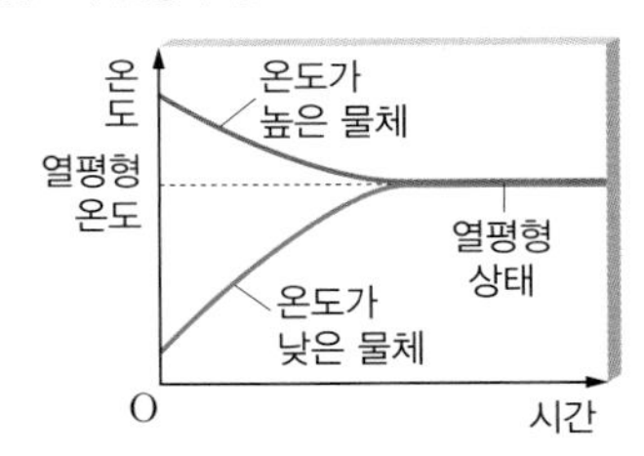

시야 확장 ➕ 열기관의 종류

열을 일로 바꾸는 장치인 열기관은 열을 얻는 방법에 따라 내연 기관과 외연 기관으로 나눌 수 있다.

❶ **내연 기관:** 자동차에 흔히 쓰이는 불꽃 점화 기관(가솔린 기관)이나 디젤 기관과 같이, 열기관의 내부에서 연료를 연소시켜 열을 얻는 열기관이다.

❷ **외연 기관:** 외부에서 석탄이나 나무를 때어 작동하는 증기 기관과 같이, 열기관의 외부에서 연료를 연소시켜 열을 얻는 열기관이다.

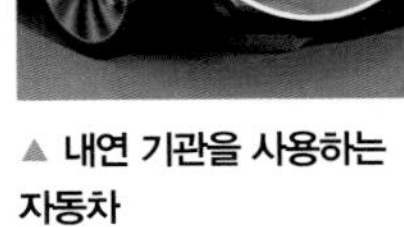

▲ 내연 기관을 사용하는 자동차

▲ 외연 기관을 사용하는 증기 기관차

2. 기체가 하는 일

(1) 기체의 압력(P)

① 압력: 단위 면적당 작용하는 힘의 크기로, 면적 A를 수직으로 누르는 힘의 크기가 F일 때 압력 P는 다음과 같이 나타낸다.

$$P=\frac{F}{A}\ (\text{단위: N/m}^2=\text{Pa})$$

② 분자 운동과 기체의 압력: 기체는 매우 빠른 속력으로 운동하고 있기 때문에 기체 분자들은 담긴 용기의 벽과 충돌하여 운동량이 변하고, 이에 따른 힘을 벽에 작용한다. 용기에 담긴 수많은 기체 분자들은 용기의 벽과 충돌하여 용기 벽에 압력을 가하는데, 이것을 기체의 압력 또는 기압이라고 한다.

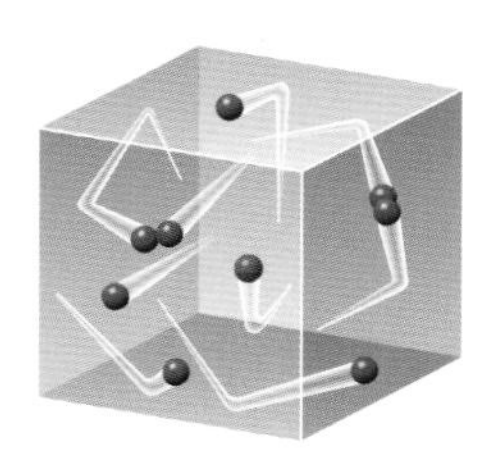

압력의 단위
압력의 단위는 Pa(파스칼)을 사용하며, 1 Pa은 1 N/m²와 같다.

(2) 기체가 외부에 하는 일(W)

(2) 기체가 외부에 하는 일(W): 실린더 안에 기체를 넣고 움직일 수 있는 피스톤으로 밀폐시키면, 기체 분자들의 끊임없는 충돌에 의하여 피스톤이 힘을 받는다. 이때 기체가 팽창하며 피스톤을 이동시키는 것은 기체 분자들이 힘을 가하여 피스톤에 일을 한 것이다.

① 기체의 압력이 일정할 때 기체가 외부에 하는 일: 피스톤의 단면적을 A, 기체의 압력을 P라고 하면 $P=\frac{F}{A}$이므로 기체가 피스톤에 작용하는 힘의 크기 F는 다음과 같다.

$$F=PA$$

이 힘에 의해 피스톤이 Δl만큼 이동할 때 $A\Delta l$은 기체의 부피 변화량 ΔV와 같으므로, 기체가 피스톤에 하는 일 W는 다음과 같이 기체의 압력과 부피 변화량의 곱과 같다.

$$W=F\Delta l=PA\Delta l=P\Delta V\ (\text{단위: J})$$

이러한 관계를 압력-부피 그래프로 나타내면, 기체가 외부에 한 일은 그래프의 아래 넓이와 같다.

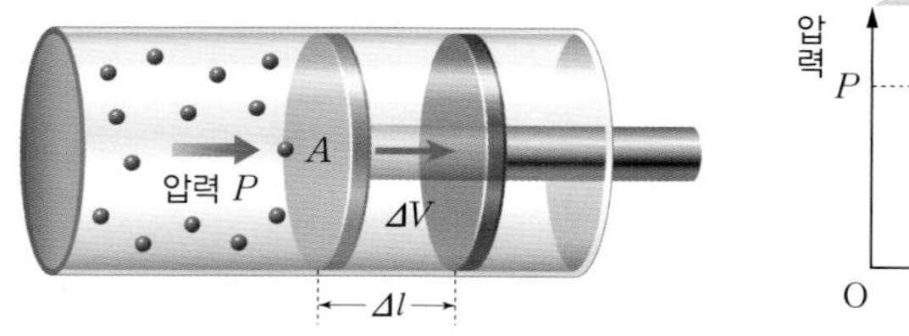

▲ 기체가 외부에 한 일

② 기체의 부피 변화와 외부에 한 일의 관계: 기체의 부피가 변한다는 것은 기체가 외부에 일을 하거나 외부로부터 일을 받는 것을 의미한다.

기체가 팽창할 때($\Delta V>0$)	기체가 수축할 때($\Delta V<0$)
에너지가 기체에서 외부로 전달된다. ➡ 기체는 외부에 일을 한다. ($W>0$)	에너지가 외부에서 기체로 전달된다. ➡ 기체가 외부로부터 일을 받는다.($W<0$)

(3) 압력-부피 그래프와 기체가 외부에 한 일

① 기체의 압력이 변할 때 기체가 외부에 하는 일: 그림과 같이 기체의 전체 부피 변화를 아주 작은 구간으로 나누면, 그 구간에서는 압력이 일정하므로 기체가 한 일은 작은 직사각형의 면적이 된다. 이렇게 각 구간마다 기체가 한 일을 더하면, 기체가 외부에 한 일은 압력-부피 그래프의 아래 면적과 같다.

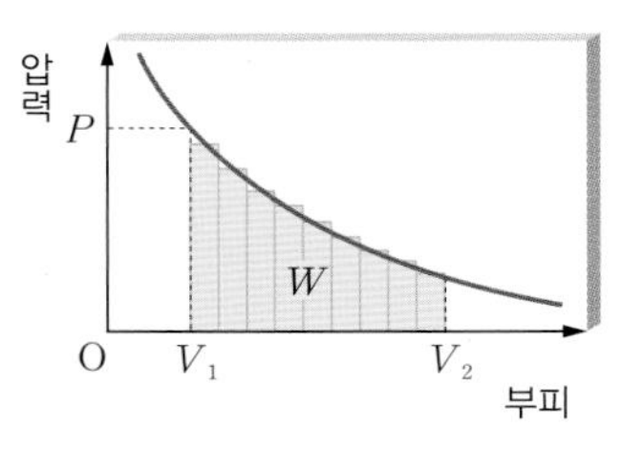

② 그림 (가), (나)를 보면 기체의 처음 상태와 나중 상태는 같지만, 기체가 외부에 한 일은 다르다. 이처럼 기체가 외부에 한 일은 두 상태 사이의 경로에 따라 달라진다.

③ 기체가 한 번의 순환 과정을 거치는 동안 외부에 하는 일은 팽창하는 동안 한 (+)의 일과 수축하는 동안 한 (−)의 일의 합으로, (다)의 그래프로 둘러싸인 부분의 넓이와 같다.

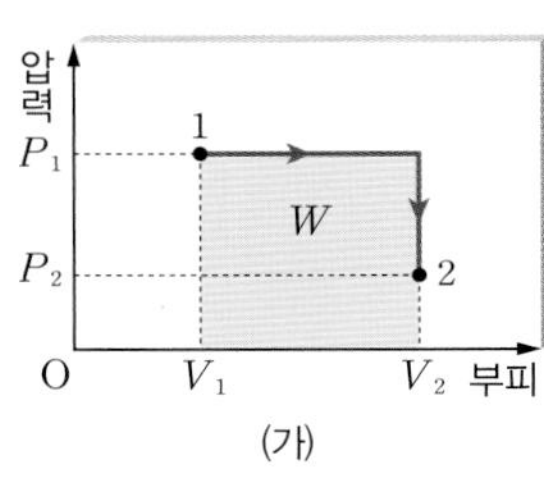

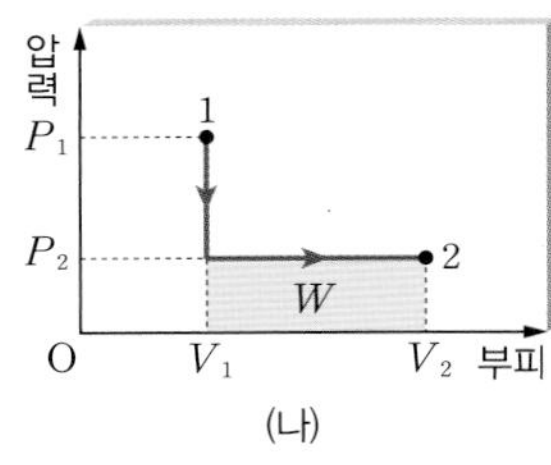

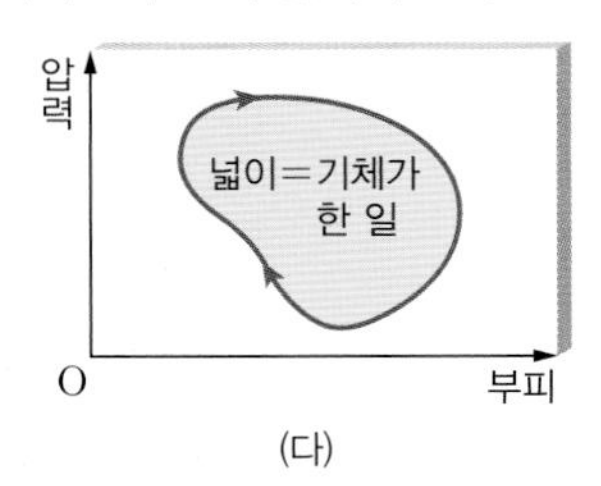

▲ 기체의 상태가 변하는 경로에 따라 기체가 외부에 하는 일

시야 확장 ⊕ 이상 기체

이 단원에서 나오는 기체는 모두 기체의 성질을 단순화시킨 이상 기체이다. 이상 기체란 보일·샤를 법칙을 완벽히 따르는 기체로, 실제 기체도 분자량이 작고 압력이 낮거나 온도가 높은 경우 거의 이상 기체로 취급할 수 있다.

❶ 보일 법칙: 기체의 온도를 일정하게 유지하며 압력을 2배, 3배, …로 증가시키면 기체의 부피는 $\frac{1}{2}$배, $\frac{1}{3}$배, …가 된다. ➡ 온도가 일정할 때 기체의 압력과 부피는 서로 반비례하며, 다음과 같이 나타낼 수 있다.

$$PV=\text{일정}$$

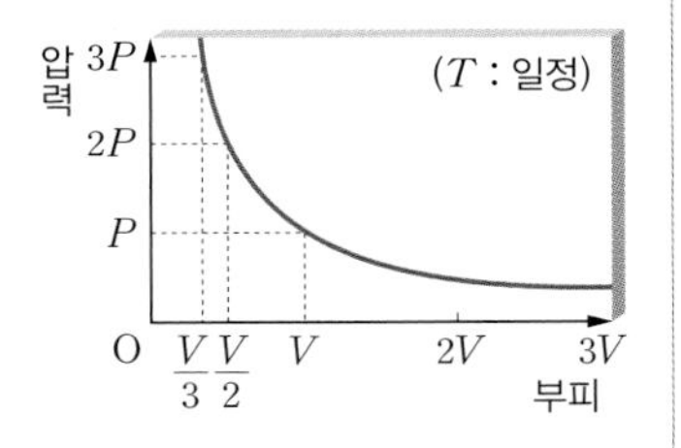

❷ 샤를 법칙: 기체의 압력이 일정할 때 일정량의 기체의 부피는 절대 온도에 비례한다. ➡ 기체의 절대 온도가 T일 때 부피를 V라고 하면, 기체의 종류에 관계없이 다음의 관계가 성립한다.

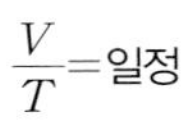

$$\frac{V}{T}=\text{일정}$$

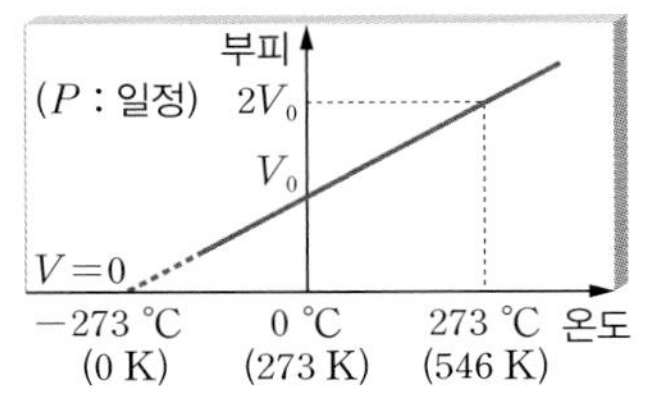

❸ 보일·샤를 법칙: 일정량의 기체의 부피는 압력에 반비례하고, 절대 온도에 비례한다. ➡ $\frac{PV}{T}=\text{일정}$

❹ 이상 기체(ideal gas): 보일·샤를 법칙을 완벽히 따르는 가상의 기체로, 다음과 같이 정의한다.

- 분자의 크기를 무시할 수 있는 점 입자로 이루어져 있다.
- 분자 사이에 완전 탄성 충돌 외에는 상호 작용을 하지 않는다.
- 냉각하거나 압축하여도 액화나 응고가 일어나지 않으며, 0 K에서는 부피가 0이 된다.

단위 mol(몰)

몰은 국제단위계에서 정한 물리량으로, 1971년에 채택되었고, 다음과 같이 정의하였다.

> 몰은 0.012 kg의 ^{12}C 속에 존재하는 원자의 수(아보가드로수)와 같은 수의 물질 입자(원자·분자·이온·전자)를 함유하는 계의 물질량이다.

몰은 엄밀히 부피의 정의가 아닌 원자와 분자의 수에 대한 정의로 원자론에 기반을 둔 것으로 보아야 한다.

기체 상수(R)

1기압, 0 ℃(273 K)에서 기체 1 mol의 부피는 기체 종류에 관계없이 모두 2.24×10^{-2} m³이다. 이것을 보일·샤를 법칙에 적용하여 기체 상수 R를 구한다.

$$R=\frac{P_0V_0}{T_0}=\frac{1.013\times10^5\times2.24\times10^{-2}}{273}$$
$$\fallingdotseq 8.31(\text{J/mol}\cdot\text{K})$$

이상 기체 상태 방정식

보일·샤를 법칙에 따라 $\frac{PV}{T}=R$에서 기체의 mol 수를 n이라고 하면, 다음과 같은 이상 기체 상태 방정식을 얻을 수 있다.

$$\frac{PV}{T}=nR \Rightarrow PV=nRT$$

3 내부 에너지와 열역학 제1법칙

마찰이나 공기 저항이 없을 때 중력이나 탄성력만을 받으며 운동하는 물체의 역학적 에너지는 일정하게 보존된다. 마찰이나 공기 저항이 있으면 물체의 역학적 에너지는 열에너지로 전환되어 감소한다. 이때 열에너지와 역학적 에너지를 모두 포함하면 어떻게 되는지 알아보자.

1. 내부 에너지

물체를 구성하는 분자나 원자와 같은 입자들은 끊임없이 열운동을 하므로 운동 에너지를 가진다. 또, 입자들은 서로 힘을 작용하므로 각각의 입자는 이 힘에 의한 퍼텐셜 에너지도 가진다. 이렇게 계를 이루는 분자들의 운동 에너지와 분자 사이의 인력에 따른 퍼텐셜 에너지 등 정지한 계가 가지는 전체 에너지를 그 계의 내부 에너지라고 한다.

열운동
물체를 이루는 분자나 원자와 같은 입자들은 정지해 있는 것이 아니라 모든 방향으로 불규칙하게 운동하거나 진동 또는 회전 운동을 한다. 이렇게 물체를 이루는 입자들이 불규칙하게 운동하는 것을 열운동이라고 한다.

(1) 이상 기체의 내부 에너지(U)

① **이상 기체의 내부 에너지:** 이상 기체는 분자의 크기나 분자들 사이에 작용하는 힘이 없다고 가정하므로 퍼텐셜 에너지가 0이다. 따라서 이상 기체만으로 이루어진 계의 내부 에너지는 구성 분자들의 운동 에너지의 총합으로 나타낼 수 있다. 이상 기체를 이루는 분자들의 평균 운동 에너지를 $\overline{E_k}$, 구성하는 분자 수를 N이라고 하면, 이상 기체의 내부 에너지 U는 다음과 같다.

$$U=N\overline{E_k}$$

② **분자들의 평균 운동 에너지:** 물체의 온도가 높다는 것은 물체를 이루는 분자의 열운동이 더 활발한 것을 뜻한다. 이상 기체에서도 분자 각각의 운동 에너지는 다양하지만, 그 평균값은 온도가 높을수록 커진다. 즉, 분자들의 평균 운동 에너지는 절대 온도에 비례한다.

$$\overline{E_k}\propto T$$

③ **온도와 이상 기체의 내부 에너지의 관계:** 이상 기체의 내부 에너지는 분자들의 평균 운동 에너지의 총합과 같고, 분자들의 평균 운동 에너지는 절대 온도에 비례한다. 따라서 이상 기체의 내부 에너지 U는 기체 분자 수 N과 절대 온도 T에 비례한다.

$$U=N\overline{E_k} \Rightarrow U\propto NT$$

이상 기체 분자의 평균 운동 에너지
이상 기체 분자의 평균 운동 에너지는 기체의 온도에 비례한다. 단원자 분자로 이루어진 이상 기체의 온도가 T일 때 분자의 평균 운동 에너지는 다음과 같다.

$$\frac{1}{2}m\overline{v^2}=\frac{3}{2}kT$$

여기서 k는 온도 정의에 이용되는 비례 상수인 볼츠만 상수이다. 볼츠만 상수의 값은 현재 1.38×10^{-23} J/K이다.

이상 기체의 내부 에너지
이상 기체의 내부 에너지는 분자들의 운동 에너지의 총합으로, $U=N\times\frac{1}{2}m\overline{v^2}$이다. 따라서 n몰의 단원자 분자 이상 기체의 내부 에너지는 다음과 같다.

$$U=N\times\frac{3}{2}kT=\frac{3}{2}nRT \quad (R\text{: 기체 상수})$$

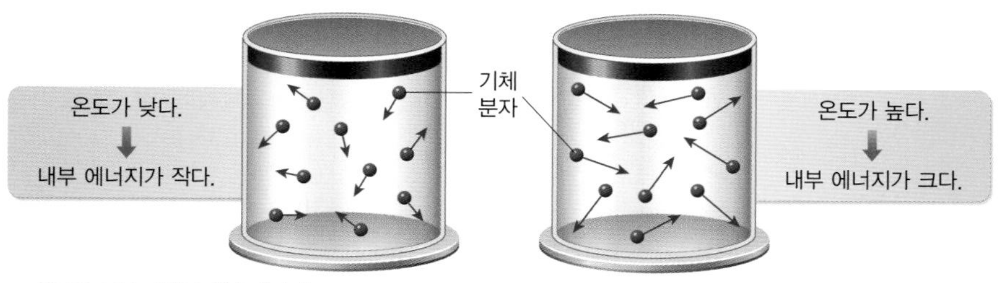

▲ 온도와 이상 기체의 내부 에너지

(2) 내부 에너지의 변화량($\varDelta U$)

기체의 온도가 높아질 때($\varDelta T>0$)	기체의 온도가 낮아질 때($\varDelta T<0$)
기체의 분자 운동이 활발해진다. ➡ 내부 에너지가 증가한다.($\varDelta U>0$)	기체의 분자 운동이 둔해진다. ➡ 내부 에너지가 감소한다.($\varDelta U<0$)

2. 열역학 제1법칙

(1) **열역학 제1법칙:** 그림과 같이 외부와 단열되어 있는 실린더에 담긴 기체에 열을 가하면 기체의 온도가 높아지면서 부피가 팽창한다. 기체의 온도 변화는 기체의 내부 에너지 변화를 뜻하고, 기체의 부피 변화는 기체가 외부에 하는 일이 있음을 뜻한다.
이 과정의 에너지 전환을 생각해 보면, 외부에서 기체에 가해 준 열량 Q는 기체의 내부 에너지 증가량 ΔU와 기체가 외부에 한 일 W의 합과 같아야 하므로, 다음의 관계가 성립한다.

$$Q=\Delta U+W$$

이것을 열역학 제1법칙이라고 한다. 열역학 제1법칙은 열에너지와 역학적 에너지를 포함한 넓은 의미의 에너지 보존 법칙이다. 열과 일이 동등하며, 물체가 가지고 있던 역학적 에너지가 열이나 일에 의해 분자들의 내부 에너지로 이동하더라도 열에너지를 포함하여 생각하면 에너지가 보존된다.

일
일·운동 에너지 정리에서의 일 W는 외부에서 계에 가하는 일로 정의하지만, 열역학 제1법칙에서의 일 W는 계가 외부에 하는 일로 정의한다. 이때 계가 외부에 하는 일과 외부에서 계에 하는 일은 부호가 서로 반대이므로 주의한다.

역학적 에너지 보존 법칙과 열역학 제1법칙
역학적 에너지 보존 법칙은 에너지와 물질의 출입이 없는 고립계에서 열에너지로 전환되는 에너지가 없을 때 적용되는 에너지 보존 법칙이다. 열역학 제1법칙은 에너지의 출입이 있는 닫힌계로 에너지 보존 법칙을 확장한 것으로, 계와 주위 사이에 일이나 열의 형태로 에너지가 전달될 수 있다.

(2) **계가 외부와 에너지를 주고받을 때 열과 일의 부호**

열(Q)		일(W)	
$Q>0$	$Q<0$	$W>0$	$W<0$
기체에 열이 들어온다.	기체로부터 열이 빠져나간다.	기체가 외부에 일을 한다.	기체가 외부로부터 일을 받는다.

(3) **계의 내부 에너지:** 열역학 제1법칙에 따라 기체의 내부 에너지 변화량은 다음과 같다.

$$\Delta U=Q-W$$

① 계의 내부 에너지는 계에 열을 가하면 증가하고, 계가 외부에 일을 하면 감소한다.
② 주위와 에너지와 물질의 출입이 없는 고립계의 경우, 열의 전달도 없고($Q=0$) 계에 해 준 일도 0이므로($W=0$) 고립계의 내부 에너지는 일정하게 유지된다. ➡ $\Delta U=0$

시야 확장 ⊕ 제1종 영구 기관

외부에서 에너지 공급이 없어도 계속해서 일을 할 수 있다고 생각하는 가상적인 기관을 제1종 영구 기관이라고 한다. 이러한 기관은 열역학 제1법칙에 위배되므로 제작이 불가능하다.

• 영구 기관의 예

회전축 부근의 쇠구슬의 중력으로 차바퀴가 회전하고, 이에 따라 쇠구슬이 처음 위치로 돌아와 바퀴가 계속 회전한다.

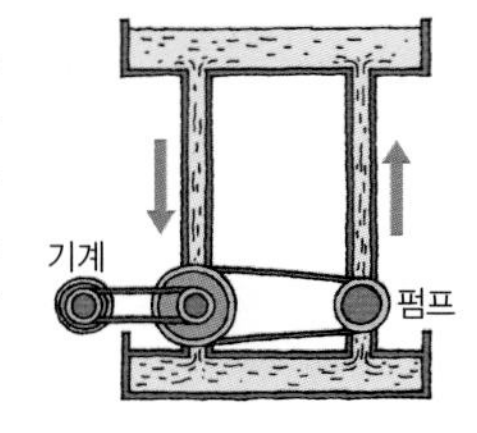

높은 곳에서 떨어진 물이 수차를 돌리는 일을 하고, 이 일로 동시에 펌프를 작동시켜 물을 모두 처음 위치로 끌어올린다.

4 열역학 제1법칙의 응용

집중 분석 1권 120쪽~121쪽

이상 기체(열역학 계)가 외부와의 상호 작용을 통하여 일과 열을 교환하면서 한 상태에서 다른 상태로 바뀌는 것을 열역학 과정이라고 한다. 열역학 과정에서 열역학 제1법칙이 적용된다.

1. 온도가 일정한 과정(등온 과정)

(1) 기체의 온도를 일정하게 유지하면서 열의 출입으로 기체의 상태 변화를 일으키는 과정이다.

(2) 기체의 온도가 일정하므로 기체의 내부 에너지는 일정하다.

$$\Delta T=0 \Rightarrow \Delta U=0$$

(3) 기체가 팽창하면서 외부에 일을 한다. 열역학 제1법칙에 의해 기체에 가한 열은 모두 기체가 외부에 일을 하는 데 사용된다.

$$Q=\Delta U+W=W$$

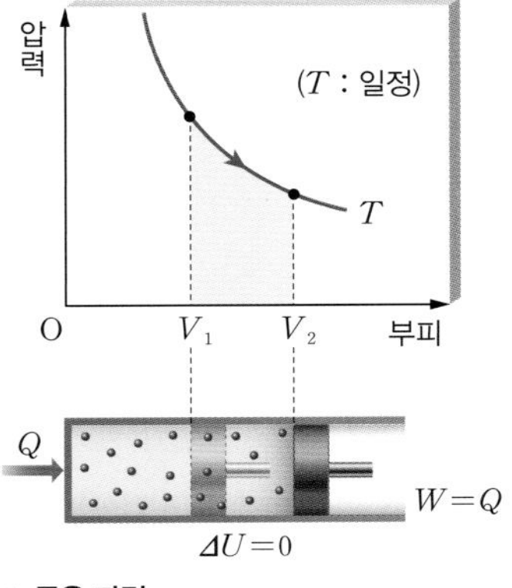

▲ 등온 과정

등온 팽창($\Delta V>0$)	등온 압축($\Delta V<0$)
기체가 외부에 일을 하므로, 기체는 외부에서 열을 흡수한다. $W>0 \Rightarrow Q>0$	기체가 외부로부터 일을 받으므로, 기체는 외부로 열을 방출한다. $W<0 \Rightarrow Q<0$

압력-부피 그래프

다음의 기체의 압력-부피 그래프에서 파란색 그래프는 온도가 일정한 등온선이며, A~D는 여러 가지 기체의 상태 변화 과정을 나타낸다.

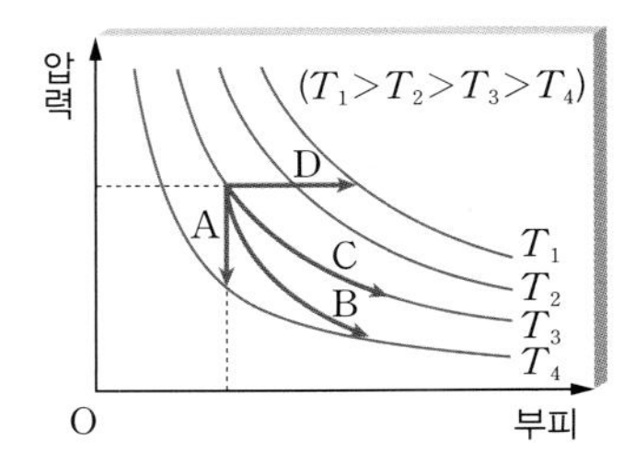

- A: 등적 과정
- B: 단열 과정
- C: 등온 과정
- D: 등압 과정

2. 압력이 일정한 과정(등압 과정)

(1) 기체의 압력을 일정하게 유지하면서 열의 출입으로 기체의 상태 변화를 일으키는 과정이다.

(2) 기체의 압력이 일정하므로, 기체의 온도가 증가하면 기체의 부피가 증가한다.

$$\Delta P=0 \Rightarrow V \propto T$$

(3) 기체의 온도가 변하면 내부 에너지가 변하고, 기체의 부피가 변하면 기체가 외부에 일을 하거나 일을 받게 된다. 따라서 열역학 제1법칙에 의해 기체에 가한 열의 일부는 기체가 외부에 일을 하는 데 사용되고, 나머지는 기체의 내부 에너지를 증가시키는 데 사용된다.

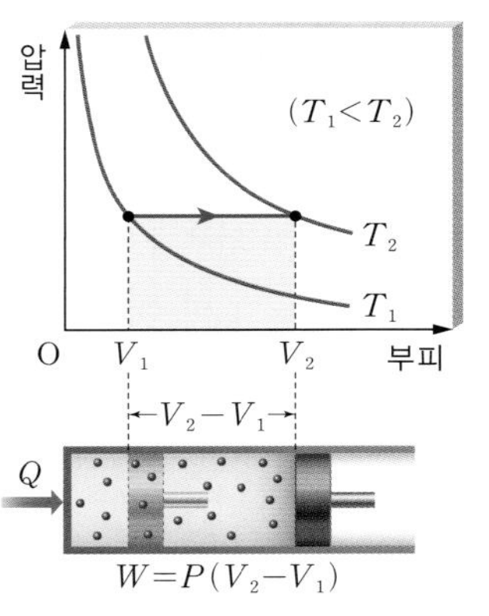

▲ 등압 과정

$$Q=\Delta U+W=\Delta U+P\Delta V$$

기체가 팽창할 때($\Delta V>0$)	기체가 압축될 때($\Delta V<0$)
기체가 외부에 일을 하고, 기체의 온도가 증가하여 내부 에너지도 증가하므로, 기체는 외부에서 열을 흡수한다. $W>0,\ \Delta U>0 \Rightarrow Q=\Delta U+W>0$	기체가 외부로부터 일을 받고, 기체의 온도가 감소하여 내부 에너지도 감소하므로, 기체는 외부로 열을 방출한다. $W<0,\ \Delta U<0 \Rightarrow Q=\Delta U+W<0$

3. 부피가 일정한 과정(등적 과정)

(1) 기체의 부피를 일정하게 유지하면서 열의 출입으로 이루어지는 상태 변화 과정이다.

(2) 기체의 부피가 일정하므로 기체가 하는 일은 0이다.

$$\Delta V=0 \Rightarrow W=0$$

(3) 열역학 제1법칙에 의해 기체에 가한 열은 모두 기체의 내부 에너지 변화에 사용된다. 즉, 기체의 온도가 높아질 때($\Delta T>0$) 외부에서 열을 흡수($Q>0$)하고, 온도가 낮아질 때($\Delta T<0$) 외부로 열을 방출($Q<0$)한다.

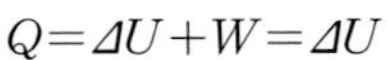

$$Q=\Delta U+W=\Delta U$$

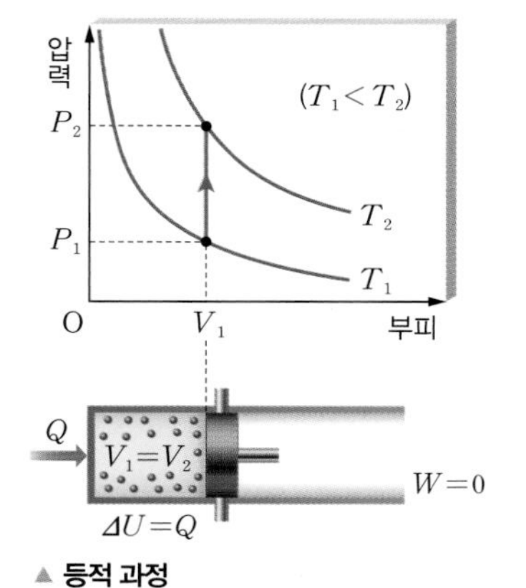

▲ 등적 과정

기체의 정압 비열과 정적 비열

- 정압 비열(c_P): 기체의 압력을 일정하게 유지하면서 측정한 비열이다. 기체에 가한 열의 일부는 외부에 일을 하고, 나머지가 내부 에너지를 증가시켜 온도를 변화시킨다.
- 정적 비열(c_V): 기체의 부피를 일정하게 유지하면서 측정한 비열이다. 기체에 가한 열은 모두 기체의 내부 에너지 변화에 쓰여 온도를 변화시킨다. 따라서 같은 열을 가해도 압력이 일정할 때보다 온도 변화가 더 크다.

➡ 기체의 정압 비열은 정적 비열보다 항상 크다.

4. 외부와 열의 출입이 없는 과정(단열 과정)

(1) 계를 단열재로 둘러싸서 기체와 외부 사이에 열의 출입이 없이 이루어지는 상태 변화 과정이다. 기체를 갑자기 팽창시키거나 압축시키면 열이 들어오거나 빠져나갈 시간적 여유가 없어 근사적으로 단열 과정이 된다.

(2) 외부와의 열 출입이 없으므로($Q=0$), 열역학 제1법칙에 의해 기체가 외부에 한 일만큼 내부 에너지가 감소한다.

$$Q=\Delta U+W=0 \Rightarrow W=-\Delta U$$

단열 팽창($\Delta V>0$)	단열 압축($\Delta V<0$)
기체가 외부에 일을 하므로, 내부 에너지가 감소하여 기체의 온도가 낮아진다. $W=-\Delta U>0 \Rightarrow \Delta U<0 \Rightarrow \Delta T<0$	기체가 외부에서 일을 받으므로, 내부 에너지가 증가하여 기체의 온도가 높아진다. $W=-\Delta U<0 \Rightarrow \Delta U>0 \Rightarrow \Delta T>0$

단열 과정

단열 과정은 계가 주위 환경과 완전히 차단되어 열적으로 고립된 계에서 일어나는 경우이지만, 아무리 좋은 단열재를 사용해도 오랜 시간 열을 완전히 차단하는 것은 불가능하다. 따라서 단열 과정은 이상적인 상황을 가정한 경우이다.

(3) 단열 과정의 예

탄산음료의 뚜껑을 여는 순간 내부 공기가 빠져나오며 단열 팽창하여 온도가 낮아지므로, 주변 수증기가 응결하여 김이 생긴다.

자전거의 튜브에 공기를 넣을 때 공기통이 뜨거워진다.

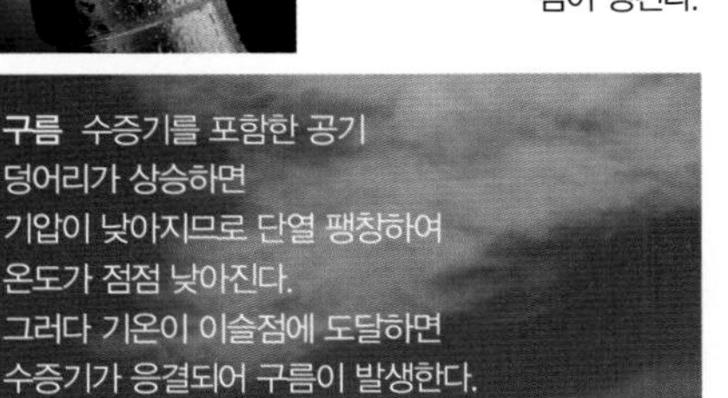

높새바람 동해에서 온 습도가 높은 공기 덩어리가 태백산맥을 올라가면서 단열 팽창을 하여 비를 뿌린 후, 내려오면서 단열 압축 되어 영서 지방에 따뜻하고 습도가 낮은 바람이 분다.

자유 팽창 과정

단열시킨 밀폐된 두 용기 중 한쪽은 기체를 채우고 다른 쪽은 진공으로 한 다음, 잠금 장치를 열어 기체가 진공으로 팽창할 때, 이를 자유 팽창 과정이라고 한다. 이 경우 기체가 힘을 가하면서 이동시킬 대상이 없으므로 기체는 외부에 일을 하지 않는다. 즉, $Q=0$, $W=0$이므로, $\Delta U=0$이 되어 기체의 온도는 변하지 않는다.

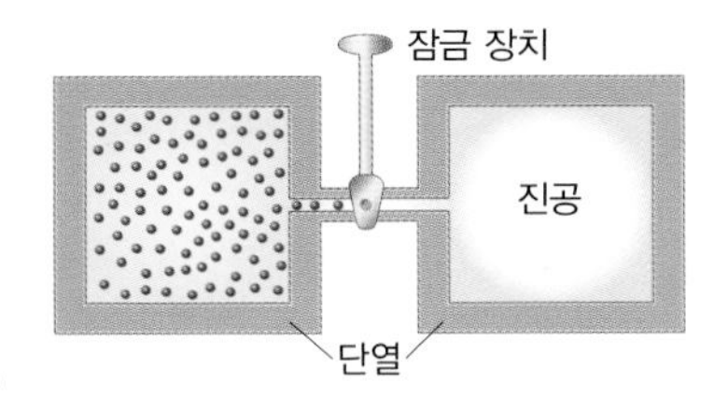

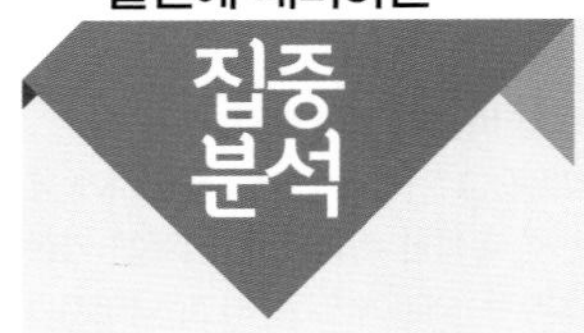

열역학 제1법칙과 열역학 과정

열역학 과정은 열역학 제1법칙과 보일 법칙과 샤를 법칙 및 내부 에너지와 온도의 관계를 이용하여 설명할 수 있다. 열역학 과정을 실린더 속에 들어 있는 기체에 적용하는 경우도 있고, 열역학 과정을 나타낸 그래프에 적용하는 경우도 있다. 또한 여러 가지가 복합된 경우도 자주 출제된다.

이상 기체의 압력을 일정하게 유지하면서 열을 공급하면 기체는 온도가 높아지며 부피가 증가한다. 열출입을 차단하고 압축하면 기체의 온도가 상승한다. 또한 기체의 부피는 일정하게 유지하면서 온도를 상승시키거나 하강시키면 기체의 압력이 변한다. 이러한 과정들에는 모두 다음과 같이 열역학 제1법칙, 보일 법칙과 샤를 법칙, 내부 에너지와 온도의 관계를 적용할 수 있다.

❶ 기체의 압력을 일정하게 유지하며 부피가 증가하는 경우

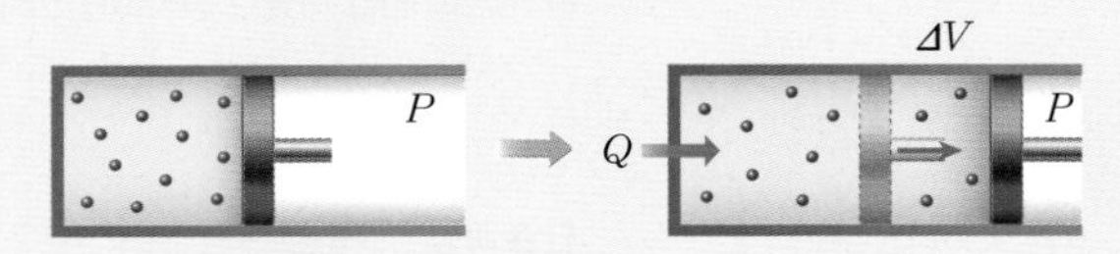

(1) 조건: 기체는 등압 팽창한다.($Q=\Delta U+P\Delta V$)

➡ 외부에서 열을 가하면 일부는 기체가 외부에 일을 하는 데 쓰이고, 나머지는 기체의 내부 에너지를 증가시킨다.

열	일	내부 에너지
$Q>0$	$W>0$	$\Delta U>0$

(2) 기체가 외부에 한 일: $P\Delta V$

(3) 기체의 온도 변화

- 기체의 내부 에너지 증가 ➡ 기체의 온도 증가 ➡ 기체 분자의 평균 운동 에너지 증가

❷ 단열된 상태에서 기체를 압축하는 경우

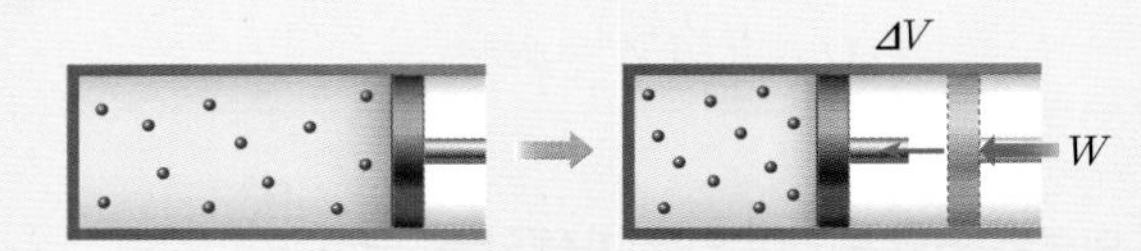

(1) 조건: 기체는 단열 압축된다.($W=-\Delta U$) ➡ 기체가 외부에서 받은 일과 기체의 내부 에너지 증가량이 같다.

열	일	내부 에너지
$Q=0$	$W<0$	$\Delta U>0$

(2) 기체의 상태 변화

- 온도: 기체의 내부 에너지 증가 ➡ 온도 증가 ➡ 기체 분자의 평균 운동 에너지 증가
- 압력: 보일·샤를 법칙에서 $\frac{PV}{T}$는 일정하므로, 부피가 감소하고 온도가 증가하면 압력은 증가한다.

예제

❶ 그림은 실린더 속에 들어 있는 이상 기체에 열 Q를 가하였을 때 부피가 ΔV만큼 증가한 것을 나타낸 것이다. 대기압은 P로 일정하다. (단, 모든 마찰은 무시한다.)

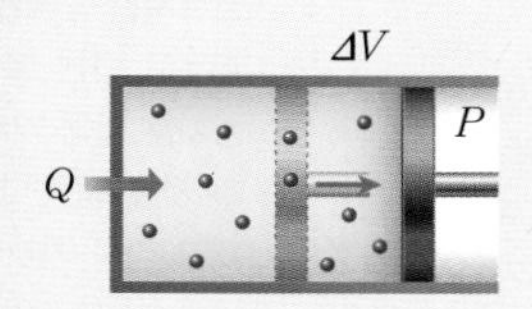

(1) 팽창하는 동안 기체가 외부에 한 일은?
(2) 기체의 내부 에너지 증가량은?

정답 (1) $P\Delta V$ (2) $Q-P\Delta V$

해설 (1) 압력이 P로 일정하므로 기체가 외부에 한 일 $W=P\Delta V$이다.
(2) 기체는 등압 팽창을 하므로, 기체에 가한 열의 일부는 기체가 외부에 일을 하는 데 쓰이고, 나머지는 기체의 내부 에너지를 증가시킨다. 따라서 기체의 내부 에너지 증가량은 다음과 같다.

$$Q=\Delta U+P\Delta V \Rightarrow \Delta U=Q-P\Delta V$$

예제

❷ 그림과 같이 단열된 실린더와 용기 속에 이상 기체 A, B가 있고, 피스톤이 정지해 있는 상태에서 용기의 밸브를 열어 B의 압력을 서서히 감소시켰더니 피스톤이 서서히 이동하여 정지하였다. (단, 모든 마찰은 무시한다.)

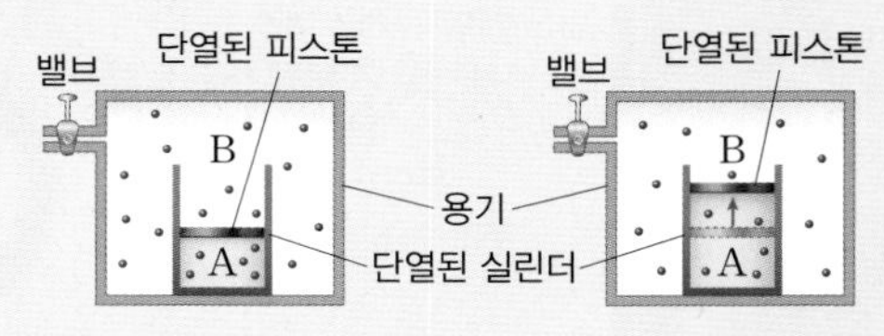

(1) A의 압력은 어떻게 변하는가?
(2) A의 온도는 어떻게 변하는가?

정답 (1) 감소한다. (2) 감소한다.

해설 (1) A에 열을 가하지 않고, B의 압력을 감소시켜 A가 팽창하므로 A의 압력은 감소한다. (2) A는 단열 팽창을 하므로, A가 외부에 한 일만큼 내부 에너지가 감소한다. 따라서 A의 온도는 감소한다.

❸ 복합 과정(등압 과정, 등적 과정)

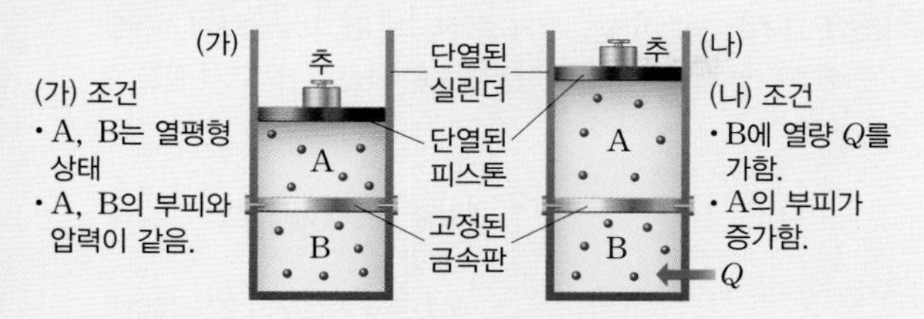

(1) (가) → (나) 과정에서 A, B의 상태 변화

- A: 등압 팽창 ➡ $W_A>0$, $\Delta U_A>0$
- B: 등적 과정 ➡ $W_B=0$, $\Delta U_B>0$ ➡ 온도 증가 ➡ B에서 A로 열 일부 이동함.

(2) A, B의 온도 변화: $\Delta U_A=\Delta U_B$, A, B의 압력: $P_A<P_B$

(3) A, B가 흡수한 열량: $Q_A>Q_B$ ➡ $\Delta U_A=\Delta U_B$이고, $W_A>0$, $W_B=0$이므로 A가 흡수한 열이 더 많다.

예제

❸ 그림과 같이 같은 양의 이상 기체 A, B를 단열된 실린더에 넣고 B에 열을 가하였더니 A의 부피만 2배로 증가하였다. A, B의 처음 부피는 V로 같고, A, B 사이에는 열이 이동한다. (단, 대기압은 일정하고, 피스톤의 마찰은 무시한다.)

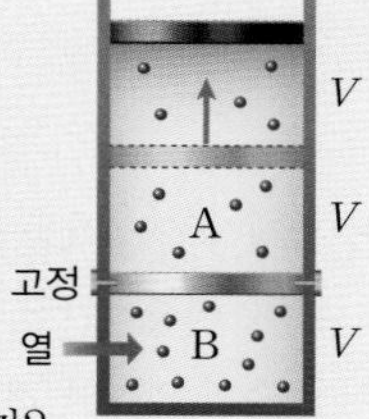

(1) A의 온도는 처음 온도의 몇 배가 되는가?

(2) A, B 중 흡수한 열량이 더 많은 것은?

정답 (1) 2배 (2) A

해설 (1) A의 압력이 일정하므로 A의 부피는 절대 온도에 비례한다.
(2) A, B 사이에 열이 이동하므로 A, B는 항상 열평형을 이루기 때문에 온도 변화가 같다. 따라서 내부 에너지 변화량은 A, B가 같으므로 외부에 일을 한 A가 흡수한 열량이 더 많다.

❹ 열역학 그래프

기체의 상태 변화를 나타낸 그래프의 좌표축 물리량을 보일·샤를 법칙과 비교하여 기체의 압력, 부피, 온도 변화를 파악한다.

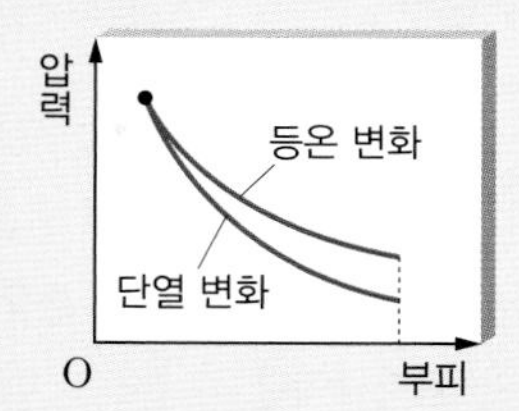

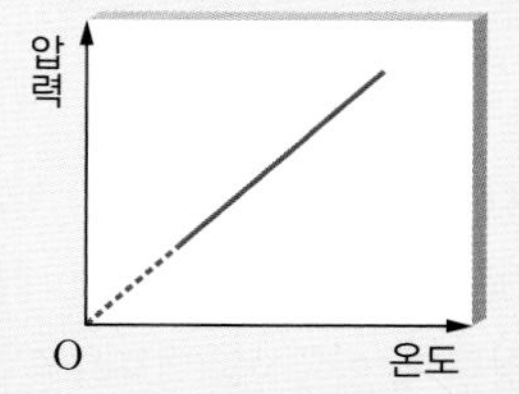

(1) **등온 변화와 단열 변화의 비교:** 같은 상태에서 부피 증가량이 같을 때 기체가 외부에 한 일(압력-부피 그래프의 아래 넓이)은 등온 변화에서가 단열 변화에서보다 크다.

(2) **압력과 온도가 비례할 때:** 부피가 일정하므로 기체가 외부에 한 일은 0이다.

예제

❹ 그림은 이상 기체의 상태가 A에서 B로 변하는 것을 압력과 온도의 관계 그래프로 나타낸 것이다.

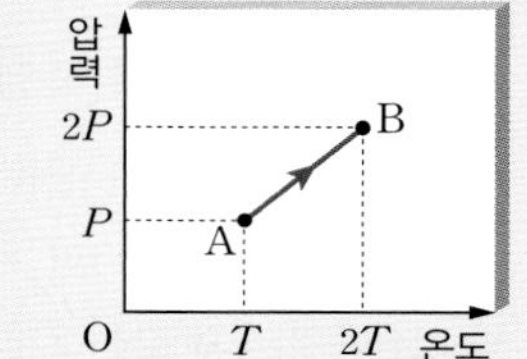

(1) A → B 과정에서 기체가 외부에 한 일은?

(2) A → B 과정에서 기체가 열을 흡수하는가?

정답 (1) 0 (2) 흡수한다.

해설 (1) 압력이 온도에 비례하므로, 기체의 부피는 일정하다. 따라서 기체가 외부에 한 일은 0이다.
(2) 온도가 증가하므로 내부 에너지가 증가하고, 외부에 한 일이 0이다. 기체가 흡수한 열량은 $Q=\Delta U+W>0$이므로 기체는 열을 흡수한다.

> 정답과 해설 25쪽

그림 (가)와 같이 단열된 실린더에 같은 양, 같은 온도의 이상 기체 A, B가 들어 있고, 단열된 피스톤이 정지해 있다. 그림 (나)는 (가)의 A에 열을 공급하였더니 피스톤이 천천히 이동하여 B의 부피가 반으로 감소한 상태에서 정지한 모습을 나타낸 것이다. 이에 대한 설명으로 옳은 것만을 보기에서 있는 대로 고른 것은? (단, 피스톤의 마찰은 무시한다.)

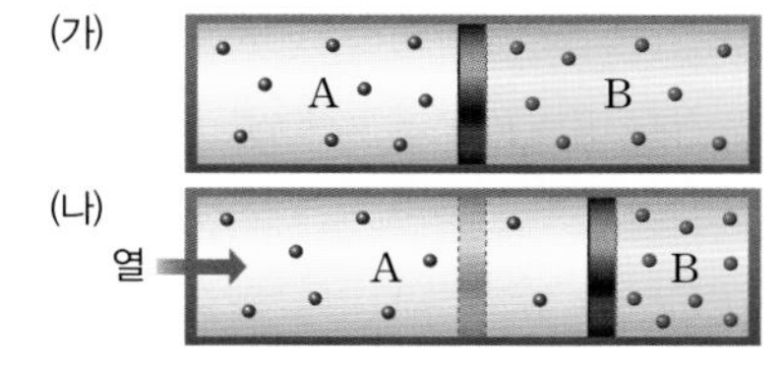

보기
ㄱ. (가)에서 A와 B의 부피는 같다.
ㄴ. B의 압력은 (나)에서가 (가)에서의 2배이다.
ㄷ. A의 내부 에너지는 (나)에서가 (가)에서의 1.5배이다.

① ㄱ ② ㄷ ③ ㄱ, ㄴ ④ ㄴ, ㄷ ⑤ ㄱ, ㄴ, ㄷ

차이를 만드는

스털링 기관의 작동 과정

열기관은 보통 내부에 기체와 같은 작동 물질이 있고, 그 작동 물질이 몇 단계의 열역학 과정을 거쳐 원래의 상태로 되돌아오는 순환 과정을 통하여 작동한다. 열기관 중 하나인 스털링 기관도 이러한 순환 과정을 거치면서 열을 일로 바꾼다.

❶ 스털링 기관

스털링 기관은 밀폐된 공간 안의 기체를 압축·팽창하며 열을 일로 바꾸는 열기관이다. 자동차의 엔진은 연료를 태워서 작동하지만, 스털링 기관은 온도차가 나는 2개의 열원만 있으면 작동하며, 이론상의 열효율도 높은 열기관이다.

스털링 기관에는 여러 종류가 있는데, 오른쪽 그림은 그 중 하나로 2개의 실린더에 각각 파워 피스톤과 디스플레이서 피스톤이 들어가 있는 구조로 되어 있다. 파워 피스톤은 기체가 팽창할 때 외부에 일을 하고, 디스플레이서 피스톤은 작동 물질을 고열원과 저열원으로 이동시키는 역할을 한다.

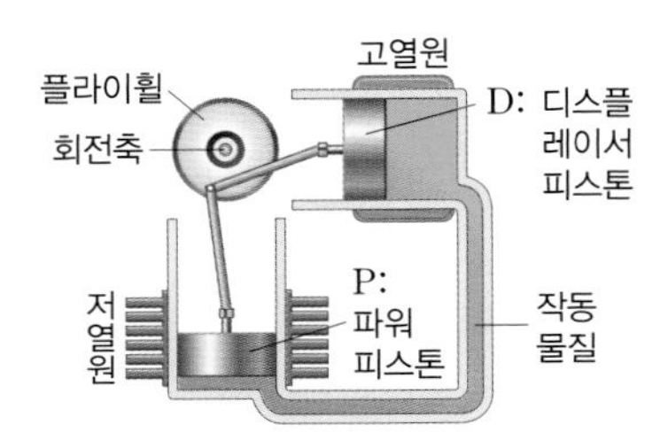

❷ 스털링 기관의 순환 과정

스털링 기관에 수소나 헬륨 등의 작동 물질을 넣고, 외부에서 가열하거나 냉각하면 작동 물질의 팽창과 수축에 따라 피스톤이 이동하여 스털링 기관이 일을 하게 된다. 이상적인 스털링 기관은 다음과 같은 2개의 등적 과정과 2개의 등온 과정으로 이루어진 순환 과정을 거친다. 이 4개의 열역학 과정에서 모두 열 출입이 일어나며, 순환 과정으로 둘러싸인 넓이만큼 스털링 기관이 외부에 일을 한다.

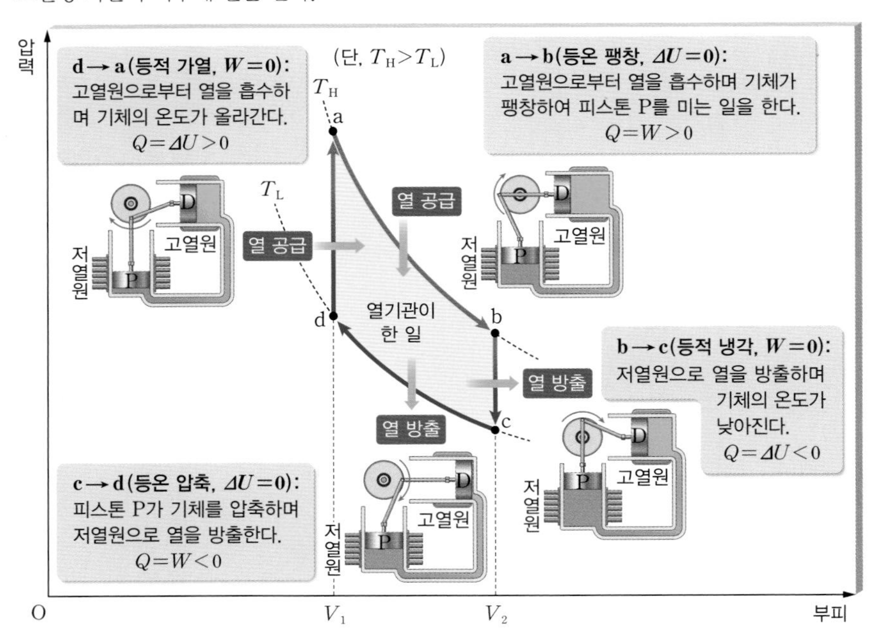

스털링 기관의 장·단점

(1) 장점
- 고온부와 저온부의 온도 차이만 있으면 되므로 반드시 연료를 태워야 할 필요가 없다.
- 온도 차이가 작아도 작동할 수 있다.
- 화석 연료, 태양열, 쓰레기 소각열, 공장의 폐열 등 모든 열에너지를 사용할 수 있다.
- 연료가 연소할 때 폭발 단계가 없어 소음, 진동이 없다.
- 구조가 간단하고, 제작 및 유지 비용이 적게 든다.

(2) 단점: 출력이 낮고, 출력 속도 조절이 어렵다.

02 열과 열역학 과정

① 온도

1. **온도** 물체의 따뜻하고 차가운 정도를 수치로 나타낸 것 예 섭씨온도(℃), 화씨온도(℉), 절대 온도(K)
2. **열역학 제0법칙** 물체 A와 P가 열평형을 이루고, 물체 B와 P가 열평형을 이룬다면, A와 B도 열평형을 이룬다. ➡ 두 물체가 열평형 상태에 있으면 두 물체의 (❶)는 같다.

② 열역학에서 열과 일

1. **열(Q)** 온도가 (❷) 물체에서 온도가 (❸) 물체로 스스로 이동하는 에너지(단위: J, kcal 등)
   - 열량 보존 법칙: 온도가 다른 물체 사이에서 열이 이동할 때, 고온의 물체가 잃은 열량은 저온의 물체가 얻은 열량과 (❹).
2. **기체가 하는 일(W)** 기체 분자들의 충돌로 발생한 힘으로 피스톤을 이동시키는 일
   - 기체의 압력이 일정할 때: 기체가 일정한 압력 P를 유지하면서 부피가 ΔV만큼 팽창할 때 기체가 외부에 한 일 W는 다음과 같다.

$$W=(❺ \quad)$$

   - 압력-부피 그래프와 일: 압력-부피 그래프의 아래 넓이는 기체가 외부에 한 일과 같다.

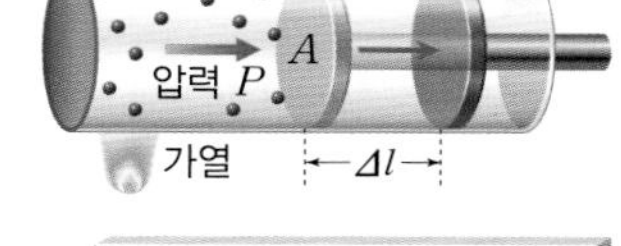

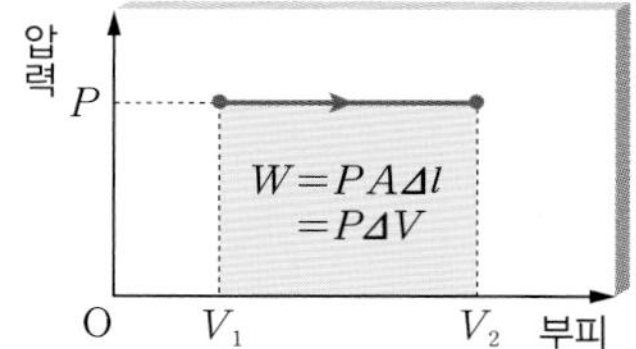

③ 내부 에너지와 열역학 제1법칙

1. (❻)(U) 계를 이루는 분자들의 운동 에너지와 분자 사이의 인력에 따른 퍼텐셜 에너지 등 정지한 계가 가지는 에너지의 총합
   - 이상 기체의 내부 에너지: 이상 기체를 이루는 분자들의 (❼)의 총합으로, 분자 수 N과 절대 온도 T에 비례한다.

$$U=N\overline{E_k} \Rightarrow U \propto NT$$

2. (❽) 외부에서 기체에 가해 준 열량 Q는 기체의 내부 에너지 증가량 ΔU와 기체가 외부에 한 일 W의 합과 같다.

$$Q=\Delta U+W$$

④ 열역학 제1법칙의 응용

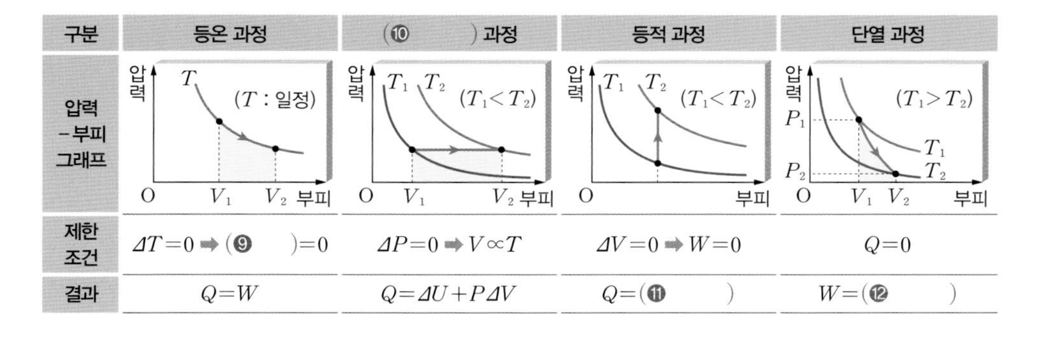

구분	등온 과정	(❿) 과정	등적 과정	단열 과정
압력-부피 그래프	압력, T, (T : 일정), O, V_1, V_2, 부피	압력, T_1, T_2, ($T_1<T_2$), O, V_1, V_2, 부피	압력, T_1, T_2, ($T_1<T_2$), O, 부피	압력, ($T_1>T_2$), P_1, P_2, T_1, T_2, O, V_1, V_2, 부피
제한 조건	$\Delta T=0 \Rightarrow$ (❾)$=0$	$\Delta P=0 \Rightarrow V \propto T$	$\Delta V=0 \Rightarrow W=0$	$Q=0$
결과	$Q=W$	$Q=\Delta U+P\Delta V$	$Q=$(⓫)	$W=$(⓬)

01 그림은 부피가 동일한 2개의 밀폐된 용기 속에 (가)는 평균 속력이 v인 이상 기체 분자가 들어 있고, (나)는 평균 속력이 $2v$인 이상 기체 분자가 들어 있는 모습이다.

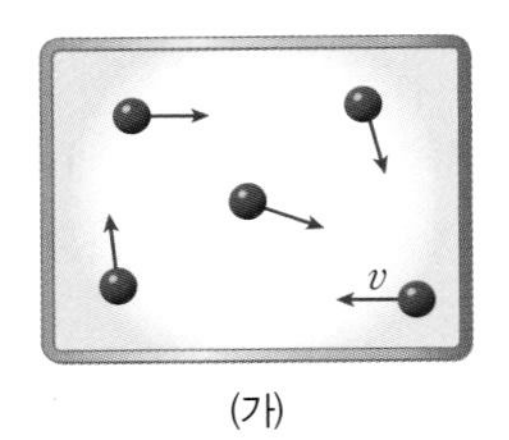

(가)

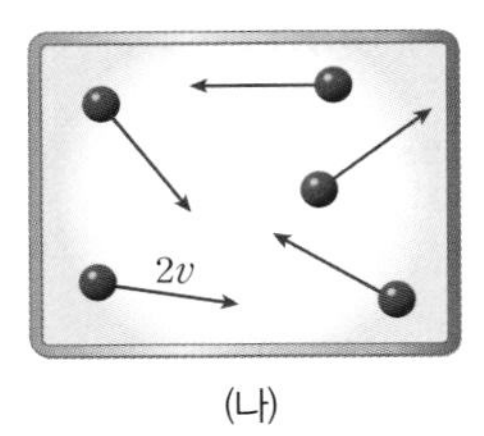

(나)

(나)의 기체가 (가)의 기체보다 큰 물리량만을 보기에서 있는 대로 고르시오. (단, (가)와 (나)의 기체는 분자의 질량과 분자 수는 서로 같다.)

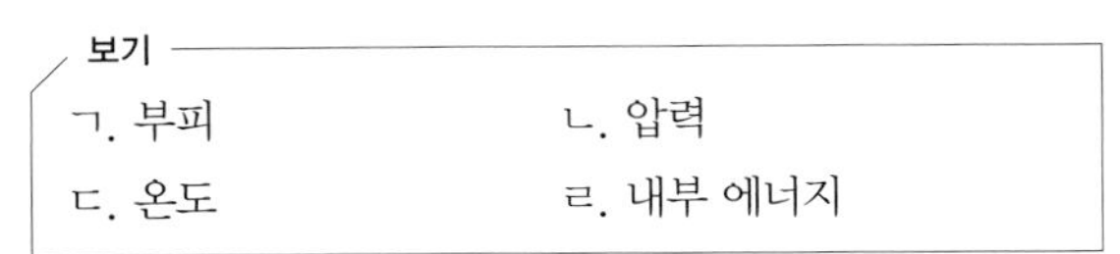
보기
ㄱ. 부피 ㄴ. 압력
ㄷ. 온도 ㄹ. 내부 에너지

02 그림은 단열된 실린더 속에 들어 있는 압력이 P인 이상 기체에 열을 공급하였을 때 물체가 올려진 피스톤이 서서히 이동하여 기체의 부피가 ΔV만큼 증가한 것을 나타낸 것이다.

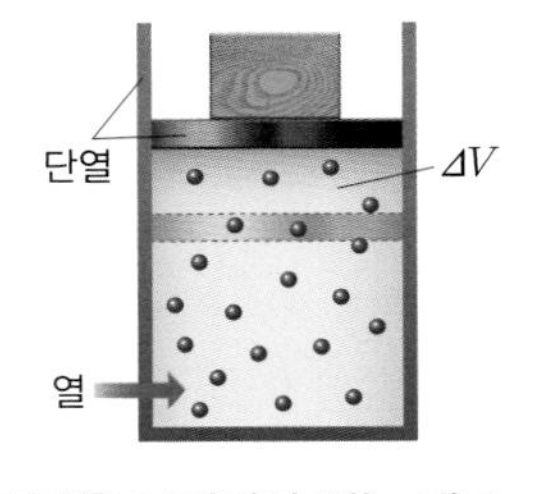

이 기체에 대한 설명으로 옳은 것만을 보기에서 있는 대로 고르시오. (단, 대기압은 일정하고, 모든 마찰은 무시한다.)

보기
ㄱ. 기체의 압력은 일정하다.
ㄴ. 기체가 외부에 한 일은 $P\Delta V$이다.
ㄷ. 기체가 흡수한 열량은 $P\Delta V$이다.

03 다음은 이상 기체의 등온 팽창 과정에 대한 설명이다. ( ) 안에 알맞은 말을 고르시오.

(1) 기체가 외부에 하는 일은 0보다 (크다, 작다).
(2) 기체의 압력은 (증가한다, 감소한다).
(3) 기체는 (외부에 열을 방출, 외부로부터 열을 흡수)한다.

04 그림은 단열된 실린더에 이상 기체를 넣고 단열된 피스톤 위의 구슬의 수를 서서히 감소시켰을 때 기체의 부피가 ΔV만큼 증가한 것을 나타낸 것이다.

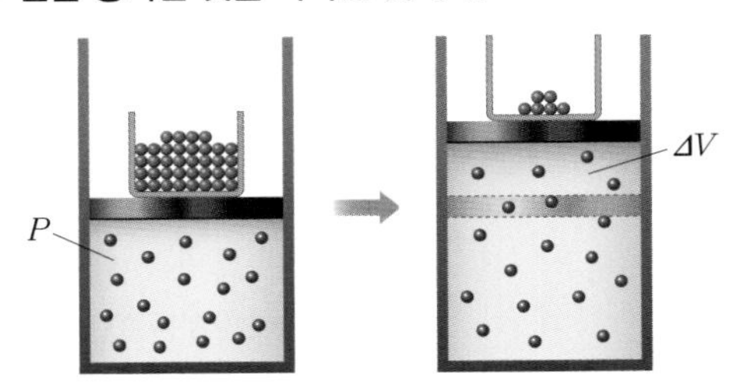

이 기체에 대한 설명으로 옳은 것만을 보기에서 있는 대로 고르시오. (단, 대기압은 일정하고, 모든 마찰은 무시한다.)

보기
ㄱ. 기체의 압력은 감소한다.
ㄴ. 기체의 온도는 일정하다.
ㄷ. 기체가 외부에 한 일은 $P\Delta V$보다 작다.

05 그림과 같이 하나의 피스톤으로 연결된 2개의 동일한 용기 A, B에 같은 양의 이상 기체를 넣어 수평면 위에 장치하였다. 양쪽 기체의 처음 온도는 T_0, 압력은 P_0, 부피는 V_0이었다. A의 온도를 T_0으로 유지하면서 B의 온도를 T로 상승시켰을 때 피스톤이 정지 상태를 유지하였다. (단, 모든 마찰은 무시한다.)

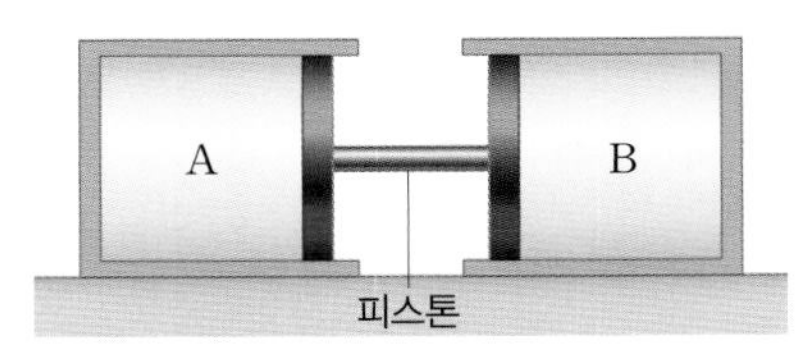

(1) B의 온도가 T일 때, A의 압력을 T_0, P_0, T를 사용하여 구하시오.

(2) B의 온도가 T일 때, A의 부피를 T_0, V_0, T를 사용하여 구하시오.

06 **일정량의 이상 기체의 상태가 그래프와 같이 화살표 방향으로 변하였다. 이 그래프에서 AB는 반비례 곡선이고, 다른 것은 모두 직선이다.**

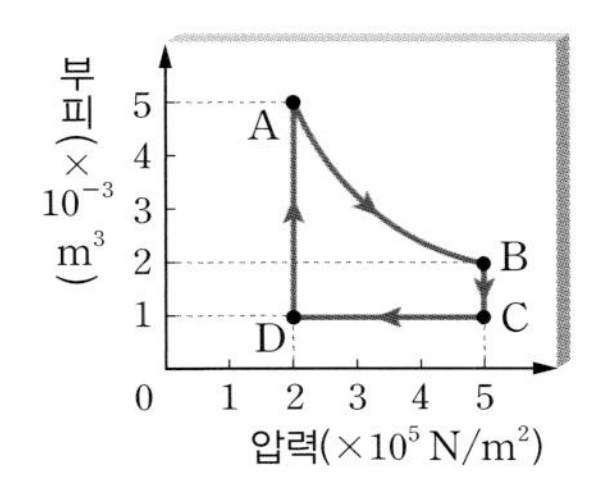

(1) 기체의 온도가 일정한 구간을 쓰시오.

(2) B에서의 온도가 300 K일 때, D에서의 온도를 구하시오.

07 **1기압(1.0×10^5 N/m²), 27 °C인 이상 기체 0.6 m³가 있다.**

(1) 압력을 일정하게 하고 부피를 1.5배가 되게 하려면, 온도를 얼마만큼 높여야 하는지 구하시오.

(2) 처음 상태에서 (1)번과 같은 상태로 되는 과정에서 기체가 외부에 하는 일을 구하시오.

(3) 처음 상태에서 (1)번과 같은 상태로 되는 과정에서 기체의 내부 에너지는 몇 배가 되는지 구하시오.

08 **실린더 안에 들어 있는 일정량의 이상 기체를 다음과 같이 세 가지 방법으로 부피를 팽창시켰다.**

(가) 압력을 일정하게 유지하며 부피를 2배로 증가시켰다.
(나) 온도를 일정하게 유지하며 부피를 2배로 증가시켰다.
(다) 외부와 열의 이동을 차단하고 부피를 2배로 증가시켰다.

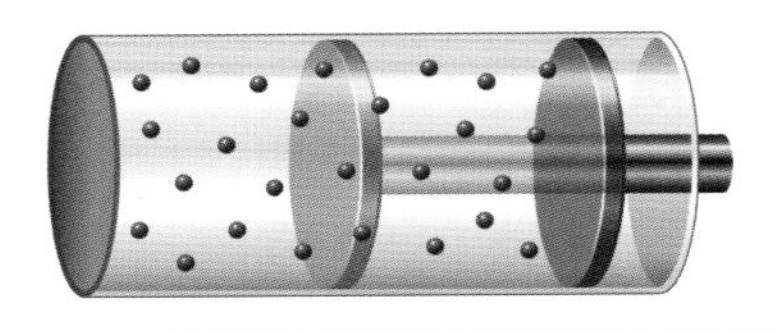

(가)~(다) 과정에서 기체가 외부에 한 일의 양을 등호 또는 부등호로 비교하시오.

09 **일정량의 이상 기체의 압력과 부피가 그래프와 같이 화살표 방향으로 변하였다.**

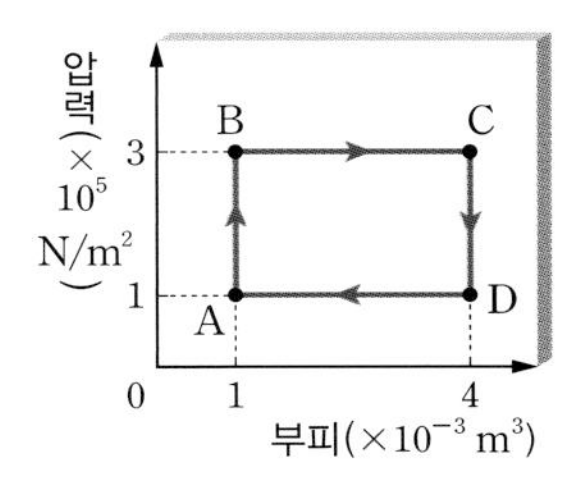

(1) C에서 기체 분자의 평균 운동량의 크기는 B에서의 몇 배인지 구하시오.

(2) 한 번의 순환 과정에서 기체가 외부에 한 일은 몇 J인지 구하시오.

10 **일정량의 이상 기체의 압력과 부피가 그래프와 같이 화살표 방향으로 변하였다. 이 기체에 대한 설명으로 옳은 것만을 보기에서 있는 대로 고르시오.**

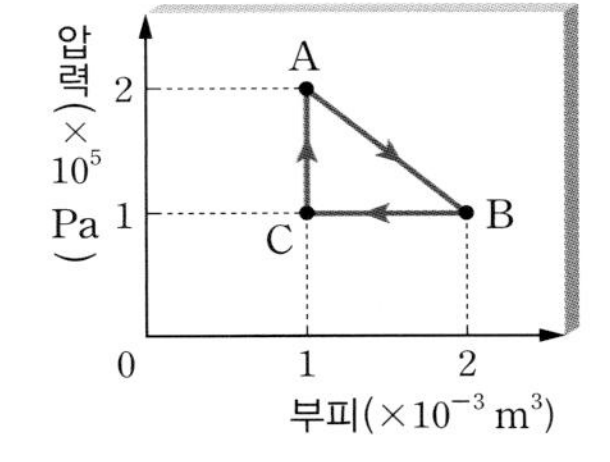

보기

ㄱ. A와 B 상태에서의 온도는 같다.
ㄴ. A → B 과정에서 기체가 한 일은 150 J이다.
ㄷ. B → C 과정에서 방출한 열량과 C → A 과정에서 흡수한 열량은 같다.

11 **일정량의 단원자 분자 이상 기체의 상태를 그래프와 같이 A → B → C → A 과정을 따라 변화시켰다. A → B 과정에서 기체가 흡수한 열량은 $36P_0V_0$이다. (단, B → C는 단열 과정이다.)**

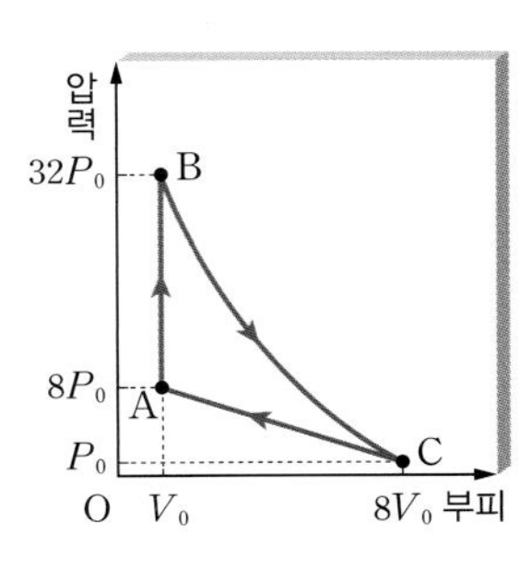

(1) B → C 과정에서 기체가 외부에 한 일을 P_0과 V_0을 사용하여 구하시오.

(2) A → B → C → A의 한 순환 과정 동안 기체가 외부에 한 일을 P_0과 V_0을 사용하여 구하시오.

01

> 기체가 하는 일

그림은 일정량의 이상 기체의 상태가 a에서 b로 변할 때 압력과 부피의 관계를 나타낸 것이다.

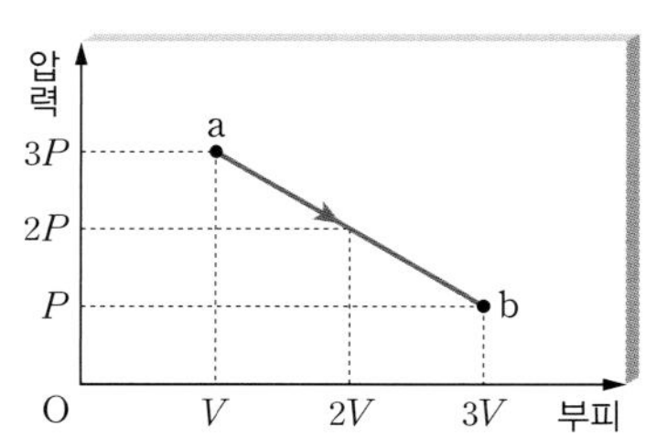

이 변화 과정에 대한 설명으로 옳은 것만을 보기에서 있는 대로 고른 것은?

보기

ㄱ. 기체가 외부에 한 일은 $4PV$이다.

ㄴ. 내부 에너지는 일정하게 유지된다.

ㄷ. 기체가 흡수한 열량은 $4PV$이다.

① ㄱ ② ㄴ ③ ㄱ, ㄷ ④ ㄴ, ㄷ ⑤ ㄱ, ㄴ, ㄷ

• 기체의 온도는 압력과 부피의 곱에 비례하고, 압력-부피 그래프의 아래 넓이가 기체가 하는 일이다.

02

> 기체가 하는 일

그림과 같이 외부로부터 단열시킨 상자의 반을 칸막이로 막고 한쪽에만 이상 기체를 채웠다.

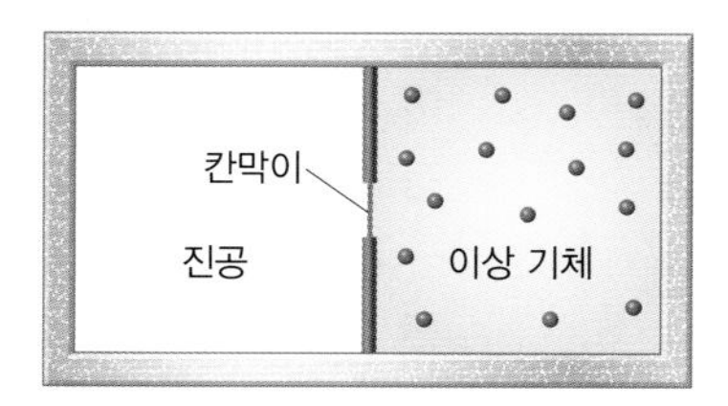

이 칸막이를 치웠을 때 나타나는 현상으로 옳은 것만을 보기에서 있는 대로 고른 것은?

보기

ㄱ. 이상 기체는 외부에 일을 한다.

ㄴ. 이상 기체의 내부 에너지는 감소한다.

ㄷ. 이상 기체의 온도는 일정하다.

① ㄱ ② ㄷ ③ ㄱ, ㄴ ④ ㄴ, ㄷ ⑤ ㄱ, ㄴ, ㄷ

• 기체가 열을 흡수하거나 압축될 때 내부 에너지가 증가한다.

고난도

03

> 기체가 하는 일

그림 (가), (나)와 같이 절대 온도가 T_0, 부피가 V_0인 동일한 이상 기체 A와 B가 열량 Q를 흡수하여 각각 절대 온도는 T_A, T_B로, 부피는 V_0, $2V_0$으로 되었다. (나)에서 B의 압력은 일정하고, 피스톤의 마찰은 무시한다.

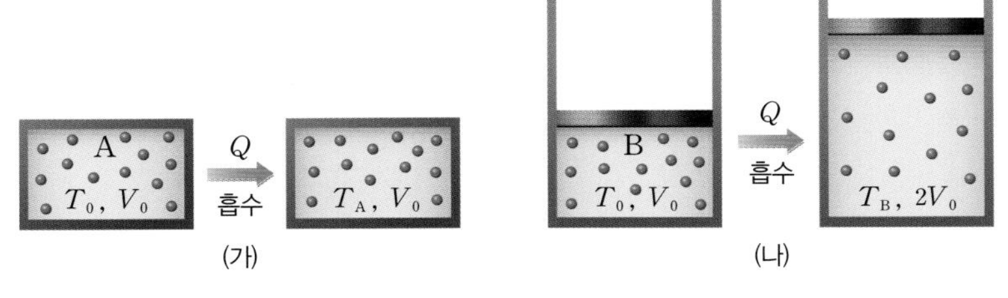

이에 대한 설명으로 옳은 것만을 보기에서 있는 대로 고른 것은?

보기

ㄱ. (가)에서 A의 내부 에너지는 Q만큼 증가한다.
ㄴ. (나)에서 B가 외부에 한 일은 Q와 같다.
ㄷ. $T_A=2T_0$이다.

① ㄱ ② ㄷ ③ ㄱ, ㄴ ④ ㄴ, ㄷ ⑤ ㄱ, ㄴ, ㄷ

• 열역학 제1법칙은 $Q=\Delta U+W$이다. 부피가 증가할 때 외부에 일을 하고 $W>0$이며, 온도가 증가할 때 내부 에너지가 증가하고 $\Delta U>0$이다.

04

> 열역학 법칙

그림과 같이 매우 부드럽게 움직이는 피스톤이 달린 실린더에 부피가 V_0인 이상 기체가 들어 있다. 실린더는 온도가 T_0인 얼음물에 담겨 있고 벽을 통하여 열이 교환되며, 물의 양은 기체에 비해 매우 많다. 이때 실린더 안의 기체를 다음과 같이 변화시켰다.

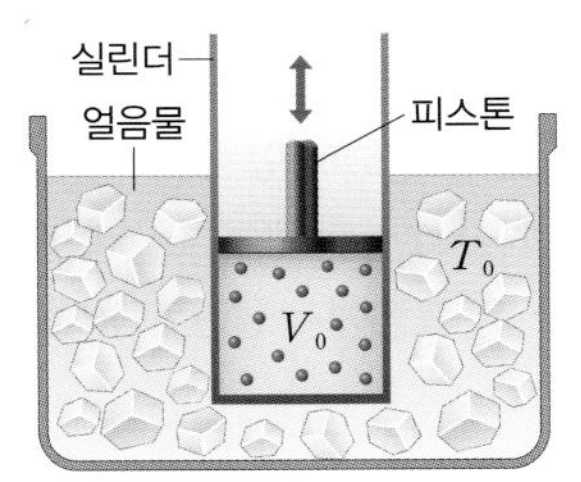

〈과정 1〉 피스톤을 매우 빠르게 눌러 부피를 $\frac{V_0}{2}$으로 줄인다. ➡ 상태 B
〈과정 2〉 피스톤의 위치를 고정시킨 채 실린더 안의 기체가 얼음물의 온도에 이를 때까지 기다린다. ➡ 상태 C
〈과정 3〉 매우 천천히 피스톤을 잡아당겨 다시 처음 위치까지 올려 처음 상태(상태 A)로 복원하였다.

이 변화 과정에 대한 설명으로 옳은 것만을 보기에서 있는 대로 고른 것은?

보기

ㄱ. 〈과정 1〉은 단열 과정이다.
ㄴ. 〈과정 3〉은 등온 과정이다.
ㄷ. 상태 C에서 기체의 압력은 상태 A일 때와 같다.
ㄹ. 〈과정 3〉에서 기체는 열을 흡수하여 모두 일하는 데 사용하였다.

① ㄱ, ㄴ ② ㄴ, ㄷ ③ ㄱ, ㄴ, ㄹ ④ ㄱ, ㄷ, ㄹ ⑤ ㄴ, ㄷ, ㄹ

• 기체의 상태가 변할 때 압력, 부피, 절대 온도 사이에는 $\frac{PV}{T}=$일정의 관계가 성립한다.

05

> 열역학 법칙

그림은 일정량의 이상 기체의 상태가 A → B → C → D → A 과정을 따라 변할 때 압력과 부피의 관계를 나타낸 것이다. A → B와 C → D는 등온 과정이고, B → C와 D → A는 등적 과정이다.

D에서 절대 온도가 T일 때, 이에 대한 설명으로 옳은 것만을 보기에서 있는 대로 고른 것은?

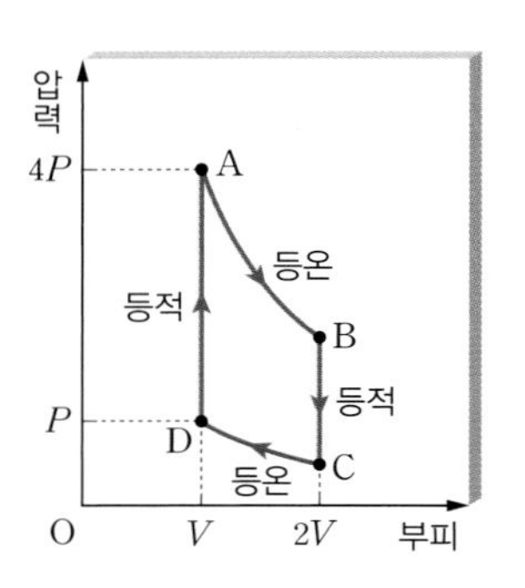

• 등적 과정에서 온도는 압력에 비례한다.

보기

ㄱ. B에서의 온도는 $4T$이다.
ㄴ. A → B 과정에서 열 출입이 없다.
ㄷ. B → C 과정에서 내부 에너지 감소량은 D → A 과정에서 내부 에너지 증가량과 같다.

① ㄱ ② ㄴ ③ ㄱ, ㄷ ④ ㄴ, ㄷ ⑤ ㄱ, ㄴ, ㄷ

06

> 열역학 법칙

그림 (가)와 같이 이상 기체가 들어 있는 실린더가 열전달이 잘되는 금속판에 의해 A, B 두 부분으로 나누어져 있다. 금속판은 고정되어 있으며, A와 B 부분의 이상 기체의 온도는 서로 같다. (가)의 피스톤 위에 추를 가만히 놓았더니 그림 (나)와 같이 피스톤이 정지하고, A와 B의 이상 기체의 온도가 같아졌다. 이 과정에서 실린더와 피스톤을 통한 열 출입은 없다.

• 단열 과정에서 기체의 부피가 감소할 때 기체의 온도는 증가한다.

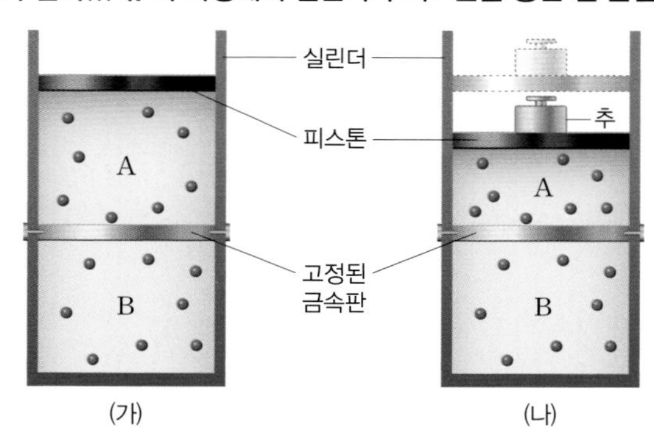

A와 B 부분의 기체에 대한 설명으로 옳은 것만을 보기에서 있는 대로 고른 것은? (단, 실린더와 피스톤 사이의 마찰은 무시한다.)

보기

ㄱ. (가)에서 (나)로 변하는 과정에서 열은 금속판을 통해 A에서 B로 이동하였다.
ㄴ. A의 기체의 내부 에너지는 (나)에서가 (가)에서보다 크다.
ㄷ. B의 기체의 압력은 (가), (나) 두 경우에서 같다.

① ㄱ ② ㄷ ③ ㄱ, ㄴ ④ ㄴ, ㄷ ⑤ ㄱ, ㄴ, ㄷ

07

> 열역학 법칙

그림은 일정량의 이상 기체의 상태가 A → B → C → D → A 과정을 따라 변할 때 압력과 온도의 관계를 나타낸 것이다. B → C와 D → A는 등적 과정이다.

이에 대한 설명으로 옳은 것만을 보기에서 있는 대로 고른 것은?

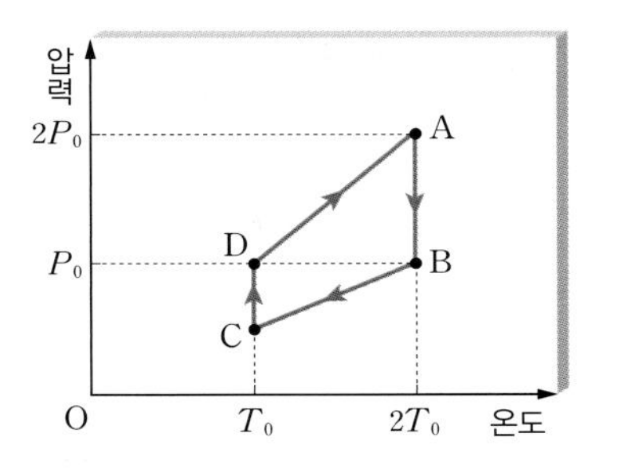

보기

ㄱ. A → B 과정에서 기체는 외부로 열을 방출한다.

ㄴ. B → C 과정에서 기체의 내부 에너지 감소량은 D → A 과정에서 기체의 내부 에너지 증가량과 같다.

ㄷ. 기체의 부피는 C에서가 A에서의 2배이다.

① ㄱ ② ㄷ ③ ㄱ, ㄴ ④ ㄴ, ㄷ ⑤ ㄱ, ㄴ, ㄷ

- 등적 과정에서는 외부에 하는 일이나 얻는 일이 0이므로 흡수한 열량이 내부 에너지 증가량과 같다.

$$Q = \Delta U + W = \Delta U$$

08

> 열역학 법칙

그림 (가)는 피스톤에 의해 두 부분으로 나누어진 실린더의 왼쪽에는 이상 기체가 있고 오른쪽에는 벽에 고정된 용수철이 피스톤과 연결된 것을 나타낸 것이다. 이때 용수철은 늘어나거나 줄어들지 않은 상태이다. 그림 (나)는 (가)에서 핀이 제거된 피스톤이 오른쪽으로 천천히 움직이다가 정지한 순간, 피스톤을 다시 핀으로 고정시킨 모습을 나타낸 것이다. 이 과정에서 실린더와 피스톤을 통한 열 출입은 없다.

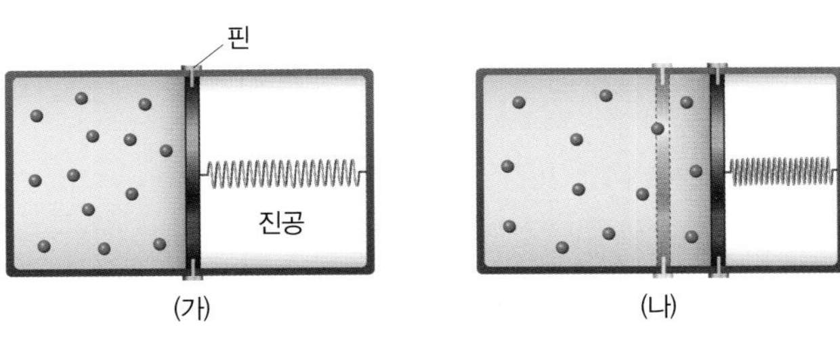

(가) (나)

이에 대한 설명으로 옳은 것만을 보기에서 있는 대로 고른 것은? (단, 실린더와 피스톤 사이의 마찰은 무시한다.)

보기

ㄱ. (가) → (나) 과정에서 기체의 압력은 감소한다.

ㄴ. (가) → (나) 과정에서 기체의 내부 에너지는 변하지 않는다.

ㄷ. (가) → (나) 과정에서 용수철의 탄성 퍼텐셜 에너지 변화량은 이상 기체의 내부 에너지 변화량보다 크다.

① ㄱ ② ㄷ ③ ㄱ, ㄴ ④ ㄴ, ㄷ ⑤ ㄱ, ㄴ, ㄷ

- 단열 팽창 과정에서는 외부에 일을 한 만큼 기체의 내부 에너지가 감소한다.

03 열기관과 열효율

학습 Point 자연 현상의 비가역성 > 열역학 제2법칙 > 열기관의 열효율 > 열기관의 열효율의 한계

자연 현상의 비가역성

시간은 나이가 드는 방향으로만 흐르고, 식탁에 놓은 뜨거운 밥은 점점 미지근해진다. 이처럼 모든 자연 현상은 자연적으로 일어나는 방향이 있으며, 그 반대 방향으로는 일어나지 않는다.

1. 가역 변화와 비가역 변화

(1) **가역 변화:** 그림과 같은 진자는 공기 저항이나 마찰 등이 없다면 일정한 진폭으로 계속 진동한다. 즉, 진자의 역학적 에너지는 보존되므로 한 주기마다 동일한 에너지 상태의 운동을 반복한다. 이와 같이 외부에 어떤 변화도 남기지 않고 원래의 상태로 되돌아갈 수 있는 변화를 가역 변화라 하고, 이러한 과정을 가역 과정이라고 한다.

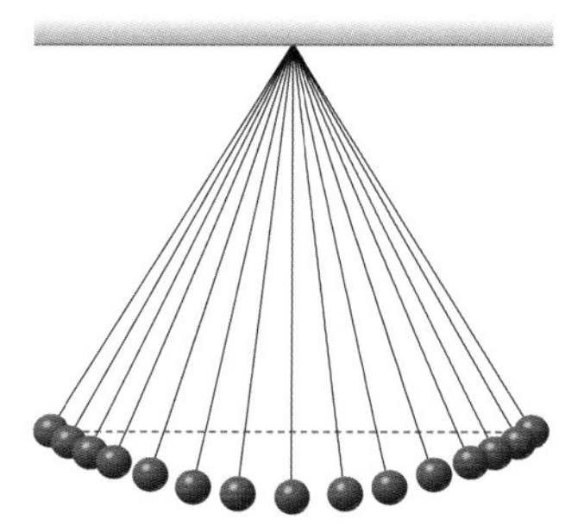

▲ 진자의 가역 현상

① 자연 현상 중 완벽한 가역 변화는 없다.

② 마찰이나 저항이 없는 이상적인 상황에서 일어나는 변화가 가역 변화에 해당한다.

(2) **비가역 변화:** 실제로 진자는 공기 저항 등에 의해 시간이 지날수록 진폭이 점점 감소하다 결국 정지한다. 이 진자가 다시 원래의 상태로 돌아가려면 외부에서 진자에 일을 해 주어야 한다. 또, 물속에 잉크 방울을 떨어뜨리면 잉크가 확산되는 일은 일어나지만, 퍼져 있던 잉크가 저절로 다시 모여 잉크 방울이 되는 일은 결코 일어나지 않는다. 이처럼 외부에 어떤 변화도 남기지 않고 원래의 상태로 되돌아가지 못하는 변화를 비가역 변화라 하고, 이러한 과정을 비가역 과정이라고 한다.

① 자연 현상은 거의 모두가 비가역 변화이며, 변화 과정에 관계없이 계 전체의 에너지는 항상 일정하게 보존된다.

② 비가역 변화가 진행된 후에는 자발적으로 원래 상태로 돌아가지 않는다.

▲ 잉크의 확산에서 나타나는 비가역성

가역 변화의 예
공기 저항이나 마찰이 없는 상태에서 진자가 일정한 진폭으로 계속 진동하는 현상

③ 비가역 변화의 예

• 그림과 같은 용기에서 한쪽 A에 채운 기체가 진공 상태이던 B 속으로 자유 팽창하는 현상
• 공기 중에서 진동하는 진자의 진폭이 점점 감소하는 현상
• 잉크를 물에 떨어뜨렸을 때 잉크가 확산되는 현상
• 온도가 다른 두 물체를 접촉시켜 놓았을 때 열이 고온의 물체에서 저온의 물체로 이동하는 현상

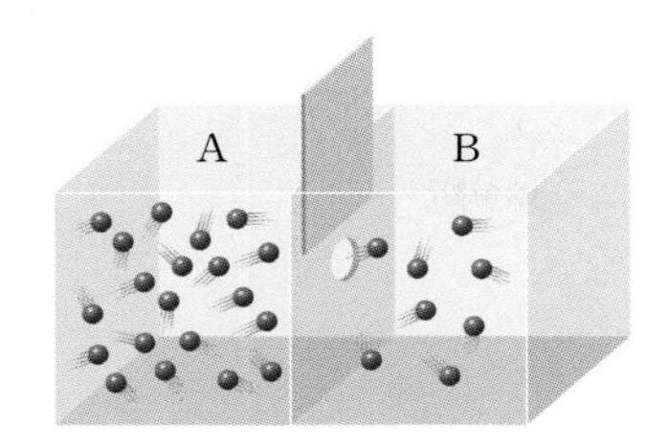

▲ 자유 팽창에서의 비가역 변화

비가역 변화의 생활 속 예

• 방의 한쪽에서 향수병을 열어 놓으면 향수 냄새가 방 전체로 퍼지지만, 그 반대의 현상은 일어나지 않는다.
• 차가운 물과 뜨거운 물을 섞으면 미지근해지지만, 미지근한 물이 스스로 차가운 물과 뜨거운 물로 나뉘지 않는다.
• 옥수수 알갱이를 팝콘 알갱이로 만들 수는 있지만, 팝콘 알갱이를 옥수수 알갱이로 만드는 것은 불가능하다.

2. 엔트로피

대부분의 자연 현상은 한쪽으로만 진행하고, 그 역으로는 진행하지 않는다. 이러한 자연 현상의 비가역성을 설명하기 위해 1865년 독일의 물리학자 클라우지우스(Clausius, R. J. E., 1822~1888)는 엔트로피(entropy, S)라는 새로운 물리량을 도입하고, 자연 현상은 엔트로피가 증가하는 방향으로 일어난다는 가설을 제안하였다.

(1) **엔트로피의 변화량(ΔS):** 엔트로피의 변화량 ΔS는 외부에서 계로 공급되는 열량 Q에 비례하고, 절대 온도 T에 반비례한다.

$$\Delta S=\frac{Q}{T} \text{ (단위: J/K)}$$

열량 Q의 부호
열량 Q는 흡수할 때 (+), 방출할 때 (−)로 된다.

① 가역 과정에서 엔트로피는 변하지 않고, 비가역 과정에서 엔트로피는 증가한다.
② 자연계의 모든 현상은 엔트로피가 증가하는 방향으로 일어난다.

(2) **열의 이동과 엔트로피 변화:** 온도가 다른 두 물체로 이루어진 계에서, 온도가 T_1인 물체에서 T_2인 물체로 열량 Q가 이동하는 경우를 생각해 보자. 이때 열이 빠져나간 물체의 엔트로피 변화량은 $-\frac{Q}{T_1}$이고, 열을 얻은 물체의 엔트로피 변화량은 $\frac{Q}{T_2}$이므로, 전체 엔트로피 변화량 ΔS는 다음과 같다.

$$\Delta S=-\frac{Q}{T_1}+\frac{Q}{T_2}=Q\left(\frac{1}{T_2}-\frac{1}{T_1}\right) \text{ (단위: J/K)}$$

$Q>0$이므로 $\Delta S>0$이 되려면 $T_2<T_1$이어야 한다. 즉, 열은 고온(T_1)의 물체에서 저온(T_2)의 물체로 이동하며, 역과정은 저절로 일어나지 않는다는 것을 알 수 있다.

3. 열역학 제2법칙

열역학 제1법칙은 에너지가 보존된다는 것을 의미할 뿐이며, 열(에너지)의 이동 방향을 설명하지는 못한다. 자연계에는 에너지 보존 법칙과 다른 자연 현상의 비가역적 진행 방향을 결정하는 어떤 법칙이 있다고 생각되며, 이러한 방향성을 정해 주는 법칙을 열역학 제2법칙이라고 한다.

> **클라우지우스의 표현:** 열은 고온의 물체에서 저온의 물체 쪽으로 흘러가고, 자발적으로 저온의 물체에서 고온의 물체로 흐를 수 없다.

2 열기관의 열효율

집중 분석 1권 136쪽~137쪽

자연 현상에서 일어나는 변화에 비가역적인 방향성이 있다는 사실은 언뜻 우리 생활과는 관계없어 보이기도 한다. 하지만 이것은 자동차 엔진과 같은 열기관이 가질 수 있는 열효율의 한계를 결정하는 핵심적인 요인이 된다.

1. 열기관

(1) **열기관:** 고열원에서 열을 흡수하여 외부에 일을 하고, 저열원으로 나머지 열을 방출하며 원래 상태로 되돌아오는 순환 과정을 갖는 기관이다.

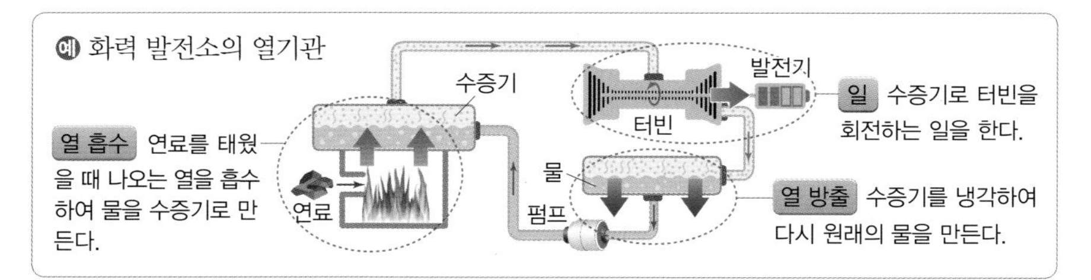

(2) **열기관의 구조**

① **작동 물질:** 화력 발전소의 열기관 내부의 증기와 물이나 자동차 내연 기관의 연료와 공기의 혼합물처럼, 열기관 내부에서 일을 하는 물질이다.

② **고열원:** 작동 물질에 열을 공급하는 고온의 열 저장체

③ **저열원:** 열기관 바깥 환경으로 온도가 낮은 부분

2. 열기관의 열효율

열기관은 순환 과정을 거치는 동안 온도 T_1인 고열원에서 Q_1의 열을 흡수하여 외부에 W의 일을 하고, 온도 T_2인 저열원으로 Q_2의 열을 방출한다.

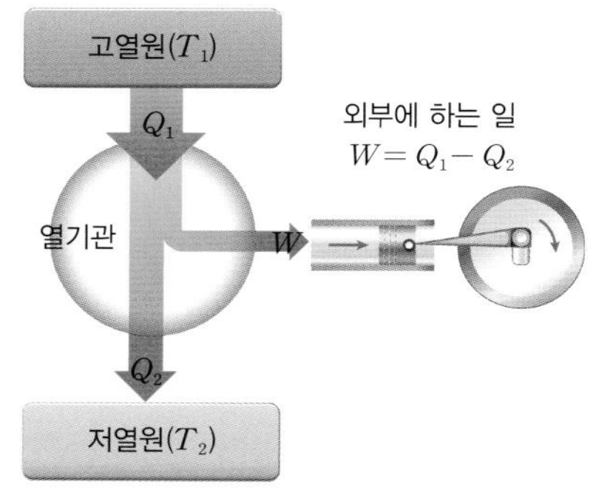

▲ 열기관에서 에너지 흐름

(1) **열기관의 내부 에너지 변화:** 열기관이 한 번의 순환 과정을 거치면 다시 처음 상태로 되돌아오므로, 한 번의 순환 과정 동안 열기관의 내부 에너지 변화는 없다.

$$\Delta U=0$$

(2) **열기관이 외부에 하는 일:** 열역학 제1법칙 $Q=\Delta U+W$에서 $Q=W$가 된다. 한 번의 순환 과정 동안 열기관이 흡수한 열은 (+), 방출한 열은 (−)로 표시하면, 알짜일 W를 하는 데 쓰인 알짜열 $Q=Q_1-Q_2$가 된다. 따라서 열기관이 외부에 한 일 W는 다음과 같다.

$$W=Q_1-Q_2$$

(3) **열기관의 열효율:** 열기관의 목적은 고열원에서 흡수한 열 Q_1을 되도록 많은 양의 일 W로 변환시키는 것이다. 한 번의 순환 과정에서 흡수한 열 Q_1에 대하여 외부에 한 일 W의 비율을 열효율(e)이라고 하며, 다음과 같이 나타낸다.

$$e=\frac{\text{한 일}}{\text{흡수한 열}}=\frac{W}{Q_1}=\frac{Q_1-Q_2}{Q_1}=1-\frac{Q_2}{Q_1}$$

기관(engine)
기관은 어떤 형태(전기, 중력, 열, 화학)의 에너지를 일로 전환하는 장치로, 에너지(연료)를 공급하는 동안 계속 동작할 수 있는 순환 과정을 거치는 특징이 있다. 대포나 고체 연료 로켓 엔진은 일회성 사용체이므로 엄밀하는 기관이라고 할 수 없다.

실생활에서 열효율의 표시
실생활에서는 열효율에 100을 곱하여 %(퍼센트)로 나타낸다.

$$e(\%)=\frac{W}{Q_1}\times 100$$

3. 열기관의 열효율의 한계

1824년, 프랑스 과학자 카르노(Carnot, N. L. S., 1796~1832)는 카르노 기관이라고 하는 이상적인 열기관을 제안하였다. 카르노 기관은 고열원과 저열원 사이에서 이상적인 가역 순환 과정으로 작동하는 열기관으로, 같은 온도 사이에서 작동하는 열기관 중 열효율이 가장 높은 이상적인 열기관이다.

(1) **카르노 기관:** 이상 기체가 채워진 실린더와 피스톤으로 구성되어 있고, 피스톤을 통해 외부에 일을 전달하며, 가역 과정을 거치는 열기관이다.

(2) **카르노 기관의 순환 과정:** 다음과 같이 두 단계의 등온 과정과 두 단계의 단열 과정으로 이루어져 있으며, 모두 가역 과정이다.

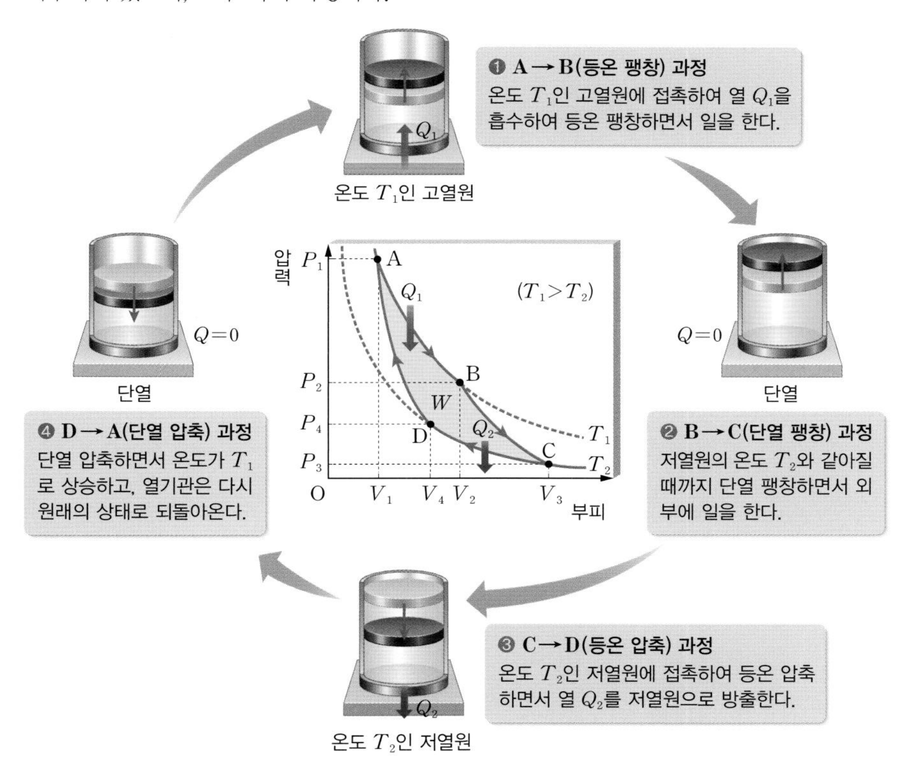

▲ 카르노 기관의 순환 과정

① 계로 유입되는 열의 알짜 흐름은 Q_1-Q_2이다.

② 순환 과정 동안 외부에 하는 일: 압력-부피 그래프에서 닫힌 곡선으로 둘러싸인 ABCD의 넓이는 열기관이 외부에 한 알짜일 W와 같다. ➡ $W=Q_1-Q_2$

과정	일	
A → B 과정	열의 유입에 의해 일이 이루어진다.	$W>0$
B → C 과정	기체의 내부 에너지 일부를 사용하여 외부에 일을 한다. 이때 기체의 온도는 낮아진다.	
C → D 과정	회전축의 관성에 의해 피스톤이 기체를 압축하며 일을 하고, 열이 외부로 빠져나간다.	$W<0$
D → A 과정	피스톤이 계속 기체에 일을 하여 내부 에너지가 증가한다. 이때 기체의 온도는 높아진다.	

한 번의 순환 과정 동안 열기관이 하는 일
A → B → C 과정에서 기체가 외부에 한 일은 곡선 ABC 아래의 넓이와 같고, C → D → A 과정에서 외부에서 기체가 받은 일은 곡선 CDA 아래의 넓이와 같다. 따라서 기체가 외부에 한 알짜일 W는 그래프로 둘러싸인 넓이와 같다.

(3) 카르노 기관의 엔트로피 변화

① 카르노 기관의 순환 과정 중 등온 과정에서만 열 출입이 일어나므로, 다음의 두 과정 동안만 작동 물질의 엔트로피가 변한다.

과정	A → B 과정	C → D 과정
열의 출입	이상 기체는 온도 T_1을 유지하며 열 Q_1을 흡수한다.	이상 기체는 온도 T_2를 유지하며 열 Q_2를 방출한다.
엔트로피 변화	$\Delta S_{A\to B}=\dfrac{Q_1}{T_1}$	$\Delta S_{C\to D}=-\dfrac{Q_2}{T_2}$

② 카르노 기관의 순환 과정은 가역 과정이므로 전체 엔트로피 변화는 0이다. 따라서 다음 관계가 성립한다.

$$\Delta S=\Delta S_{A\to B}+\Delta S_{C\to D}=\frac{Q_1}{T_1}-\frac{Q_2}{T_2}=0 \Rightarrow \frac{Q_1}{Q_2}=\frac{T_1}{T_2}$$

카르노 기관의 엔트로피 변화 그래프

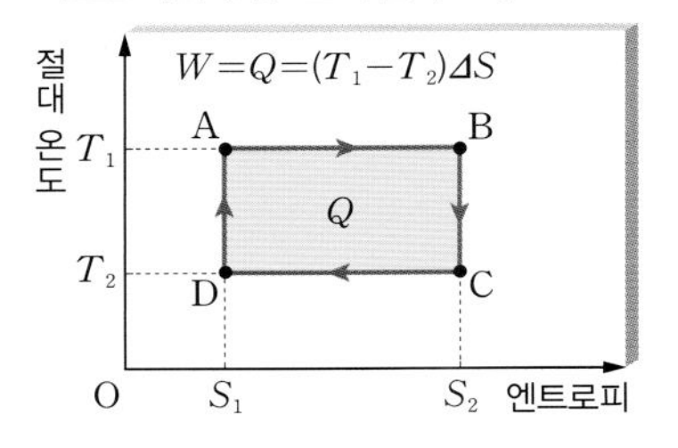

(4) 카르노 기관의 열효율(e_c): $\dfrac{Q_1}{Q_2}=\dfrac{T_1}{T_2}$가 성립하므로, 카르노 기관의 열효율 e_c는 다음과 같이 고열원의 절대 온도 T_1과 저열원의 절대 온도 T_2에 의해 결정되는 것을 알 수 있다.

$$e_c=\frac{W}{Q_1}=1-\frac{Q_2}{Q_1}=1-\frac{T_2}{T_1}$$

① 카르노 기관은 임의의 두 고정 온도 사이에서 동작하는 열기관 중에서 허용된 가장 높은 열효율(최대 열효율)을 갖는 이상적인 열기관이다.

② 절대 온도가 0 K인 저열원은 없으므로 이상적인 열기관의 열효율도 1(100 %)이 될 수 없다. 즉, 열효율이 100 %인 열기관은 존재할 수 없다.

카르노 기관의 열효율 식과 스털링 기관

카르노 기관의 열효율 식은 이상 기체를 작동 물질로 사용하는 모든 열기관에 적용되는 것은 아니다. 스털링 기관에서는 4개의 모든 과정에서 열 출입이 발생하여 엔트로피 변화가 일어나므로, 이 식이 적용될 수 없다.

4. 열역학 제2법칙의 다른 표현

카르노 기관은 열을 모두 일로 바꾸는 것은 불가능함을 알려주며, 열기관의 이러한 한계는 에너지의 흐름에 방향성이 있기 때문이다. 따라서 열역학 제2법칙은 다음과 같이 표현할 수도 있다.

- 켈빈-플랑크의 표현: 일정한 온도의 물체로부터 열을 빼앗아 이것을 모두 일로 바꾸는 순환 과정(장치)은 존재하지 않는다.
- 흡수한 열을 모두 일로 전환할 수 있는 열기관, 즉 열효율이 1(100 %)인 열기관은 만들 수 없다.

5. 실제 열기관의 열효율

실제 열기관의 열효율은 마찰 등의 비가역적 변화에 의한 손실 때문에 카르노 기관의 열효율 값보다 작다.

$$e=\frac{W}{Q_1}=1-\frac{Q_2}{Q_1}\leq e_c=1-\frac{T_2}{T_1}$$

열기관의 설계를 개선하면 좀 더 나은 열효율을 얻을 수 있다. 그러나 고열원의 열이 저열원으로 저절로 흐르는 것을 막을 수 없으므로 100 %의 열효율을 갖는 열기관을 설계하는 것은 불가능하다.

시야 확장 ⊕ 제2종 영구 기관

고열원에서 얻은 열을 모두 일로 바꾸는 열기관을 제2종 영구 기관이라고 한다. 이것은 열역학 제1법칙(에너지 보존 법칙)에는 어긋나지 않지만, 열역학 제2법칙에 위배되므로 만들 수 없다. 만약 이러한 장치가 만들어졌다면 바다나 대기가 갖고 있는 무한한 열(내부 에너지)을 공장이나 발전소의 동력원으로 사용할 수 있을 것이다. 제2종 영구 기관은 열역학 제2법칙에 위배된다.

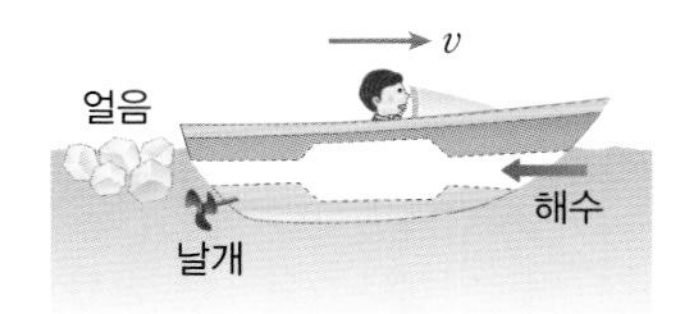

뱃머리에서 따뜻한 해수를 끌어들여 그 열을 추진기 날개를 돌리는 에너지로 사용하고, 배 뒤로는 얼음 덩어리를 배출한다.

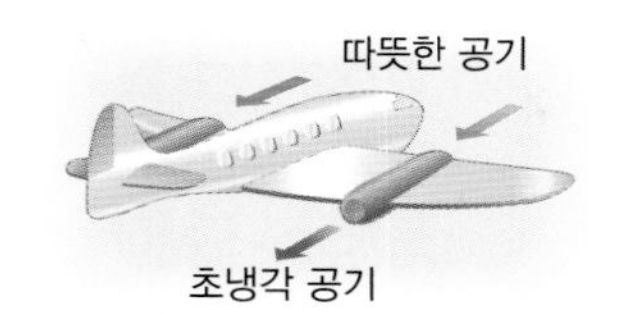

비행기에서 엔진으로 따뜻한 공기를 빨아들이고 그 열을 이용하여 비행한다. 에너지를 사용했으므로 비행기 뒤로는 차가운 공기가 나온다.

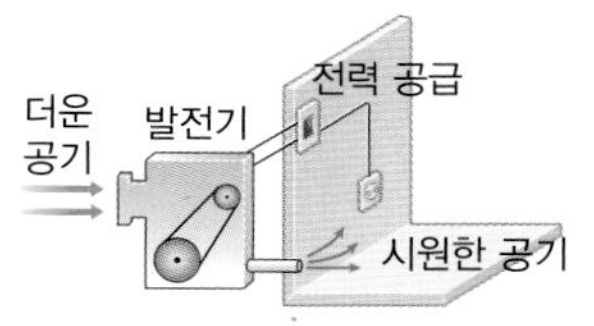

더운 여름에 바깥의 더운 공기의 열로 발전기를 돌려 전기를 사용하고, 열이 빠져나가 차가워진 공기는 집 안 냉방에 사용한다.

3 열역학 제2법칙과 엔트로피

열역학 제2법칙을 엔트로피 법칙이라고도 한다. 1877년, 볼츠만은 엔트로피를 확률적인 의미를 지니는 물리량으로 새롭게 해석하여 열역학 제2법칙에 대한 이해를 더욱 깊게 하였다.

1. 볼츠만의 엔트로피 방정식

볼츠만(Boltzmann, L. E., 1844~1906)은 엔트로피를 새롭게 정의한 오스트리아의 과학자로, 경우의 수(계의 무질서를 나타낸 정도 또는 확률에 비례하는 상수) W를 이용하여 엔트로피 S를 다음과 같이 정의하였다.

$$S = k\ln W \text{ (볼츠만 상수 } k = 1.38 \times 10^{-23}\ \text{J/K)}$$

즉, 경우의 수(확률) W가 클수록 엔트로피 S는 크다.

(1) 엔트로피란 거시적으로 같은 상태에 해당하는 미시 상태의 다양한 경우의 수와 관계된 물리량이다. 예를 들어 구멍이 뚫린 칸막이가 있는 용기에서 기체 분자가 A 쪽에 모이는 경우의 수는 1로 가장 작으므로, 엔트로피가 작은 상태이다. 반면, A, B에 골고루 퍼지는 경우의 수가 가장 많으므로, 이것은 엔트로피가 큰 상태이다.

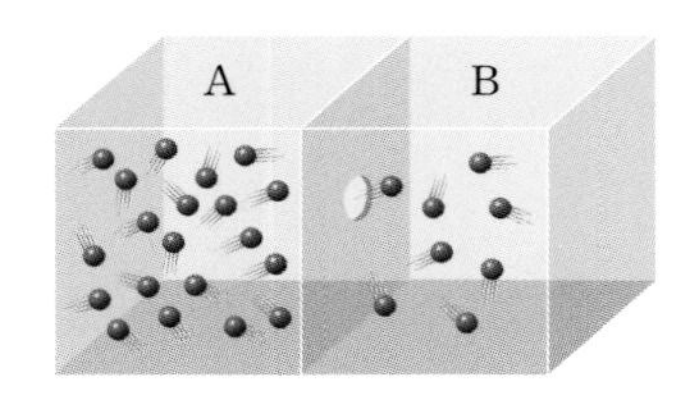

(2) 질서가 있는 상태보다 무질서한 상태가 경우의 수가 더 많으므로 엔트로피가 더 크다.

2. 열역학 제2법칙의 또 다른 표현

자연 현상은 확률이 더 높은 방향으로 진행된다. 즉, 자연 현상은 점점 더 무질서한 방향, 엔트로피가 증가하는 방향으로 진행된다.

고립계의 비가역 변화는 엔트로피가 증가하는 방향으로 일어나고, 그 반대 방향으로는 일어나지 않는다.

$$\Delta S \geq 0$$

열기관의 열효율

열기관은 열을 역학적 일로 바꾸는 장치이다. 이 과정에서 열기관의 작동 물질은 열역학 과정을 거치면서 열을 흡수하고 외부에 일을 한다. 열기관에서 열효율을 확인하는 단순한 문항이 출제되기도 하지만, 열기관의 열역학 과정이 주어지고 그 과정을 분석하여 열기관이 흡수한 열량, 외부에 한 일을 계산하여 열효율을 구하는 문항도 출제된다.

열기관의 열효율 $e=\frac{W}{Q_1}$이고, 열기관이 작동하는 동안 한 순환 과정에 대한 압력과 부피의 관계 그래프에서 그림과 같은 넓이가 열기관이 외부에 한 일이다. 열기관이 외부로부터 흡수한 열량은 열역학 제1법칙을 이용하여 구할 수 있다.

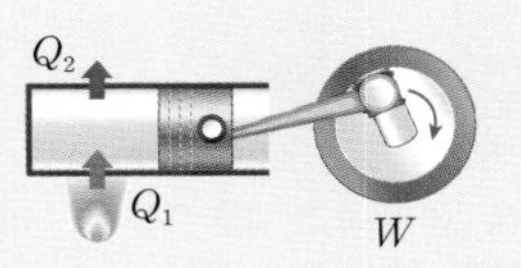

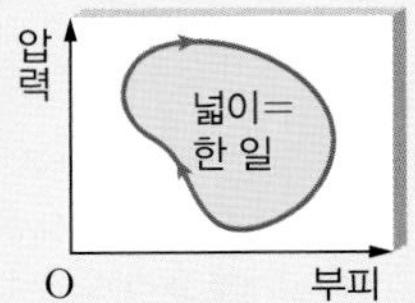

❶ 열기관의 에너지 흐름

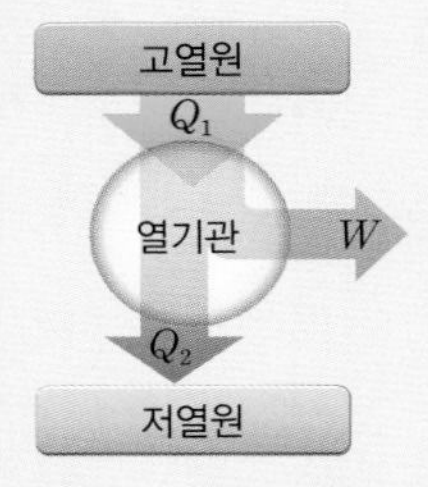

(1) 열: 열기관은 고온의 열원(고열원)에서 Q_1의 열을 얻어 일을 하고, 저온의 주변(저열원)으로 Q_2의 열이 빠져나간다.

(2) 역학적 에너지: 열기관의 작동 물질의 팽창에 의하여 외부에 일을 한다.

(3) 열역학 제1법칙에 의하여 열기관이 순수하게 얻은 열(Q_1-Q_2)과 외부에 한 일(W)은 같다. ➡ $Q_1-Q_2=W$

예제

❶ 그림은 열효율이 0.2인 열기관이 고열원에서 Q_1의 열을 흡수하여 W의 일을 하고 저열원으로 Q_2의 열을 방출하는 것을 나타낸 것이다.

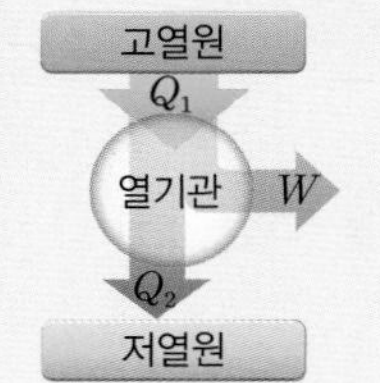

(1) 고열원에서 흡수한 열을 W를 이용하여 나타내시오.

(2) 열효율이 1이 될 수 있는지 설명하시오.

정답 (1) $5W$ (2) 해설 참조

해설 (1) 열효율 $e=\frac{W}{Q_1}=0.2$이므로 $Q_1=\frac{W}{0.2}=5W$이다.

(2) 자연적으로 열은 고온에서 저온으로 이동하므로 Q_2가 0이 될 수 없다. 따라서 열효율 $e=\frac{W}{Q_1}=\frac{Q_1-Q_2}{Q_1}<1$이 되어, 열효율은 1이 될 수 없다.

❷ 등온·단열 과정과 열기관

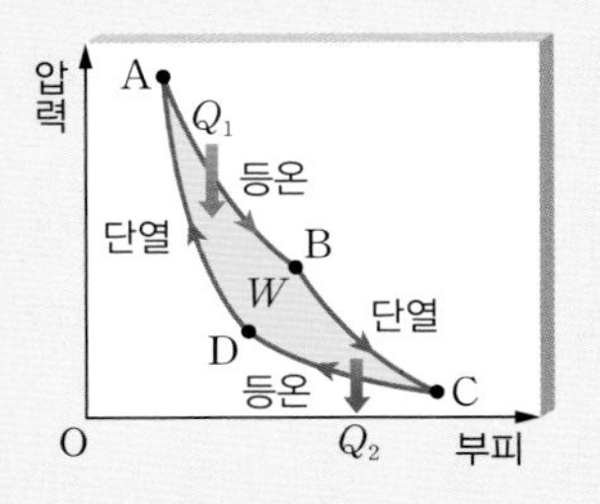

(1) 열의 출입: A → B의 등온 팽창 과정에서 Q_1의 열을 흡수하고, C → D의 등온 수축 과정에서 Q_2의 열을 방출한다. 순수하게 흡수한 열량은 Q_1-Q_2이다.

(2) 외부에 하는 일: 팽창하는 A → B → C 과정에서 외부에 W_1의 일을 하고, 수축하는 C → D → A 과정에서 외부로부터 W_2의 일을 얻는다. 순수하게 외부에 한 일은 그래프 내부의 넓이로, $W=W_1-W_2$이다.

(3) 한 번의 순환 과정 동안 $\Delta U=0$이므로, 순수하게 흡수한 열량과 순수하게 외부에 한 일은 같다. ➡ $Q_1-Q_2=W$

예제

❷ 그림 (가)는 고열원에서 Q_1의 열을 흡수하여 외부에 일을 하고 저열원으로 Q_2의 열을 방출하는 열기관을, (나)는 열기관의 열역학 과정 A → B → C → D → A를 나타낸 것이다.

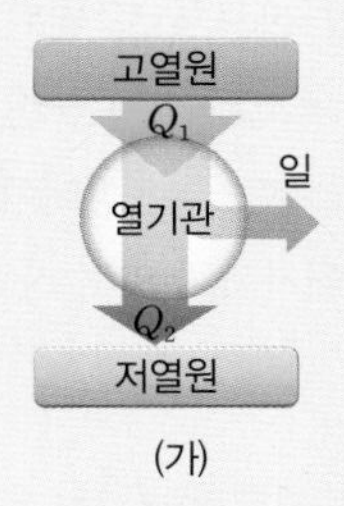

(가)

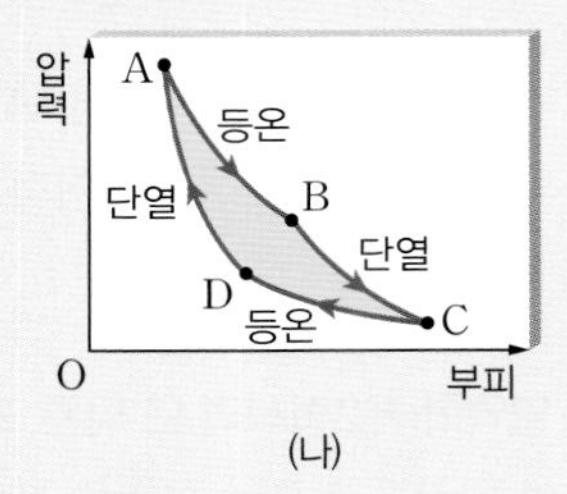

(나)

(1) Q_1의 열을 흡수하는 과정은?

(2) (나)의 그래프 내부의 넓이를 구하시오.

정답 (1) A → B 과정 (2) Q_1-Q_2

해설 (1) 등온 팽창하는 과정에서 열을 흡수하므로 A → B 과정이다.

(2) 한 번의 순환 과정 동안 $\Delta U=0$이고, 그래프 내부의 넓이는 열기관이 순수하게 외부에 한 일이므로 $W=Q_1-Q_2$이다.

③ 등온·등적 과정과 열기관

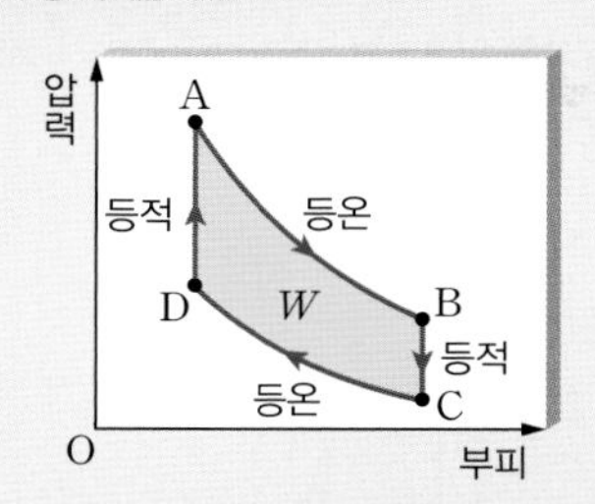

(1) 열의 출입: D → A와 A → B 과정에서 Q_1의 열을 흡수하고, B → C와 C → D 과정에서 Q_2의 열을 방출한다. 순수하게 흡수한 열량은 Q_1-Q_2이다.
(2) 외부에 하는 일: A → B 과정에서 외부에 W_1의 일을 하고, C → D 과정에서 외부로부터 W_2의 일을 얻는다. 순수하게 외부에 한 일은 그래프 내부의 넓이로, $W=W_1-W_2$이다.
(3) 한 번의 순환 과정 동안 $\Delta U=0$이므로, 순수하게 흡수한 열량과 순수하게 외부에 한 일은 같다. ➡ $Q_1-Q_2=W$

③ 그림은 이상 기체를 작동 물질로 하는 열기관의 순환 과정을 압력과 부피의 관계 그래프로 나타낸 것이다.

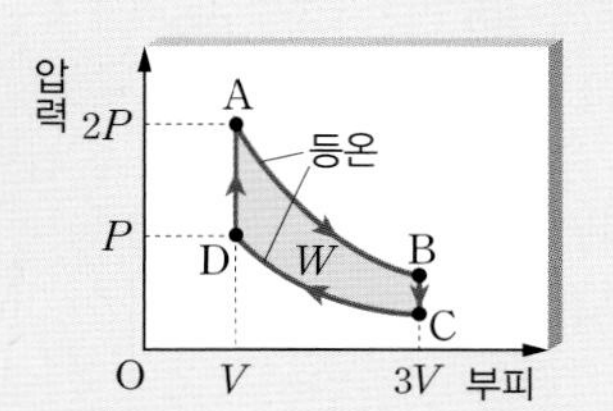

(1) B 상태일 때 압력은?
(2) 한 번의 순환 과정 동안 열기관이 외부에 한 일은?

정답 (1) $\frac{2}{3}P$ (2) W
해설 (1) A → B 과정은 등온 과정이므로 압력과 부피의 곱이 일정하다.
(2) 한 번의 순환 과정 동안 열기관이 외부에 한 일은 그래프 내부의 넓이이다.

④ 등적·등압 과정과 열기관

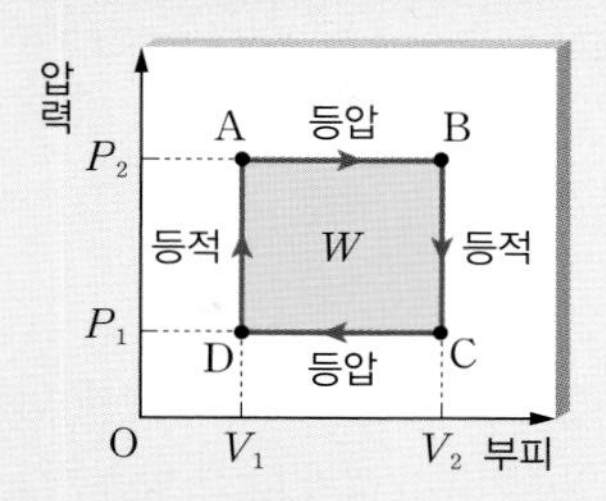

(1) 열의 출입: D → A와 A → B 과정에서 Q_1의 열을 흡수하고, B → C와 C → D 과정에서 Q_2의 열을 방출한다. 순수하게 흡수한 열량은 Q_1-Q_2이다.
(2) 외부에 하는 일: A → B 과정에서 외부에 $W_1=P_2(V_2-V_1)$의 일을 하고, C → D 과정에서 외부로부터 $W_2=P_1(V_2-V_1)$의 일을 얻는다. 순수하게 외부에 한 일은 그래프 내부의 넓이로, $W=W_1-W_2=(P_2-P_1)(V_2-V_1)$이다.
(3) 한 번의 순환 과정 동안 $\Delta U=0$이므로, 순수하게 흡수한 열량과 순수하게 외부에 한 일은 같다.
➡ $Q_1-Q_2=(P_2-P_1)(V_2-V_1)$

예제

④ 그림은 이상 기체를 작동 물질로 하는 열기관의 순환 과정을 압력과 부피의 관계 그래프로 나타낸 것이다.

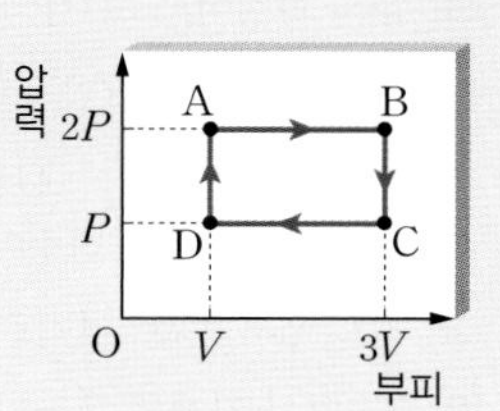

(1) 외부로부터 열을 흡수하는 과정은?
(2) A → B 과정에서 외부에 한 일은?

정답 (1) D → A → B 과정 (2) $4PV$
해설 (1) 온도가 올라가거나 팽창하는 과정에서 열을 흡수하므로 D → A → B 과정에서 열을 흡수한다.
(2) A → B 과정에서 외부에 한 일은 그래프 아래 넓이이므로 $W=2P(3V-V)=4PV$이다.

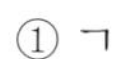

> 정답과 해설 28쪽

그림은 열기관의 작동 물질인 이상 기체의 변화 과정을 압력과 부피의 관계 그래프로 나타낸 것이다. D → A 과정에서 흡수한 열량은 $1.5PV$이고 A → B 과정에서 내부 에너지는 $6PV$만큼 증가한다. 이에 대한 설명으로 옳은 것만을 보기에서 있는 대로 고른 것은?

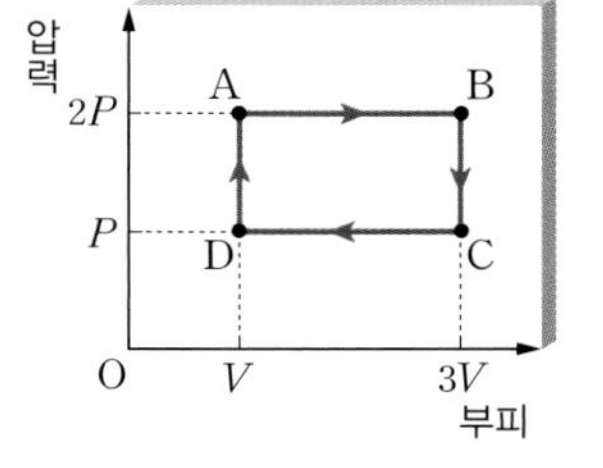

보기
ㄱ. D → A 과정에서 내부 에너지는 PV만큼 증가한다.
ㄴ. C → D 과정에서 외부로부터 $2PV$만큼의 일을 받는다.
ㄷ. 이 열기관의 열효율은 0.2이다.

① ㄱ ② ㄴ ③ ㄱ, ㄷ ④ ㄴ, ㄷ ⑤ ㄱ, ㄴ, ㄷ

카르노 기관의 순환 과정

카르노 기관의 순환 과정은 2개의 등온 과정과 2개의 단열 과정으로 이루어져 있다. 각 과정에서 출입하는 열량을 구체적으로 계산하여 카르노 기관의 열효율을 온도와의 관계로 표현해 보자.

❶ 등온 과정

등온 팽창(A → B) 과정에서는 열량 Q_1을 흡수하고 외부에 일을 한다. 등온 압축(C → D) 과정에서는 일을 받아 압축되면서 열량 Q_2를 방출한다.

등온 과정은 온도가 일정하므로 $\varDelta T=0$이고, $\varDelta U=0$이다. 열역학 제1법칙에서 $Q=\varDelta U+W=W$가 된다. 여기서 Q는 그래프의 아래 넓이인 기체가 한 일과 같으므로 $P=\dfrac{nRT}{V}$ 관계를 사용하여 적분으로 구하면, $Q_1=W_1=nRT_1\ln\dfrac{V_2}{V_1}$, $Q_2=W_2=nRT_2\ln\dfrac{V_3}{V_4}$이다. 따라서 Q_1, Q_2의 비는 다음과 같다.

$$\frac{Q_2}{Q_1}=\frac{T_2\ln\dfrac{V_3}{V_4}}{T_1\ln\dfrac{V_2}{V_1}}\ \cdots ①$$

또 등온 과정이므로($PV=$일정) $P_1V_1=P_2V_2$, $P_3V_3=P_4V_4$이다.

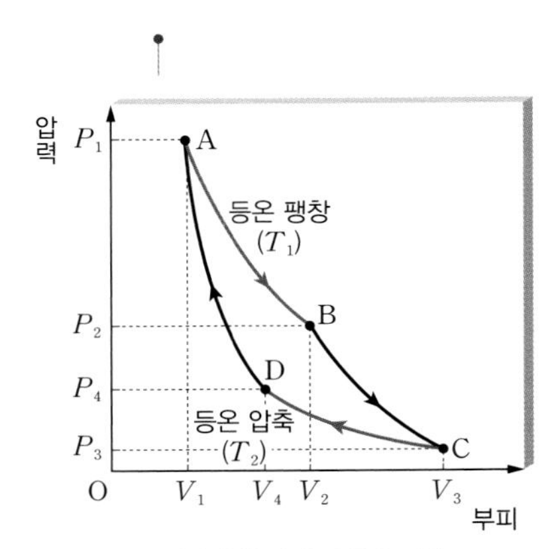

▲ 카르노 기관의 순환 과정 중 등온 과정

❷ 단열 과정

단열 팽창(B → C) 과정에서는 내부 에너지가 일로 전환되어 팽창하면서 기체의 온도가 T_1에서 T_2로 낮아진다. 단열 압축(D → A) 과정에서는 외부로부터 일을 얻어 압축되면서 기체의 온도가 T_2에서 T_1로 높아진다.

C_V를 부피가 일정할 때 기체의 몰비열이라고 하면, 비열의 정의에 따라 부피가 일정할 때 열량 $Q=nC_V\varDelta T$이다. C_P를 압력이 일정할 때 기체의 몰비열이라고 하면, 비열의 정의에 따라 압력이 일정할 때 열량 $Q=\varDelta U+P\varDelta V=nC_P\varDelta T$이다. 여기에 $\varDelta U=nC_V\varDelta T$와 $P\varDelta V=nR\varDelta T$를 대입하면 $R=C_P-C_V$이다. 부피가 일정할 때 $Q=\varDelta U$이므로 기체의 내부 에너지 변화량 $\varDelta U=nC_V\varDelta T$이다. 또 단열 과정을 적용하면 내부 에너지 변화량 $\varDelta U=-W=-P\varDelta V=-\dfrac{nRT}{V}\varDelta V$로 쓸 수 있다. 두 식을 정리하면 $\dfrac{\varDelta T}{T}+\dfrac{R\varDelta V}{C_VV}=0$이다.

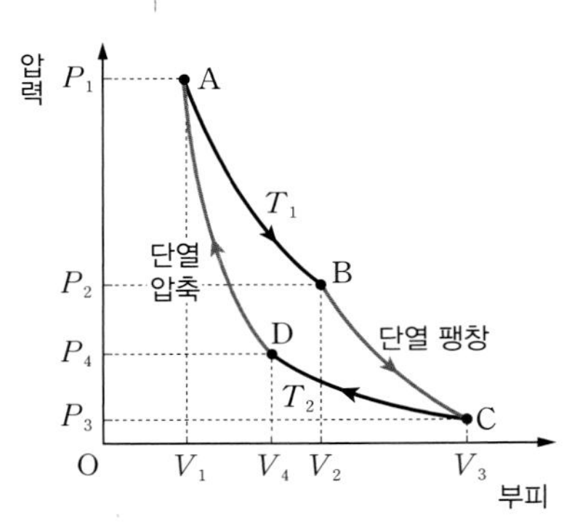

▲ 카르노 기관의 순환 과정 중 단열 과정

여기에 $\dfrac{R}{C_V}=\dfrac{C_P-C_V}{C_V}=\dfrac{C_P}{C_V}-1=\gamma-1$을 대입하면 $\dfrac{\varDelta T}{T}+(\gamma-1)\dfrac{\varDelta V}{V}=0$의 관계를 얻고, 이를 적분하면 단열 변화할 때 온도와 부피의 관계는 $TV^{\gamma-1}=$일정이다.

B → C 과정에서 $T_1V_2^{\gamma-1}=T_2V_3^{\gamma-1}\ \cdots ②$, D → A 과정에서 $T_1V_1^{\gamma-1}=T_2V_4^{\gamma-1}\ \cdots ③$

➡ ②÷③을 하면 $\dfrac{V_2}{V_1}=\dfrac{V_3}{V_4}\ \cdots ④$이고, ①에 ④를 대입하면 $\dfrac{Q_2}{Q_1}=\dfrac{T_2}{T_1}$의 관계식이 얻어진다.

이를 이용하면 카르노 기관의 열효율은 다음과 같이 표현된다.

$$e_c=1-\frac{Q_2}{Q_1}=1-\frac{T_2}{T_1}$$

> 정답과 해설 29쪽

03 열기관과 열효율

1 자연 현상의 비가역성

1. 가역 변화와 비가역 변화

구분	(❶) 변화	(❷) 변화
정의	외부에 어떤 변화도 남기지 않고 원래의 상태로 되돌아갈 수 있는 변화	외부에 어떤 변화도 남기지 않고 원래의 상태로 되돌아가지 못하는 변화
예	마찰이나 저항이 없는 이상적인 역학적 변화	거의 모든 자연 현상

2. **엔트로피** 자연 현상의 (❸)을 설명하기 위해 도입된 개념이다.

• 엔트로피 변화량(ΔS): 공급되는 열량(Q)에 비례하고, 절대 온도(T)에 반비례한다.

• 열의 이동과 엔트로피 변화: 두 물체 사이에서 열이 이동할 때 $\Delta S>0$이 되려면 열은 (❹)의 물체에서 (❺)의 물체로 이동해야 한다.

2 열기관의 열효율

1. **열기관** 열을 일로 전환시키는 순환적 장치

• 순환 과정: 고열원에서 열을 흡수하여 외부에 일을 하고, 저열원으로 나머지 열을 방출한다.

2. **열기관의 (❻)(e)** 한 번의 순환 과정 동안 열기관이 고열원에서 흡수한 열(Q_1)에 대하여 외부에 한 일(W)의 비

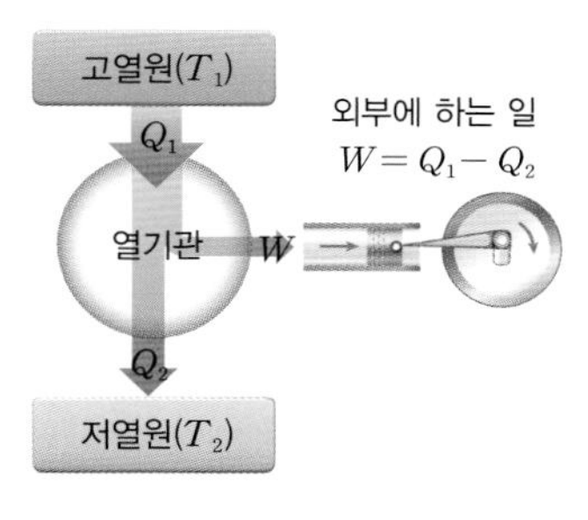

$$e=\frac{\text{한 일}}{\text{흡수한 열}}=\frac{W}{Q_1}=\frac{Q_1-Q_2}{Q_1}=1-\frac{Q_2}{Q_1}$$

3. **열기관의 열효율의 한계**

• 카르노 기관: 같은 온도 사이에서 작동하는 열기관 중 열효율이 가장 좋은 이상적인 열기관으로, 절대 온도 T_1인 고열원과 절대 온도 T_2인 저열원 사이에서 작동하는 카르노 기관의 열효율 e_c는 다음과 같다.

$$e_c=\frac{W}{Q_1}=1-\frac{Q_2}{Q_1}=(❼\quad)$$

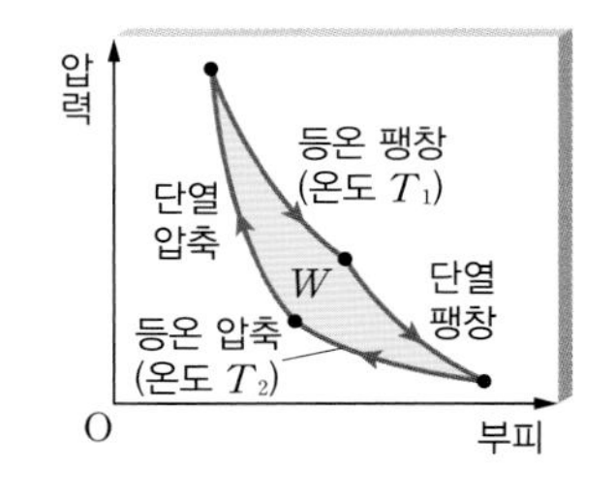

• 실제 열기관의 열효율: 카르노 기관의 열효율보다 (❽).

3 열역학 제2법칙과 엔트로피

1. **엔트로피** 볼츠만은 엔트로피를 경우의 수를 이용하여 새롭게 정의하였으며, 계의 (❾)한 정도를 나타내는 상태량이다.

2. **(❿)법칙** 자연 현상의 비가역적 진행 방향을 결정하는 법칙이다.

• 클라우지우스의 표현: 열은 고온의 물체에서 저온의 물체 쪽으로 흘러가고, 자발적으로 저온의 물체에서 고온의 물체로 흐를 수 없다.

• 켈빈-플랑크의 표현: 일정한 온도의 물체로부터 열을 빼앗아 이것을 모두 (⓫)로 바꾸는 순환 과정(장치)은 존재하지 않는다.

• 흡수한 열을 모두 일로 전환할 수 있는 열기관, 즉 열효율이 (⓬)(100 %)인 열기관은 만들 수 없다.

• 고립계의 비가역 변화는 엔트로피가 (⓭)하는 방향으로 진행된다.

01 열역학 제2법칙을 나타내는 표현을 3가지 쓰시오.

02 그림은 빗면에 가만히 놓은 물체가 미끄러져 수평면을 지나 반대편 빗면까지 올라갔다 내려오는 운동을 반복하다가 수평면에 정지한 것을 나타낸 것이다.

이에 대한 설명으로 옳은 것만을 보기에서 있는 대로 고르시오.

보기
ㄱ. 비가역 과정이다.
ㄴ. 엔트로피가 증가하는 현상이다.
ㄷ. 마찰이나 공기 저항이 없을 때 가역 과정이 일어날 수 있다.

03 그림과 같이 찬물이 담긴 열량계에 더운물이 담긴 금속 캔을 넣으면, 수조와 금속 캔 속의 물의 온도차가 점점 줄어들며, 둘의 온도차가 점점 커지는 일은 일어나지 않는다.

이에 대한 설명으로 옳은 것만을 보기에서 있는 대로 고르시오. (단, 열은 금속 캔 속의 물과 수조 속의 물 사이에서만 이동하였다.)

보기
ㄱ. 수조 속의 물에서 금속 캔 속의 물로 열이 이동한다.
ㄴ. 열역학 제1법칙이 성립하지 않는 현상이다.
ㄷ. 열역학 제2법칙으로 설명할 수 있다.

04 그림은 한쪽 방에 모여 있던 기체 분자가 진공인 다른 방으로 확산하는 모습을 나타낸 것이다.

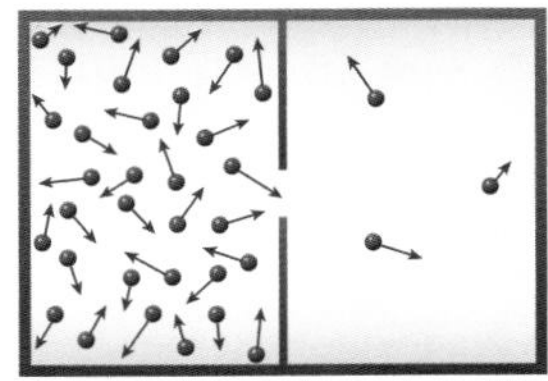

(1) 기체 분자가 분포할 수 있는 경우의 수가 1인 상태를 쓰시오.

(2) 기체 분자가 분포할 수 있는 경우의 수가 가장 큰 상태를 쓰시오.

(3) 기체 분자가 확산하는 동안 엔트로피가 어떻게 변하는지 쓰시오.

05 그림은 327 ℃의 고열원에서 5000 J의 열을 흡수하여 1000 J의 일을 하고 27 ℃의 저열원으로 열을 방출하는 열기관을 나타낸 것이다.

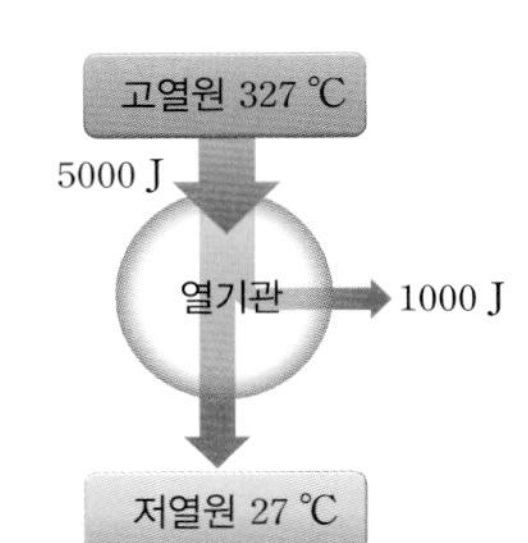

(1) 열기관의 열효율을 구하시오.

(2) 저열원으로 방출하는 열량을 구하시오.

(3) 두 온도 사이에서 작동하는 열기관이 가질 수 있는 최대 열효율을 구하시오.

06 그림은 이상 기체를 작동 물질로 하는 열기관의 순환 과정 A → B → C → D → A를 압력과 부피의 관계 그래프로 나타낸 것이다. B → C 과정과 D → A 과정은 단열 과정이다. 이 열기관의 열효율은 0.2이고, 그래프 내부의 넓이는 W이다.

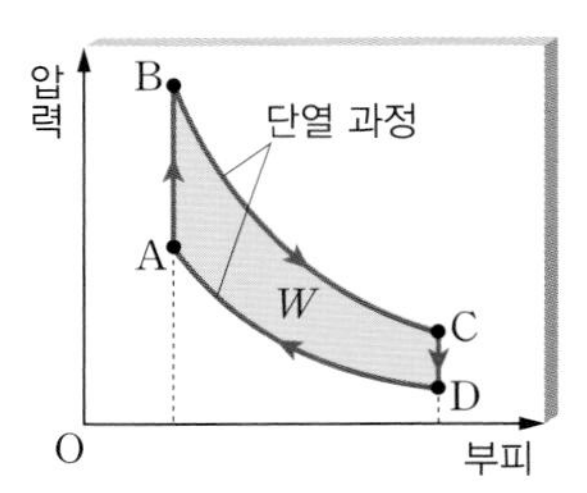

(1) 외부에서 흡수한 열량을 구하시오.

(2) 열을 흡수하는 과정을 쓰시오.

(3) 엔트로피가 증가하는 과정을 쓰시오.

01

> 엔트로피

그림 (가)는 단열 용기 속에 고온의 물체와 저온의 물체를 접촉시켜 놓은 것을, (나)는 (가)의 두 물체 사이에서 열이 이동하여 온도가 T_0으로 같아져 평형 상태가 된 것을 나타낸 것이다.

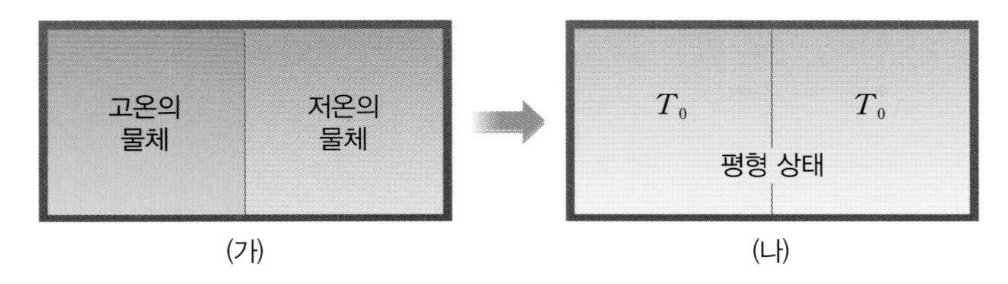

(가)에서 (나)로 변하는 과정에 대한 설명으로 옳은 것만을 보기에서 있는 대로 고른 것은?

보기
ㄱ. 열은 고온의 물체에서 저온의 물체로 이동한다.
ㄴ. 두 물체 전체의 엔트로피는 증가한다.
ㄷ. 비가역 현상이다.

① ㄱ ② ㄴ ③ ㄱ, ㄷ ④ ㄴ, ㄷ ⑤ ㄱ, ㄴ, ㄷ

• 자연적인 변화는 엔트로피가 증가하는 변화이다.

02

> 엔트로피

그림은 6개의 분자가 크기가 같은 두 방 A, B에 들어 있는 것을 나타낸 것이고, 표는 각 상태에서 A, B에 들어 있는 분자의 수와 경우의 수를 나타낸 것이다.

상태	분자 수		경우의 수
	A	B	
Ⅰ	6	0	1
Ⅱ	5	1	6
Ⅲ	4	2	15
Ⅳ	3	3	㉠
Ⅴ	2	4	15
Ⅵ	1	5	6
Ⅶ	0	6	1

이에 대한 설명으로 옳은 것만을 보기에서 있는 대로 고른 것은?

보기
ㄱ. ㉠은 25이다.
ㄴ. 엔트로피가 가장 큰 상태는 Ⅳ이다.
ㄷ. 자연적으로 Ⅰ에서 Ⅳ를 거쳐 Ⅶ 상태로 변한다.

① ㄱ ② ㄴ ③ ㄱ, ㄷ ④ ㄴ, ㄷ ⑤ ㄱ, ㄴ, ㄷ

• 엔트로피는 경우의 수가 클수록 크며, 자연적인 변화는 엔트로피가 증가하는 방향으로 일어난다.

03

> 열역학 과정과 엔트로피

그림은 상태 A에 있는 이상 기체가 상태 B, C로 각각 천천히 변하는 A → B 과정과 A → C 과정을 압력과 부피의 관계 그래프로 나타낸 것이다. 두 계의 온도가 같을 때 엔트로피의 변화량은 흡수한 열량에 비례한다.

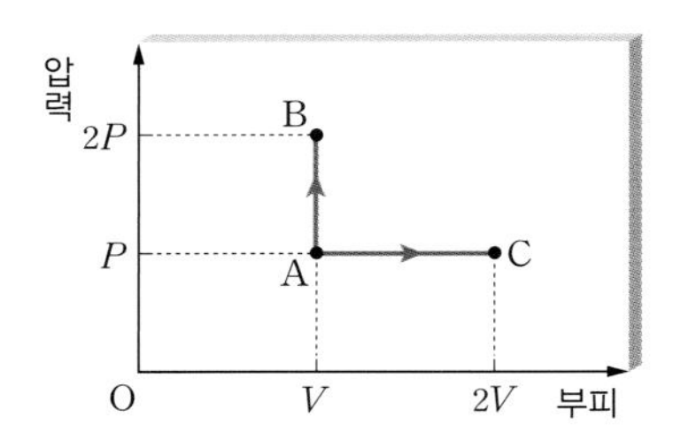

이에 대한 설명으로 옳은 것만을 보기에서 있는 대로 고른 것은?

보기

ㄱ. B와 C의 내부 에너지는 서로 같다.
ㄴ. 흡수한 열량은 A → C 과정에서가 A → B 과정에서보다 크다.
ㄷ. 엔트로피 변화량은 A → C 과정에서가 A → B 과정에서보다 크다.

① ㄱ ② ㄷ ③ ㄱ, ㄴ ④ ㄴ, ㄷ ⑤ ㄱ, ㄴ, ㄷ

• 온도 변화량이 같을 때 흡수한 열량은 등압 과정이 등적 과정보다 크다.

04

> 열역학 제2법칙

그림과 같이 물에 잉크를 떨어뜨리면 잉크가 확산되는 일은 일어나지만, 퍼져 있던 잉크가 다시 모여 잉크 방울이 되는 일은 일어나지 않는다.

이에 대한 설명으로 옳은 것만을 보기에서 있는 대로 고른 것은?

보기

ㄱ. 비가역 과정이다.
ㄴ. 물과 잉크 계의 엔트로피는 점점 감소한다.
ㄷ. 공기 중에서 움직이던 진자가 서서히 멈추는 현상도 같은 원리로 설명할 수 있다.

① ㄱ ② ㄴ ③ ㄱ, ㄷ ④ ㄴ, ㄷ ⑤ ㄱ, ㄴ, ㄷ

• 자연 현상은 엔트로피가 증가하는 방향으로 일어난다.

> 열기관의 순환 과정과 열효율

05 **그림은 이상 기체를 작동 물질로 사용하는 열기관의 두 순환 과정 A → B → C → A와 A → D → B → A를 압력과 부피의 관계 그래프로 나타낸 것이다.**

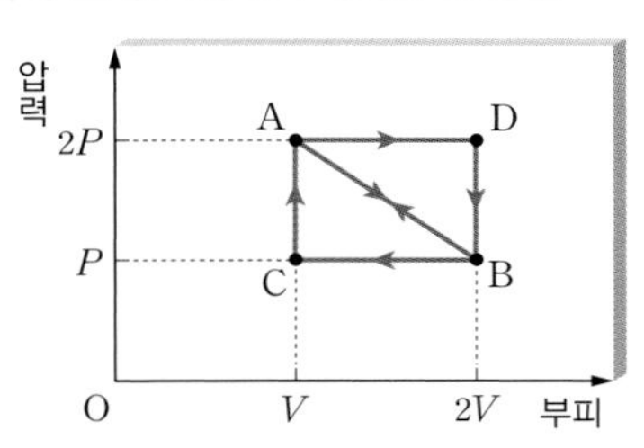

이에 대한 설명으로 옳은 것만을 보기에서 있는 대로 고른 것은?

보기

ㄱ. A → B 과정에서 흡수한 열량은 $\frac{3}{2}PV$이다.

ㄴ. C → A 과정과 D → B 과정에서 내부 에너지 변화량은 서로 같다.

ㄷ. 각각의 순환 과정을 통하여 작동하는 열기관의 열효율은 서로 같다.

① ㄱ ② ㄴ ③ ㄱ, ㄷ ④ ㄴ, ㄷ ⑤ ㄱ, ㄴ, ㄷ

• 열기관의 열효율 e는 흡수한 열량 Q_1에 대한 알짜일 W의 비율로, $e=\frac{W}{Q_1}$이다.

> 이상적인 열기관의 열효율

06 **그림은 등온 과정과 단열 과정으로 이루어진 카르노 기관의 순환 과정 A → B → C → D → A를 압력과 부피의 관계 그래프로 나타낸 것이다. A → B 과정과 C → D 과정은 각각 절대 온도가 $2T$, T인 등온 과정이고, A → B 과정에서 흡수한 열량은 Q이다.**

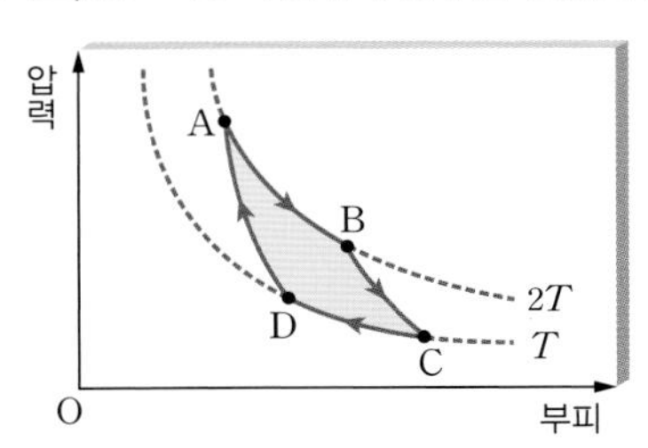

이에 대한 설명으로 옳은 것만을 보기에서 있는 대로 고른 것은?

보기

ㄱ. B → C 과정에서 열을 방출한다.

ㄴ. A → B → C → D → A로 둘러싸인 부분의 넓이는 $\frac{Q}{2}$이다.

ㄷ. C → D 과정에서 외부에서 얻은 일은 $\frac{Q}{2}$이다.

① ㄱ ② ㄴ ③ ㄱ, ㄷ ④ ㄴ, ㄷ ⑤ ㄱ, ㄴ, ㄷ

• 카르노 기관의 열효율 $e_c=1-\frac{T_2}{T_1}$이다.

07

> 열기관의 순환 과정과 열효율

그림은 이상 기체를 작동 물질로 하는 열기관의 순환 과정을 압력과 부피의 관계 그래프로 나타낸 것이다. A → B와 C → D 과정은 절대 온도가 각각 $2T$, T인 등온 과정이다.

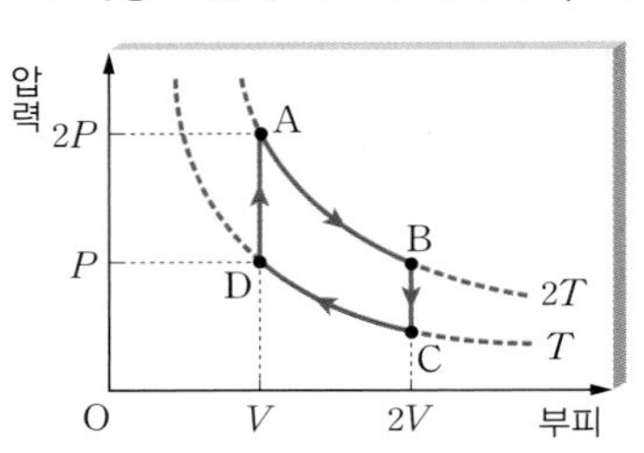

이에 대한 설명으로 옳은 것만을 보기에서 있는 대로 고른 것은?

보기

ㄱ. A → B 과정에서 흡수한 열량은 외부에 한 일과 같다.
ㄴ. D → A 과정에서 내부 에너지 증가량은 흡수한 열량보다 크다.
ㄷ. 이 열기관의 열효율은 50 %보다 작다.

① ㄱ ② ㄴ ③ ㄱ, ㄷ ④ ㄴ, ㄷ ⑤ ㄱ, ㄴ, ㄷ

• 카르노 기관은 등온 과정과 단열 과정으로 구성되어 있으므로, 이 열기관은 카르노 기관이 아니다.

고난도 08

> 열기관의 순환 과정과 엔트로피

그림 (가)는 온도가 T_1인 고열원에서 Q_1의 열을 흡수하여 온도가 T_2인 저열원으로 Q_2의 열을 방출하는 카르노 기관의 순환 과정 A → B → C → D → A를 압력과 부피의 관계 그래프로 나타낸 것이다. 그림 (나)는 이 순환 과정을 온도와 엔트로피의 관계 그래프로 나타낸 것이다. 온도가 T이고 흡수한 열량이 Q일 때 엔트로피 증가량 $\Delta S=\frac{Q}{T}$이다. B → C, D → A 과정은 단열 과정이다.

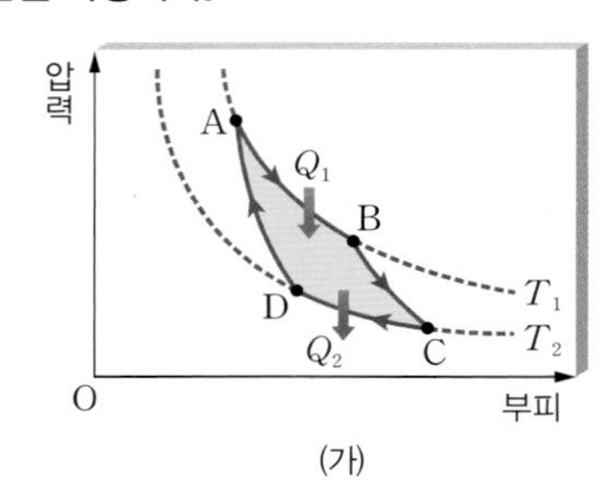

(가)

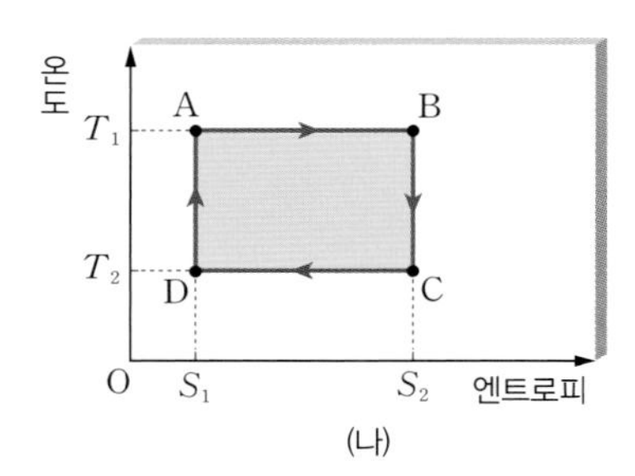

(나)

이에 대한 설명으로 옳은 것만을 보기에서 있는 대로 고른 것은?

보기

ㄱ. (가)와 (나)에서 ABCD의 넓이는 알짜일을 나타낸다.
ㄴ. C → D 과정에서 받은 일은 방출한 열 Q_2와 같다.
ㄷ. 흡수한 열 Q_1은 (나)에서 A → B 과정의 아래 면적인 ABS_2S_1의 넓이와 같다.

① ㄱ ② ㄷ ③ ㄱ, ㄴ ④ ㄴ, ㄷ ⑤ ㄱ, ㄴ, ㄷ

• 흡수한 열량 $Q=T\Delta S$이다.

읽을거리 엔트로피와 일을 할 수 있는 능력

단열 상자에서 자유 팽창

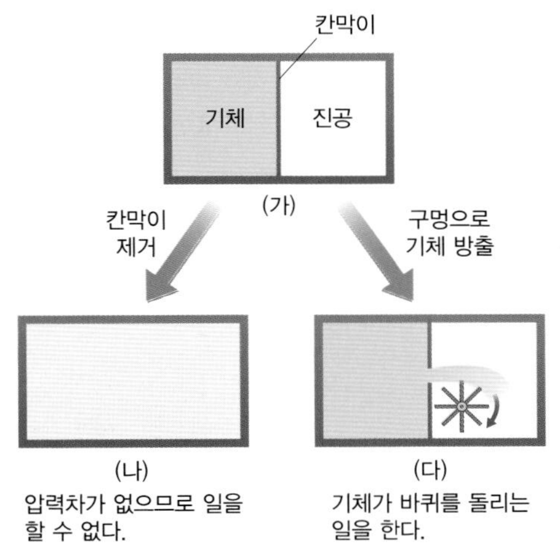

그림 (가)는 단열된 상자를 칸막이로 나누어 상자의 한쪽에는 이상 기체를 넣고, 다른 쪽은 진공 상태를 유지하는 것을 나타낸 것이다.

그림 (나)와 같이 칸막이를 제거하면, 기체는 아무런 방해를 받지 않고 자유롭게 팽창하면서 상자를 채우게 된다. 상자가 단열되었으므로 이 팽창은 단열 팽창이지만, 가역 단열 과정과는 다른 비가역 과정이다. 기체가 진공인 영역으로 팽창하므로 압력이 작용하지 않아 외부에 일을 하지 않는다. 단열 팽창이고 외부에 일을 하지 않으므로 $Q=\Delta U+W$에서 내부 에너지는 변하지 않는다. 따라서 기체의 온도는 일정하다.

그림 (다)와 같이 칸막이에 작은 구멍을 뚫으면, 구멍을 통하여 팽창하는 기체가 날개 달린 바퀴를 돌리는 일을 할 수 있다. (나)와 같이 팽창된 기체는 이런 일을 할 수 없으므로 자유 팽창은 일을 할 수 있는 능력을 감소시킨다. 이 자유 팽창은 비가역 과정이지만, 초기 및 최종 상태가 동일한 가역 과정을 통하여 엔트로피의 변화를 생각해 볼 수 있다. 가역 등온 팽창에서는 기체의 온도가 변하지 않으므로 내부 에너지가 일정하고, 팽창하는 동안 일을 하므로 열을 흡수한다. 절대 온도가 T인 상태에서 부피가 V_1에서 V_2로 등온 팽창할 때 흡수한 열량 $Q=nRT\ln\frac{V_2}{V_1}$이므로, 가역 등온 팽창에서 엔트로피 변화량 $\Delta S=\int_1^2\frac{dQ}{T}=\frac{1}{T}\int_1^2 dQ=\frac{Q}{T}=nR\ln\frac{V_2}{V_1}$이다.

이 결과는 비가역 자유 팽창을 포함하여 동일한 초기 및 최종 조건을 만족하는 모든 가역, 비가역 과정에 적용할 수 있다.

엔트로피와 일을 할 수 있는 능력

앞에서 살펴본 바와 같이 비가역 팽창 과정에서 엔트로피는 증가하며, 일을 할 수 있는 능력은 감소하는 것으로 생각할 수 있다. 가역 등온 팽창에서는 다음과 같이 흡수한 열만큼 일을 한다.

$$W=Q=nRT\ln\frac{V_2}{V_1}$$

기체가 비가역 자유 팽창을 한 후에는 더 이상 이와 같은 일을 할 수 없다. 자유 팽창에서 엔트로피 변화량 ΔS와 등온 팽창에서의 일 W를 비교해 보면, 일을 할 수 없는 에너지 $E_{un}=T\Delta S$와 같다. 이로부터 엔트로피와 일을 할 수 있는 에너지 사이의 관계를 알 수 있다.

엔트로피가 ΔS만큼 증가하는 비가역 과정에서 $E_{un}=T\Delta S$만큼의 에너지가 일을 할 수 있는 능력을 잃어버리게 된다.

이것으로부터 엔트로피는 에너지가 일을 할 수 있는 능력이 어느 정도인지를 가늠할 수 있는 척도를 제공한다는 것을 알 수 있다. 동일한 에너지를 가진 두 계를 고려할 때 엔트로피가 낮은 계는 일을 할 수 있는 능력이 많다고 할 수 있으며, 엔트로피가 증가한다는 것은 일을 할 수 있는 에너지가 줄어든다는 것을 의미한다고 해석할 수 있다.

01 > 일과 운동 에너지

그림은 높이 $3h$인 빗면에 가만히 놓은 물체가 높이 h인 수평면 구간 A와 지면의 수평면 구간 B를 지나 멈추는 것을 나타낸 것이다. 물체는 구간 A와 B를 지나는 동안 각각 운동 방향과 반대 방향으로 크기가 같은 힘을 같은 시간 동안 받는다. 구간 A, B의 길이는 각각 S_A, S_B이다.

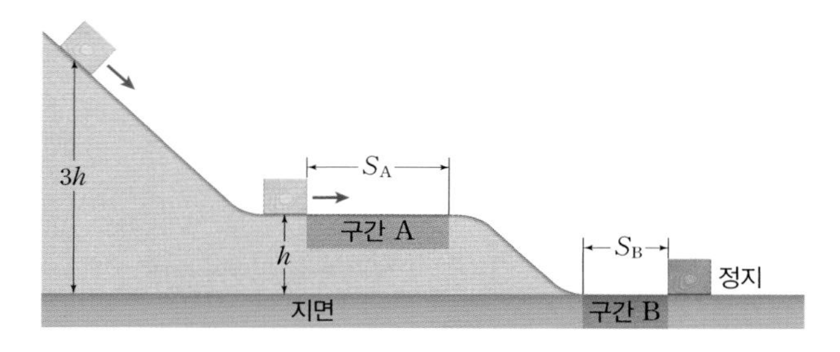

$S_A : S_B$는? (단, 물체의 크기, 모든 마찰과 공기 저항은 무시한다.)

① 3 : 2 ② 5 : 3 ③ 2 : 1 ④ 9 : 4 ⑤ 5 : 2

• 힘과 시간의 곱이 충격량(운동량의 변화량)이고, 알짜힘이 한 일은 운동 에너지 변화량과 같다.

02 > 역학적 에너지 보존

그림과 같이 지면에서 높이 L_0인 수평면에 정지해 있던 질량 m인 물체 A에 크기가 F로 일정한 힘을 수평 방향으로 거리 L_0만큼 작용하였더니, A가 빗면을 따라 내려와 지면 위의 두 점 p와 r의 중앙인 점 q에 정지해 있던 물체 B와 충돌한 후 한 덩어리가 되어 운동하여 빗면을 따라 지면으로부터 최대 높이 L_0만큼 올라갔다. A가 q에서 r까지 운동하는 데 걸린 시간은 p에서 q까지 운동하는 데 걸린 시간의 3배이다.

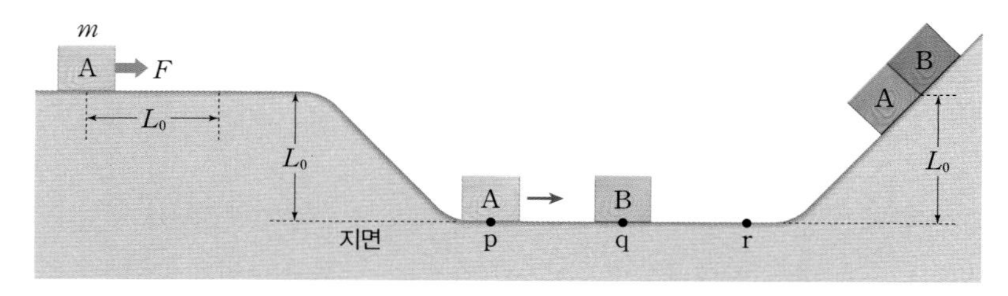

이에 대한 설명으로 옳은 것만을 보기에서 있는 대로 고른 것은? (단, 중력 가속도는 g이고, 물체의 크기, 모든 마찰과 공기 저항은 무시한다.)

보기

ㄱ. B의 질량은 $3m$이다.

ㄴ. 크기가 F인 힘이 A에 한 일은 $8mgL_0$이다.

ㄷ. A와 B의 충돌 과정에서 손실된 역학적 에너지는 $6mgL_0$이다.

① ㄱ ② ㄴ ③ ㄱ, ㄷ ④ ㄴ, ㄷ ⑤ ㄱ, ㄴ, ㄷ

• 한 덩어리가 되는 충돌에서는 역학적 에너지가 감소한다.

03

> 역학적 에너지 보존

그림과 같이 물체 A는 수평면에, B는 경사면에 놓여 있는 상태로, A, B, C가 줄과 도르래로 연결되어 있다. A, B, C의 질량은 각각 m_A, m_B, m_C이다. 정지 상태의 A, B, C를 가만히 놓아 운동하게 하였더니, B의 높이가 h만큼 감소할 때 C는 $2h$만큼 감소하였다. B가 운동하는 동안 역학적 에너지는 일정하다.

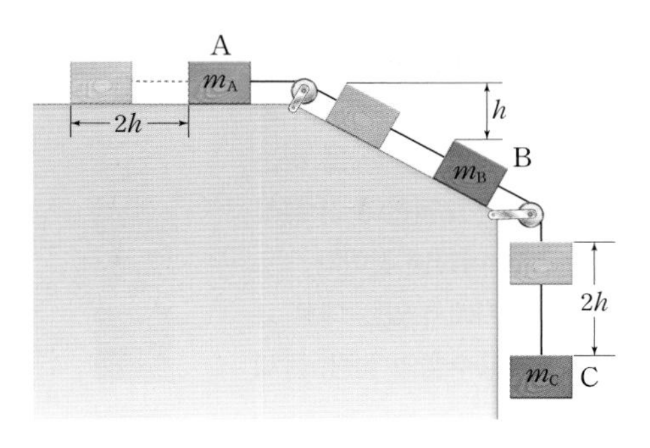

$\frac{m_A}{m_C}$는? (단, 줄의 질량, 모든 마찰과 공기 저항은 무시한다.)

① $\frac{1}{3}$ ② $\frac{1}{2}$ ③ 1 ④ 2 ⑤ 3

세 물체는 중력에 의하여 운동하므로 역학적 에너지가 보존된다.

04

> 역학적 에너지 보존

그림 (가)와 같이 물체 A, B, C를 도르래를 통해 실 p, q로 연결하고 가만히 놓았다. A, B의 질량은 m으로 같고, 물체를 놓은 후 시간이 $2t$인 순간 p가 끊어졌다. 그림 (나)는 A, B의 속력을 시간에 따라 나타낸 것이다.

(가) (나)

이에 대한 설명으로 옳은 것만을 보기에서 있는 대로 고른 것은? (단, 실의 질량, 모든 마찰과 공기 저항은 무시한다.)

보기

ㄱ. C의 질량은 $0.5m$이다.

ㄴ. q가 C를 당기는 힘의 크기는 t일 때가 $3t$일 때의 4배이다.

ㄷ. 0에서 $2t$까지 A의 역학적 에너지 감소량은 $\frac{3}{4}mv^2$이다.

① ㄱ ② ㄴ ③ ㄱ, ㄷ ④ ㄴ, ㄷ ⑤ ㄱ, ㄴ, ㄷ

속력-시간 그래프에서 기울기가 가속도이다.

05

> 탄성력과 역학적 에너지

그림 (가)는 용수철에 질량 m인 물체 2개를 매달아 A만큼 늘어나 정지했을 때 A만큼 잡아당겼다가 놓았더니 물체 2개가 함께 연직 방향으로 진폭 A인 단진동을 하는 것을, (나)는 (가)의 두 물체가 최하점에 도달한 순간 분리되어 위쪽 물체만 단진동을 하는 것을 나타낸 것이다.

(나)에 대한 설명으로 옳은 것만을 보기에서 있는 대로 고른 것은? (단, 중력 가속도는 g이고, 용수철의 질량, 물체의 크기, 공기 저항은 무시한다.)

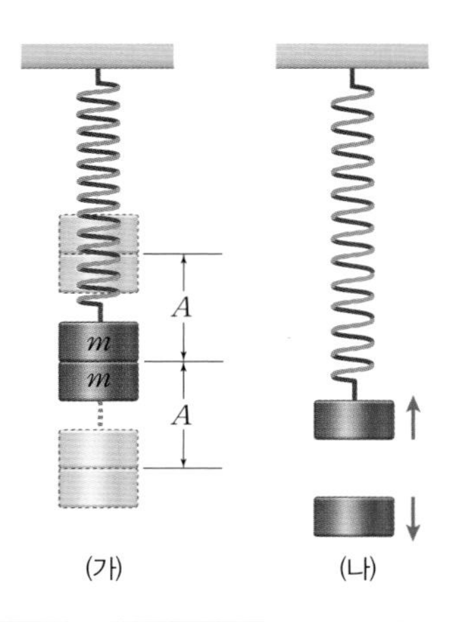

보기

ㄱ. 용수철 상수는 $\dfrac{2mg}{A}$이다.

ㄴ. 물체의 최대 속력은 $\sqrt{\dfrac{9}{2}gA}$이다.

ㄷ. 최하점에서 평형 위치까지 탄성력이 물체에 한 일은 물체의 운동 에너지 변화량과 같다.

① ㄱ ② ㄷ ③ ㄱ, ㄴ ④ ㄴ, ㄷ ⑤ ㄱ, ㄴ, ㄷ

• 평형 위치에서 물체에 작용하는 알짜힘은 0이고, 용수철의 변형된 길이가 x일 때 탄성 퍼텐셜 에너지는 $\frac{1}{2}kx^2$이다.

06

> 탄성력과 역학적 에너지

그림은 수평면에 놓여 있는 물체 A에 용수철 P가 연결되어 있고, 물체 B에 용수철 Q가 연직으로 연결된 것을 나타낸 것이다. P, Q의 원래 길이는 L로 같고, 용수철 상수는 각각 k, $2k$이다. A, B는 실과 도르래를 통해 연결되어 정지해 있고, P, Q는 길이가 각각 x만큼 늘어나 있다. A의 질량은 m이다. A, B와 연결된 실을 순간적으로 끊었을 때 A와 B가 진동하는 주기는 $2\pi\sqrt{\dfrac{m}{k}}$으로 서로 같다.

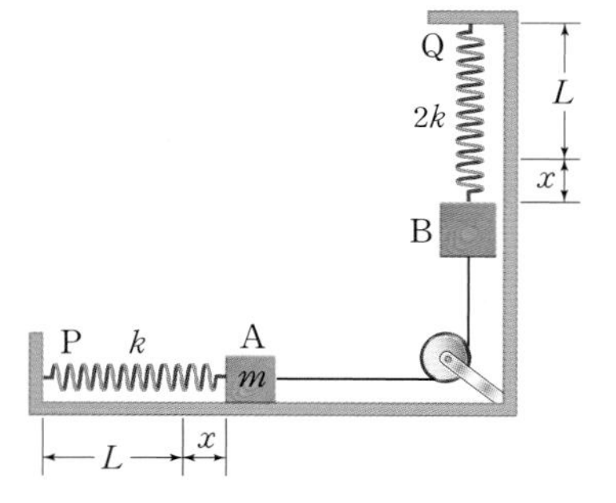

이에 대한 설명으로 옳은 것만을 보기에서 있는 대로 고른 것은? (단, 중력 가속도는 g이고, 용수철과 실의 질량, 모든 마찰과 공기 저항은 무시한다.)

보기

ㄱ. B의 질량은 $2m$이다.

ㄴ. 실이 끊어지기 전 P에 저장된 탄성 퍼텐셜 에너지는 $\dfrac{2(mg)^2}{k}$이다.

ㄷ. 실이 끊어진 후 운동 에너지의 최댓값은 A가 B의 2배이다.

① ㄱ ② ㄴ ③ ㄱ, ㄷ ④ ㄴ, ㄷ ⑤ ㄱ, ㄴ, ㄷ

• 용수철 상수 k인 용수철에 매달려 진동하는 질량 m인 물체의 주기는 $T=2\pi\sqrt{\dfrac{m}{k}}$이고, 용수철의 변형된 길이가 x일 때 용수철에 저장된 탄성 퍼텐셜 에너지는 $\frac{1}{2}kx^2$이다.

07

> 열역학 법칙

그림 (가)는 이상 기체가 들어 있는 용기가 피스톤 $\mathrm{P_1}$에 의해 두 부분 A, B로 나누어져 있는 것을 나타낸 것이다. (가)의 피스톤 $\mathrm{P_2}$ 위에 추를 가만히 올려놓았더니, 그림 (나)와 같이 두 피스톤이 이동한 후 정지하였다. 이 과정에서 용기나 피스톤을 통한 열의 출입은 없다.

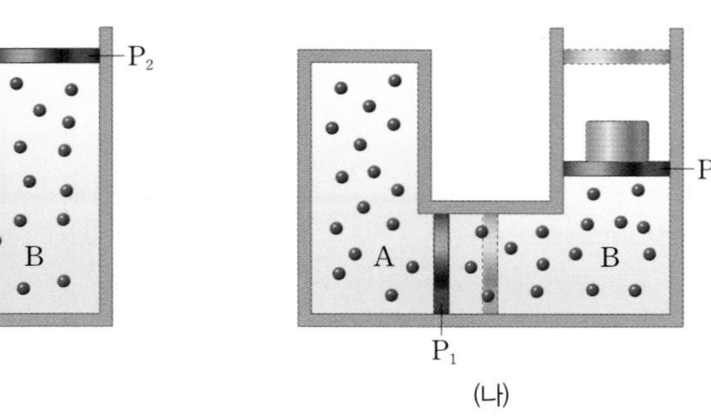

(가)에서 (나)로 변하는 과정에 대한 설명으로 옳은 것만을 보기에서 있는 대로 고른 것은? (단, 피스톤의 질량과 모든 마찰은 무시한다.)

보기

ㄱ. A 부분의 기체의 온도는 올라간다.
ㄴ. B 부분의 기체의 내부 에너지는 증가한다.
ㄷ. $\mathrm{P_2}$가 B의 기체에 한 일은 $\mathrm{P_1}$이 A의 기체에 한 일과 같다.

① ㄱ ② ㄴ ③ ㄱ, ㄴ ④ ㄱ, ㄷ ⑤ ㄴ, ㄷ

• 이상 기체의 내부 에너지는 온도에 비례한다. 단열 변화에서 기체의 부피가 감소하면 온도는 증가한다.

08

> 열역학 법칙

그림은 이상적인 열기관에서 일정량의 이상 기체가 (가), (나)의 과정을 거쳐 A → B → C 상태로 변할 때 압력과 부피의 관계를 나타낸 것이다. (가)는 등압 과정, (나)는 단열 과정이다.
이에 대한 설명으로 옳은 것만을 보기에서 있는 대로 고른 것은? (단, 그림의 점선은 등온선을 나타낸 것이다.)

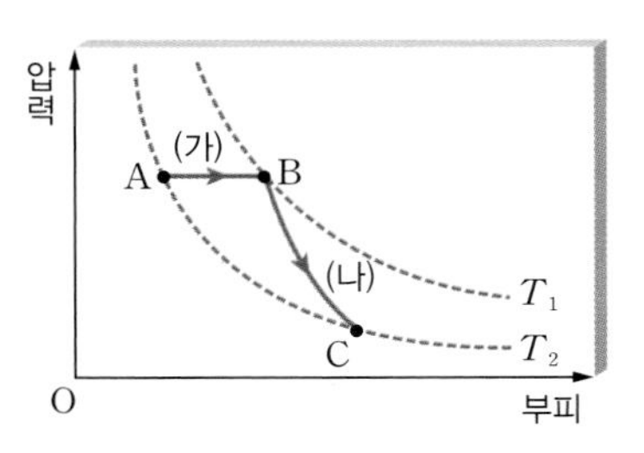

보기

ㄱ. (가)에서 기체가 외부에 한 일은 0이다.
ㄴ. (가)에서 내부 에너지 증가량은 (나)에서 기체가 외부에 한 일과 같다.
ㄷ. C 상태의 내부 에너지는 B 상태의 내부 에너지보다 크다.

① ㄱ ② ㄴ ③ ㄱ, ㄴ ④ ㄱ, ㄷ ⑤ ㄴ, ㄷ

• 이상 기체의 내부 에너지는 온도에 비례한다.

09

> 열역학 법칙

그림 (가)는 진공인 실린더의 한쪽에 이상 기체를 넣었을 때 용수철이 연결된 피스톤이 정지해 있는 것을 나타낸 것이다. 그림 (나)는 (가)의 기체에 일정한 열량을 공급하였을 때 기체의 부피가 증가한 상태로 피스톤이 정지해 있는 것을 나타낸 것이다. 실린더와 피스톤을 통한 열의 출입은 없다.

(가)에서 (나)로 변하는 과정에 대한 설명으로 옳은 것만을 보기에서 있는 대로 고른 것은? (단, 용수철의 질량, 모든 마찰은 무시한다.)

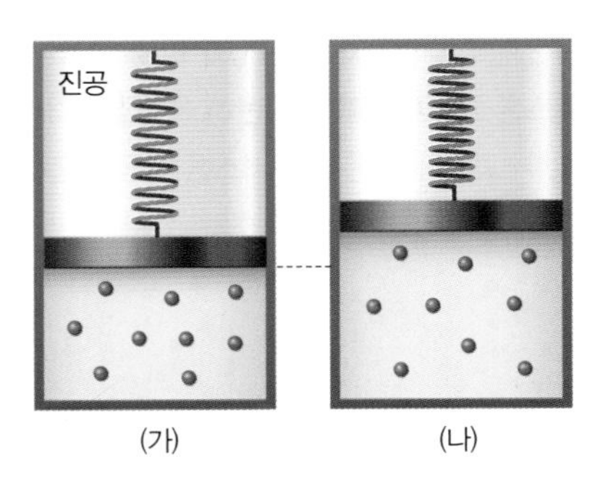

보기

ㄱ. 기체의 온도는 (나)에서가 (가)에서보다 높다.
ㄴ. 기체의 내부 에너지 변화량은 기체가 얻은 열량과 같다.
ㄷ. 기체가 피스톤에 하는 일은 용수철의 탄성 퍼텐셜 에너지 변화량과 같다.

① ㄱ ② ㄴ ③ ㄱ, ㄷ ④ ㄴ, ㄷ ⑤ ㄱ, ㄴ, ㄷ

- 열역학 제1법칙은 $Q=\Delta U+W$이다.

10

> 열역학 법칙

그림 (가)는 단열 실린더 A, B에 각각 절대 온도가 T이고 압력이 P인 이상 기체가 들어 있는 것을 나타낸 것이다. A, B의 피스톤은 단열되어 있고, 길이가 일정한 막대로 연결되어 있다. 그림 (나)는 (가)에서 A의 기체에 열량 Q를 가했더니 피스톤이 천천히 이동하여 정지한 모습을 나타낸 것으로, A, B의 기체의 절대 온도는 각각 T_1, T_2이고, 압력은 각각 P_1, P_2이다.

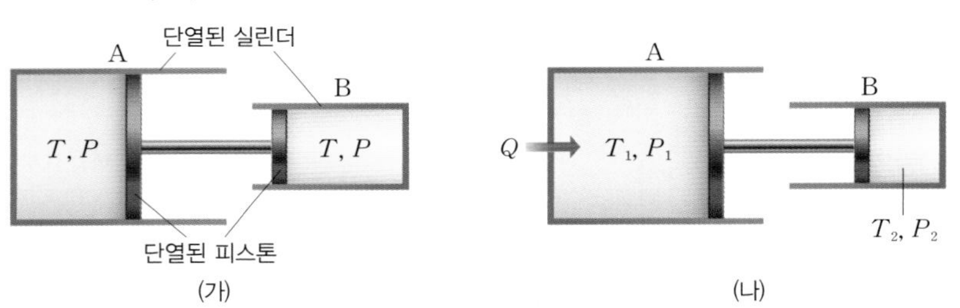

이에 대한 설명으로 옳은 것만을 보기에서 있는 대로 고른 것은? (단, 대기압은 일정하고, 피스톤의 면적은 A가 B보다 크며, 모든 마찰은 무시한다.)

보기

ㄱ. $P_1=P_2$이다.
ㄴ. $T_2>T$이다.
ㄷ. (가)에서 (나)로 변하는 동안 A의 기체가 외부에 한 일은 B의 기체의 내부 에너지 증가량과 같다.

① ㄱ ② ㄴ ③ ㄱ, ㄷ ④ ㄴ, ㄷ ⑤ ㄱ, ㄴ, ㄷ

- 압력은 단위 면적당 작용하는 힘으로, $P=\dfrac{F}{A}$이다.

11

> 열기관의 순환 과정

그림은 동일한 상태 A에 있던 이상 기체가 각각 (가)와 (나)의 과정을 따라 상태가 변하는 것을 나타낸 것이다. (가)는 A → B → D → A, (나)는 A → B → C → A를 따라 변하는 순환 과정이다.

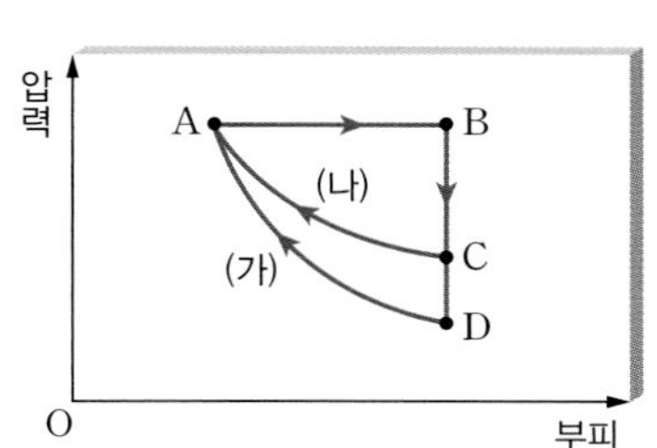

한 번의 순환 과정 동안에 대한 설명으로 옳은 것만을 보기에서 있는 대로 고른 것은?

보기

ㄱ. (가)에서 기체가 외부에 한 일은 외부로부터 받은 일보다 크다.

ㄴ. 기체가 외부로부터 흡수한 열량과 외부로 방출한 열량의 차이는 (가)가 (나)보다 작다.

ㄷ. 내부 에너지의 변화량은 (가)와 (나)에서 모두 0이다.

① ㄱ ② ㄴ ③ ㄱ, ㄷ ④ ㄴ, ㄷ ⑤ ㄱ, ㄴ, ㄷ

• 열기관이 하는 일은 열기관의 순환 과정을 압력과 부피의 관계 그래프로 나타냈을 때 그래프 내부의 넓이이다.

12

> 열기관의 열효율

그림은 등온 과정과 단열 과정으로 이루어진 카르노 열기관에서 이상 기체의 순환 과정 A → B → C → D → A를 압력과 부피의 관계 그래프로 나타낸 것이다. 순환 과정으로 둘러싸인 부분의 넓이는 W이고, A → B, B → C, C → D, D → A 과정의 그래프 아래의 넓이는 각각 W_1, W_2, W_3, W_4이다.

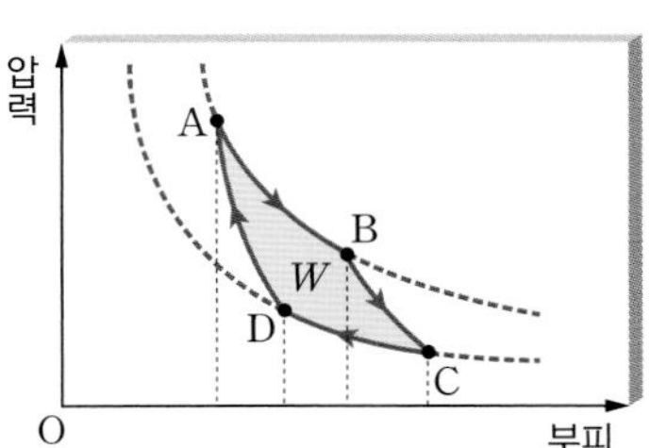

이에 대한 설명으로 옳은 것만을 보기에서 있는 대로 고른 것은? (단, 그림의 점선은 등온선을 나타낸 것이다.)

보기

ㄱ. $W_4 > W_2$이다.

ㄴ. $W = W_1 - W_3$이다.

ㄷ. 열기관의 열효율은 $\frac{W}{W_1}$이다.

① ㄱ ② ㄴ ③ ㄱ, ㄷ ④ ㄴ, ㄷ ⑤ ㄱ, ㄴ, ㄷ

• 기체가 등온 팽창할 때 외부에서 흡수한 열은 기체가 외부에 한 일과 같다.

> 정답과 해설 33쪽

01

그림은 길이 l, 질량 m인 줄이 수평한 책상면 위에 길이의 반만 걸쳐 있는 상태로 정지해 있도록 손으로 잡고 있는 것을 나타낸 것이다. 중력 가속도는 g이고, 모든 마찰과 공기 저항은 무시한다.

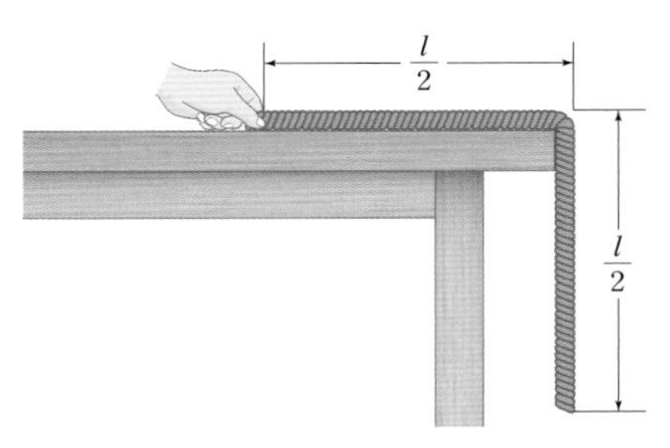

(1) 손을 놓아 줄이 미끄러져 내려가 줄 끝이 책상면을 떠나는 순간, 줄의 속력을 풀이 과정과 함께 구하시오.

---

(2) 처음 상태에서 잡고 있던 손으로 줄을 서서히 당겨 줄을 책상 위로 완전히 끌어올리는 데 필요한 최소한의 일을 풀이 과정과 함께 구하시오.

KEY WORDS
(1) • 중력 퍼텐셜 에너지
• 역학적 에너지 보존
(2) • 역학적 에너지 보존

02

그림은 수평면에서 물체 A가 v_0의 속력으로 정지해 있는 물체 B를 향하여 운동하는 것을 나타낸 것이다. B에는 용수철 상수 k인 용수철이 부착되어 있고, A, B의 질량은 각각 m이며, 용수철의 질량, 모든 마찰과 공기 저항은 무시한다.

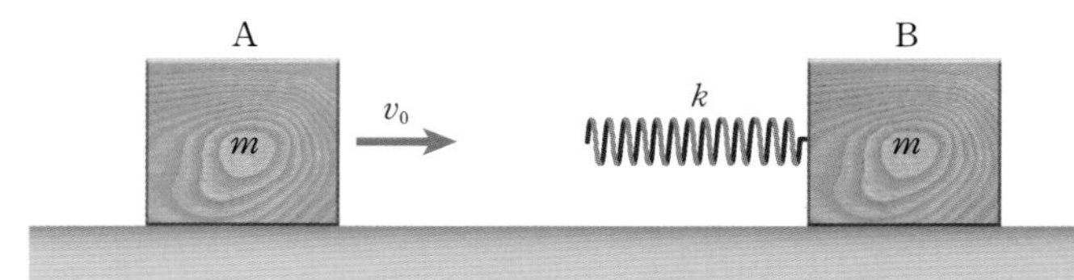

(1) A와 B가 충돌하여 용수철이 가장 많이 압축되었을 때, 용수철에 저장된 탄성력 퍼텐셜 에너지를 풀이 과정과 함께 구하시오.

---

(2) A가 용수철에 붙어 있는 동안 이동한 거리를 풀이 과정과 함께 구하시오. (단, 용수철 상수 k인 용수철에 매달려 진동하는 질량 m인 물체의 주기는 $T=2\pi\sqrt{\frac{m}{k}}$이고, 용수철의 길이가 $\frac{1}{2}$배가 되면 용수철 상수는 2배가 된다.)

KEY WORDS
(1) • 역학적 에너지 보존
• 탄성 퍼텐셜 에너지
(2) • 단진동 주기

03

그림은 늘어나지 않은 용수철 상수 k인 용수철이 연결된 피스톤과 실린더 내부에 들어 있는 단원자 분자 이상 기체에 열을 공급하였을 때 피스톤의 높이가 서서히 x만큼 높아져 정지한 것을 나타낸 것이다. 이 과정에서 압력은 2배, 부피는 1.1배가 되었다. 모든 마찰은 무시한다.

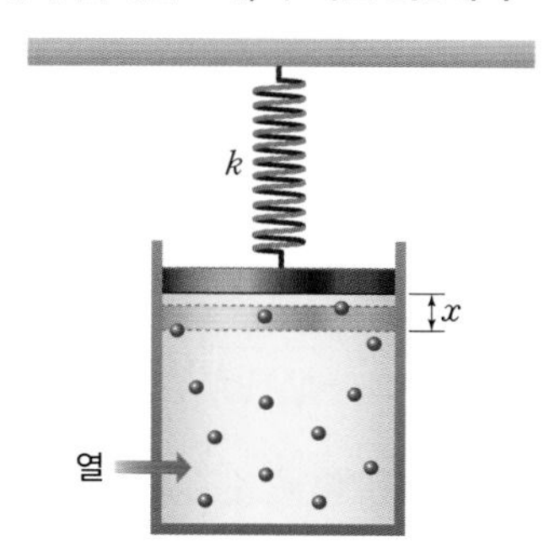

(1) 피스톤이 x만큼 이동하는 동안 기체의 압력과 부피의 관계를 서술하고, 기체가 피스톤에 한 일을 구하시오.

(2) 기체의 내부 에너지 증가량을 풀이 과정과 함께 구하시오.

KEY WORDS
(1) • 힘의 평형
• 압력－부피 그래프와 일
(2) • 기체의 온도
• 기체의 내부 에너지

04

그림은 열기관에서 이상 기체의 순환 과정 A → B → C → D → A에서 열의 출입과 온도 변화를 나타낸 것이다.

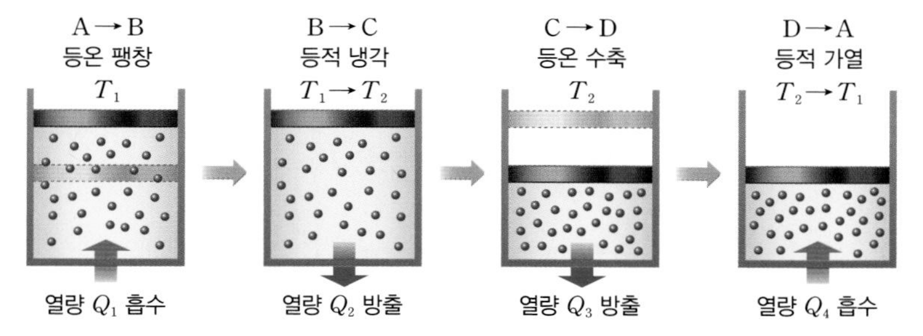

(1) A → B 과정에서 기체가 외부에 한 일을 풀이 과정과 함께 구하시오.

(2) 절대 온도 T_1과 T_2의 크기를 풀이 과정과 함께 비교하시오.

(3) 이 열기관의 열효율을 풀이 과정과 함께 구하시오.

KEY WORDS
(1) • 열역학 제1법칙
• 내부 에너지 변화량
• 기체가 한 일
(2) • 열역학 제1법칙
(3) • 열역학 제1법칙
• 내부 에너지 변화량
• 열기관의 열효율

05

그림 (가)는 압력과 부피가 각각 $\frac{2}{3}P_0$, V_0인 1몰의 단원자 분자 이상 기체가 들어 있는 실린더를 수평면에 고정하고, 피스톤을 용수철에 연결한 것을 나타낸 것이다. 그림 (나)는 (가)에서 기체가 열량 Q를 방출하고 부피가 $\frac{2}{3}V_0$이 된 것을 나타낸 것이다. (가), (나)에서 피스톤은 정지해 있으며, 용수철의 늘어난 길이는 각각 x, $2x$이고, 대기압은 P_0으로 일정하다. 모든 마찰은 무시한다.

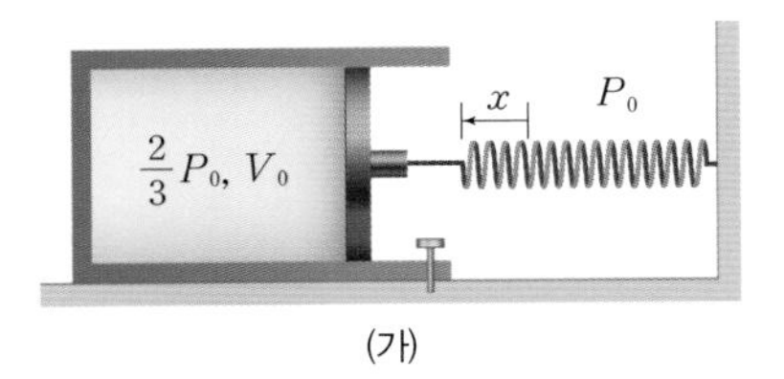

(가)

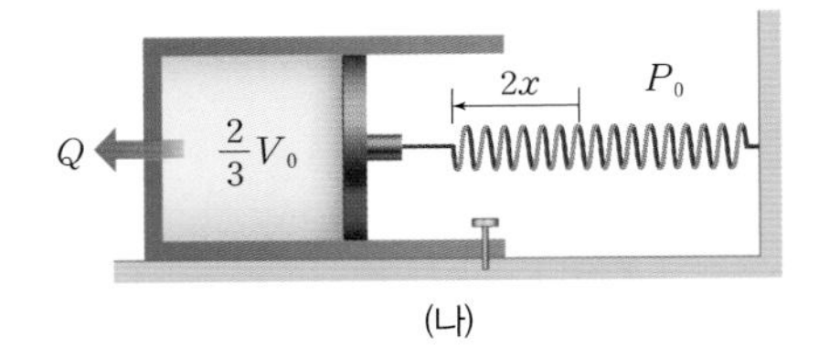

(나)

(1) (가)에서 (나)로 변하는 과정에서 기체의 내부 에너지 변화량을 P_0, V_0을 사용하여 나타내고 풀이 과정을 함께 쓰시오.

(2) (가)에서 (나)로 변하는 과정에서 기체가 방출한 열량을 P_0, V_0을 사용하여 나타내고 풀이 과정을 함께 쓰시오.

KEY WORDS
(1) • 힘과 압력의 관계 및 탄성력
• 내부 에너지 변화량
• 열역학 제1법칙
(2) • 압력-부피 그래프와 일
• 열역학 제1법칙

06

그림 (가)와 같이 단열된 실린더에 1몰의 단원자 분자 이상 기체가 들어 있고, 용수철이 연결된 단열된 피스톤은 정지해 있다. 이때 기체의 압력은 $2P_0$, 부피는 V_0이고, 용수철에 저장된 탄성 퍼텐셜 에너지는 Q이다. 그림 (나)는 기체에 열량 $18Q$를 가하는 동안 기체의 압력과 부피의 관계를 나타낸 것이다. 기체의 압력이 $3P_0$일 때 피스톤은 정지한다. 대기압은 P_0으로 일정하고, 모든 마찰은 무시한다.

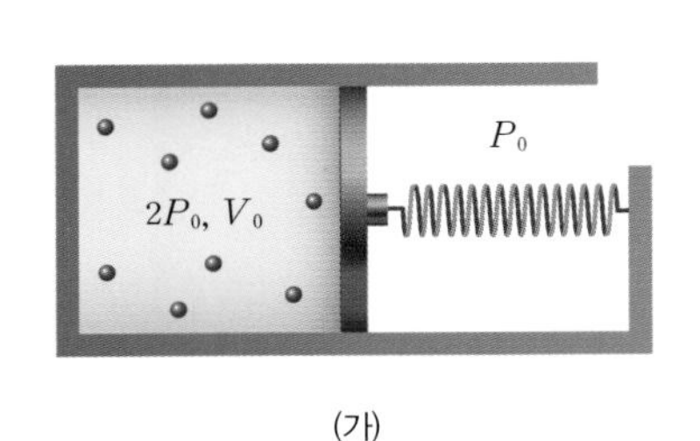

(가)

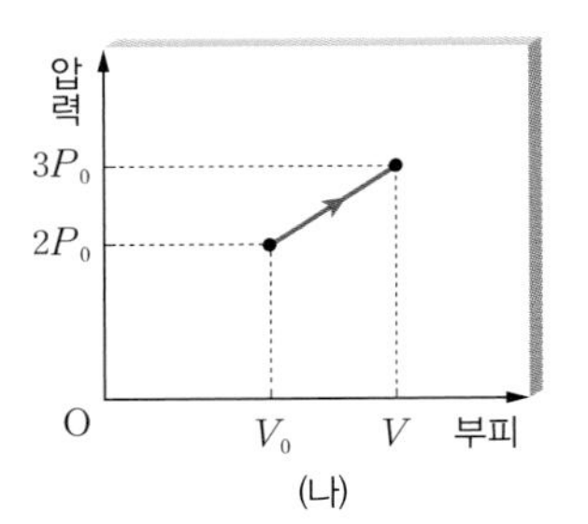

(나)

(나)의 V를 V_0을 사용하여 나타내고 풀이 과정을 함께 쓰시오.

KEY WORDS
• 탄성 퍼텐셜 에너지
• 기체가 하는 일
• 열역학 제1법칙

07

그림 (가), (나)는 각각 열기관 A, B의 작동 물질인 단원자 분자 이상 기체의 순환 과정을 나타낸 것이다.

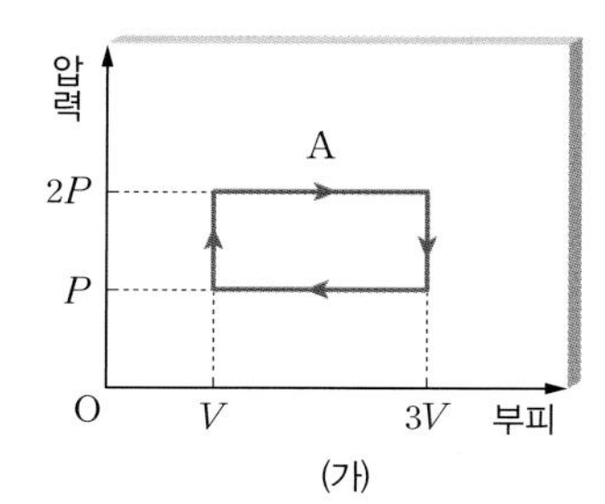

(가)

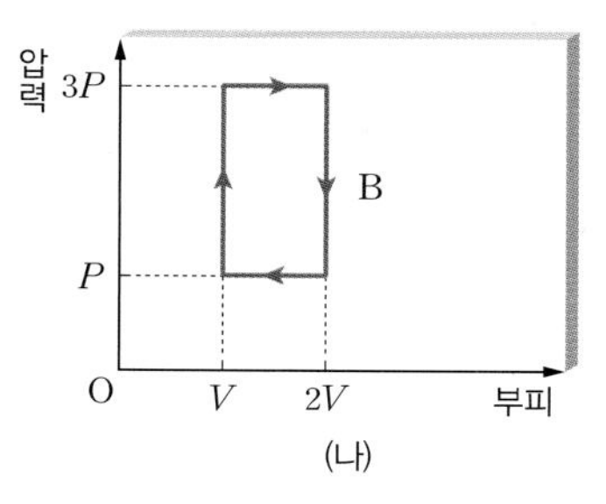

(나)

(1) A, B가 각각 한 번의 순환 과정 동안 외부에 한 알짜일을 구하시오.

(2) A, B의 열효율을 비교하고, 풀이 과정을 함께 쓰시오.

KEY WORDS
(1) • 순환 과정에서 한 일
(2) • 이상 기체의 내부 에너지 변화량
• 등압 과정, 등적 과정에서 열량
• 열역학 제1법칙

08

그림은 단원자 분자 이상 기체를 작동 물질로 하는 열기관의 순환 과정을 압력과 부피의 관계 그래프로 나타낸 것이다. D → A, B → C 과정은 절대 온도가 각각 T, $2T$인 등온 과정이다.

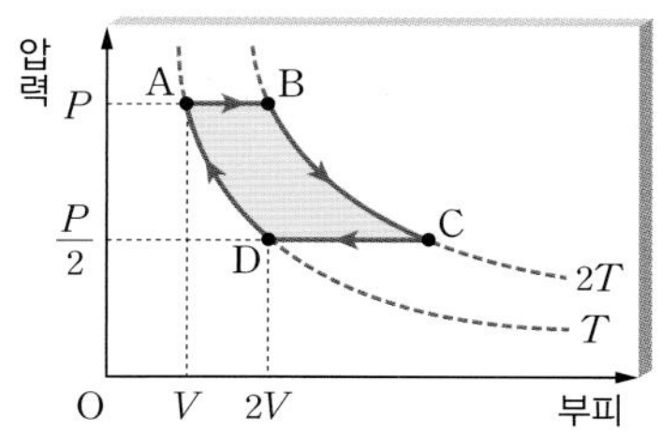

(1) A → B 과정에서 기체의 내부 에너지 변화량과 외부에 한 일의 크기를 비교하시오.

(2) 이 열기관의 열효율을 풀이 과정과 함께 구하시오. (단, $\ln 2 \simeq 0.7$이다.)

KEY WORDS
(1) • 내부 에너지 변화량
• 기체가 한 일
(2) • 등온 과정에서 한 일
• 열기관의 열효율

3 시공간과 에너지

단원 Preview

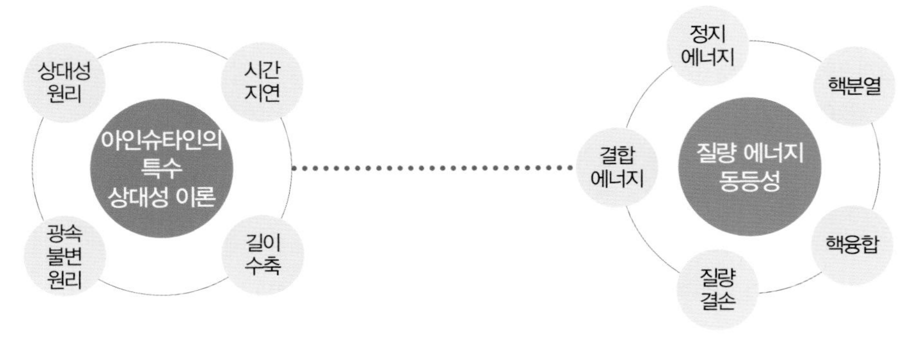

시간과 공간의 상대성

질량 에너지 동등성

01 시간과 공간의 상대성

학습 Point 갈릴레이의 상대성 원리 > 아인슈타인의 특수 상대성 이론 > 동시성의 상대성, 시간 지연과 길이 수축

1 갈릴레이의 상대성 원리

길가의 나무는 길에 정지해 있는 사람이 보면 정지해 있는 것으로 보이지만, 달리는 자동차에서 보면 반대 방향으로 움직이는 것으로 보인다. 이처럼 관찰자가 어떤 운동을 하는지에 따라 물체의 운동도 다르게 관측된다.

1. 좌표계

운동하는 물체의 위치를 숫자로 나타내기 위해 마련된 틀, 즉 기준을 말한다. 물체의 운동을 기술하기 위해서는 우선 좌표계를 설정해야 하며, 좌표계는 지면에 고정된 좌표계나 점점 속력이 빨라지는 버스에 고정된 좌표계 등 다양하게 정할 수 있다. 좌표계에 따라 물체의 운동은 다르게 보일 수 있다. 예를 들어 직선 도로를 따라 버스가 등가속도 운동을 할 때 버스 안 손잡이가 기울어져 있는 동일한 상황을 지면에 서 있는 영희와 버스에 탄 철수는 다음과 같이 서로 다르게 관측한다.

▲ 좌표계에 따라 다르게 관측되는 운동

(1) **관성 좌표계(관성계, 관성 기준틀):** 관성 법칙이 성립하는 좌표계로, 물체가 힘을 받지 않으면 가속되지 않는 좌표계를 말한다. 관성 법칙이 성립하는 좌표계에서는 뉴턴 운동 제2법칙도 성립하므로, 뉴턴 운동 제2법칙으로 물체의 운동 방정식을 쓸 수 있다. 한 관성 좌표계에 대해 정지해 있거나 등속도로 움직이는 좌표계는 모두 관성 좌표계이다.

(2) **가속 좌표계:** 한 관성 좌표계에 대해 가속 운동을 하는 좌표계를 말한다. 가속 좌표계에서 운동하는 물체는 마치 어떤 가상의 힘을 받는 것처럼 보이는데, 이처럼 좌표계의 가속 운동 때문에 관찰되는 가상의 힘을 관성력이라고 한다. 즉, 가속 좌표계에서는 관성 법칙이 성립하지 않으며, 관성력을 고려해야만 뉴턴 운동 법칙을 적용할 수 있다.

관성 좌표계와 특수 상대성 이론
특수 상대성 이론은 관성 좌표계 사이에서 일어나는 현상을 다룬다. 한편 가속 좌표계에서 일어나는 현상을 다루는 내용은 일반 상대성 이론이다.

2. 갈릴레이의 상대성 원리

물체의 운동을 서로 다른 관성 좌표계에 있는 관측자가 관찰하였을 때, 두 관측자의 관측은 서로 어떤 관련이 있을까?

(1) **상대 속도:** 그림은 한 좌표계에서 측정한 속도가 각각 v_A, v_B로 일정한 물체 A와 B가 시간 Δt 동안 이동하는 것을 나타낸 것이다.

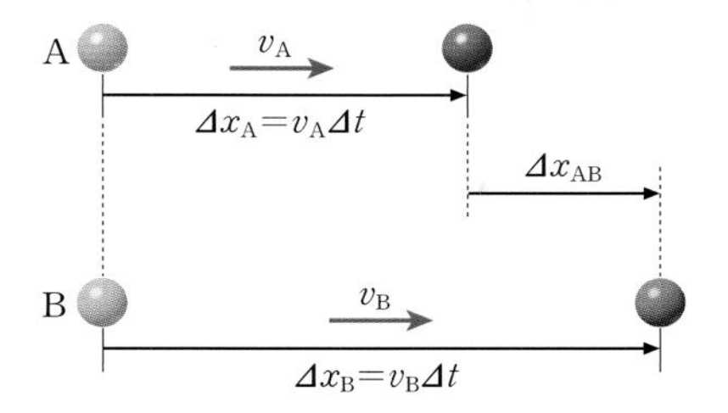

이 좌표계에서 Δt 동안 A, B가 이동한 거리 Δx_A, Δx_B는 다음과 같다.

$$\Delta x_A = v_A \Delta t,\ \Delta x_B = v_B \Delta t$$

A가 관찰하였을 때 Δt 동안 B가 이동한 거리 Δx_{AB}는 다음과 같다.

$$\Delta x_{AB} = v_B \Delta t - v_A \Delta t = (v_B - v_A)\Delta t$$

이를 정리하면 다음의 관계를 얻을 수 있다.

$$\frac{\Delta x_{AB}}{\Delta t} = v_B - v_A$$

이 결과는 A와 같이 움직이는 좌표계에서 측정한 B의 속도를 뜻하므로, A에 대한 B의 상대 속도라고 한다. 즉, 하나의 동일한 좌표계에서 측정한 A와 B의 속도가 각각 v_A, v_B일 때, A에 대한 B의 상대 속도 또는 A가 관찰한 B의 상대 속도 v_{AB}는 다음과 같다.

$$v_{AB} = v_B - v_A$$

상대 속도 구하기
상대 속도는 물체의 속도에서 관찰자 자신의 속도를 빼서 구한다.

(2) **갈릴레이의 상대성 원리:** 물체의 속도는 관측하는 관성 좌표계에 따라 다르게 측정되지만, 물체의 가속도는 동일하게 측정된다. 즉, 물체의 운동 방정식은 다음 예와 같이 서로 다른 관성 좌표계에서 동일하게 적용된다.

▲ 등속도 운동하는 트럭 위의 관측자와 지면에 정지한 관측자가 관측하는 공의 운동

등속도로 달리는 트럭 위 관측자	지면에 정지한 관측자
공은 연직 아래 방향의 일정한 가속도로 운동한다. ➡ 공은 중력 방향의 일정한 가속도로 운동한다.	공이 연직 방향으로는 일정한 가속도로 운동하고, 수평 방향으로는 등속도로 운동하는 것으로 관측한다. ➡ 공은 중력 방향의 일정한 가속도로 운동한다.

이것은 두 관성 좌표계 사이에 어떤 차이를 검출해 낼 수 있는 어떤 역학적 실험도 없다는 것을 의미한다.

갈릴레이의 상대성 원리: 모든 관성 좌표계에서 운동 법칙은 동일하게 적용된다.

2 빛의 속력

마이컬슨·몰리 실험의 결과 관측자의 운동 상태는 빛의 속력에 영향을 주지 않는다. 이렇게 빛의 경우 갈릴레이의 상대성 원리가 적용되지 않는다는 사실은 특수 상대성 이론의 시초가 되었다.

19세기 초, 영의 2중 슬릿에 의한 빛의 간섭 실험의 성공으로 물리학자들은 빛은 파동이라 생각하고, 빛을 전달하는 가상의 매질인 에테르의 존재를 확인하려고 시도하였다. 그리고 맥스웰이 구한 자유 공간에서의 빛의 속력 c, 약 3×10^8 m/s는 에테르에 대해 정지한 특수하고 절대적인 좌표계에서만 c로 주어진다고 생각하였다. 만약 이 절대적인 기준틀에 대해 움직이는 관측자가 빛의 속력을 측정하면 관측자의 운동 방향에 따라 다른 상대 속도를 측정할 수 있을 것이라고 예상하였다.

1. 마이컬슨·몰리 실험

마이컬슨과 몰리는 지구가 에테르로 채워진 우주 공간을 매우 빠른 속력으로 움직이므로, 지구에서 측정하는 빛의 속력은 에테르가 흐르는 방향에 영향을 받을 것이라고 생각하였다.

그림과 같이 강물에서 배를 같은 속력으로 운항하여 같은 거리를 왕복할 때, 강물이 흐르는 방향에 나란하게 운항하는 배와 수직으로 운항하는 배의 실제 속력이 다르다. 따라서 배가 같은 거리를 왕복하는 데 걸리는 시간은 달라진다.

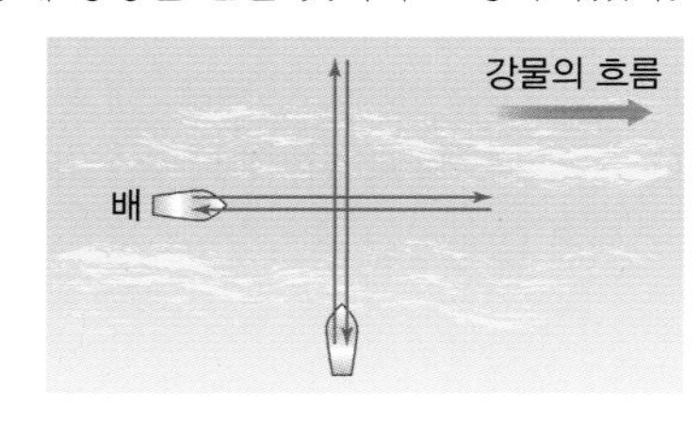

마이컬슨과 몰리는 강물을 왕복하는 배와 같이 빛도 에테르의 이동 방향과 나란하게 진행할 때와 수직으로 진행할 때 속력에 차이가 생길 것이라고 생각하고, 다음과 같은 실험을 수행하였다.

마이컬슨·몰리 실험의 과정

① 광원에서 나온 빛이 반거울에 입사하면 일부는 반사하고 일부는 통과한다.

② 각각의 빛은 반거울에서 같은 거리만큼 떨어진 거울에서 반사된 후 빛 검출기에 도달한다.

③ 빛 검출기에 도달한 두 빛은 위상차가 생겨 간섭무늬를 만들고, 이를 망원경으로 관찰할 수 있다.

④ 실험 장치가 회전하면 에테르가 흐르는 방향이 달라지므로, 두 빛의 속력이 변하여 간섭무늬에 변화가 있어야 한다.

[결과] 간섭무늬의 변화는 관측되지 않았다.

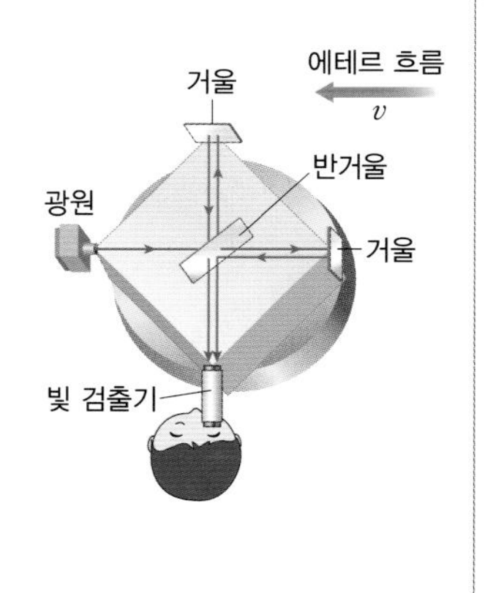

2. 마이컬슨·몰리 실험의 결론

(1) 에테르는 존재하지 않으며, 빛은 매질 없이 전파되는 파동이다.

(2) 갈릴레이의 상대성 원리에 따르면 빛의 속력은 관찰자의 운동에 따라 달라야 하지만, 빛의 속력은 모든 관성 좌표계에서 같았다.

영의 간섭 실험

빛의 간섭 현상을 관측한 실험으로, 빛이 파동임을 보여 준다.

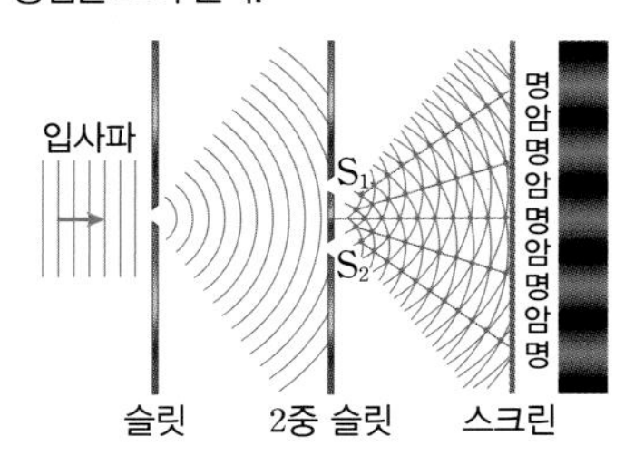

에테르

물결파는 물이라는 매질을 통해 전달되고, 소리는 공기라는 매질을 따라 전달되는 것처럼, 빛을 전파시킨다고 생각했던 가상의 매질이다. 빛이 진공 중에서도 전파되는 것으로 보아, 에테르는 물질이 텅 빈 진공에도 채워져 있고, 물체의 운동에 거의 영향을 주지 않는 물질이라고 생각하였다.

에테르가 있을 때 빛의 상대 속도

에테르에 대한 빛의 속력이 c이고, 지구에 대한 에테르의 흐름 속력이 v일 때, 지구에 대한 빛의 속력은 다음과 같이 에테르의 흐름 방향에 따라 달라진다.

- 빛이 에테르의 흐름과 같은 방향일 때: $c+v$

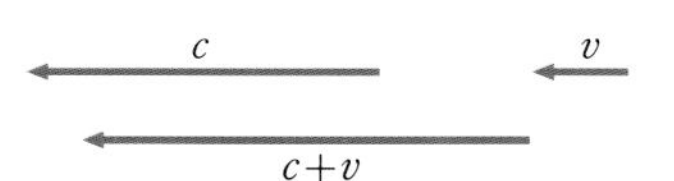

- 빛이 에테르의 흐름과 반대 방향일 때: $c-v$

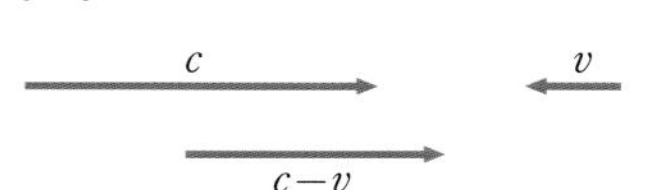

- 빛이 에테르의 흐름과 수직일 때: $\sqrt{c^2-v^2}$

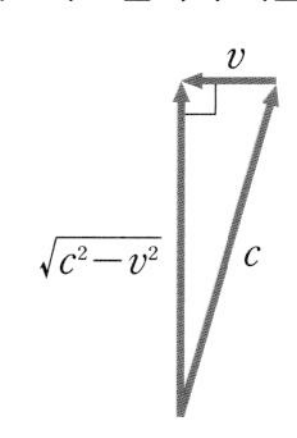

3 특수 상대성 이론의 두 가지 가설

아인슈타인은 빛의 속력에 대해서 고전 역학과 전자기학의 예측 사이에 모순이 있음을 인식하고, 두 가지 가설을 채택함으로써 두 이론을 조화시키는 데 착수했다.

아인슈타인(Einstein, A., 1879~1955)
미국(독일 태생)의 이론 물리학자로, 상대성 이론(상대론)과 광양자 이론으로 유명하다. 1921년에 광전 효과 연구의 업적을 인정받아 노벨 물리학상을 수상하였다.

1. 갈릴레이의 상대성 원리의 한계

갈릴레이의 상대성 원리를 전자기 현상에 적용시켜 보면 여러 가지 이상한 일이 일어난다. 빛의 속력은 유한하므로 빛과 동일한 속도로 움직이는 좌표계에서 본다면 빛이 정지해야 한다는 것이다. 빛과 같은 속도로 날아가며 거울을 보면 나의 모습이 보이지 않아야 하는 것일까? 갈릴레이의 상대성 원리에 따르면 빛의 속력은 측정하는 좌표계에 따라 달라져야 하므로 이러한 모순이 생기는 것이다. 그러나 당시 알려져 있던 전자기학에서 빛의 속력은 어떤 좌표계에서 보아도 동일하였으며, 이는 마이컬슨·몰리 실험에서도 확인되었다. 따라서 '정지한 빛'은 없으며, 빛(전자기파)에는 갈릴레이의 상대성 원리를 적용할 수 없다.

2. 아인슈타인의 특수 상대성 이론의 두 가지 가설

아인슈타인은 빛도 상대성 원리에 따라야 한다고 생각하고, 다음과 같은 두 가지 가설을 기본으로 하는 특수 상대성 이론을 완성하였다.

> 가설 1. 상대성 원리: 모든 관성 좌표계에서 물리 법칙은 동일하게 성립한다.
> 가설 2. 광속 불변 원리: 진공 중에서 진행하는 빛의 속력은 모든 관성 좌표계에서 모든 방향에 대하여 c로 같다.

광속(c)
빛의 속력을 말한다. 진공에서의 빛의 속력은 다음과 같다.

$$c = 299,792,458\ \mathrm{m/s} \fallingdotseq 3\times10^{8}\ \mathrm{m/s}$$

(1) **상대성 원리:** 아인슈타인의 상대성 원리는 뉴턴 역학 법칙에만 제한되었던 갈릴레이의 상대성 원리를 전자기학과 광학, 열역학을 비롯한 모든 물리 법칙으로 일반화한 것이다.

① **의미:** 관성 좌표계에서 관찰자가 자연 현상을 설명하는 물리 법칙은 모두 동일해야 하며, 물체의 속력을 정하는 기준은 절대적이지 않고, 운동하는 모든 물체의 속력은 상대적이라고 할 수 있다.

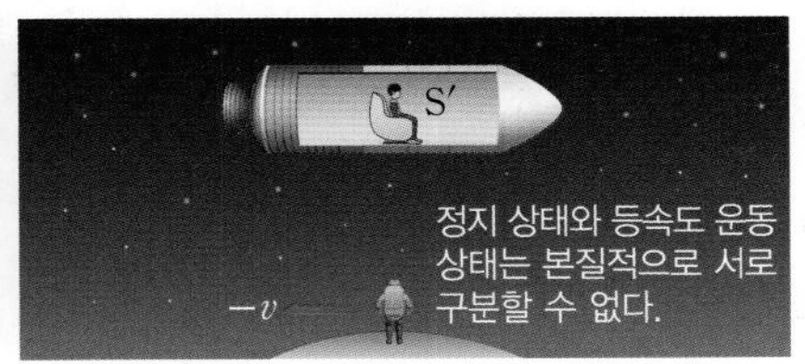

▲ 지구의 관측자 S와 지구에 대해 속력 v로 등속도 운동하는 우주선 안의 관측자 S′이 관측하는 상대적 운동

② **시공간의 상대성:** 상대성 원리에 대해 갈릴레이와 뉴턴은 두 관측자의 공간에 대한 상대성만을 고려하였다. 그런데 아인슈타인은 공간뿐만 아니라 시간에 대한 상대성도 고려해야 한다고 하였고, 이를 통해 3차원 공간 좌표에 시간이 포함된 4차원 시공간 좌표를 완성하여 상대성 원리가 성립함을 증명하였다.

(2) **광속 불변 원리:** 마이컬슨·몰리 실험에서 빛의 속력이 관찰자의 운동과 무관하게 같은 값으로 측정되어서 도입된 가설이다. 아인슈타인은 직관에 의해 광속 불변 원리를 생각하였지만, 중성 파이온이 방출하는 감마(γ)선의 속력을 측정함으로써 이 가설은 사실로 증명되었다.

① **의미:** 진공 중에서 진행하는 빛의 속력은 자연계의 기본 상수이므로 관찰자의 운동 상태와 관계없이 모두 c로 같아야 한다는 것이다. 이는 공간뿐만 아니라 시간조차도 빛의 속력에 맞추어 변화될 수 있음을 의미한다.

② **고전 역학과의 차이:** 그림과 같이 100 km/h의 속도로 달리는 기차에서 150 km/h의 속도로 던진 공의 속력은 철수와 영희가 서로 다르게 측정한다. 그런데 빛을 쏠 경우는 그렇지 않다. 갈릴레이의 상대성 원리에서 영희가 본 빛의 속력은 100 km/h+c가 되어야 하지만, 아인슈타인의 광속 불변 원리에 의하면 영희가 본 빛의 속력도 c가 되며, 이를 바탕으로 뉴턴 역학과 차이가 있는 시공간의 새로운 개념을 완성하였다.

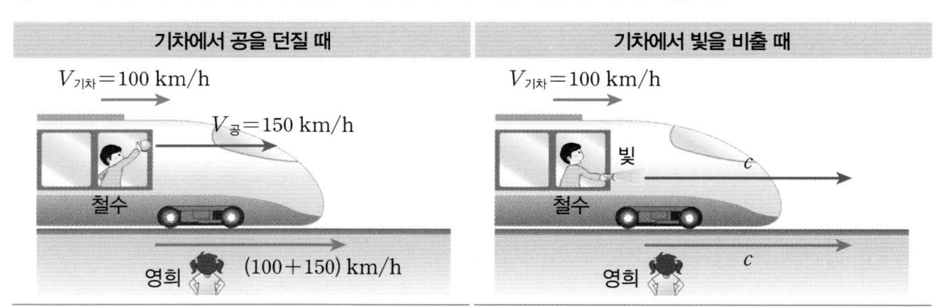

기차에서 공을 던질 때	기차에서 빛을 비출 때
• 기차 안의 철수가 본 공의 속력=150 km/h • 지면의 영희가 본 공의 속력 =100 km/h+150 km/h=250 km/h	• 기차 안의 철수가 본 빛의 속력=c • 지면의 영희가 본 빛의 속력=c

광속 불변 원리의 실험적 검증
움직이는 광원으로부터 나온 전자기파의 속력이 광속과 일치하는지 알아보기 위해 입자 가속기에서 생성된 중성 파이온이 방출하는 감마(γ)선의 속력을 측정하였고, 이것이 빛의 속력과 같았다.
이 실험 결과는 빛의 속력의 99 %로 운동하는 물체(파이온)에서 빛(감마(γ)선)을 쏘아도 빛의 속력은 c로 측정됨을 보여 줌으로써 광속 불변 원리를 입증하였다.

시선 집중 ★ 갈릴레이 이론과 아인슈타인의 특수 상대성 이론 비교

	갈릴레이 이론	특수 상대성 이론
상대성 원리	모든 관성계에서 측정한 물리 법칙은 같다.(뉴턴 역학에만 제한)	모든 관성계에서 측정한 물리 법칙은 같다.(전자기학, 광학, 열역학 등 모든 물리 영역으로 일반화)
빛의 속력	(그림: 민수, c, 영희, 10 km/s) 빛의 속력은 상대 속도에 따라 다르다. ➡ 영희는 빛의 속력을 $c-10$ km/s로 측정한다.	빛의 속력은 광원이나 관찰자의 속력과 관계없이 항상 c로 같다. ➡ 광속 불변 원리
길이, 시간, 질량 등 물리량	물리량은 같다.	물리량은 물체와 관측자의 상대 속도에 따라 다르다.

4 특수 상대성 이론의 예측

집중 분석 1권 168쪽

상대성에 관한 과거의 생각이 모든 사람들에게 너무도 익숙하여 의심의 여지가 없는 상식이라고 인식되었음에도 불구하고, 아인슈타인은 간단한 2개의 가설에 근거하여 상식이 잘못되었다는 것을 보임으로써 과학계를 뒤흔들어 놓았다. 과거의 잘못된 생각은 사람들이 천천히 움직이는 물체만을 경험하면서 생겨난 것이었다. 이와 달리 모든 가능한 속력에서 성립하는 것으로 밝혀진 아인슈타인의 특수 상대성 이론은 어느 누구도 경험해 보지 못한 기묘한 효과들을 예측한다.

1. 사건의 측정

특수 상대성 이론에서는 어떤 일이 일어나는 것을 사건이라고 한다. 상대론에서는 공간과 시간이 서로 얽혀 있기 때문에, 관측자가 사건을 기술할 때는 사건이 발생한 시간과 위치의 좌표 (x, y, z, t)로 나타낸다.

(1) **사건의 시간 측정 문제:** 사건이 발생한 시점과 관찰자가 그 사건을 관찰한 시점이 서로 다를 수 있다. 예를 들어 어떤 지점에서 전구에 불을 켤 때 빛이 관찰자까지 도달하는 데 시간이 걸리므로, 전구에서 멀리 떨어진 관찰자일수록 전구가 켜진 시간을 늦게 측정한다. 관찰자가 전구가 켜진 정확한 시간을 측정하려면, 빛이 자신에게 도달하는 데 걸린 시간을 계산해서 빼야 하므로 사건의 해석이 복잡해진다.

(2) **시공간 좌표:** 특수 상대성 이론에서는 이러한 혼동을 피하기 위해 그림과 같이 공간 좌표의 각 격자점마다 작은 시계를 고정시킨 다음, 사건이 발생했을 때 격자점의 좌표와 시계를 읽어 그 사건이 발생한 위치와 시간으로 정한다. 이렇게 하면 동일한 관성 좌표계에서는 관찰자의 위치에 관계없이 사건이 발생한 시간을 동일하게 취급할 수 있다.

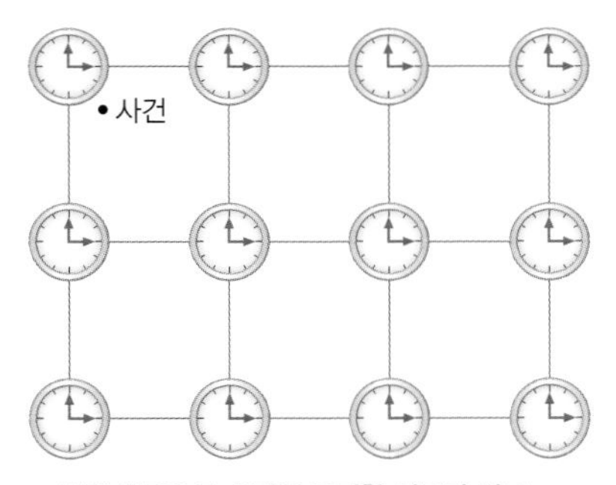

▲ 일정 간격으로 시계를 고정한 시공간 좌표

2. 동시성의 상대성

뉴턴 역학에서는 절대적인 시공간에 의해 여러 사건이 서로 다른 공간에서 동시에 동일하게 관측될 수 있다. 그러나 특수 상대성 이론에 의하면 같은 관성 좌표계가 아닌 공간에서 일어난 여러 사건인 경우 동시에 동일하게 관측되는 것은 불가능하다.

(1) **한 점에서 발생한 사건의 동시성:** 그림과 같이 지면의 영희에 대하여 빠른 속도로 운동하는 우주선에 철수가 타고 있다. 철수가 관찰할 때 우주선의 양 끝에서 서로 반대 방향으로 진행하던 두 빛이 P점에서 동시에 만나는 사건이 발생하였다. 이 사건은 한 점에서 발생한 하나의 사건이므로 지면의 영희도 두 빛이 P에서 동시에 만나는 것으로 관찰한다. 이와 같이 한 점에서 동시에 발생한 사건은 하나의 사건이므로 좌표계에 관계없이 동시에 일어나는 것으로 관찰된다.

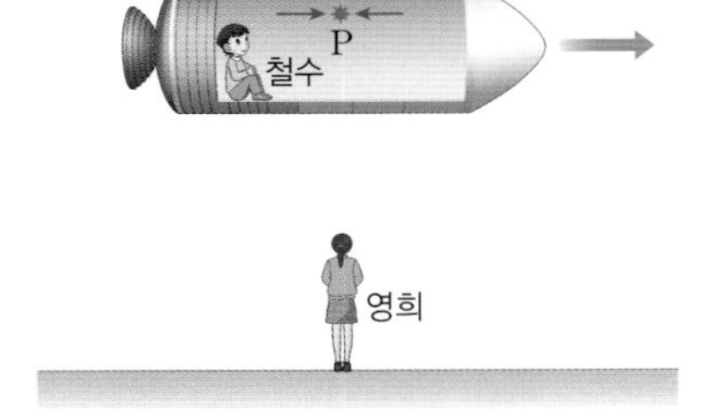

시계의 동기화

시공간 좌표에서 각 격자점의 시계는 모두 동기화되어야 한다. 그런데 한 장소에서 시계를 모두 동기화한 후 각 격자점으로 옮기면, 시계를 옮기는 동안 시간의 흐름이 달라지므로 시계를 격자점에 고정한 후 동기화해야 한다. 이를 위해서는 빛을 이용한다. 좌표계의 원점에서 시계가 $t=0$일 때 빛을 보낸다. 그 빛이 거리 r만큼 떨어진 시계에 도달하는 순간 그 지점에 위치한 시계의 시간을 $t=\frac{r}{c}$가 되게 맞추는 방법으로 시계를 동기화할 수 있다.

동시성에 관한 고전적 해석

동시성의 상대성은 빛의 속력이 모든 관성 좌표계에서 일정하다는 사실 때문에 발생한다. 이러한 상황을 속력이 느린 고전적인 상황으로 생각해 보면 이를 알 수 있다. 예를 들어 1 m/s로 움직이는 기차의 중간 지점에서 야구공 2개를 10 m/s의 속력으로 양쪽으로 동시에 던질 때, 기차 안의 철수와 지면의 영희는 모두 야구공이 양쪽 벽에 동시에 도달하는 것으로 관측한다.

- 기차 안의 철수: 야구공 A, B의 속력이 10 m/s로 같으므로, 야구공은 양쪽 벽에 동시에 도달한다.

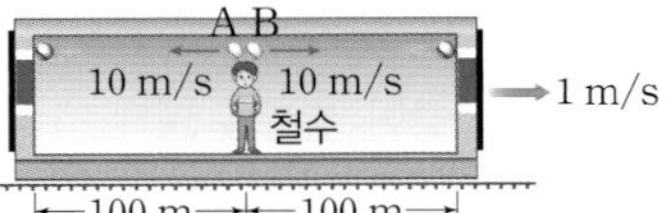

- 지면의 영희: 야구공 A의 속력은 9 m/s, B의 속력은 11 m/s이므로, 야구공은 역시 양쪽 벽에 동시에 도달한다.

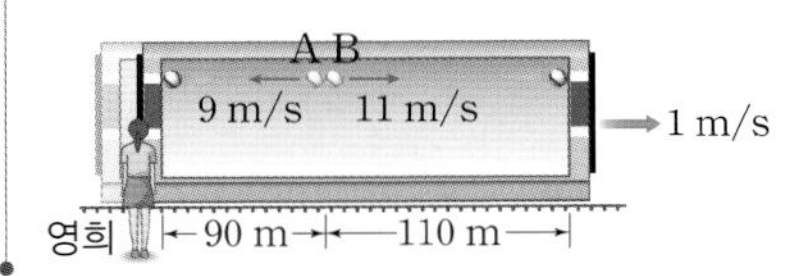

(2) **두 사건의 동시성:** 그림과 같이 지면에 대해 광속에 가깝게 날아가는 우주선의 광원에서 같은 거리만큼 떨어진 빛 검출기에 빛이 도달하는 두 사건 A, B가 발생했을 때, 우주선 안의 철수와 지면의 영희는 두 사건 A, B를 다음과 같이 각각 다르게 관찰한다.

우주선 안의 철수	지면의 영희

양쪽 방향의 빛의 속력은 같고, 광원에서 양쪽 검출기까지의 거리도 같다. 따라서 빛은 두 검출기에 동시에 도달한다. ➡ 사건 A, B는 동시에 일어난다.	양쪽 방향의 빛의 속력은 같은데, 빛이 이동하는 동안 우주선이 오른쪽으로 이동한다. 따라서 빛은 왼쪽 검출기에 먼저 도달한다. ➡ 사건 A가 먼저 일어나고, 사건 B가 일어난다.

이처럼 한 관찰자에게 동시에 일어난 것으로 보이는 두 사건이 상대적으로 움직이는 다른 관찰자에게는 동시에 일어나지 않을 수 있다.

(3) **동시성의 상대성(동시성 불일치):** 동시성은 관측자의 운동에 따라 달라지는 것으로, 절대적인 것이 아니라 상대적인 것이다.

➡ 동시성의 상대성은 모순도 아니고 착시 현상도 아니다. 특수 상대성 이론에 의하면 동시성은 동일한 관성 좌표계에서 발생한 사건에 대해서만 절대적인 의미를 갖고, 다른 관성 좌표계에서는 달라지는 상대적 개념으로 이해해야 한다.

3. 시간 지연

특수 상대성 이론에 따르면 서로 다른 관성 좌표계에서 측정한 두 사건 사이의 시간 간격은 일반적으로 서로 다르다. 이 현상을 설명하기 위해서는 가상의 빛 시계라는 도구가 필요하다. 빛 시계에서 빛이 광원을 떠나는 사건 1과 빛이 광원으로 다시 돌아오는 사건 2 사이의 시간 간격은 서로 다른 관성 기준계에 있는 철수와 영희에게는 서로 다르게 측정된다.

빛 시계
위와 아래에 설치된 거울 사이를 빛이 반사하며 진공에서의 광속 c로 왕복하도록 만든 시계이다. 빛이 한 번 왕복하는 데 걸린 시간을 단위로 하여 시간을 측정하는 가상의 시계이다.

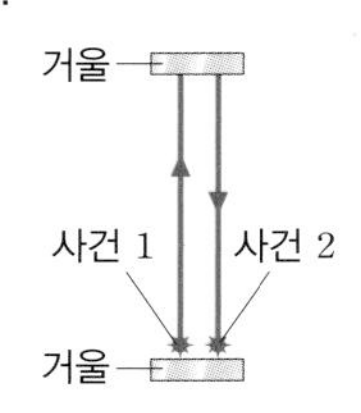

(1) **우주선 안의 철수가 측정한 시간(고유 시간)**

① **고유 시간(proper time):** 관성 좌표계의 한 지점에서 일어난 두 사건 사이의 시간 간격이다.

② 그림과 같이 행성에 대해 광속에 가까운 일정한 속도 v로 운동하는 우주선 안에 놓인 빛 시계를 철수가 보았을 때, 사건 1, 2는 같은 위치에서 일어나므로 철수가 측정한 시간은 고유 시간이다. 거울 사이의 간격이 d일 때 빛이 왕복하는 데 걸린 고유 시간 $\Delta t_{고유}$는 다음과 같다.

$$\Delta t_{고유}=\frac{2d}{c} \cdots\cdots ①$$

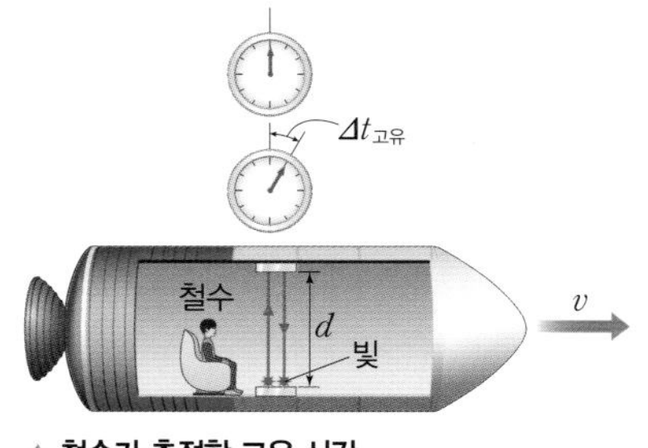

▲ 철수가 측정한 고유 시간

(2) **행성의 영희가 측정한 시간**

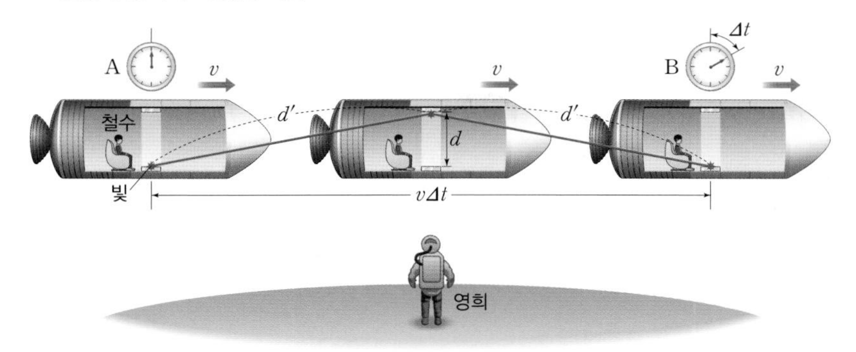

행성의 영희가 우주선 안의 빛 시계를 관측하면, 빛이 방출되는 사건 1이 일어난 위치와 빛이 돌아오는 사건 2가 일어난 위치가 다르다. 영희가 보았을 때 빛이 움직인 거리는 $2d'$이고 빛의 속력은 c로 일정하므로, 영희가 본 빛의 왕복 시간 Δt는 다음과 같다.

$$\Delta t=\frac{2d'}{c}$$

Δt 동안 우주선이 움직인 거리가 $v\Delta t$이므로, d'은 피타고라스 정리에 의해 다음과 같다.

$$d'=\sqrt{\left(\frac{v\Delta t}{2}\right)^2+d^2} \cdots\cdots ②$$

식 ①, ②를 이용해 영희가 본 빛의 왕복 시간 Δt를 구하면 다음과 같다.

$$\Delta t=\frac{2d'}{c}=\frac{2}{c}\sqrt{\left(\frac{v\Delta t}{2}\right)^2+d^2}=\frac{2}{c}\sqrt{\left(\frac{v\Delta t}{2}\right)^2+\left(\frac{c\Delta t_{고유}}{2}\right)^2}$$

$$(\Delta t)^2=\frac{v^2}{c^2}(\Delta t)^2+(\Delta t_{고유})^2$$

$$\therefore\ \Delta t=\frac{\Delta t_{고유}}{\sqrt{1-\frac{v^2}{c^2}}}$$

① 우주선의 속력 v는 c보다 느리므로, $\frac{1}{\sqrt{1-\frac{v^2}{c^2}}}>1$이다. 따라서 $\Delta t>\Delta t_{고유}$이다.

② 빛 시계에 대해 움직이는 영희가 측정한 시간 간격 Δt는 빛 시계에 대해 정지한 철수가 측정한 고유 시간 $\Delta t_{고유}$보다 길다.

(3) **시간 지연(시간 팽창):** 한 관성 좌표계의 관찰자가 상대적으로 빠르게 운동하는 다른 관성 좌표계의 시간을 보면 시간이 천천히 가는 것으로 관찰된다.

① **고유 시간과 시간 지연:** 관성 좌표계의 한 장소에서 두 사건이 발생했을 때, 두 사건 사이의 시간 간격을 고유 시간이라고 하며, 다른 관성 좌표계에서 측정한 두 사건 사이의 시간 간격은 항상 고유 시간보다 늘어난다.

② **시간 지연의 의미:** 아인슈타인의 특수 상대성 이론에서는 갈릴레이와 뉴턴의 상대론과 다르게 관찰자에 따라 위치뿐만 아니라 시간의 흐름도 달라진다는 것을 의미한다. 갈릴레이나 뉴턴의 상대론에서 위치는 관찰자에 따라 다르게 측정될 수 있지만, 시간은 관찰자에 따라 다르게 측정될 수 없고 항상 동일하게 측정된다.

로런츠 인자(γ)

$\gamma=\frac{1}{\sqrt{1-\frac{v^2}{c^2}}}$을 로런츠 인자라고 하며, 1보다 크다. 매우 느린 좌표계에서는 거의 1이 되어 상대성 이론의 효과를 관측하기 어렵다. 그러나 속력 v가 빛의 속력에 접근함에 따라 γ는 급격하게 증가한다.

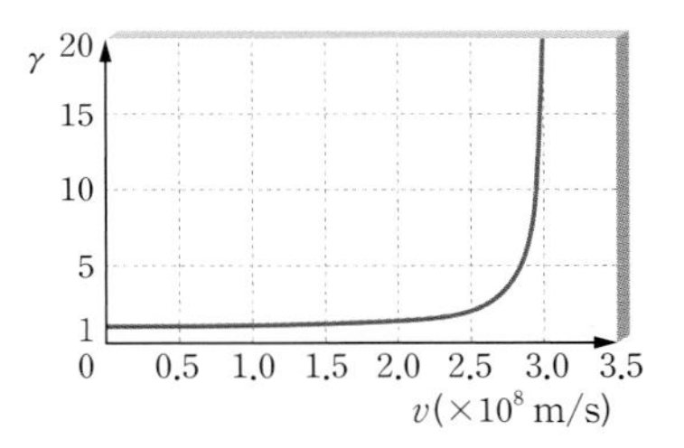

철수가 본 영희의 시간

철수가 영희를 보면 영희가 반대 방향으로 움직이는 것으로 보인다. 따라서 시간 지연에 의해 철수가 본 영희의 시간도 느리게 흐른다.

관측자의 상대 속력에 따른 시간 지연

물체의 속력 v가 빛의 속력 c에 가까워질수록 시간 지연 정도가 커진다.

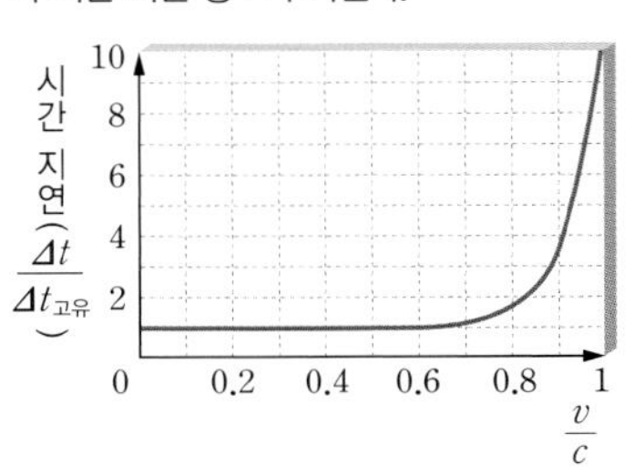

4. 길이 수축

특수 상대성 이론에 따르면 서로 다른 관성 좌표계에서 측정한 두 지점 사이의 거리도 일반적으로 서로 다르다. 이 현상을 이해하기 위하여, 지구에서 다른 별까지 광속에 가까운 일정한 속도 v로 이동하는 우주선을 가정해 보자. 지구에 있는 영희와 우주선에 탄 철수는 각각 다음과 같은 방법으로 지구에서 별까지의 거리를 측정한다.

(1) 지구에 있는 영희가 측정한 길이(고유 길이)

① 고유 길이(proper length): 한 관성 좌표계에 대해 위치가 변하지 않고 고정된 두 지점 사이의 길이이다.

② 지구에 있는 영희는 우주선이 지구에서 별까지 이동하는 데 걸린 시간에 우주선의 속력을 곱해서 지구와 별 사이의 거리를 구한다.

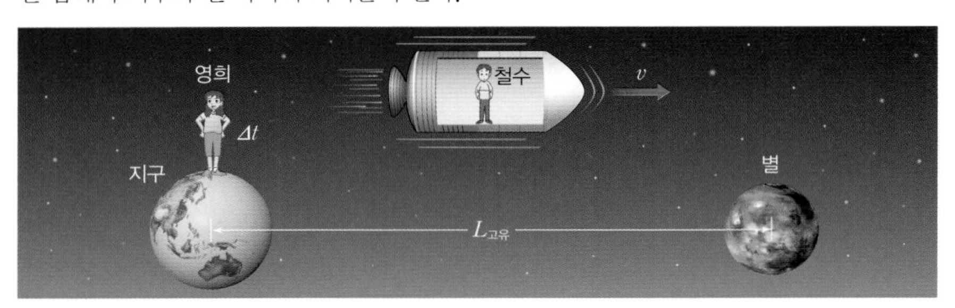

- 영희가 측정한 시간(Δt): 우주선이 출발한 사건과 도착한 사건은 서로 다른 장소에서 일어나므로 영희가 측정한 시간 Δt는 고유 시간이 아니다.
- 영희가 측정한 지구와 별 사이의 거리($L_{고유}$): 영희는 지구와 별에 대해 정지해 있으므로 영희는 지구와 별 사이의 고유 길이 $L_{고유}$를 측정하며, 우주선의 속력이 v이므로 다음과 같다.

$$L_{고유}=v\Delta t$$

(2) 우주선 안의 철수가 측정한 길이: 우주선 안의 철수에게는 지구와 별이 자신의 우주선을 $-v$의 일정한 속도로 지나가는 것으로 보인다. 철수는 지구와 별이 자신의 우주선을 지나가는 데 걸린 시간에 지구와 별의 속력 v를 곱해 지구와 별 사이의 거리를 구할 수 있다.

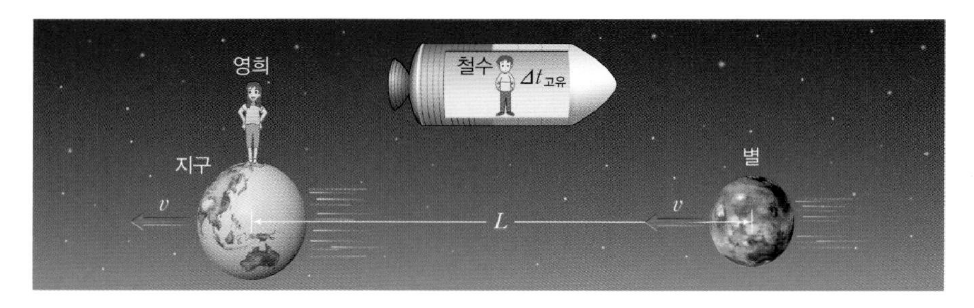

- 철수가 측정한 시간($\Delta t_{고유}$): 철수의 좌표계에서는 지구가 우주선을 지나가는 사건과 별이 우주선을 지나가는 사건이 같은 장소에서 일어나므로 철수가 측정한 두 사건 사이의 시간은 고유 시간 $\Delta t_{고유}$이다.
- 철수가 측정한 지구와 별 사이의 길이(L): 지구와 별이 철수에 대해 $-v$의 속도로 움직이므로 철수가 측정한 지구와 별 사이의 거리 L은 고유 길이가 아니며, 다음과 같다.

$$L=v\Delta t_{고유}$$

고유 길이를 측정하는 관측자

이 단원의 문제를 풀 때는 고유 길이를 측정하는 관측자를 정확히 아는 것이 매우 중요하다. 두 지점 사이의 고유 길이는 반드시 두 지점에 대하여 정지한 관측자가 측정한 길이이다.

고유 길이와 길이 수축

관성 좌표계에 대해 정지한 관측자가 측정한 막대의 길이가 고유 길이 $L_{고유}$일 때, 정지한 관측자에 대해 일정한 속도 v로 운동하는 관측자가 측정한 막대의 길이 L은 $L_{고유}$보다 짧다.

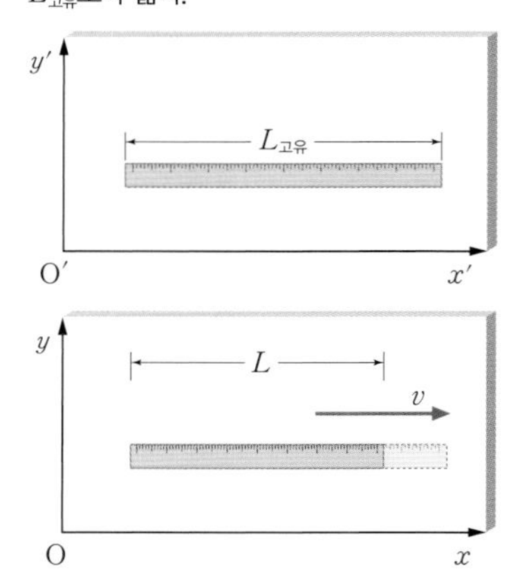

이때 영희가 측정한 시간 Δt와 철수가 측정한 고유 시간 $\Delta t_{고유}$는 $\Delta t=\dfrac{\Delta t_{고유}}{\sqrt{1-\dfrac{v^2}{c^2}}}$의 관계가 있으므로, 철수가 측정한 지구와 별 사이의 거리 L은 다음과 같다.

$$L=v\Delta t_{고유}=v\Delta t\sqrt{1-\frac{v^2}{c^2}}=L_{고유}\sqrt{1-\frac{v^2}{c^2}}$$

$$\therefore L=L_{고유}\sqrt{1-\frac{v^2}{c^2}}$$

① 항상 $\sqrt{1-\dfrac{v^2}{c^2}}<1$이므로, $L<L_{고유}$이다.

② 지구와 별에 대해 움직이는 철수가 측정한 지구와 별 사이의 거리 L은 지구와 별에 대해 정지한 영희가 측정한 지구와 별 사이의 고유 길이 $L_{고유}$보다 작다.

(3) **길이 수축:** 관찰자가 상대적으로 운동하는 물체를 보면 운동 방향으로 길이가 줄어든 것으로 보인다.

① **고유 길이와 길이 수축:** 물체에 대해 정지한 관성 좌표계에서 측정한 물체의 길이를 고유 길이라고 하며, 측정하려는 길이의 방향으로 운동하는 다른 관성 좌표계에서 측정한 물체의 길이는 고유 길이보다 짧다.

② 길이 수축은 운동 방향에 대해서만 나타나며, 운동 방향에 수직인 방향으로는 일어나지 않는다.

관측자의 상대 속력에 따른 길이 수축
물체의 속력 v가 빛의 속력 c에 가까워질수록 길이 수축 정도가 커진다.

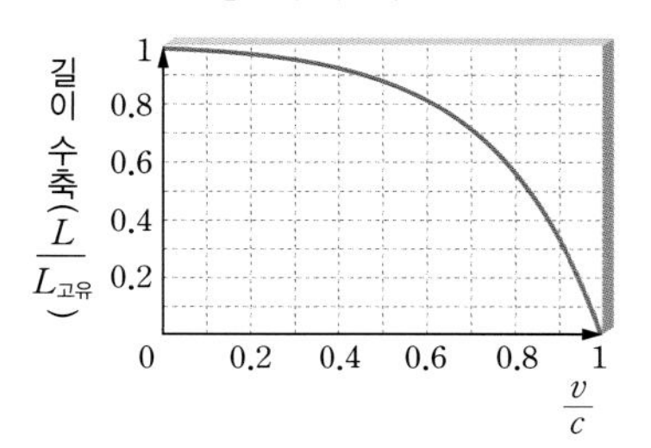

시선 집중 ★ 다양한 길이 수축 상황 알아보기

❶ 지구에 대해 일정한 속도 v로 움직이는 우주선의 길이를 지구에 있는 영희와 우주선 안의 철수가 각각 측정하는 경우

관측자	지구에 있는 영희	우주선 안의 철수
측정 방법	우주선의 앞과 뒤가 지나가는 데 걸리는 시간에 우주선의 속력을 곱하여 구함. (그림: v, 철수, 영희, $L=v\Delta t_{고유}$, $\Delta t_{고유}$)	영희가 우주선의 앞과 뒤에 위치하는 시간 간격과 영희의 속력을 곱하여 구함. (그림: 영희, $-v$, 철수, $L_{고유}=v\Delta t$, Δt)
시간 간격	$\Delta t_{고유}$ ➡ 한 장소에서 측정하므로 고유 시간임.	Δt
우주선의 길이	$L=v\Delta t_{고유}$	$L_{고유}=v\Delta t$ ➡ 철수에 대해 우주선이 정지해 있으므로 고유 길이임.

→ $\Delta t_{고유}<\Delta t$이므로, $L<L_{고유}$이다. 즉, 영희가 측정한 우주선의 길이는 철수가 측정한 고유 길이보다 짧다.

❷ 지면에 정지한 막대를 지면에 서 있는 영희와 지면에 대해 일정한 속도 v로 움직이는 기차 안의 철수가 각각 측정하는 경우

관측자	지면에 서 있는 영희	기차 안의 철수
측정 방법	기차의 앞부분이 막대의 양 끝에 각각 도달하는 데 걸린 시간과 기차의 속력을 곱하여 구함. (그림: 철수, v, 영희, a, b, $L_{고유}$, 막대)	막대의 양 끝이 각각 기차의 앞부분을 지나가는 데 걸린 시간과 막대의 속력을 곱하여 구함. (그림: 철수, a, b, $-v$)
시간 간격	Δt	$\Delta t_{고유}$ ➡ 한 장소에서 측정하므로 고유 시간임.
막대의 길이	$L_{고유}=v\Delta t$ ➡ 영희에 대해 막대가 정지해 있으므로 고유 길이임.	$L=v\Delta t_{고유}$

→ $\Delta t>\Delta t_{고유}$이므로, $L_{고유}>L$이다. 즉, 철수가 측정한 막대의 길이는 영희가 측정한 고유 길이보다 짧다.

실전에 대비하는

뮤온 – 특수 상대성 이론의 증거

뮤온은 우리 우주를 구성하는 기본 입자 중의 하나이다. 표준 모형에 따르면 뮤온은 가벼운 입자인 렙톤에 속하는 입자이고, 더 작은 입자로 쪼개지지 않고 그 자체로 가장 근본적인 입자이며, 내부 구조가 없는 점 입자이다. 우주에서 지구로 날아오는 우주선(cosmic rays)은 주로 양성자인데, 이들이 대기권의 공기 분자와 충돌하여 뮤온을 만들어 낸다. 보통 뮤온은 지표면에서 10 km 이상의 높은 고도에서 생성된다.

10 km 이상의 높은 고도에서 생성된 뮤온은 1 m^2에 만 개 정도씩 지표면에 도달하여 관측된다. 뮤온의 속력은 빛의 속력 c에 가깝게 $0.99c$ 정도로 운동하지만, 수명은 아주 짧아 평균 수명이 2.2×10^{-6} s 정도이다.

❶ 고전 역학

뮤온이 대기권의 상층에서 생성되어 붕괴될 때까지 이동할 수 있는 거리를 고전 역학으로 계산하면 $(0.99\times3\times10^8 \text{ m/s})\times(2.2\times10^{-6} \text{ s})\fallingdotseq653$ m 정도가 된다. 따라서 높은 고도에서 생성된 뮤온이 지표면 근처에서 관측되는 것을 설명할 수 없다.

뮤온 생성

$=6.5\times10^2$ m

뮤온 붕괴

뮤온은 지표면에 도달하기 전에 붕괴되어야 한다.

고전 역학으로는 설명되지 않는 뮤온 관측

❷ 특수 상대성 이론

뮤온이 지표면 근처에서 관측되는 것은 고전 역학으로 설명할 수 없는 현상이지만, 다음과 같이 특수 상대성 이론의 시간 지연과 길이 수축으로 설명할 수 있으므로 지표면에서 뮤온이 관측되는 것은 특수 상대성 이론의 증거이다.

(1) **지표면에 있는 관측자가 보았을 때(시간 지연):** 뮤온이 $0.99c$의 속력으로 운동하므로, 시간 지연이 일어나 뮤온의 수명이 늘어난 것으로 관측된다.

$$(2.2\times10^{-6} \text{ s})\times(1-0.99^2)^{-\frac{1}{2}}\fallingdotseq15.6\times10^{-6} \text{ s}$$

따라서 이 시간 동안 뮤온은

$$(0.99\times3\times10^8 \text{ m/s})\times(15.6\times10^{-6} \text{ s})\fallingdotseq4633 \text{ m}$$

의 긴 거리를 이동하게 되며, 지표면에서 관측될 수 있는 것이다.

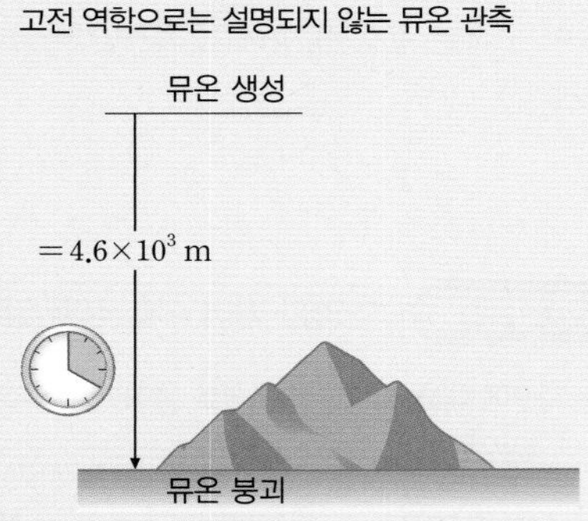

뮤온의 지표면 관측을 시간 지연으로 설명

(2) **뮤온과 함께 움직이는 관측자가 보았을 때(길이 수축):** 뮤온의 입장에서는 지표면이 자신에게 빛의 속력에 가깝게 다가온다. 따라서 길이 수축에 의해 지표면까지의 길이가 짧아지므로, 자신의 수명 안에 지표면에 도달할 수 있다. 즉, 뮤온의 입장에서 지표면까지의 거리 10 km는

$$10 \text{ km}\times\sqrt{1-0.99^2}\fallingdotseq1.4 \text{ km}$$

로 수축되므로, 짧은 수명 동안에도 지표면에 도달할 수 있는 것이다.

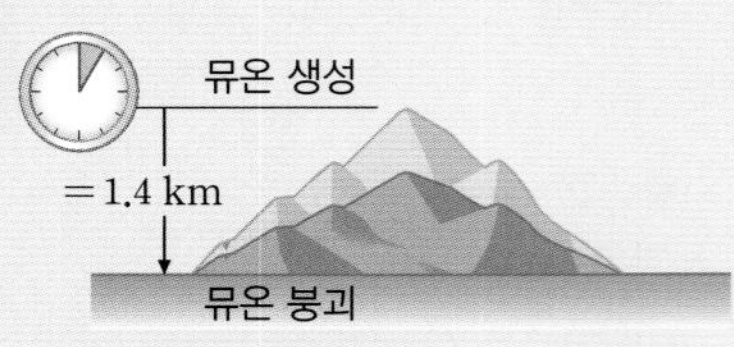

뮤온의 지표면 관측을 길이 수축으로 설명

> 정답과 해설 **37**쪽

유제

우주선에 의하여 대기권의 높은 상공에서 생성된 뮤온은 빛의 속력과 비슷한 빠른 속력으로 운동하지만, 수명이 아주 짧아 고전 역학으로 계산할 때 이동 거리가 지표면에 도달할 정도로 길지 않다. 하지만 지표면 근처에서 뮤온이 상당히 관측된다. 이 현상을 설명할 수 있는 내용으로 옳은 것만을 보기에서 있는 대로 고른 것은?

보기

ㄱ. 동시성의 상대성　　ㄴ. 시간 지연　　ㄷ. 길이 수축

① ㄱ　② ㄷ　③ ㄱ, ㄴ　④ ㄴ, ㄷ　⑤ ㄱ, ㄴ, ㄷ

로런츠 변환

어떤 관성 좌표계 O에 있는 관측자가 어떤 사건이 발생한 위치와 시간을 (x, y, z, t)로 나타낼 수 있다. 이 관성 좌표계에 대해 일정한 속도 v로 운동하는 다른 관성 좌표계 O′에 있는 관측자는 이 사건의 위치와 시간을 (x', y', z', t')로 관측한다고 하자. 이때 두 좌표는 어떤 관계가 있을까?

❶ 갈릴레이 변환

아인슈타인이 특수 상대성 이론을 발표하기 전에는 두 좌표가 갈릴레이 변환으로 관련된다고 생각하였다.

① 위치: 그림과 같이 정지해 있는 좌표계 O와 이 좌표계에 대해 x 방향의 일정한 속도 v로 움직이는 좌표계 O′이 있다고 하자. 두 좌표계에서 물체의 위치 x, x' 사이의 관계는 다음과 같다.

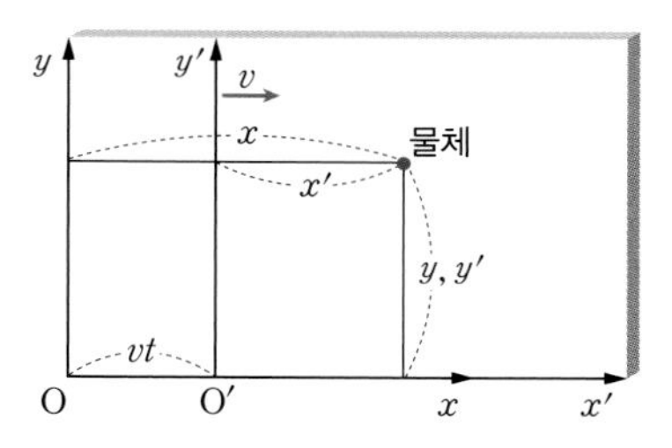

$$x'=x-vt,\ y'=y,\ z'=z,\ t'=t$$

이러한 변환을 갈릴레이 변환이라고 한다. 마지막 식은 양쪽 좌표계의 관측자에게 시간이 같은 속도로 흐른다는 것을 뜻한다. 즉, 고전 역학에서 시계의 위치가 변하는 속도에 관계없이 좌표계 O에 있는 관측자에게 일어난 사건은 좌표계 O′에 있는 관측자에게 동일한 시간으로 관측됨을 의미한다.

② 속도: 좌표계 O, O′에서 물체의 속도는 각각 $\frac{\Delta x}{\Delta t}$, $\frac{\Delta x'}{\Delta t}$이므로, 위 식으로부터 이들 사이의 관계는 다음과 같다.

$$\frac{\Delta x'}{\Delta t}=\frac{\Delta x}{\Delta t}-v$$

좌표계 O를 기준으로 한 물체의 속도는 $\frac{\Delta x}{\Delta t}=v_{\mathrm{B}}$, 좌표계 O′의 속도는 $v=v_{\mathrm{A}}$라 놓으면, 좌표계 O′에서 관측한 물체의 속도는 $\frac{\Delta x'}{\Delta t}=v_{\mathrm{AB}}$가 되므로 위 식은 다음과 같다.

$$v_{\mathrm{AB}}=v_{\mathrm{B}}-v_{\mathrm{A}}$$

즉, 갈릴레이 변환이 앞에서 배운 상대 속도의 관계식을 의미함을 알 수 있다.

③ 가속도: 속도가 일정하므로 $\frac{\Delta v}{\Delta t}=0$이고, 갈릴레이 변환에 대해서 뉴턴 운동 법칙은 다음과 같이 좌표계에 따라 변하지 않는다.

$$F=ma=m\frac{d^2x}{dt^2}=m\frac{d^2x'}{dt^2}$$

따라서 정지해 있는 사람에게나 v의 속도로 움직이는 사람에게나 물체의 운동 법칙이 동일하게 관찰된다.

위의 관계는 속력 v가 광속 c에 비해 매우 작을 때는 일반적으로 잘 성립한다. 그러나 v가 c에 가까워지면 갈릴레이 변환은 성립하지 않는다.

② 로런츠 변환

특수 상대성 이론의 두 가설로부터 광속을 포함한 모든 속력에서 정확한 변환식을 유도할 수 있다. 로런츠는 이러한 두 관성 좌표계의 좌표 사이의 관계를 나타내는 식을 알아내고, 이 결과를 로런츠 변환이라고 하였다. 로런츠 변환식은 진공에서의 빛의 속력 c를 계수로 포함한다.

로런츠(Lorentz, H., 1853~1928)
네덜란드의 수학자이자 물리학자

그림과 같이 좌표계 O에서 시간 t일 때 x, y, z에서 사건 P가 일어난다. O에 대해 x축 방향으로 일정한 속도 v로 움직이는 좌표계 O′에서는 시간 t'일 때 x', y', z'에서 P가 일어난다. 따라서 $\overline{OP}=\overline{OO'}+\overline{O'P}$의 관계가 있다. O에서 관찰할 때 $\overline{OP}$는 x, $\overline{OO'}$은 vt, $\overline{O'P}$는 길이 수축에 의하여 $\frac{x'}{\gamma}$이므로

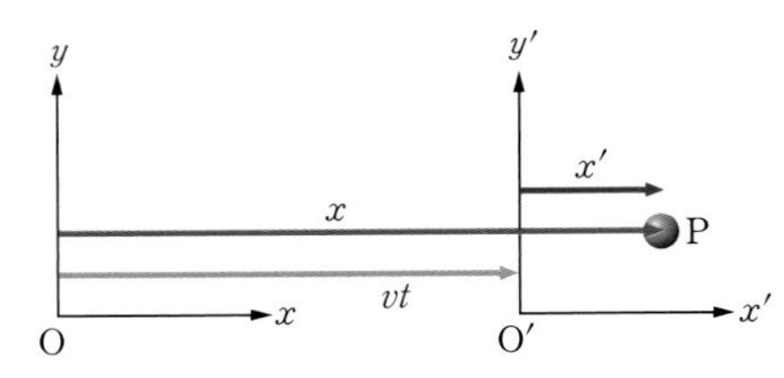

$$x=vt+\frac{x'}{\gamma} \Rightarrow x'=\gamma(x-vt)\left(\text{단, } \gamma=\frac{1}{\sqrt{1-\frac{v^2}{c^2}}}\right)$$

이다. O′에서 관찰할 때 $\overline{O'P}$는 x', $\overline{OO'}$은 vt', $\overline{OP}$는 길이 수축에 의하여 $\frac{x}{\gamma}$이므로

$$\frac{x}{\gamma}=vt'+x',\ \ x=\gamma(x'+vt')$$

이고, 위의 x'의 관계식을 이 결과에 대입하여 정리하면 다음과 같다.

$$x=\gamma(\gamma(x-vt)+vt')=\gamma^2(x-vt)+\gamma vt',\ \ \frac{x}{\gamma^2}=x-vt+\frac{vt'}{\gamma},\ \ -(1-\gamma^{-2})x=-vt+\frac{vt'}{\gamma}$$

$\gamma=\frac{1}{\sqrt{1-\frac{v^2}{c^2}}}$이므로 $1-\gamma^{-2}=\frac{v^2}{c^2}$이다. 따라서 위 식은 다음과 같다.

$$-x\frac{v^2}{c^2}=-vt+\frac{vt'}{\gamma},\ \ -x\frac{v}{c^2}=-t+\frac{t'}{\gamma} \Rightarrow t'=\gamma\left(t-x\frac{v}{c^2}\right)$$

이로부터 다음과 같은 로런츠 변환식을 얻을 수 있다.

$$x'=\frac{1}{\sqrt{1-\frac{v^2}{c^2}}}(x-vt)\ \cdots\cdots\ \text{(i)} \qquad t'=\frac{1}{\sqrt{1-\frac{v^2}{c^2}}}\left(t-\frac{xv}{c^2}\right)\ \cdots\cdots\ \text{(ii)}$$

특수 상대성 이론에서 가정한 두 가지 가설을 모두 만족하고, v가 c에 비하여 매우 작을 때 이 식은 고전 역학의 갈릴레이 변환식과 같아짐을 알 수 있다.

① 동시성의 상대성: 식 (i)과 (ii)에서 $\Delta t=\gamma\left(\Delta t'+\frac{v\Delta x'}{c^2}\right)$이 되며, O′ 좌표계에서 두 사건이 동시에 발생하여 $\Delta t'=0$이라도 다른 장소에서 발생하여 $\Delta x'$이 0이 아니라면 Δt는 0이 아니다. 즉, O 좌표계에서는 동시에 일어나지 않는다.

② 시간 지연: 두 사건이 O′ 좌표계의 같은 장소($\Delta x'=0$)에서 다른 시간에 발생한 경우, 다음과 같이 시간 지연이 일어남을 알 수 있다. 이때 두 사건이 O′ 좌표계의 같은 장소에서 일어나므로, $\Delta t'=\Delta t_{고유}$인 고유 시간이다. $\Delta t=\gamma\Delta t' \Rightarrow \Delta t=\gamma\Delta t_{고유}$

③ 길이 수축: 식 (i)에서 $\Delta x'=\gamma(\Delta x-v\Delta t)$가 되며, 어떤 막대가 O′ 좌표계에서 정지해 있다면 $\Delta x'=L_{고유}$인 고유 길이이다. 이 막대를 O 좌표계에서 보면 $\Delta t=0$일 때만 Δx가 막대의 길이 L이 되며, 다음과 같이 길이 수축이 일어남을 알 수 있다. $\Rightarrow L=\frac{L_{고유}}{\gamma}$

정답과 해설 37쪽

01 시간과 공간의 상대성

① 갈릴레이의 상대성 원리

1. **관성 좌표계(관성계)** 관성 법칙이 성립하는 좌표계로, 한 관성 좌표계에 대해 정지해 있거나 일정한 (❶)로 운동하는 좌표계는 모두 관성 좌표계이다.
2. **(❷)의 상대성 원리** 모든 관성 좌표계에서 운동 법칙은 동등하게 적용된다.

• 상대 속도: 관찰자의 속도에 따라 다르게 측정되는 속도로, 하나의 동일한 좌표계에서 측정한 A, B의 속도가 각각 v_A, v_B일 때 A에 대한 B의 상대 속도 v_{AB}=(❸)이다.

② 빛의 속력

1. **마이컬슨·몰리 실험** 빛을 전달하는 매질인 (❹)의 존재를 확인하기 위해 한 실험

• 실험 방법: 에테르가 흐르는 방향의 변화에 따른 (❺)의 상대 속도 변화를 측정하려고 하였다.
• 실험 결과: 빛의 상대 속도 변화는 측정되지 않았다. ➡ 에테르는 존재하지 않는다.

③ 특수 상대성 이론의 두 가지 가설

1. **갈릴레이의 상대성 원리의 한계** 빛과 같은 속도로 이동하면서 빛을 보면 빛의 속도가 0인 정지한 빛이 있어야 한다. 정지한 빛은 없으며, 갈릴레이의 상대성 원리는 (❻)에는 적용할 수 없다.
2. **아인슈타인의 특수 상대성 이론의 두 가지 가설**

• (❼): 모든 관성 좌표계에서 물리 법칙은 동일하게 성립한다.
• (❽): 진공 중에서 진행하는 빛의 속력은 모든 관성 좌표계에서 모든 방향에 대하여 c로 같다.

④ 특수 상대성 이론의 예측

1. **동시성의 상대성**

• 시계의 동기화: 동일한 관성 좌표계에서는 관찰자의 위치에 관계없이 사건이 발생한 시간을 동일하게 취급한다.
• (❾)의 상대성: 한 관성 좌표계의 관찰자에게 동시에 일어난 두 사건이 상대적으로 움직이는 다른 관성 좌표계의 관찰자에게는 동시에 일어나지 않을 수 있다. 즉, 동시성은 관측자의 운동에 따라 달라진다.

2. **시간 지연** 한 관성 좌표계의 관측자가 상대적으로 빠르게 운동하는 다른 관성 좌표계의 시간을 보았을 때 상대편의 시간이 (❿)게 가는 현상

• (⓫): 관성 좌표계의 한 장소에서 두 사건이 발생했을 때, 두 사건 사이의 시간 간격
• 행성의 영희가 볼 때 행성에 대해 등속도로 움직이는 우주선 안의 철수의 시간은 느리게 간다.

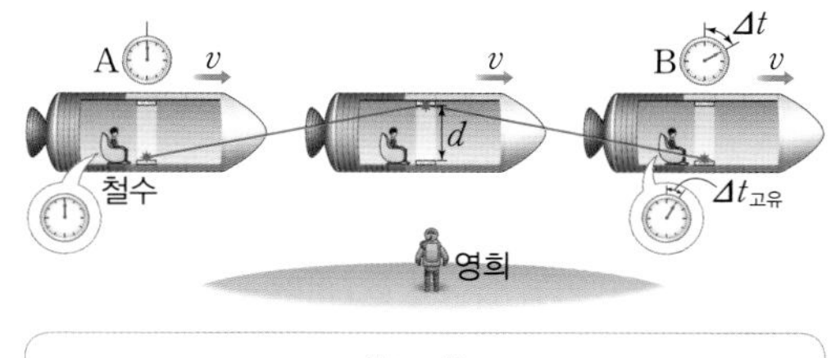

$\Delta t > \Delta t_{고유}$

3. **길이 수축** 관측자에 대해 움직이는 물체의 길이가 운동 방향으로 (⓬)되어 보이는 현상

• (⓭): 한 관성 좌표계에 대해 위치가 변하지 않고 고정된 두 지점 사이의 길이
• 지구에 대해 등속도로 움직이는 우주선 안의 철수가 측정한 지구와 별 사이의 길이는 지구에 있는 영희가 측정한 고유 길이보다 (⓮).

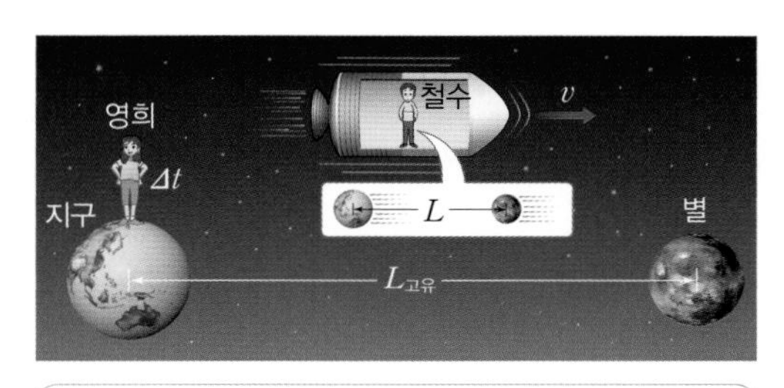

$L < L_{고유}$

01 지면에 대해 170 km/h의 일정한 속도로 달리는 트럭 위에서 어떤 투수가 공을 트럭에 대해 140 km/h의 속력으로 트럭의 운동 방향으로 던졌다.

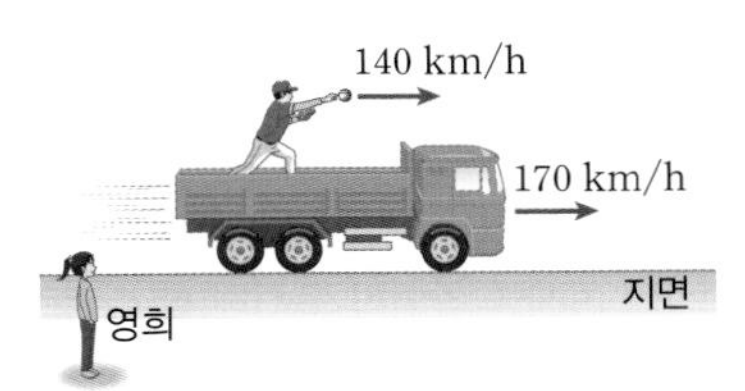

지면에 정지한 영희가 측정한 이 공의 속력은 몇 km/h인지 쓰시오.

02 그림은 지면에 대해 일정한 속도로 움직이는 트럭 위에서 수직으로 공을 던졌다가 받는 것을 트럭 위의 관찰자와 지면에 정지해 있는 관찰자가 관찰하는 것을 나타낸 것이다.

트럭 위의 관찰자 지면에 있는 관찰자

이에 대한 설명으로 옳은 것만을 보기에서 있는 대로 고르시오. (단, 공기 저항은 무시한다.)

보기
ㄱ. 공의 가속도는 서로 다르다.
ㄴ. 공에 작용하는 알짜힘은 서로 같다.
ㄷ. 공의 운동을 설명하는 물리 법칙은 동일하다.

03 마이컬슨·몰리 실험을 통하여 알아낸 결과 두 가지를 간략히 쓰시오.

04 아인슈타인의 특수 상대성 이론의 두 가설은 다음과 같다. ( ) 안에 알맞은 말을 쓰시오.

가설 1: 한 관성 좌표계에 대해 일정한 속도로 움직이는 모든 좌표계에서는 (㉠)이/가 동일하게 성립한다.
가설 2: 진공에서의 (㉡)은/는 광원이나 관측자의 운동에 관계없이 모든 방향으로 항상 같은 값으로 측정된다.

05 그림은 지표면의 두 지점 P, Q에 벼락이 치는 것을 지표면에 정지해 있는 두 사람 A와 B가 관찰하는 것을 나타낸 것이다. A는 P, Q에 동시에 벼락이 친다고 관측하였다. 특수 상대성 이론에서, B는 어떻게 관측하는 것으로 취급하는지 설명하시오.

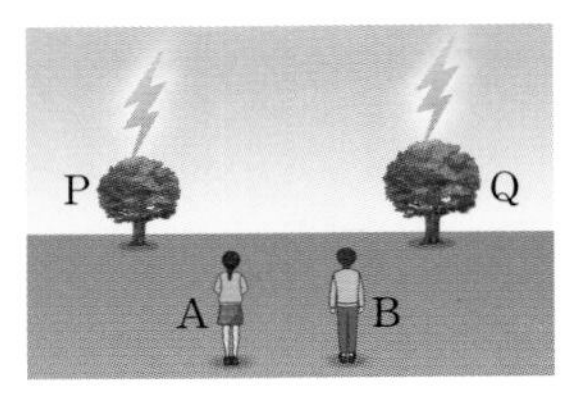

06 그림과 같이 지면에 대해 빛의 속력에 가깝게 등속도 운동하고 있는 우주선 내부에서 관찰하였을 때 광원 O에서 방출된 빛이 빛 검출기 P, Q에 동시에 도달하였다. O에서 P, Q까지의 거리는 각각 a, b이다.

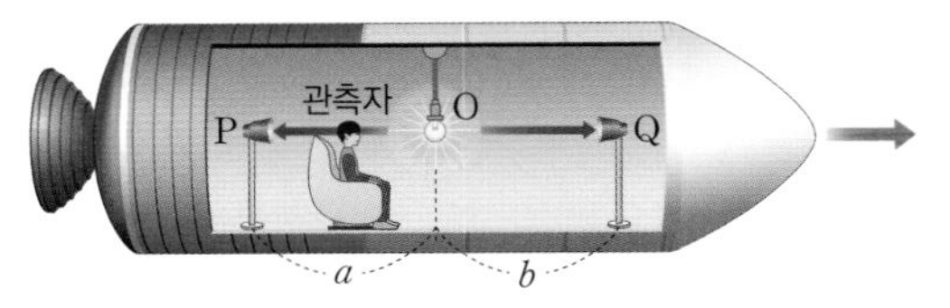

이에 대한 설명으로 옳은 것만을 보기에서 있는 대로 고르시오. (단, P, O, Q는 동일 직선상에 있고, 우주선은 P, Q를 잇는 직선과 나란하게 운동하였다.)

보기
ㄱ. 우주선 내부에서 관찰하였을 때, $a=b$이다.
ㄴ. 지면에서 관찰하였을 때, Q에 도달하는 빛의 속력은 P에 도달하는 빛의 속력보다 빠르다.
ㄷ. 지면에서 관찰하였을 때, 빛은 P보다 Q에 먼저 도달한다.

07 그림은 지면에 대해 일정한 속도로 운동하는 우주선에 탄 관찰자 A가 보았을 때, 우주선 내부의 광원 P, Q에서 동시에 방출된 빛이 동시에 O점에 도달하는 것을 나타낸 것이다. (단, P, O, Q는 동일 직선상에 있다.)

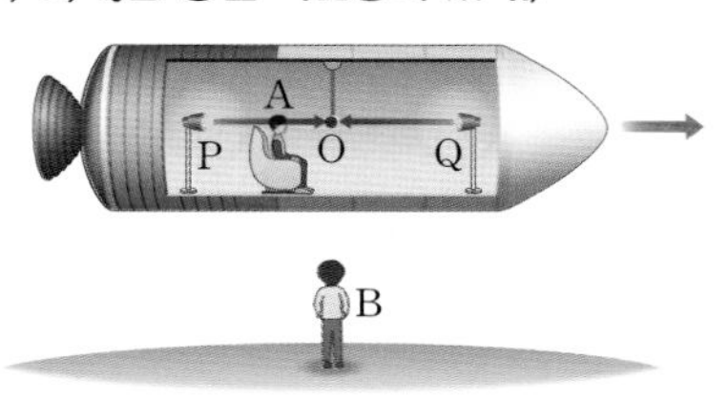

(1) 지면의 관찰자 B가 보았을 때, O에 먼저 도달하는 빛은 P, Q 중 어느 것인지 쓰시오.

(2) 지면의 관찰자 B가 보았을 때, 먼저 방출된 빛은 P, Q 중 어느 것인지 쓰시오.

08 그림은 관찰자 A가 탄 우주선이 레이저 빛을 방출하는 것을 나타낸 것이다. 달에 정지해 있는 관찰자 B가 관찰할 때 우주선은 $0.7c$로 등속도 운동 하였다. 이에 대한 설명으로 옳은 것만을 보기에서 있는 대로 고르시오. (단, c는 빛의 속력이다.)

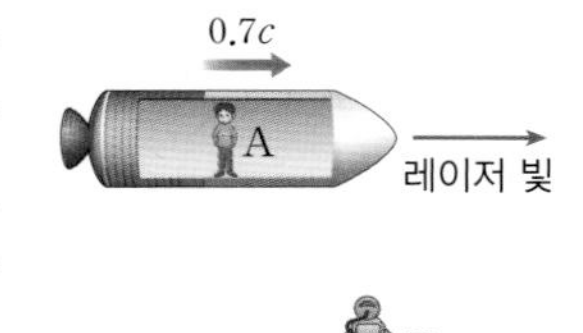

보기

ㄱ. A가 측정한 B의 속력은 $0.7c$이다.

ㄴ. A가 관측한 B의 시간은 자신의 시간보다 느리게 간다.

ㄷ. B가 관측한 레이저 빛의 속력은 c보다 크다.

09 그림과 같이 우주선을 타고 지구에 대해 $0.6c$의 일정한 속도로 별까지 운동하는 데 걸린 시간을 민수가 측정하였을 때 t_0이었다. (　　) 안에 알맞은 말을 쓰시오.

(1) 지구에서 보았을 때, 민수의 시계는 (　　　)게 간다.

(2) 지구에서 측정하였을 때, 우주선이 지구에서 별까지 가는 데 걸린 시간은 t_0보다 (　　　).

10 그림과 같이 지면에 대해 $0.8c$의 일정한 속도로 움직이는 우주선 안의 영희가 측정하였을 때 우주선 안에 있는 도형의 x축, y축의 길이가 각각 50 m, 30 m이었다. 지면의 철수가 본 도형의 모습만을 보기에서 고르시오. (단, c는 빛의 속력이다.)

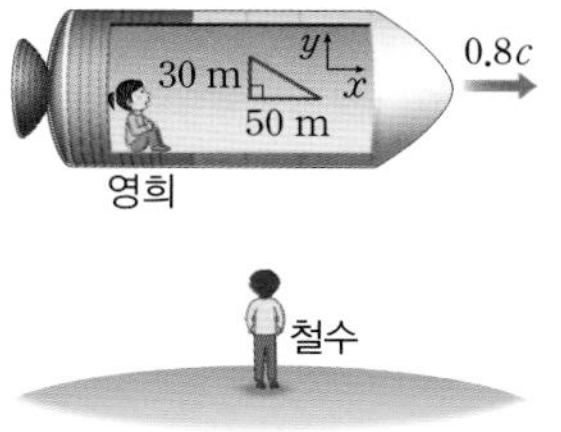

보기

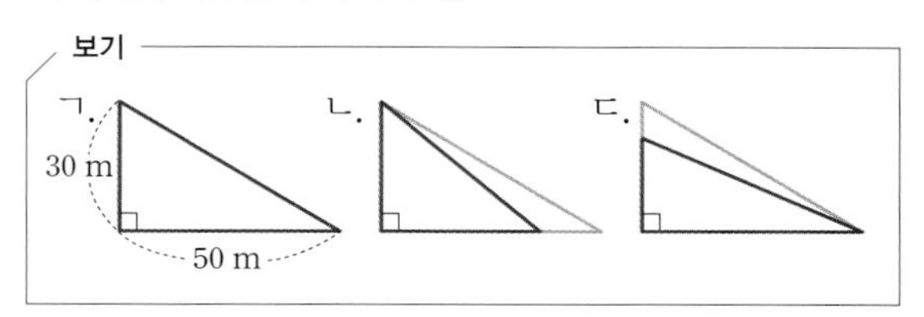

11 철수는 우주선을 타고 지구를 출발하여 지구에 대해 $0.8c$의 일정한 속도로 가까운 별까지 여행하였다. 철수가 측정한 물리량이 지구의 영희가 측정한 물리량보다 작은 것만을 보기에서 있는 대로 고르시오. (단, c는 빛의 속력이다.)

보기

ㄱ. 지구와 별 사이의 거리

ㄴ. 우주선이 지구에서 별까지 가는 데 걸리는 시간

ㄷ. 우주선의 길이

12 다음은 지구로 날아오는 뮤온 입자의 수명과 뮤온이 지표면 근처에서 관찰되는 까닭에 대한 설명이다. (　　) 안에 알맞은 말을 쓰시오.

> 뮤온은 수명이 매우 짧아서 지상에 도착하기 전에 붕괴되기 때문에 지표면에는 거의 없어야 한다. 그러나 실제로는 많은 뮤온이 지표면에서 발견된다. 이것은 지표면에서 볼 때에 광속의 99 % 정도로 빠르게 움직이는 뮤온의 시간이 (㉠) 가서 실제 수명보다 더 오래 남게 된다는 특수 상대성 이론과 일치하는 결과이다. 또, 뮤온의 관성 좌표계에서 보면 여행 거리가 (㉡)으로 인해 (㉢)기 때문에 자신의 수명 내에 충분히 도달하는 것으로 해석할 수도 있다.

01

> 특수 상대성 이론

특수 상대성 이론은 다음의 두 가설로 이루어져 있다.

가설 1: 한 관성 좌표계에 대해 정지해 있거나 일정한 속도로 움직이는 모든 좌표계에서는 물리 법칙이 동일하게 성립한다.
가설 2: 진공에서의 빛의 속력은 광원이나 관측자의 운동에 관계없이 모든 방향으로 항상 같은 값으로 측정된다.

이에 대한 설명으로 옳은 것만을 보기에서 있는 대로 고른 것은?

보기
ㄱ. 가설 1은 갈릴레이의 상대성 원리를 모든 물리 법칙으로 확장한 것이다.
ㄴ. 가설 2는 마이컬슨·몰리 실험의 결과와 일치한다.
ㄷ. 가설 1, 2에 의하여 정지한 사람이 측정할 때 운동하는 사람의 시계가 빨리 가는 것을 설명할 수 있다.

① ㄱ ② ㄷ ③ ㄱ, ㄴ ④ ㄴ, ㄷ ⑤ ㄱ, ㄴ, ㄷ

• 특수 상대성 이론의 두 가설에 의하여 시간 지연과 길이 수축을 설명할 수 있다.

02

> 동시성의 상대성

그림은 철수에 대해 일정한 속도로 운동하고 있는 우주선의 두 지점 P와 Q에서 빛이 방출되는 것을 나타낸 것이다. 철수는 빛이 P와 Q에서 동시에 방출된 것으로 관찰하였으며, 우주선에 타고 있는 영희가 측정할 때 자신으로부터 P와 Q까지의 거리는 같다.

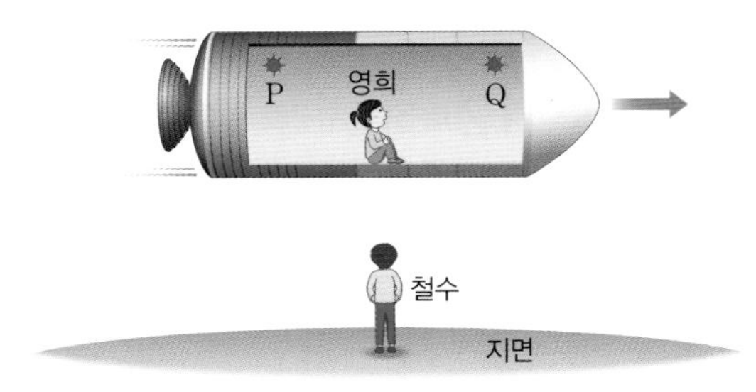

이에 대한 설명으로 옳은 것만을 보기에서 있는 대로 고른 것은? (단, 우주선은 P, Q를 잇는 직선과 나란하게 운동하였다.)

보기
ㄱ. 영희는 빛이 P에서보다 Q에서 먼저 방출된 것으로 관찰한다.
ㄴ. 철수는 P, Q에서 방출되는 빛의 속력이 동일하다고 측정한다.
ㄷ. 영희는 P에서 방출된 빛이 Q에서 방출된 빛보다 속력이 느리다고 측정한다.

① ㄱ ② ㄷ ③ ㄱ, ㄴ ④ ㄴ, ㄷ ⑤ ㄱ, ㄴ, ㄷ

• 한 좌표계에서 동시에 일어난 사건이 다른 좌표계에서는 동시에 일어난 사건이 아닐 수 있다.

03

> 고유 시간과 시간 지연

그림은 지면에 대해 광속에 가까운 일정한 속도 v로 움직이는 우주선을 나타낸 것이다. 우주선에서 간격 L인 바닥과 천장 사이를 빛이 한 번 왕복하는 데 걸린 시간을 우주선에 타고 있는 관측자 A와 지면에 정지한 관측자 B가 측정하였더니, A가 측정한 시간은 Δt_0, B가 측정한 시간은 Δt였다.

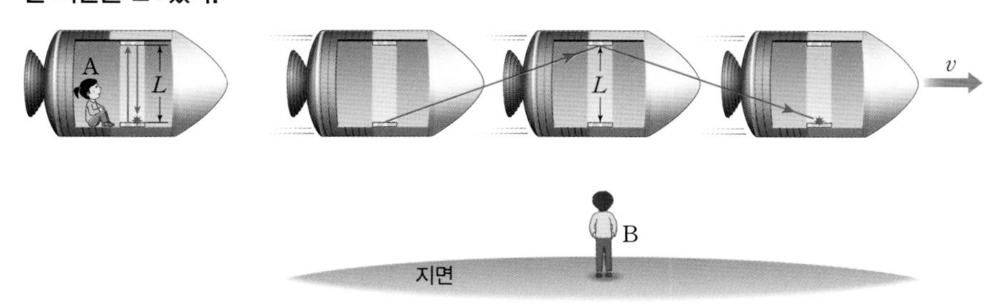

이에 대한 설명으로 옳은 것만을 보기에서 있는 대로 고른 것은?

보기

ㄱ. B가 보았을 때 빛이 이동한 거리는 $2\sqrt{\left(\frac{v\Delta t}{2}\right)^2+L^2}$이다.

ㄴ. $\Delta t>\Delta t_0$이다.

ㄷ. B는 A의 시계가 자신의 시계보다 느리게 간다고 생각한다.

① ㄱ ② ㄷ ③ ㄱ, ㄴ ④ ㄴ, ㄷ ⑤ ㄱ, ㄴ, ㄷ

- 빛이 왕복하는 데 걸린 고유 시간은 빛 시계에 대해 정지한 A가 측정한 시간이다.

04

> 시간 지연

그림은 지면에 대해 일정한 속도로 움직이는 기차에 타고 있는 A, B를 지면에 서 있는 C가 관찰하는 것을 나타낸 것이다.

A, B, C가 측정한 시간에 대한 설명으로 옳은 것만을 보기에서 있는 대로 고른 것은?

보기

ㄱ. A와 B가 측정한 시간은 같은 빠르기로 흐른다.

ㄴ. B는 C의 시계가 자신의 시계보다 빠르게 간다고 측정한다.

ㄷ. C는 A의 시계가 자신의 시계보다 느리게 간다고 측정한다.

① ㄴ ② ㄷ ③ ㄱ, ㄴ ④ ㄱ, ㄷ ⑤ ㄴ, ㄷ

- 자신에 대해 운동하는 물체의 시간은 자신의 시간보다 느리게 간다.

05

> 고유 시간과 시간 지연

그림은 지면에 대해 지면과 나란한 방향으로 일정한 속도로 운동하는 우주선 내부에서 용수철에 매달린 물체가 진동하고 있는 것을 나타낸 것이다. 지구에서 같은 용수철에 매달린 동일한 물체의 진동 주기는 T이다.

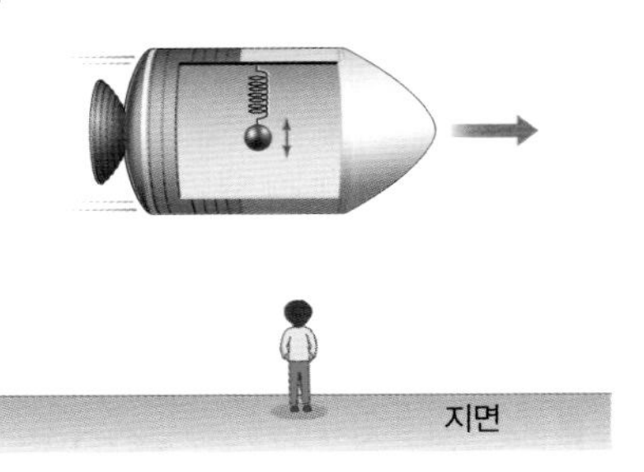

지면

이에 대한 설명으로 옳은 것만을 보기에서 있는 대로 고른 것은?

보기
ㄱ. 지구에서 측정할 때, 우주선 안에서의 시간은 지구에서의 시간보다 천천히 흐른다.
ㄴ. 우주선 안에서 측정할 때, 물체의 진동 주기는 T이다.
ㄷ. 지구에서 측정할 때, 물체의 진동 주기는 T보다 크다.

① ㄱ ② ㄷ ③ ㄱ, ㄴ ④ ㄴ, ㄷ ⑤ ㄱ, ㄴ, ㄷ

• 우주선 내부에 매달린 물체는 우주선과 같은 좌표계에 있다.

06

> 시간 지연과 길이 수축

그림은 철수가 타고 있는 우주선이 지면에 정지해 있는 영희에 대하여 $0.8c$의 속도로 행성 A에서 행성 B를 향해 운동하는 것을 나타낸 것이다. 영희가 측정하였을 때 우주선이 A에서 B까지 이동하는 데 걸린 시간은 t_0이다.

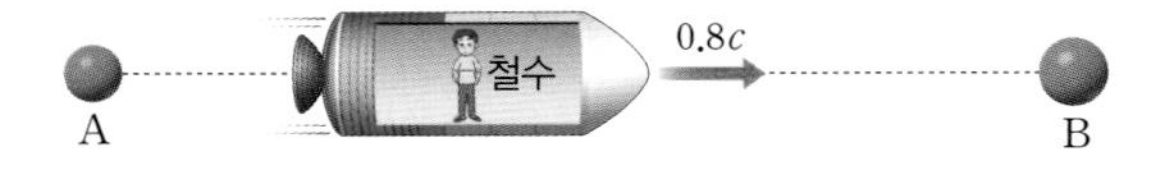

이에 대한 설명으로 옳은 것만을 보기에서 있는 대로 고른 것은? (단, c는 빛의 속력이고, 행성 A, B는 지면에 대해 정지해 있다.)

보기
ㄱ. 영희가 측정하였을 때, A와 B 사이의 거리는 $0.8ct_0$이다.
ㄴ. 철수가 측정하였을 때, 영희의 시간이 자신의 시간보다 빠르게 간다.
ㄷ. 철수가 측정하였을 때, 우주선이 A에서 B까지 이동하는 데 걸린 시간은 t_0보다 크다.

① ㄱ ② ㄷ ③ ㄱ, ㄴ ④ ㄴ, ㄷ ⑤ ㄱ, ㄴ, ㄷ

• 물체에 대하여 정지한 좌표계에서 측정한 길이가 고유 길이이며, 고유 길이는 물체에 대하여 운동하는 관성 좌표계에서 측정한 길이보다 길다.

07

> 고유 시간과 고유 길이

그림은 철수가 타고 있는 우주선이 지면에 대해 광속에 가까운 일정한 속도로 지표면에 정지해 있는 영희 옆을 지나가는 것을 나타낸 것이다. 영희가 측정하였을 때, 우주선의 속도는 v이고 우주선 전체가 영희를 지나가는 데 걸린 시간은 t_0이다.

이에 대한 설명으로 옳은 것만을 보기에서 있는 대로 고른 것은?

보기

ㄱ. 영희가 측정할 때, 우주선의 길이는 vt_0이다.
ㄴ. 철수가 측정할 때, 우주선의 길이는 vt_0이다.
ㄷ. 철수가 측정할 때, 우주선 전체가 영희를 지나가는 시간은 t_0이다.

① ㄱ　② ㄷ　③ ㄱ, ㄴ　④ ㄴ, ㄷ　⑤ ㄱ, ㄴ, ㄷ

• 관성 좌표계의 한 장소에서 일어난 두 사건의 시간 간격이 고유 시간이고, 물체에 대하여 정지한 좌표계에서 측정한 길이가 고유 길이이다.

08

> 시간 지연과 길이 수축

그림은 고유 길이가 각각 L인 두 우주선 A, B가 각각 일정한 속도로 서로 반대 방향으로 운동하는 것을 나타낸 것이다. A에서 측정할 때, B의 앞부분이 A를 완전히 통과하는 데 걸린 시간이 T이다.

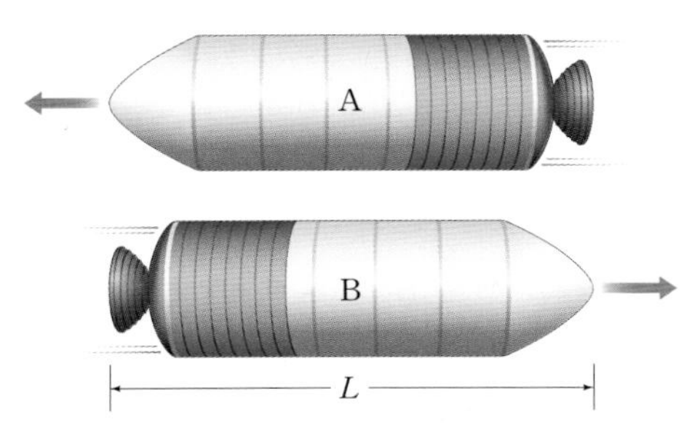

이에 대한 설명으로 옳은 것만을 보기에서 있는 대로 고른 것은?

보기

ㄱ. A에서 측정할 때, B의 속력은 $\frac{L}{T}$이다.
ㄴ. B에서 측정할 때, A의 앞부분이 B를 완전히 통과하는 데 걸리는 시간은 T이다.
ㄷ. B에서 측정할 때, A가 B의 앞부분을 완전히 통과하는 데 걸리는 시간은 T이다.

① ㄱ　② ㄷ　③ ㄱ, ㄴ　④ ㄴ, ㄷ　⑤ ㄱ, ㄴ, ㄷ

• 관찰자에 대해 운동하는 물체의 운동 방향의 길이는 짧아진다.

09

> 시간 지연과 길이 수축

그림은 철수가 탄 우주선이 영희에 대해 $0.8c$의 속력으로 등속도 운동 하는 것을 나타낸 것이다. 영희가 측정할 때 우주선의 길이는 L_1, 지점 P, Q 사이의 거리는 L_2이고, 우주선이 P에서 Q까지 이동하는 데 걸린 시간은 T이다.

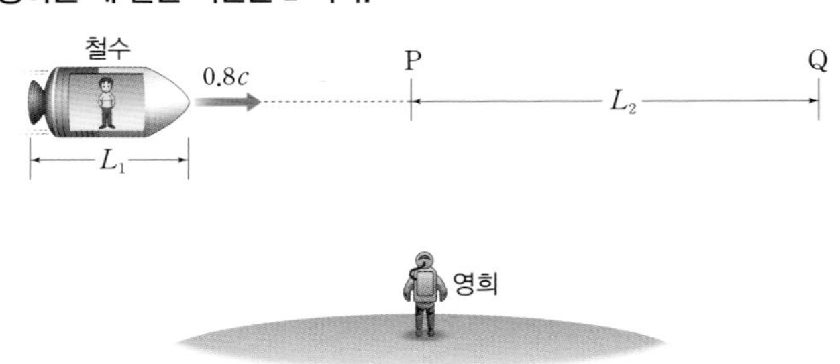

이에 대한 설명으로 옳은 것만을 보기에서 있는 대로 고른 것은? (단, c는 빛의 속력이다.)

보기

ㄱ. 영희가 측정할 때, $T=\dfrac{L_2}{0.8c}$이다.

ㄴ. 철수가 측정할 때, 우주선의 길이는 L_1보다 크고, P, Q 사이의 거리는 L_2보다 작다.

ㄷ. 철수가 측정할 때, 우주선이 P에서 Q까지 가는 데 걸린 시간은 T보다 작다.

① ㄱ　② ㄴ　③ ㄱ, ㄷ　④ ㄴ, ㄷ　⑤ ㄱ, ㄴ, ㄷ

• 관측자에 대해 운동하고 있는 사람의 시간은 관측자의 시간보다 천천히 흐르고, 운동하는 물체의 길이는 짧아진다.

10

> 시간 지연과 길이 수축

그림은 지면에 정지해 있는 영희에 대해 철수가 탄 우주선과 뮤온이 지면에 대해 나란하게 $0.8c$의 일정한 속도로 운동하는 어느 순간의 모습을 나타낸 것이다. 이때 빛이 우주선과 반대 방향으로 진행하고 있다.

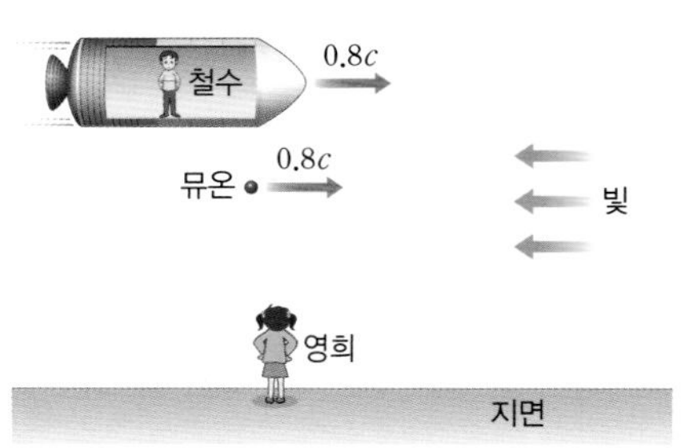

철수가 측정했을 때가 영희가 측정했을 때보다 큰 물리량만을 보기에서 있는 대로 고른 것은? (단, c는 빛의 속력이다.)

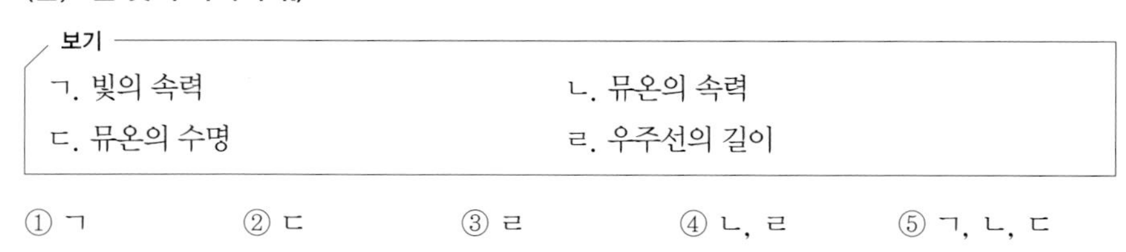
보기

ㄱ. 빛의 속력　　ㄴ. 뮤온의 속력

ㄷ. 뮤온의 수명　　ㄹ. 우주선의 길이

① ㄱ　② ㄷ　③ ㄹ　④ ㄴ, ㄹ　⑤ ㄱ, ㄴ, ㄷ

• 관측자에 대해 움직이는 물체에는 시간 지연과 길이 수축이 발생한다.

고난도

11

> 시간 지연과 길이 수축 및 동시성의 상대성

그림은 관찰자 A가 관찰할 때 자신이 타고 있는 우주선의 앞이 가로등 Q를 지나는 순간 우주선의 뒤가 가로등 P를 지나는 것을 나타낸 것이다. A가 탄 우주선은 지면에 정지해 있는 B와 P, Q에 대해 광속에 가까운 속력으로 등속도 운동을 한다.

• 동일한 장소에서 발생한 사건 사이의 시간 간격이 고유 시간이다.

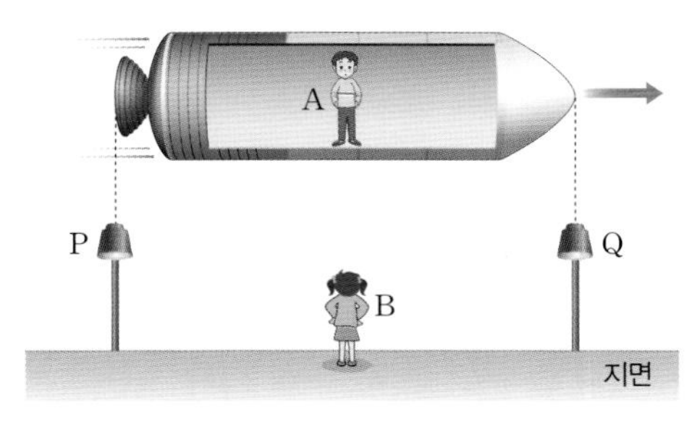

B가 관찰할 때, 이에 대한 설명으로 옳은 것만을 보기에서 있는 대로 고른 것은? (단, 우주선은 P, Q를 잇는 직선과 나란하게 운동하였다.)

보기
ㄱ. 우주선의 길이는 P, Q 사이의 길이와 같다.
ㄴ. 우주선 전체가 P를 지나는 데 걸린 시간은 A의 측정값보다 크다.
ㄷ. 우주선의 뒤가 P를 지나는 사건이 우주선의 앞이 Q를 지나는 사건보다 먼저 발생한다.

① ㄱ ② ㄷ ③ ㄱ, ㄴ ④ ㄴ, ㄷ ⑤ ㄱ, ㄴ, ㄷ

12

> 시간 지연과 길이 수축 및 동시성의 상대성

그림은 영희가 탄 우주선이 지면에 대해 광속에 가까운 일정한 속도로 지면에 정지해 있는 철수와 시계 B, C를 지나가는 것을 나타낸 것이다. 철수가 관찰할 때, 우주선이 B를 스치는 순간 우주선에 있는 시계 A와 B, C는 모두 0을 가리킨다.

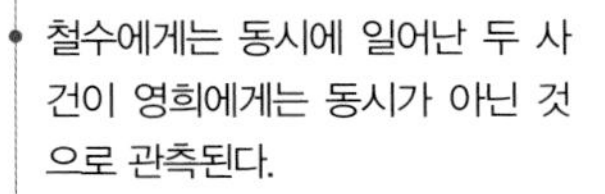
• 철수에게는 동시에 일어난 두 사건이 영희에게는 동시가 아닌 것으로 관측된다.

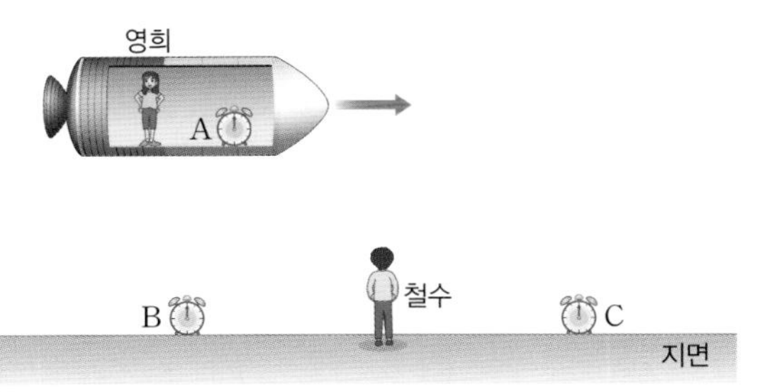

영희가 관찰할 때, 이에 대한 설명으로 옳은 것만을 보기에서 있는 대로 고른 것은?

보기
ㄱ. 철수의 시간이 자신의 시간보다 느리게 간다.
ㄴ. 우주선이 B에서 C까지 이동하는 데 걸린 시간은 철수가 측정한 값보다 크다.
ㄷ. 우주선이 C를 스치는 순간 A가 가리키는 값은 C가 가리키는 값보다 크다.

① ㄱ ② ㄷ ③ ㄱ, ㄴ ④ ㄴ, ㄷ ⑤ ㄱ, ㄴ, ㄷ

02 질량 에너지 동등성

학습 Point 특수 상대성 이론에서의 질량과 에너지 > 질량 에너지 동등성 > 핵변환과 에너지

1 질량 에너지 동등성

특수 상대성 이론에 의하면 물체를 관측하는 관성 좌표계에 따라 시간이나 길이가 달라지므로 질량이나 에너지와 같은 다른 물리량도 달라질 것으로 예상된다. 물리 법칙이 모든 관성 좌표계에서 동일하다는 관점에서 이들이 어떻게 수정되는지 살펴보자.

1. 운동량에 대한 새로운 정의

(1) **고전 역학에서의 운동량:** 고전 역학에서 운동량 보존 법칙은 항상 성립하며, $+x$축 방향으로 v의 일정한 속도로 운동하는 질량이 m인 물체의 운동량 p는 다음과 같이 정의한다. $\varDelta x$는 물체가 시간 $\varDelta t$ 동안 이동한 거리이다.

$$p=mv=m\frac{\varDelta x}{\varDelta t}$$

(2) **특수 상대성 이론에서의 운동량:** 고전 역학에서의 운동량 정의와 비슷하게 특수 상대성 이론에서의 운동량은 다음과 같이 정의한다.

$$p=mv=m\frac{\varDelta x}{\varDelta t_0}$$

여기서 $\varDelta x$는 고전 역학에서와 마찬가지로 한 좌표계에서 관측자가 본 물체의 이동 거리이다. 하지만 걸린 시간 $\varDelta t_0$은 이 관측자가 측정한 것이 아니라 물체와 같이 이동하는 좌표계에서 측정한 시간으로, 고유 시간이다. 따라서 운동하는 물체를 보는 관측자가 측정한 시간 $\varDelta t$는 시간 지연에 의해서 $\varDelta t=\frac{\varDelta t_0}{\sqrt{1-\frac{v^2}{c^2}}}=\gamma\varDelta t_0$이므로, 위 식은 다음과 같다.

$$p=m\frac{\varDelta x}{\varDelta t_0}=m\frac{\varDelta x}{\varDelta t}\frac{\varDelta t}{\varDelta t_0}=m\frac{\varDelta x}{\varDelta t}\gamma$$

또, $\frac{\varDelta x}{\varDelta t}$는 물체의 속도 v이므로, 위 식은 다음과 같이 나타낼 수 있다.

$$p=\gamma mv=\frac{mv}{\sqrt{1-\frac{v^2}{c^2}}}$$

이 정의는 물체의 속도에 관계없이 성립하며, 속력이 작을 때 고전 역학의 운동량과 동일하다.

특수 상대성 이론에서 운동량과 속도의 관계

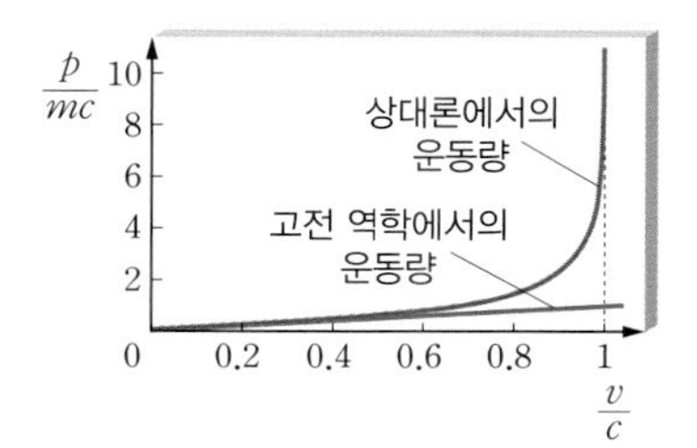

(3) **특수 상대성 이론에서의 질량:** 고전 역학에서 운동량은 질량과 속도의 곱으로 표현되므로, 특수 상대성 이론에서 운동량의 정의 $p=\gamma mv$에서 우리는 물체의 질량을 새롭게 정의할 수 있다. 즉, 물체가 정지했을 때의 질량(정지 질량)을 m이라 하고, 이 물체가 v의 속력으로 운동하고 있을 때의 질량(상대론적 질량)을 m'이라고 하면, 다음과 같은 관계가 성립한다.

$$m'=\frac{m}{\sqrt{1-\frac{v^2}{c^2}}}$$

이것을 특수 상대성 이론에서의 물체의 질량이라고 하며, 질량은 속력에 따라 변하는 것을 알 수 있다. ➡ 물체의 속력이 빛의 속력 c에 가까워질수록 물체의 질량은 무한대로 커진다.

2. 에너지에 대한 새로운 정의

(1) **특수 상대성 이론에서의 에너지:** 특수 상대성 이론에서 운동량이 새롭게 정의되었으므로 에너지도 새롭게 정의될 필요가 있을 것이다. 고전 역학에서는 퍼텐셜 에너지가 없을 때 물체의 전체 에너지는 운동 에너지 $E_{\mathrm{k}}=\frac{1}{2}mv^2$이고, 이 식으로부터 질량과 속도 제곱의 곱에 비례하는 에너지가 됨을 알 수 있다. 특수 상대성 이론에서 아인슈타인은 질량이 m인 물체가 v의 속도로 운동할 때 전체 에너지는 다음과 같이 표현된다고 하였다.

$$E=m'c^2=\frac{mc^2}{\sqrt{1-\frac{v^2}{c^2}}}=\gamma mc^2$$

(2) **정지 에너지:** 물체가 정지해 있을 때 위 식에서 속도 $v=0$이므로 $m'=m$이 되어 물체는 다음과 같은 에너지(정지 에너지)를 가진다.

정지 에너지: $E_0=mc^2$ (m: 정지 질량, c: 빛의 속력)

즉, 고전 역학에서는 정지한 물체의 에너지가 0이지만, 특수 상대성 이론에서는 입자가 움직이지 않고 정지해 있더라도 질량에 광속의 제곱을 곱한 값과 같은 에너지를 가지는데, 이것을 정지 에너지라고 부른다. 위 식에서 c^2은 물체가 질량 때문에 엄청난 에너지를 가지고 있다는 것을 암시한다. 예를 들어 몇 가지 물체가 가지는 정지 에너지는 다음과 같다.

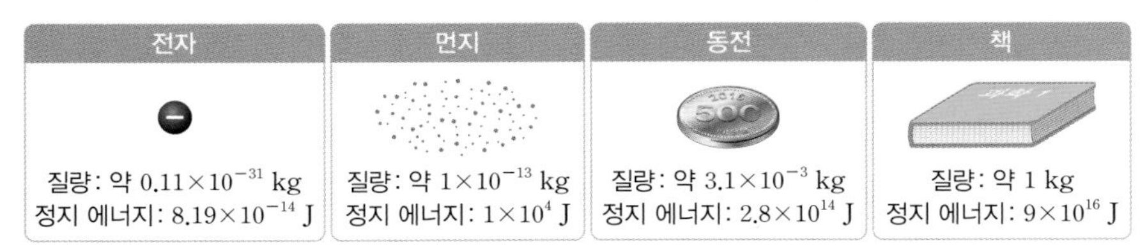

전자	먼지	동전	책
질량: 약 0.11×10^{-31} kg	질량: 약 1×10^{-13} kg	질량: 약 3.1×10^{-3} kg	질량: 약 1 kg
정지 에너지: 8.19×10^{-14} J	정지 에너지: 1×10^{4} J	정지 에너지: 2.8×10^{14} J	정지 에너지: 9×10^{16} J

(3) **질량 에너지 동등성(등가성):** 정지해 있는 물체도 $E_0=mc^2$의 에너지를 갖는다는 것은 질량이 바로 에너지가 될 수 있다는 의미이다. 반대로, 운동 에너지가 커지면 증가한 운동 에너지가 질량의 효과로 나타난다고 생각할 수도 있다. 결과적으로 정지한 물체의 질량이 에너지가 될 수 있고 운동하는 물체의 에너지가 질량이 될 수 있다는 것이므로, 본질적으로 질량도 에너지 저장의 한 형태로, 에너지와 질량은 서로 전환될 수 있는 동등한 관계가 있다는 의미로 해석할 수 있다. 이를 질량 에너지 동등성이라고 한다.

상대론적 질량과 속력의 관계

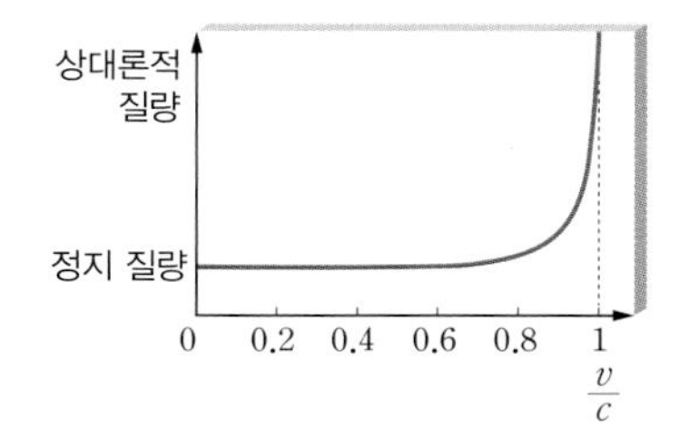

운동 에너지와 속도의 관계

속력이 느릴 때는 고전 역학에서의 운동 에너지와 상대론적 에너지가 거의 일치한다. 그러나 속력이 빛의 속력에 가까워질수록 상대론적 에너지가 급격하게 증가한다. 즉, 물체의 속력을 c로 증가시키기 위해서는 무한대의 에너지가 필요하다.

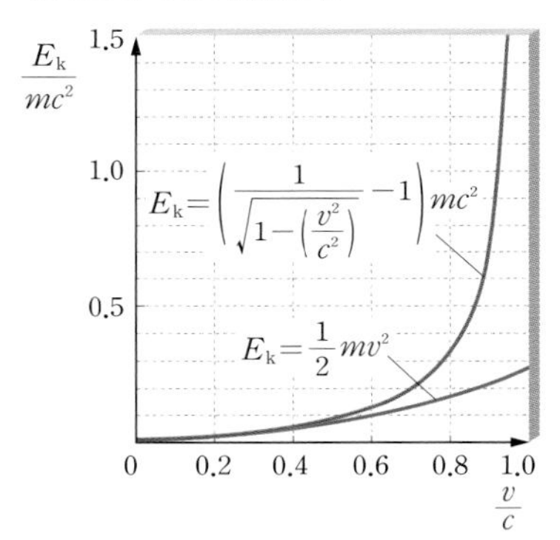

$E=\gamma mc^2=E_{\mathrm{k}}+E_0=E_{\mathrm{k}}+mc^2$

$\therefore\ E_{\mathrm{k}}=(\gamma-1)mc^2$

쌍생성과 쌍소멸

- 쌍생성: 에너지가 질량을 가진 물질로 전환되는 경우로, 무거운 원자핵 근처를 에너지가 아주 큰 빛이 지나가면 전자와 양전자(전자와 전하량, 질량은 같지만 (+) 전하를 갖는 입자)가 생겨날 수 있다. 이와 같이 에너지가 질량을 가진 입자로 전환되는 것을 쌍생성이라고 한다.

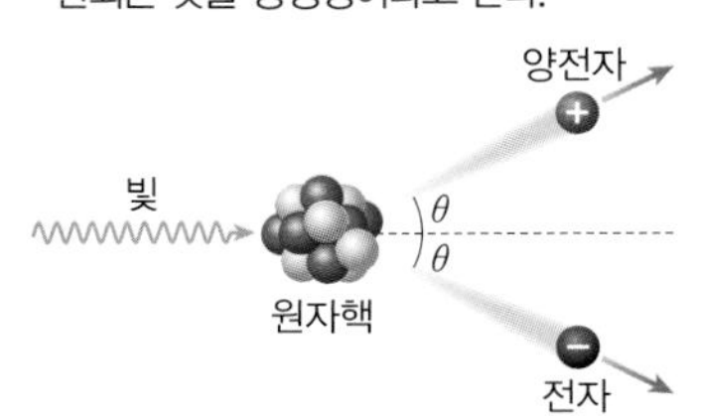

- 쌍소멸: 질량이 에너지로 전환되는 경우로, 입자와 반입자가 충돌하면 질량이 소멸하면서 질량에 해당하는 에너지를 가진 전자기파를 방출한다. 이러한 과정을 쌍소멸이라고 한다.

3. 운동량과 에너지의 관계

(1) **고전 역학에서의 운동량과 운동 에너지의 관계:** 고전 역학에서 운동 에너지 $E_k=\frac{1}{2}mv^2$ 과 운동량 $p=mv$는 다음과 같은 관계가 있다.

$$E_k=\frac{p^2}{2m}$$

(2) **특수 상대성 이론에서 운동량과 에너지의 관계:** 특수 상대성 이론에서 에너지와 운동량이 고전 역학과 다르므로 에너지와 운동량의 관계도 다르다. 특수 상대성 이론에서의 운동량과 에너지 정의로부터 다음과 같이 운동량과 에너지 사이의 관계를 구할 수 있다.

$$p=\gamma mv \Rightarrow p^2=\gamma^2m^2v^2,\ E=\gamma mc^2 \Rightarrow E^2=\gamma^2m^2c^4$$

$\gamma=\frac{1}{\sqrt{1-\frac{v^2}{c^2}}}$이므로 $\gamma^2=\frac{1}{1-\frac{v^2}{c^2}}=\frac{c^2}{c^2-v^2}$이다. 이를 적용하여 에너지 식을 전개하면 다음과 같은 결과를 얻을 수 있다.

$$E^2=\frac{c^2}{c^2-v^2}m^2c^4=\frac{c^2-v^2+v^2}{c^2-v^2}m^2c^4=m^2c^4+\frac{v^2}{c^2-v^2}m^2c^4$$

$$=m^2c^4+\frac{c^2}{c^2-v^2}m^2v^2c^2=m^2c^4+\gamma^2m^2v^2c^2=m^2c^4+p^2c^2$$

결과적으로 특수 상대성 이론에서 운동량과 에너지 사이의 관계는 다음과 같다.

$$E^2=m^2c^4+p^2c^2$$

특수 상대성 이론에서의 에너지 보존
질량과 에너지가 서로 변환되더라도 운동 에너지와 같은 물체의 에너지와 정지 에너지를 더한 총에너지는 항상 보존된다.

시야 확장 ⊕ 특수 상대성 이론에서 일·운동 에너지 정리

❶ 운동량의 변화량은 충격량과 같으므로 $\Delta p=F\Delta t$이다. x축 방향으로 힘 F가 작용하여 운동하는 물체에 힘이 하는 일은 힘과 거리의 그래프의 아래 넓이와 같으므로 다음과 같다.

$$W=\int_0^x Fdx=\int_0^x \frac{dp}{dt}dx$$

물체는 시간이 0일 때 원점에 정지해 있고, 시간이 t일 때 위치 x에 있고 속도는 v이다. 특수 상대성 이론의 운동량을 적용하면 다음과 같은 결과를 얻을 수 있다.

$$\frac{dp}{dt}=\frac{d}{dt}(\gamma mv)=\frac{d}{dt}\left(\frac{mv}{\sqrt{1-\frac{v^2}{c^2}}}\right)$$

$$=\frac{m}{\sqrt{1-\frac{v^2}{c^2}}}\frac{dv}{dt}+\left(-\frac{1}{2}\right)\left(\frac{-2v}{c^2}\right)\frac{mv}{\left(1-\frac{v^2}{c^2}\right)^{\frac{3}{2}}}\frac{dv}{dt}$$

$$=\left(\frac{m\left(1-\frac{v^2}{c^2}\right)}{\left(1-\frac{v^2}{c^2}\right)^{\frac{3}{2}}}+\frac{m\frac{v^2}{c^2}}{\left(1-\frac{v^2}{c^2}\right)^{\frac{3}{2}}}\right)\frac{dv}{dt}=\frac{m}{\left(1-\frac{v^2}{c^2}\right)^{\frac{3}{2}}}\frac{dv}{dt}$$

이 결과를 이용하여 힘이 물체에 한 일을 구하면 다음과 같다.

$$W=\int_0^x \frac{m}{\left(1-\frac{v^2}{c^2}\right)^{\frac{3}{2}}}\frac{dv}{dt}dx=\int_0^v \frac{mv}{\left(1-\frac{v^2}{c^2}\right)^{\frac{3}{2}}}dv$$

$$=\left.\frac{mc^2}{\sqrt{1-\frac{v^2}{c^2}}}\right|_0^v=\frac{mc^2}{\sqrt{1-\frac{v^2}{c^2}}}-mc^2=(\gamma-1)mc^2$$

위에서 $v=\frac{dx}{dt}$, 즉 $dx=vdt$임을 적용하였으며, 힘이 물체에 한 일 $W=(\gamma-1)mc^2$이다.

❷ 일·운동 에너지 정리를 적용하면 위에서 구한 일은 물체의 운동 에너지 증가량과 같다.

$$W=(\gamma-1)mc^2=\Delta E_k=E_k-E_{k0}$$

우리는 물체가 정지한 상태에서 힘을 작용한 것이므로 처음 물체의 운동 에너지 $E_{k0}=0$이고, 위에서 구한 일은 물체의 속도가 v일 때의 운동 에너지와 같다.

$$E_k=(\gamma-1)mc^2$$

이것은 물체의 전체 에너지에서 정지 에너지를 뺀 것으로, 특수 상대성 이론에서의 운동 에너지를 의미한다.

❸ 이 결과는 모든 관성 좌표계에서 일·운동 에너지 정리와 같은 물리 법칙이 동일하게 성립하기 위해서 운동량은 γmv, 전체 에너지는 γmc^2, 정지 에너지는 mc^2으로 정의된다는 것을 의미한다.

2 핵변환과 에너지

$E_0=mc^2$ 식은 정지해 있는 물체도 질량 때문에 엄청난 에너지를 가지는 것을 의미한다. 이러한 질량 에너지 동등성을 가장 확실하게 보여 주는 예는 핵반응이다. 태양에서 수소 핵융합 반응으로 방출되는 에너지와 방사성 원소가 붕괴할 때 방출되는 에너지는 질량 에너지 동등성에 의해 질량이 에너지로 전환된 것이다.

1. 원자핵의 결합 에너지

(1) **질량 결손:** 핵분열이나 핵융합 등 다양한 핵반응이 일어날 때, 핵반응 후에 핵반응 전보다 줄어든 질량의 합을 말한다. 핵반응 과정에서 이러한 질량 결손에 의해 에너지가 방출되는데, 질량 결손 $\varDelta m$이 생겼을 때 방출되는 에너지의 양 E는 아인슈타인의 질량 에너지 동등성에 따라 다음과 같다.

$$E=\varDelta mc^2 \ (\varDelta m\text{: 질량 결손, } c\text{: 빛의 속력})$$

① 위 식을 계산할 때 SI 단위보다 작은 값을 나타내는 단위를 쓰기도 한다.

② 보통 질량은 u(원자 질량 단위)를 쓰고, 에너지는 eV(전자볼트)를 쓰며, 1 u의 질량에 해당하는 정지 에너지는 다음과 같다. (단, $1 \text{ eV}=1.60\times10^{-19}$ J이다.)

$$E=\varDelta mc^2=(1.66\times10^{-27}\text{ kg})\times(3\times10^8\text{ m/s})^2 \fallingdotseq 1.49\times10^{-10}\text{ J} \fallingdotseq 931\text{ MeV}$$

(2) **원자핵의 결합 에너지:** 원자핵을 구성하는 핵자들은 강한 핵력으로 결합되어 있으므로 원자핵의 핵자들을 따로 분리하려면 큰 에너지를 공급해야 한다. 반대로 따로 떨어져 있는 핵자들이 결합하여 원자핵을 구성할 때에는 질량 결손에 의해 같은 양의 에너지를 방출하게 된다. 이 에너지를 그 원자핵의 결합 에너지라고 한다.

① 결합 에너지: 원자 번호 Z, 질량수 A인 원자핵의 질량을 M, 양성자와 중성자의 질량을 각각 m_p, m_n이라고 하면, 그 원자핵의 결합 에너지는 다음과 같다.

$$E=\varDelta mc^2=[Zm_p+(A-Z)m_n-M]\times931\text{ MeV/u}$$

② 결합 에너지의 단위: 결합 에너지는 매우 커서 보통 MeV(10^6 eV) 단위로 나타낸다.

(3) **핵자당 평균 결합 에너지:** 주어진 원자핵의 결합 에너지를 그 원자핵을 이루는 핵자 수로 나눈 것을 말한다. 핵자당 평균 결합 에너지는 핵자가 원자핵에 얼마나 강하게 결합되어 있는가를 나타내는 기준이 되고, 이 값이 클수록 원자핵은 안정하다.

① 핵자당 결합 에너지는 질량수 60 근처에서, 즉 철의 동위 원소($^{56}_{26}$Fe)에서 약 8.8 MeV로 가장 크며, 이 근처의 원자핵이 가장 안정하다.

② 질량수가 60보다 작은 원자핵은 결합하여 무거운 원자핵이 될 때 더욱 안정해지고, 60보다 큰 원자핵은 분열할 때 더욱 안정해진다.

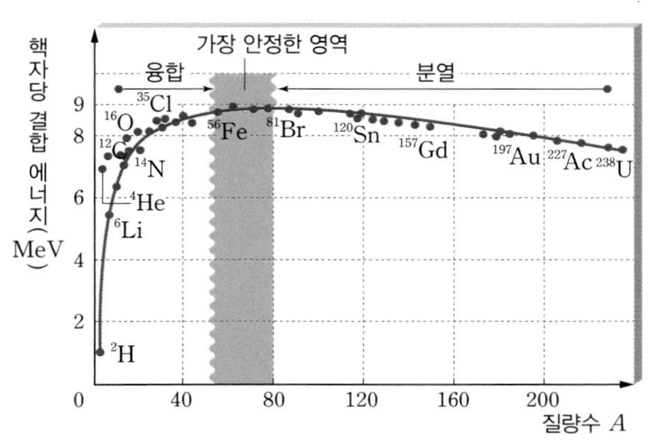

▲ 핵자당 결합 에너지

원자 질량 단위(u)

탄소 원자 $^{12}_{6}$C 질량의 $\frac{1}{12}$을 말하며, 1 u≒1.66×10^{-27} kg이다.

원자핵의 표기법

원자핵은 양성자와 중성자로 이루어져 있으며, 양성자와 중성자를 통틀어 핵자라고 한다. 다음과 같은 양들을 사용하여 핵 속에 들어 있는 양성자수와 중성자수를 써서 원자핵의 종류를 나타낸다.

- 원자 번호(Z): 양성자수
- 중성자수(N)
- 질량수(A): 핵자 수

($A=Z+N$)

질량수 → A, 원자 번호 → Z, X ← 원소 기호

2. 핵분열

전자들은 전기력으로 원자에 붙잡혀 있으며, 전자 하나를 떼어 내는 데는 수 eV의 에너지밖에 소요되지 않는다. 그러나 핵자들은 강한 핵력으로 결합되어 있어서, 핵자 하나를 원자핵에서 떼어 내려면 수백만 eV의 에너지가 필요하다.

(1) **핵분열:** 큰 원자핵에 중성자와 같은 입자가 충돌하여 질량수가 비슷한 2개의 원자핵으로 나누어지는 핵반응을 원자핵 분열(nuclear fission) 또는 핵분열이라고 한다.

① 핵분열 후 생성된 입자들의 전체 질량은 핵분열 전 입자들의 전체 질량보다 작다.

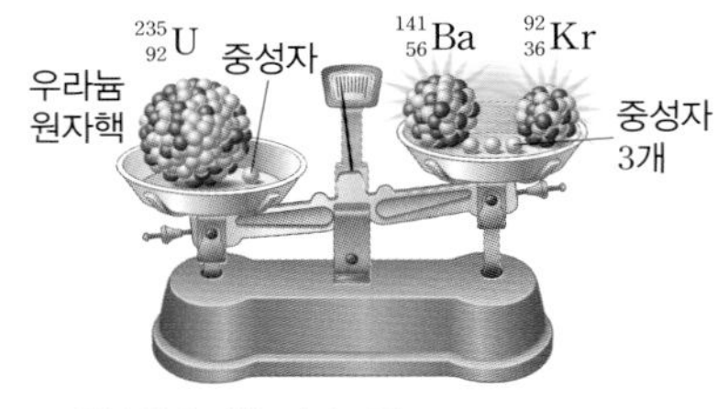

▲ 핵분열에 의한 질량 결손

② 질량 결손에 의해 발생된 막대한 에너지는 생성된 입자의 운동 에너지와 전자기파(γ선)의 에너지 등으로 전환된다. 이 에너지를 원자핵 에너지 또는 원자력이라고 한다.

(2) **원자력 발전에서의 핵분열 과정:** 총 235개의 양성자와 중성자로 구성된 무거운 우라늄 원자핵($^{235}_{92}U$)이 원자력 발전에 이용된다. 이 원자핵에 느린 속력의 열중성자를 충돌시키면 우라늄 원자핵이 2개의 조각으로 분열하고, 그 과정에서 몇 개의 중성자를 방출한다.

① **우라늄($^{235}_{92}U$)의 핵분열 반응식:** 분열 조건에 따라 우라늄 원자핵($^{235}_{92}U$)의 핵분열 과정은 다양하고, 다음과 같은 두 가지 형태가 대표적이다.

$$^{235}_{92}U + ^{1}_{0}n \longrightarrow ^{236}_{92}U \longrightarrow ^{141}_{56}Ba + ^{92}_{36}Kr + 3^{1}_{0}n + \text{에너지}$$

$$^{235}_{92}U + ^{1}_{0}n \longrightarrow ^{236}_{92}U \longrightarrow ^{140}_{54}Xe + ^{94}_{38}Sr + 2^{1}_{0}n + \text{에너지}$$

우라늄 원자핵($^{235}_{92}U$) 1개가 핵분열할 때 약 3.5×10^{-28} kg의 질량 결손이 생기는데, 이에 의해 약 200 MeV의 에너지가 방출된다. (핵자당 방출하는 에너지는 약 0.85 MeV이다.)

② **핵분열의 연쇄 반응:** 1개의 우라늄 원자핵이 핵분열하여 생성된 2개~3개의 중성자는 상당한 에너지를 가지므로 속력이 매우 빠르다. 이런 고속 중성자들은 다른 우라늄 원자핵과 충돌해도 핵분열을 일으키지 못하고 관통한다. 이 중성자들의 속력을 낮추어 속력이 충분히 느린 열중성자가 되면, 주변의 다른 우라늄 원자핵과 충돌하며 연쇄적으로 핵분열을 일으키는데, 이러한 핵반응을 연쇄 반응(chain reaction)이라고 한다. 연쇄 반응이 진행될수록 핵분열하는 $^{235}_{92}U$ 원자핵의 수가 급격히 증가하므로, 원자력 발전소의 원자로에서는 원자핵 1개의 분열에 의한 중성자 방출이 다른 한 번의 핵분열을 일으키도록 연쇄 반응의 속도를 조절하여 안정적인 에너지를 얻는다.

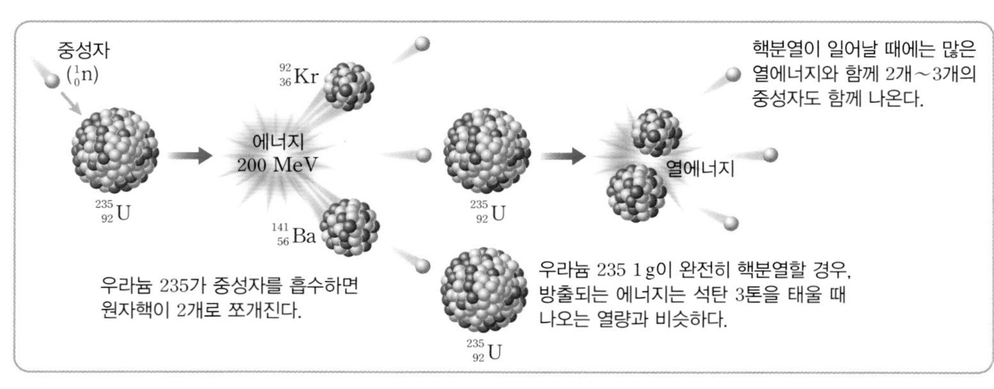

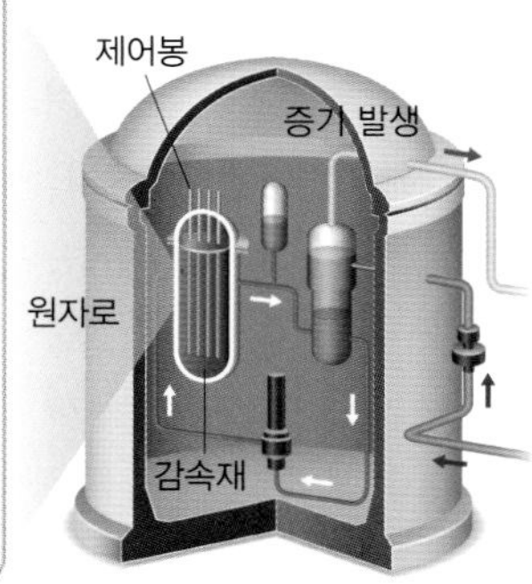

핵에너지와 화학 에너지

1 kg의 석탄이 화학 변화할 때 방출하는 에너지보다 1 kg의 우라늄이 핵분열할 때 방출하는 에너지가 수백만 배는 크다.

구분	방출 에너지 크기
수소 1 kg의 핵융합	6.3×10^{14} J
^{235}U 1 kg의 핵분열	8.4×10^{13} J
석유 1 kg의 연소	4.6×10^{7} J
석탄 1 kg의 연소	$(1.3 \sim 3.4) \times 10^{7}$ J
TNT 화약 1 kg의 폭발	4.2×10^{6} J

열중성자

주변의 물질과 실온에서 열적으로 평형 상태에 있으며, 평균 운동 에너지가 0.0253 eV 정도이다. 속력이 매우 느린 중성자로, 핵분열의 매개가 되는 입자이다.

핵반응식

핵분열이나 핵융합과 같은 핵반응에서 반응 전후의 관계를 따질 때는 전하량 보존 법칙과 질량수 보존 법칙이 적용된다.

- 전하량 보존 법칙: 반응 후 전하량의 합은 반응 전 전하량의 합과 같다.
- 질량수 보존 법칙: 반응 전 질량수의 합은 반응 후 질량수의 합과 같다.

이렇게 해서 핵반응 전후의 보존 관계를 나타낸 식을 핵반응식이라고 한다.

감속재

$^{235}_{92}U$의 핵분열에서 방출되는 고속 중성자의 속력을 낮추어 열중성자가 되면 $^{235}_{92}U$의 분열이 가속화되어 핵분열의 속도를 조절할 수 있다. 고속 중성자의 속력을 낮추는 데는 물이나 흑연과 같은 물질이 사용되며, 이를 감속재라고 한다.

3. 핵융합

(1) **핵융합:** 질량수가 매우 작은 원자핵끼리 고온·고압에서 고속으로 충돌하여 무거운 원자핵을 만드는 핵반응을 핵융합 반응(nuclear fusion)이라고 한다. 핵자당 결합 에너지 그래프를 보면 질량수가 20 이하인 가벼운 원자핵의 결합 에너지는 무거운 원자핵의 결합 에너지보다 훨씬 작다. 따라서 2개의 가벼운 핵이 결합하여 무거운 핵이 형성될 때 질량 결손이 생기며, 이로 인한 막대한 에너지가 방출된다.

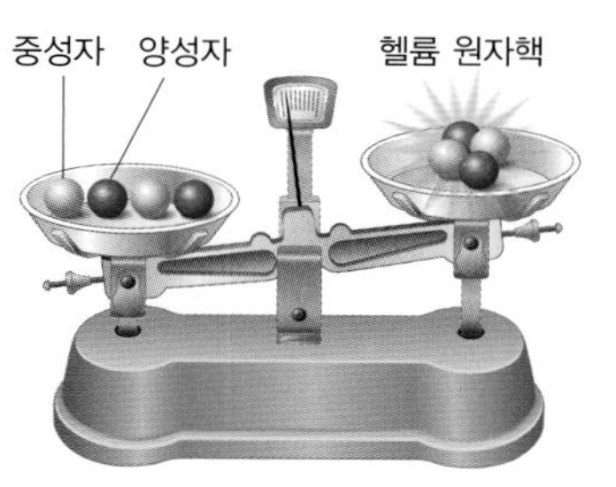

▲ 핵융합에 의한 질량 결손

(2) **핵융합 반응이 일어나기 위한 조건:** 핵융합 반응이 일어나기 위해서는 (+)전하를 띤 원자핵끼리 충돌해야 하므로 다음과 같은 두 가지 조건이 만족되어야 한다.

① 대단히 빠른 속력, 즉 충분한 운동 에너지를 유지하도록 온도가 충분히 높아야 한다.

② 충돌 확률이 크도록 핵 밀도가 충분히 높아야 한다.

이와 같이 핵융합 반응이 일어날 조건은 온도가 10^6 K~10^7 K의 고온을 유지할 때이며, 온도가 낮으면 원자핵이 가까이 접근하지 못하고 탄성 충돌하므로 융합 반응은 일어날 수 없게 된다. 따라서 핵융합 반응을 열핵반응이라고도 한다.

태양에서의 양성자 - 양성자 순환 과정과 발생된 에너지

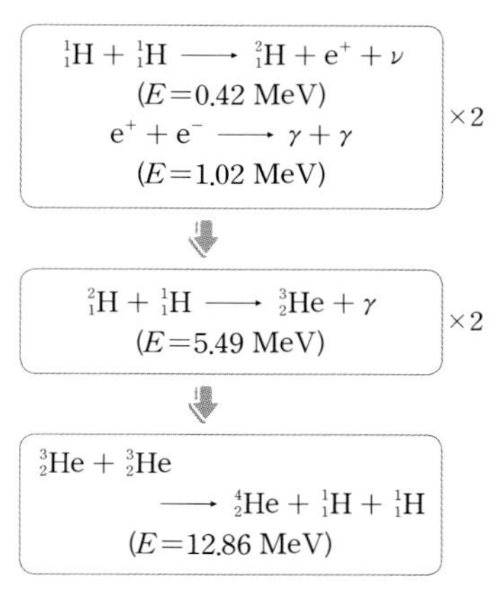

(3) **태양의 열핵융합:** 태양의 중심부에서는 몇 단계에 걸쳐 4개의 수소 원자핵이 융합하여 1개의 헬륨 원자핵이 되는 핵융합 반응이 일어난다. 이 과정에서 발생하는 질량 결손에 의해 약 26.7 MeV의 에너지가 방출된다.

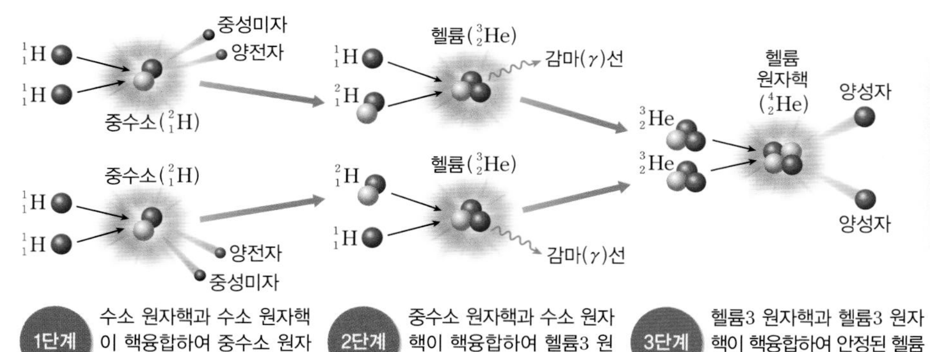

(4) **핵융합로에서의 핵융합:** 핵융합로를 이용한 핵융합 발전도 활발히 연구되고 있다. 이러한 핵융합로에서는 그림과 같이 중수소(^2_1H) 원자핵과 삼중수소(^3_1H) 원자핵이 융합하여 헬륨(^4_2He) 원자핵이 되는 반응이 가능하며, 이 과정에서 중성자 1개와 약 17.6 MeV의 에너지가 방출된다. 이를 핵반응식으로 나타내면 다음과 같다.

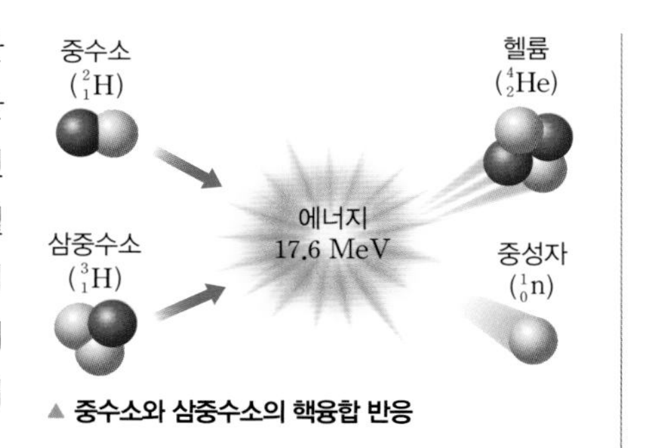

▲ 중수소와 삼중수소의 핵융합 반응

$^2_1H + ^3_1H \longrightarrow ^4_2He + ^1_0n + 17.6$ MeV (핵자당 방출하는 에너지는 약 3.52 MeV이다.)

차이를 만드는

심화

원자력 발전

현대의 일상생활에서는 전기 에너지를 많이 사용한다. 전기 에너지를 많이 생산하기 위해서는 많은 에너지가 필요한데, 아인슈타인의 질량 에너지 동등성을 이용하면 작은 질량으로도 막대한 에너지를 얻을 수 있다. 질량 에너지 동등성을 이용하여 전기를 생산하는 원자력 발전소에 대하여 알아보자.

❶ 원자로의 구조

중성자수와 반응 속도를 적당히 조절하여 연쇄 반응을 서서히 진행시키면 우라늄의 핵분열에서 발생하는 열에너지를 이용하여 전기 에너지를 생산할 수 있다. 이러한 발전 방식을 핵발전이라고 하며, 우라늄이 핵분열할 때 연쇄 반응의 속도를 조절 및 제어하여 필요한 양의 에너지를 지속적으로 얻는 장치를 원자로(nuclear reactor)라고 한다. 원자로는 핵연료, 감속재, 냉각재, 제어봉, 구조재 등으로 구성된다.

① 핵연료: 길이 1 m~4 m 정도의 원통형의 펠렛(pellet)으로, ${}^{235}_{92}U$가 2 %~5 % 들어 있는 저농축 우라늄 또는 ${}^{239}_{94}Pu$ 등이 사용된다. 4 % 정도 농축된 펠렛 1개(5.5 g)가 생산하는 전력량은 1600 kWh(1가구 8개월 사용량) 정도이다.

② 감속재: 우라늄 원자핵(${}^{235}_{92}U$)의 핵분열 시 나오는 고속 중성자의 속력을 감소시키는 데 사용되는 물질로, 경수, 중수, 흑연 등이 사용된다.

③ 냉각재: 원자로에서 발생하는 열을 원자로 밖으로 운반하는 열교환기에서 수증기를 만들거나 증기 터빈을 사용하는 열기관에 열에너지를 전달하는 데 사용하는 것으로, 기체로는 헬륨, 이산화 탄소, 질소가 있고, 액체로는 경수, 중수 등이 있다.

④ 제어봉: 중성자를 잘 흡수하는 카드뮴(Cd), 붕소(B), 인듐(In), 하프늄(Hf) 등의 물질로 만든 막대로, 원자로 속에 출입시켜 연쇄 반응의 속도를 제어하는 역할을 한다.

⑤ 구조재: 원자로 용기나 원자로 속의 핵연료, 제어봉 등을 고정시키고, 냉각재 등이 흐를 수 있게 만든 구조물을 말한다.

경수와 중수
- 경수(H_2O): 보통의 물
- 중수(D_2O): 중수소와 산소가 결합된 물

방사성 폐기물
핵에너지를 사용하는 과정에서 발생하는 여러 가지 불필요한 방사성 물질을 방사성 폐기물이라고 한다. 방사성 폐기물은 원자력 시설이나 방사성 물질을 다루는 작업장 또는 실험실에서 나오는 폐기물, 핵분열 생성물, 냉각수, 냉각 가스 등의 누출물을 비롯해서 실험이나 작업에 사용한 공구나 헝겊, 종이, 세척수 등이 있다.

❷ 원자로를 이용한 발전 과정

① 감속재가 담긴 원자로의 중심(노심)에 핵연료를 담그면 연쇄 반응이 일어난다.

② 연쇄 반응 과정에서 발생한 열로 1차 회로의 물을 가열한다.

③ 1차 회로의 물을 증기 발생기로 보내면 2차 회로의 물을 끓여 증기를 발생시킨다.

④ 증기로 터빈을 돌려 전기 에너지를 생산하고, 증기는 복수기에서 다시 물이 되어 증기 발생기로 돌아간다.

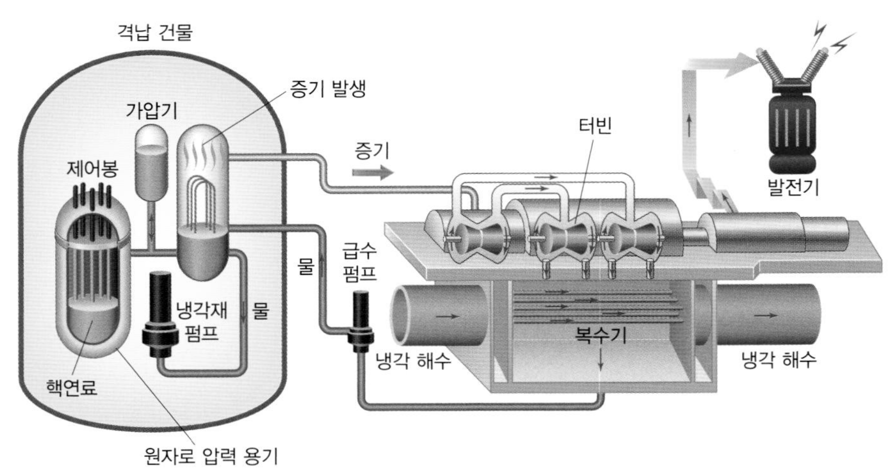

▲ 원자력 발전소의 기본 구조

❸ 원자로의 종류

전 세계적으로 가동되고 있는 원자로에는 미국에서 개발한 가압 경수로와 비등 경수로, 캐나다에서 개발한 가압 중수로, 영국에서 개발한 고온 가스 냉각로 등이 있다.

① 가압 경수로(PWR: Pressurized Water Reactor): ${}^{235}_{92}U$이 2 %~5 % 들어 있는 저농축 우라늄을 연료로 사용하며, 냉각재와 감속재로 물(경수)을 사용한다. 세계 원전의 약 60 % 정도를 차지한다.

② 비등 경수로(BWR: Boiling Water Reactor): ${}^{235}_{92}U$이 2 % 들어 있는 저농축 우라늄을 연료로 사용하며, 냉각재와 감속재로 경수를 사용한다. 세계 원전의 약 20 % 정도를 차지한다.

③ 가압 중수로(PHWR: Pressurized Heavy Water Reactor): 천연 우라늄을 연료로 사용하고, 냉각재와 감속재로 중수(D_2O)를 사용한다는 점 이외에는 가압 경수로와 비슷하다.

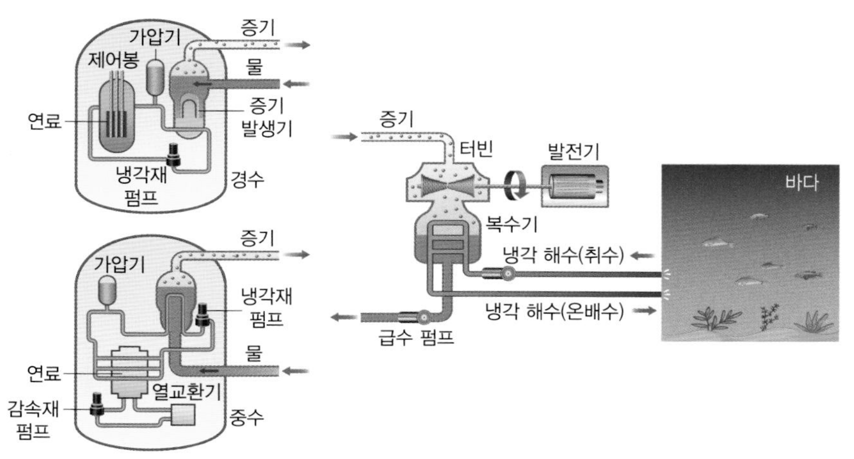

▲ 경수로와 중수로

④ 고속 증식로(FBR: Fast Breeder Reactor): 고속 중성자를 이용하여 플루토늄(${}^{239}_{94}Pu$) 핵분열 반응을 일으켜 에너지를 생산함과 동시에 비핵분열성 물질인 ${}^{238}_{92}U$을 핵분열성 물질인 ${}^{239}_{94}Pu$으로 변환시키는 원자로이다. 고속 증식로는 고속 중성자로 핵분열을 일으키므로 감속재는 없고, 냉각재로 열을 잘 전달하는 액체 소듐(나트륨)이 사용되므로 액체 금속로라고도 한다. 고속 증식로를 이용하면 천연 우라늄을 플루토늄으로 전환시킬 수 있으므로 핵연료를 120배 정도 늘릴 수 있고, 핵폐기물을 방사능이 없는 물질로도 전환시킬 수 있는 장점이 있어 현재 미래의 원자력으로 연구되고 있다.

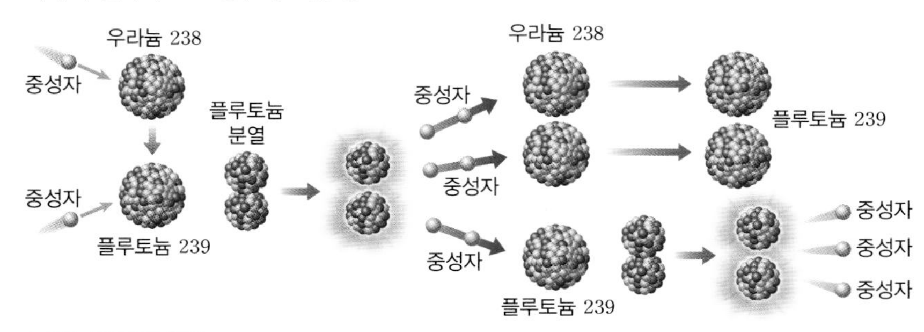

▲ 고속 증식로의 원리

경수로와 중수로의 비교

원자로	경수로	중수로
핵연료	저농축 우라늄	천연 우라늄
감속재, 냉각재	물(경수)	중수
장점	감속재 확보 편리	중수 사용으로 반응 조절 편리
단점	농축 우라늄 확보 문제	감속재 확보 곤란
설치 지역	고리, 영광, 울진	월성

02 질량 에너지 동등성

❶ 질량 에너지 동등성

1. 운동량에 대한 새로운 정의

- 특수 상대성 이론에서 운동량: $p=$(❶)로 정의하며, 속력이 (❷) 때 고전 역학에서의 운동량과 같다. (단, γ: 로런츠 인자)
- 특수 상대성 이론에서의 질량: 물체가 정지했을 때의 질량을 m이라 하면, 물체가 v의 속력으로 운동할 때의 질량은 (❸)으로, 질량이 (❹)에 따라 변하는 것을 알 수 있다.

2. 에너지에 대한 새로운 정의

- (❺) 에너지: 질량이 m인 물체가 어떤 관찰자에 대해 정지해 있을 때 가지는 에너지

$E_0=$(❻) (단, c: 빛의 속력)

- 질량 에너지 동등성: 정지한 물체의 (❼)이 에너지가 될 수 있고, 운동하는 물체의 에너지가 질량이 될 수 있으므로, 질량과 (❽)는 서로 전환될 수 있는 동등한 관계가 있다.

3. 특수 상대성 이론에서 운동량과 에너지의 관계 $E^2=m^2c^4+p^2c^2$

❷ 핵변환과 에너지

1. 질량 결손과 에너지 핵반응 과정에서 질량 결손(Δm)이 생기며, 이때 (❾)에 의해 에너지 $E=\Delta mc^2$이 방출된다.

2. 핵분열 큰 원자핵에 중성자와 같은 입자가 충돌하여 2개 이상의 다른 원자핵으로 나누어지는 현상으로, (❿)에 해당하는 에너지가 방출된다.

- 우라늄의 핵분열: 우라늄 원자핵(${}^{235}_{92}U$)은 느린 속력의 열중성자와 충돌하여 2개의 원자핵으로 핵분열하고, 중성자 2개~3개를 방출한다.
- 핵분열의 연쇄 반응: 우라늄 원자핵의 핵분열로 방출된 2개~3개의 (⓫)가 또 다른 우라늄 원자핵과 연쇄 반응을 하면서 반응 속도가 기하급수적으로 늘어난다. 원자력 발전소의 원자로에서는 연쇄 반응의 속도를 조절하여 안정적인 에너지를 얻는다.

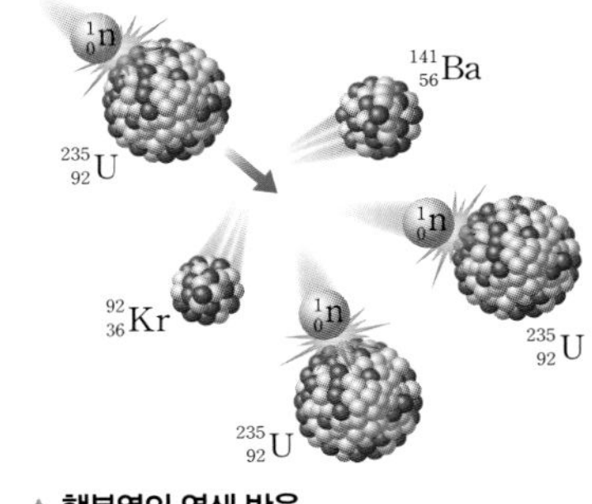

▲ 핵분열의 연쇄 반응

3. (⓬) 질량수가 매우 작은 원자핵끼리 고온·고압에서 고속으로 충돌하여 무거운 원자핵을 만드는 핵반응으로, 질량 결손에 해당하는 에너지가 방출된다.

- 태양의 열핵융합: 태양의 중심부에서는 수소 원자핵 2개가 충돌하여 중수소 원자핵이 되고, 중수소 원자핵이 다른 수소 원자핵과 충돌하여 (⓭) 원자핵이 된다. 2개의 헬륨3 원자핵은 1개의 안정된 (⓮) 원자핵과 2개의 양성자로 변환되는 핵반응이 일어난다. 이 과정에서 발생하는 질량 결손에 의해 약 26.7 MeV의 에너지가 방출된다.
- 핵융합로에서의 핵융합: 중수소 원자핵과 삼중수소 원자핵이 융합하여 헬륨 원자핵을 만들 때 (⓯) 1개와 약 17.6 MeV의 에너지가 방출된다.

중수소 (${}^{2}_{1}H$)
삼중수소 (${}^{3}_{1}H$)
에너지 17.6 MeV
헬륨 (${}^{4}_{2}He$)
중성자 (${}^{1}_{0}n$)

핵융합로에서의 핵융합 반응 ▶

01 다음 내용이 설명하는 원리는 무엇인지 쓰시오.

> 질량과 에너지는 서로 전환될 수 있음을 나타내는 원리로, 소립자의 생성과 소멸 및 핵에너지(핵분열, 핵융합)나 태양 에너지를 이해하는 기초가 된다.

02 다음은 특수 상대성 이론에 따라 질량과 에너지 개념을 확장한 것이다. (　　) 안에 알맞은 말을 쓰시오.

(1) 정지 질량이 m인 물체가 정지한 상태에서 갖는 에너지 $E_0=mc^2$을 (　　) 에너지라고 한다.

(2) 큰 에너지의 빛이 물질을 통과하면서 전자와 양전자를 생성하는 현상은 (　　)이/가 질량으로 변하는 현상이다.

(3) 우라늄과 같은 방사성 원소가 핵분열할 때 감소한 질량은 (　　)(으)로 방출되며, 원자력 발전은 이를 이용한다.

03 다음 내용이 설명하는 것을 무엇이라고 하는지 쓰시오.

> 핵반응 후 질량의 합이 핵반응 전보다 줄어드는 것을 말하며, 핵반응이 일어날 때 이에 해당하는 만큼의 에너지가 방출된다.

04 핵반응 과정에서 감소한 질량 Δm이 모두 에너지로 전환될 때 발생하는 에너지를 구하시오. (단, 빛의 속력은 c이다.)

05 다음은 우라늄($^{235}_{92}$U)의 핵반응을 나타낸 것이고, 표는 각 입자의 질량을 원자 질량 단위(u)로 나타낸 것이다.

> $^{235}_{92}\mathrm{U}+^{1}_{0}\mathrm{n} \longrightarrow ^{141}_{56}\mathrm{Ba}+^{92}_{36}\mathrm{Kr}+3^{1}_{0}\mathrm{n}+$에너지

원자 번호	질량수	원소 기호	원자 질량(u)
0	1	n(중성자)	1.01
36	92	Kr(크립톤)	91.93
56	141	Ba(바륨)	140.91
92	235	U(우라늄)	235.04

(1) 핵반응에 의한 질량 결손을 구하시오.

(2) 핵반응에 의하여 발생한 에너지를 구하시오. (단, 1 u≒1.66×10^{-27} kg이고, 빛의 속력은 3×10^{8} m/s이다.)

(3) 우라늄 1 kg에 의하여 발생하는 에너지를 구하시오.

06 그림은 중수소($^{2}_{1}$H) 원자핵과 삼중수소($^{3}_{1}$H) 원자핵이 융합하여 헬륨($^{4}_{2}$He) 원자핵을 만들 때 에너지가 발생하는 것을 나타낸 것이다.

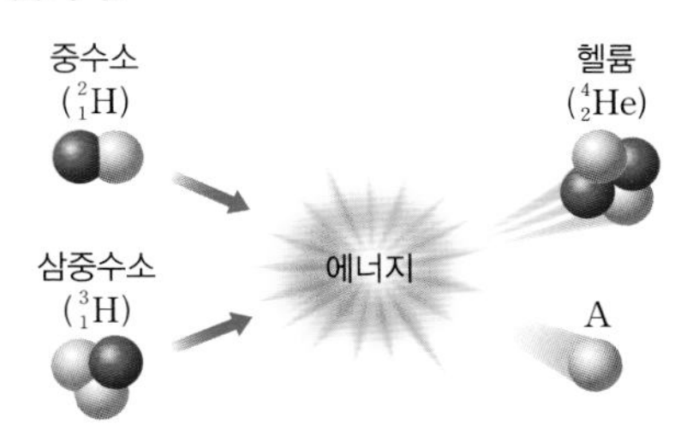

이에 대한 설명으로 옳은 것만을 보기에서 있는 대로 고르시오.

> 보기
> ㄱ. A는 중성자이다.
> ㄴ. 반응 과정에서 질량수는 보존된다.
> ㄷ. 에너지는 질량 결손에 의해 발생한다.

01 > 질량 에너지 동등성

그림은 정지한 원자핵이 핵분열하여 정지 질량이 m인 두 입자로 쪼개지는 것을 나타낸 것이다. 두 입자는 각각 원래 원자핵에 대해 $0.6c$의 속력으로 반대 방향으로 분리되었다.

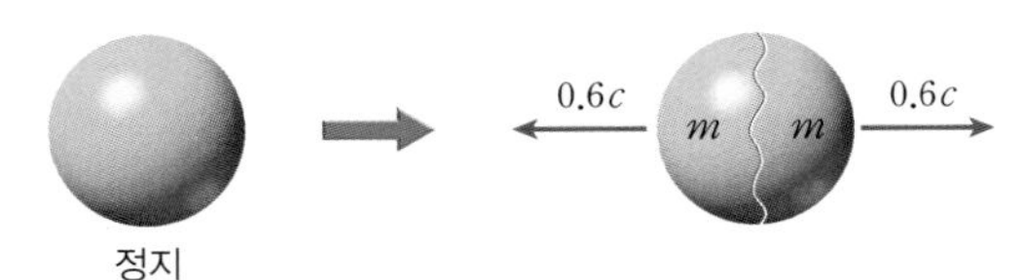

이에 대한 설명으로 옳은 것만을 보기에서 있는 대로 고른 것은? (단, c는 빛의 속력이다.)

보기

ㄱ. 핵분열 과정에서 입자의 총 질량은 일정하다.

ㄴ. 핵분열 후 한 입자의 전체 에너지는 $0.36mc^2$이다.

ㄷ. 핵분열 전 원자핵의 정지 질량은 $2.5m$이다.

① ㄱ ② ㄷ ③ ㄱ, ㄴ ④ ㄴ, ㄷ ⑤ ㄱ, ㄴ, ㄷ

- 원자핵이 쪼개지기 전후의 에너지는 동일하다.

02 > 질량 에너지 동등성

그림은 정지해 있던 입자가 외부로부터 W만큼의 일을 받아 원래 입자에 대해 v의 속력으로 운동하는 모습을 나타낸 것이다. 정지해 있을 때와 속력이 v일 때 입자의 질량은 각각 m_0, $2m_0$이다.

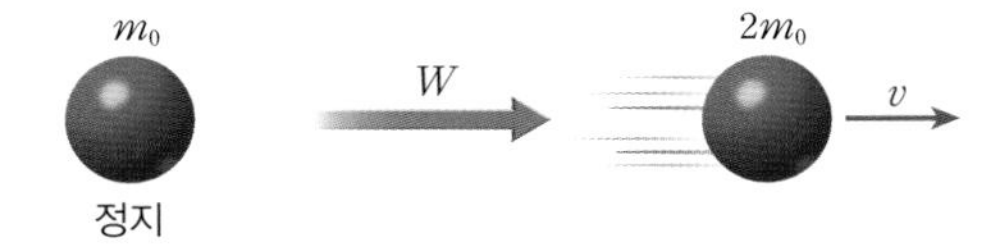

이에 대한 설명으로 옳은 것만을 보기에서 있는 대로 고른 것은? (단, 빛의 속력은 c이다.)

보기

ㄱ. W는 입자의 운동 에너지 증가량과 같다.

ㄴ. 속력이 v일 때 입자의 운동 에너지는 m_0v^2이다.

ㄷ. $v=0.5c$이다.

① ㄱ ② ㄷ ③ ㄱ, ㄴ ④ ㄴ, ㄷ ⑤ ㄱ, ㄴ, ㄷ

- 알짜힘이 한 일은 운동 에너지 증가량이다.

고난도

03

> 질량 에너지 동등성

그림은 정지해 있던 질량이 m_0인 물체에 W_1의 일을 하여 속력이 $0.6c$가 되게 한 후, W_2의 일을 하여 속력이 $0.8c$가 되게 한 것을 나타낸 것이다.

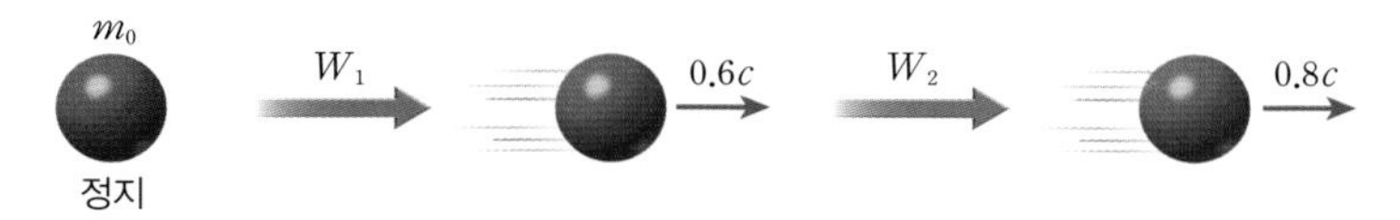

이에 대한 설명으로 옳은 것만을 보기에서 있는 대로 고른 것은?

보기

ㄱ. 속력이 $0.6c$일 때 물체의 운동 에너지는 $0.18m_0c^2$이다.
ㄴ. $W_1>W_2$이다.
ㄷ. W_2는 물체의 정지 에너지보다 작다.

① ㄱ ② ㄷ ③ ㄱ, ㄴ ④ ㄴ, ㄷ ⑤ ㄱ, ㄴ, ㄷ

• 상대론에서 물체의 에너지는 $E=m'c^2$이고, 물체에 한 일만큼 운동 에너지가 증가한다.

04

> 질량 에너지 동등성

그림은 우주선이 성층권의 공기 분자와 충돌하여 같은 높이에서 뮤온 A, B를 생성하는 것을 나타낸 것이다. 지표면의 관찰자가 측정할 때 A, B는 각각 연직 방향의 일정한 속도 $0.99c$, $0.95c$로 지표면을 향해 운동한다.

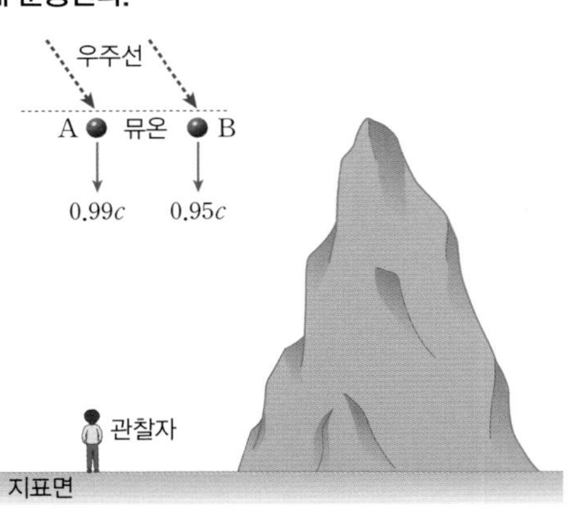

지표면의 관찰자가 측정할 때, 이에 대한 설명으로 옳은 것만을 보기에서 있는 대로 고른 것은? (단, c는 빛의 속력이다.)

보기

ㄱ. 뮤온의 수명은 A가 B보다 길다.
ㄴ. 관측되는 최소 높이는 A가 B보다 높다.
ㄷ. 뮤온의 전체 에너지는 A가 B보다 크다.

① ㄱ ② ㄴ ③ ㄱ, ㄷ ④ ㄴ, ㄷ ⑤ ㄱ, ㄴ, ㄷ

• 물체의 전체 에너지는 관측되는 속도에 따라 달라진다.

05

> 길이 수축과 질량 에너지 동등성

그림은 정지해 있는 관찰자 A에 대해 양성자가 일정한 속도 $0.9c$로 p 지점을 지나 q 지점을 통과하는 모습을 나타낸 것이다. A가 측정한 p와 q 사이의 거리는 L이고, 지면에 대해 양성자와 같은 속력으로 반대 방향으로 움직이는 우주선에 타고 있는 관찰자 B가 측정한 q에서 p까지 이동하는 데 걸린 시간은 T이다.

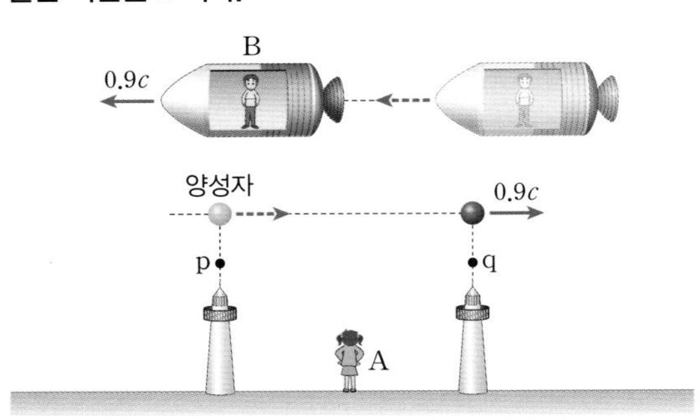

이에 대한 설명으로 옳은 것만을 보기에서 있는 대로 고른 것은? (단, c는 빛의 속력이다.)

보기

ㄱ. $L > 0.9cT$이다.
ㄴ. B가 측정할 때 양성자의 속력은 $1.8c$이다.
ㄷ. 양성자의 전체 에너지는 A가 측정했을 때와 B가 측정했을 때가 서로 같다.

① ㄱ ② ㄷ ③ ㄱ, ㄴ ④ ㄴ, ㄷ ⑤ ㄱ, ㄴ, ㄷ

• 물체의 속력은 빛의 속력보다 빠를 수 없다.

06

> 핵반응과 질량 결손

다음은 핵반응에 대한 간략한 설명이다.

- 핵반응은 원자핵이 다른 원자핵과 충돌하여 원자핵이 커지거나 작아지는 것이다.
- 핵반응 전과 후 전하량은 변하지 않고 보존되며, 입자들의 (㉠)의 총합은 감소한다.
- 질량 에너지 동등성에 의해 핵반응에 의한 질량 결손이 m일 때 방출되는 에너지는 (㉡)이다.

㉠, ㉡에 해당하는 말을 옳게 짝 지은 것은? (단, 빛의 속력은 c이다.)

	㉠	㉡		㉠	㉡
①	질량수	mc	②	질량수	mc^2
③	질량	mc	④	질량	mc^2
⑤	질량	$\sqrt{mc}$			

• 핵반응에서는 질량 결손에 의한 에너지가 발생한다.

07

> 핵반응과 질량 결손

다음은 우라늄($^{235}_{92}U$)의 핵반응에 대한 설명이다.

- 핵반응식: $^{235}_{92}U$+(㉠) ⟶ $^{141}_{56}Ba$+$^{92}_{36}Kr$+3(㉡)+에너지
- 불안정한 우라늄 원자핵($^{235}_{92}U$)이 ㉠과 반응하여 바륨($^{141}_{56}Ba$), 크립톤($^{92}_{36}Kr$) 원자핵과 ㉡으로 핵분열하며 에너지를 방출한다.
- 우라늄이 정지해 있는 좌표계에서 측정할 때, 핵반응에서 발생한 에너지의 일부는 ㉡의 (㉢) 에너지로 전환된다.

이에 대한 설명으로 옳은 것만을 보기에서 있는 대로 고른 것은?

보기

ㄱ. ㉠의 질량수는 1이다.
ㄴ. 우라늄이 정지해 있는 좌표계에서 측정할 때, ㉠의 에너지는 ㉡의 에너지보다 작다.
ㄷ. ㉢은 '정지'이다.

① ㄱ ② ㄷ ③ ㄱ, ㄴ ④ ㄴ, ㄷ ⑤ ㄱ, ㄴ, ㄷ

불안정한 우라늄 원자핵이 저속의 중성자를 흡수하여 핵분열하고 고속의 중성자를 방출한다.

08

> 핵융합

그림은 인공 핵융합 과정을 나타낸 것이다.

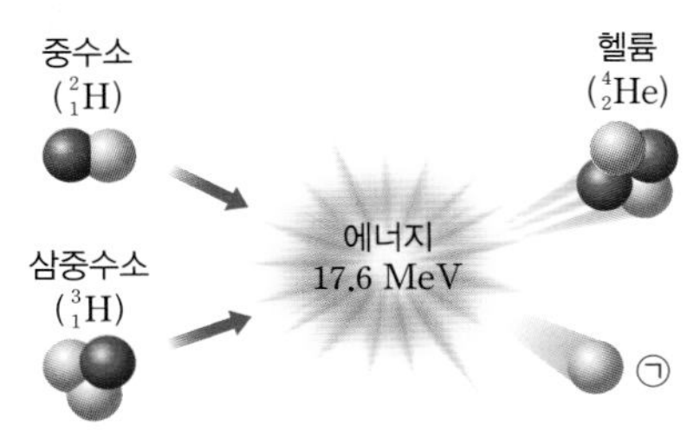

이에 대한 설명으로 옳은 것만을 보기에서 있는 대로 고른 것은?

보기

ㄱ. 실온에서 일어나는 반응이다.
ㄴ. ㉠에 해당하는 입자는 중성자($^{1}_{0}n$)이다.
ㄷ. 핵반응 전후 질량의 합은 같다.

① ㄱ ② ㄴ ③ ㄱ, ㄷ ④ ㄴ, ㄷ ⑤ ㄱ, ㄴ, ㄷ

핵반응에서 전하량과 질량수는 보존된다.

09

> 핵융합과 핵분열

다음 (가), (나)는 각각 수소 원자핵의 핵반응과 우라늄 원자핵의 핵반응을 나타낸 것이다.

(가) $4{}^{1}_{1}\mathrm{H}+2\mathrm{e}^{-} \longrightarrow {}^{4}_{2}\mathrm{He}+26\ \mathrm{MeV}$

(나) ${}^{235}_{92}\mathrm{U}+{}^{1}_{0}\mathrm{n} \longrightarrow {}^{141}_{56}\mathrm{Ba}+{}^{92}_{36}\mathrm{Kr}+3{}^{1}_{0}\mathrm{n}+200\ \mathrm{MeV}$

이에 대한 설명으로 옳은 것만을 보기에서 있는 대로 고른 것은?

보기

ㄱ. 핵반응에 의해 질량수가 감소한다.

ㄴ. 태양 에너지의 근원은 (가)와 같은 반응이다.

ㄷ. 핵자 1개당 방출하는 에너지는 (가)에서가 (나)에서보다 크다.

① ㄱ ② ㄷ ③ ㄱ, ㄴ ④ ㄴ, ㄷ ⑤ ㄱ, ㄴ, ㄷ

• 핵반응에 의해 질량 결손이 발생하고, 태양 에너지의 근원은 핵융합 반응이다.

10

> 질량 에너지 동등성

그림은 에너지가 매우 큰 빛이 원자핵에 흡수되어 소멸되고 전자와 양전자가 생성되는 쌍생성 과정을 모식적으로 나타낸 것이다. 양전자는 전자와 전하량, 질량이 같지만 (+)전하를 갖는 입자이다. 전자의 정지 에너지는 E_0이다.

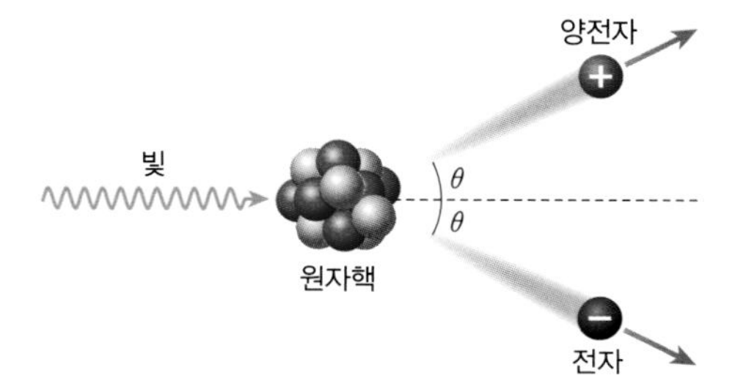

이에 대한 설명으로 옳은 것만을 보기에서 있는 대로 고른 것은?

보기

ㄱ. 빛의 운동량은 0이다.

ㄴ. 빛의 에너지는 양전자와 전자의 운동 에너지로 모두 전환된다.

ㄷ. 이 현상은 에너지와 질량이 동등하다는 것을 보여 주는 예이다.

① ㄱ ② ㄷ ③ ㄱ, ㄴ ④ ㄴ, ㄷ ⑤ ㄱ, ㄴ, ㄷ

• 쌍생성은 에너지가 물질(입자)로 전환되는 사례이다.

읽을거리 시간이란 무엇인가?

사람들은 일상생활에서 "우리 어느 날 몇 시에 만날까?", "그 영화는 상영 시간이 짧아서 아쉬워.", "시간이 너무 빨리 흘러가는 것 같아." 등 시간에 관해서 자주 이야기한다. 그런데 시간이란 무엇이냐고 진지하게 물으면 대답하기가 어렵다. 아니 불가능하다. 사람들은 자주 사용해서 익숙해지면 그것에 대해 알고 있다고 생각한다. 익숙한 것과 아는 것은 분명히 차이가 있다.

우리가 시간에 대해서 알고 있는 것은 과거에서 미래로의 흐름이라는 것뿐이며, 물리학적으로 그것이 무엇인지는 알지 못한다. 실제로 입자 하나하나의 운동을 지배하는 물리 법칙은 시간의 미래와 과거를 구별하지 않는다. 어떤 운동이 가능하다면 그것과 반대의 운동도 똑같이 가능하다고 생각한다. 따라서 운동 법칙에서 시간이 무엇인지 알아내는 것은 불가능하다.

잉크 방울을 물에 떨어뜨리면 잉크가 물 전체로 골고루 퍼져 나가므로 잉크 방울과 물이 구별되어 있는 상태가 과거이고, 잉크가 물 전체에 골고루 퍼져 있는 상태가 미래이다. 하지만 잉크 분자 하나하나의 운동을 생각하면 잉크 방울이 물과 구별되어 있을 때나 물에 골고루 퍼져 있을 때나 분자는 몇 번이나 다른 분자와 충돌하며 무질서한 운동을 하고 있을 것이므로 시간을 구별할 수 없다. 이런 관점에서 엄청나게 많은 수의 입자가 관계하는 현상과 처음 잉크 방울과 물이 구별된다는 특별한 상태가 존재할 때 시간이 나타난다. 분자 운동만 생각하거나 잉크가 퍼져 있는 상태에서는 과거와 미래를 구별할 수 없으므로 시간이 나타나지 않는 것이다. 이것을 물리학에서는 자연 현상은 엔트로피가 증가하는 방향으로 일어난다고 표현하며, 이로부터 시간에 대한 물리적 성질의 한 부분을 짐작할 수 있다.

물체가 공간의 한 지점에서 다른 지점으로 이동할 때 물체의 위치만 바뀌는 것이 아니라 시간도 흘러간다. 이런 점에서 공간이 존재해야만 시간이라는 물리량이 발생한다. 그래서 아인슈타인은 시공간이 서로 연관되어 있다고 하였다.

물리학에서는 순간 속도와 순간 가속도, 동시성의 상대성, 시간 지연, 시공간, 블랙홀, 빅뱅 등에서 시간이 언급되고 있으며, 이를 통하여 시간에 대한 단편적인 성질을 알 수 있다. 그렇지만 현재 물리학은 각 순간 사이의 시간 간격만 취급할 뿐이며, 시간의 흐름과 같은 본질을 측정하거나 취급하지는 않는다. 어떤 물리학자는 심지어 "시간은 입자로 돼 있으나, 그 입자가 지극히 작기 때문에 아직 검출되지 않았을 수도 있다. 시간은 순간과 순간의 연결이며, 그 사이에는 아무것도 없다."라고 말한다.

현재 물리학을 통하여 시간의 본질을 이해할 수는 없으나, 물리학에서만 시간의 본질을 생각하고 연구하고 있는 것은 분명하다. 시간은 무엇일까? 무엇을 알아야 시간을 알 수 있을까?

01

> 동시성의 상대성

그림은 관찰자 A가 타고 있는 우주선이 지면의 P, O, Q 지점을 잇는 직선과 나란한 방향으로 지면에 대해 광속에 가까운 일정한 속도로 운동을 하는 동안, 지면에 정지해 있는 관찰자 B가 관찰할 때 O에서 방출한 빛이 P, Q에 동시에 도달하는 것을 나타낸 것이다.

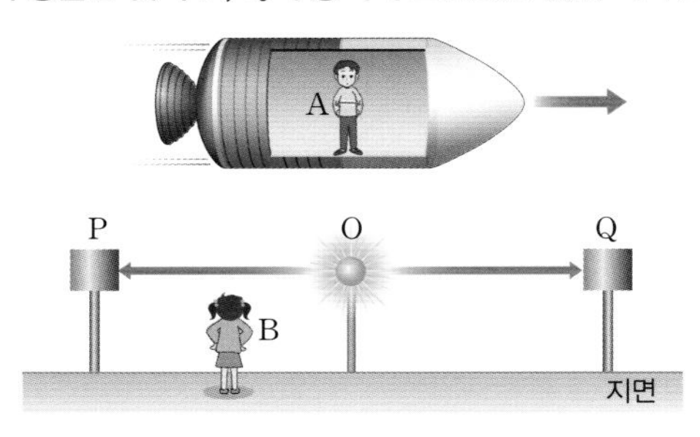

A가 관찰할 때, 이에 대한 설명으로 옳은 것만을 보기에서 있는 대로 고른 것은?

보기
ㄱ. $\overline{OP}$와 $\overline{OQ}$의 길이는 같다.
ㄴ. O에서 방출한 빛은 P, Q에 동시에 도달한다.
ㄷ. O에서 P로 이동하는 빛이 O에서 Q로 이동하는 빛보다 빠르다.

① ㄱ ② ㄴ ③ ㄱ, ㄴ ④ ㄱ, ㄷ ⑤ ㄴ, ㄷ

• 관성 좌표계에 따라 동시성이 달라질 수 있다.

02

> 동시성의 상대성

그림은 관찰자 A가 타고 있는 우주선이 지면의 P, O, Q 지점을 잇는 직선과 나란한 방향으로 지면에 대해 광속에 가까운 일정한 속도로 운동을 하는 동안, 지면에 정지해 있는 관찰자 B가 관찰할 때 P, Q에서 동시에 방출한 빛이 O에 동시에 도달하는 것을 나타낸 것이다.

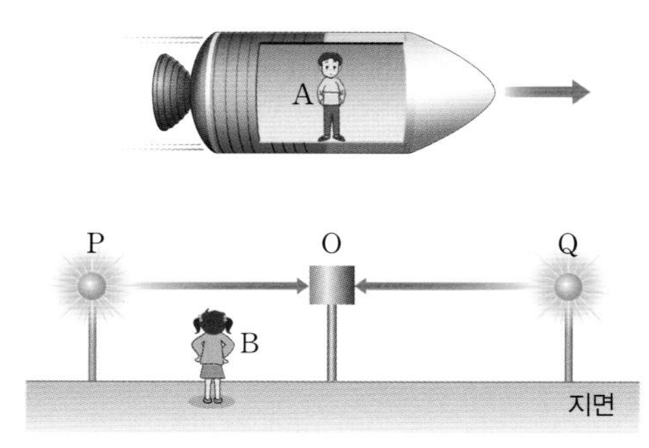

A가 관찰할 때, 이에 대한 설명으로 옳은 것만을 보기에서 있는 대로 고른 것은?

보기
ㄱ. $\overline{OP}$와 $\overline{OQ}$의 길이는 같다.
ㄴ. P, Q에서 방출한 빛이 O에 동시에 도달한다.
ㄷ. 빛이 방출되는 것은 Q에서가 P에서보다 먼저이다.

① ㄱ ② ㄴ ③ ㄱ, ㄷ ④ ㄴ, ㄷ ⑤ ㄱ, ㄴ, ㄷ

• 한 점에서 발생한 동시 사건은 하나의 사건이므로 모든 관찰자에게 동시 사건이다.

03

> 동시성의 상대성

그림은 관찰자 A, B가 타고 있는 기차가 매우 빠른 일정한 속도로 달리고 있는 동안 기차의 양 끝에 번개가 내리치는 것을 나타낸 것이다. 기차의 중앙에 있는 A는 번개가 기차의 양 끝에 동시에 떨어졌다고 관찰하였으며, 관찰자 C는 지면에서 기차와 번개를 관찰하였다. 기차 안의 A, B와 지면의 C는 각각 제자리에서 정지해 있다.

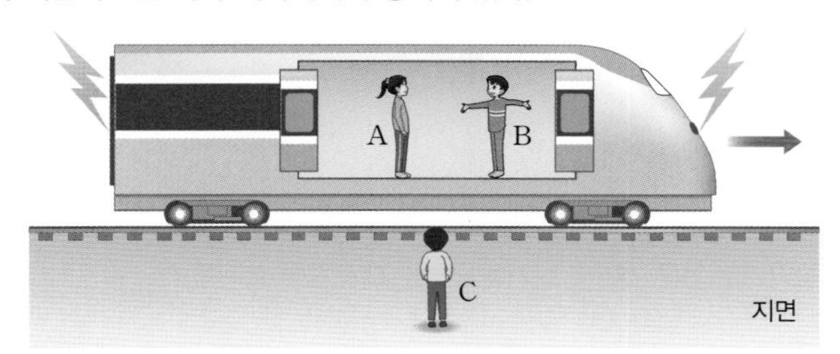

이에 대한 설명으로 옳은 것만을 보기에서 있는 대로 고른 것은?

보기

ㄱ. B는 기차의 앞쪽에 번개가 먼저 떨어졌다고 관찰한다.
ㄴ. C는 기차의 뒤쪽에 번개가 먼저 떨어졌다고 관찰한다.
ㄷ. A가 측정한 기차의 길이는 C가 측정한 기차의 길이보다 길다.

① ㄱ ② ㄴ ③ ㄱ, ㄷ ④ ㄴ, ㄷ ⑤ ㄱ, ㄴ, ㄷ

- 같은 좌표계에서는 위치에 상관없이 사건을 동일하게 관찰한다.

04

> 시간 지연과 길이 수축

그림은 관찰자 A가 타고 있는 우주선이 지면에 대해 $0.5c$의 속도로 광원에서 거울 방향으로 나란하게 운동하고, 관찰자 B는 지면에 정지해 있는 것을 나타낸 것이다. 우주선이 광원에서 거울까지 이동하는 데 걸린 시간은 A가 측정할 때 t_A이고, 광원에서 출발한 빛이 거울에 반사되어 광원으로 되돌아오는 데 걸린 시간은 B가 측정할 때 t_B이다.

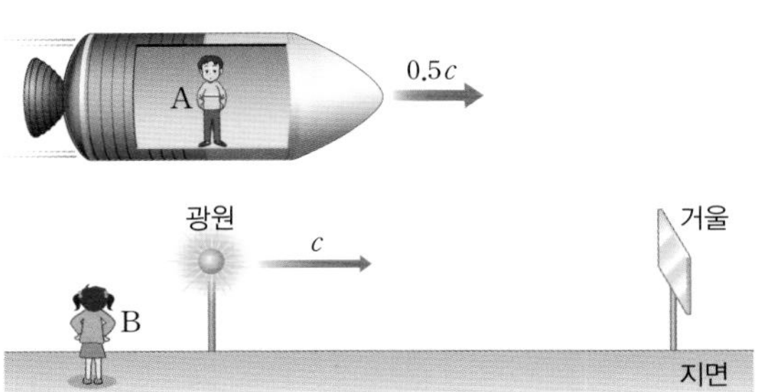

이에 대한 설명으로 옳은 것만을 보기에서 있는 대로 고른 것은? (단, c는 빛의 속력이다.)

보기

ㄱ. $t_A=t_B$이다.
ㄴ. B가 측정할 때, 우주선이 광원에서 거울까지 이동하는 데 걸린 시간은 t_A보다 크다.
ㄷ. A가 측정할 때, 광원에서 출발한 빛이 거울까지 이동하는 시간과 거울에서 반사한 빛이 광원까지 되돌아오는 시간은 같다.

① ㄱ ② ㄴ ③ ㄱ, ㄷ ④ ㄴ, ㄷ ⑤ ㄱ, ㄴ, ㄷ

- 물체가 운동할 때의 길이는 정지해 있을 때의 길이보다 작다.

05

> 길이 수축과 동시성의 상대성

그림은 일직선상에서 자동차가 신호등 P, Q를 향해 매우 빠른 일정한 속도로 접근하는 것을 나타낸 것이다. 지면에 정지해 있는 철수가 측정할 때, 자동차의 길이는 P, Q 사이의 거리 L과 같고, 자동차의 앞부분이 Q에 도달하는 순간 P, Q에서 동시에 불이 켜졌다.

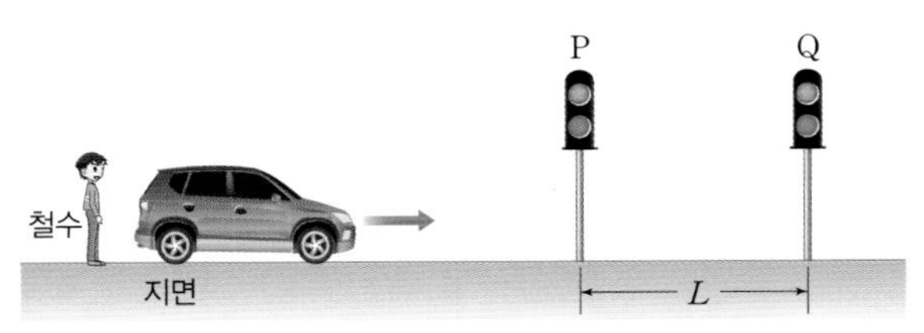

자동차에 탄 운전자가 측정할 때, 이에 대한 설명으로 옳은 것만을 보기에서 있는 대로 고른 것은?

보기
ㄱ. 자동차의 길이는 L보다 크다.
ㄴ. P, Q 사이의 거리는 L보다 작다.
ㄷ. 자동차의 앞부분이 Q에 도달하는 순간 Q에 불이 켜졌고, 그 후 P에 불이 켜졌다.

① ㄱ ② ㄴ ③ ㄱ, ㄷ ④ ㄴ, ㄷ ⑤ ㄱ, ㄴ, ㄷ

• 관측자에 대해 운동하는 물체의 길이는 고유 길이보다 짧게 관측되며, 한 관성 좌표계에서 동시에 발생한 사건이 다른 관성 좌표계에서는 동시가 아닐 수 있다.

06

> 원자핵의 결합 에너지와 핵반응

그림은 각 원소의 핵자당 결합 에너지와 질량수의 관계를 나타낸 것이다.

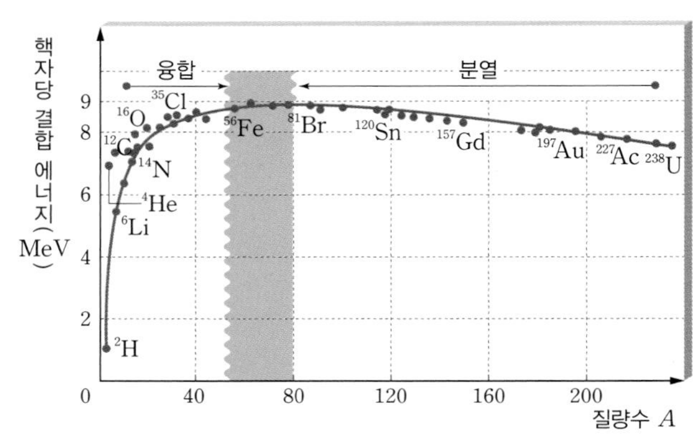

이에 대한 설명으로 옳은 것만을 보기에서 있는 대로 고른 것은?

보기
ㄱ. 철(Fe) 원자핵이 가장 불안정하다.
ㄴ. 질량수가 60 이상인 원자핵은 질량수가 증가할수록 더 안정하다.
ㄷ. 핵융합 반응과 핵분열 반응에서 모두 질량 결손이 일어난다.

① ㄱ ② ㄷ ③ ㄱ, ㄴ ④ ㄴ, ㄷ ⑤ ㄱ, ㄴ, ㄷ

• 핵자당 결합 에너지가 큰 원자핵이 안정하다.

07

> 핵반응과 질량 결손

다음은 중수로와 그 안에서 일어나는 우라늄($^{235}_{92}U$)의 핵반응에 대한 설명이다.

- 감속재와 냉각재로 중수(D_2O)를 사용한다.
- 중수는 경수(H_2O)에 비해 (㉠)의 속력을 느리게 하는 감속 작용이 좋아 $^{235}_{92}U$의 핵분열이 잘 일어난다.
- 중수로에서 일어나는 핵반응의 예는 다음과 같다.

$$^{235}_{92}U + ^{1}_{0}n \longrightarrow (\ ㉡\ ) + ^{92}_{37}Rb + 2^{1}_{0}n + \Delta E(\text{에너지})$$

이에 대한 설명으로 옳은 것만을 보기에서 있는 대로 고른 것은? (단, c는 빛의 속력이다.)

보기

ㄱ. ㉠은 중성자이다.

ㄴ. ㉡에서 ㉠의 수는 142개이다.

ㄷ. 중수로에서 우라늄 원자핵 1개와 중성자 1개의 핵반응에서 발생한 질량 결손은 $\frac{\Delta E}{c^2}$이다.

① ㄱ ② ㄴ ③ ㄱ, ㄷ ④ ㄴ, ㄷ ⑤ ㄱ, ㄴ, ㄷ

핵분열 과정에서 질량수와 원자번호가 보존되며, 질량 결손에 의하여 에너지가 발생한다.

08

> 핵융합

그림은 인공 태양이라고 불리는 우리나라에서 연구 중인 핵발전소의 구조를 나타낸 것이다. 핵물질이 태양과 같은 고온이 되었을 때 핵반응이 일어나므로 이 핵발전소는 강력한 자기장으로 핵물질을 공중에 띄워 핵반응을 일으키는 구조로 되어 있다.

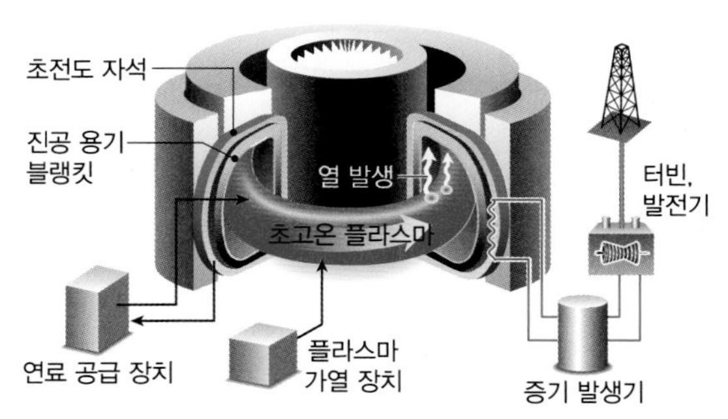

이에 대한 설명으로 옳은 것만을 보기에서 있는 대로 고른 것은?

보기

ㄱ. 핵융합을 이용한 핵발전소이다.

ㄴ. 현재 상용화되어 있는 핵발전소보다 핵연료의 단위 질량당 발생하는 에너지가 많다.

ㄷ. 핵반응 과정에서 발생한 에너지로부터 질량과 에너지의 동등성을 확인할 수 있다.

① ㄱ ② ㄷ ③ ㄱ, ㄴ ④ ㄴ, ㄷ ⑤ ㄱ, ㄴ, ㄷ

핵융합은 태양과 같은 고온에서 발생한다.

01

그림은 나무 P, Q에 벼락이 떨어지는 것을 지면에 정지해 있는 관찰자 A, B와 자동차를 타고 일정한 속도로 달리는 관찰자 C가 관측하는 것을 나타낸 것이다.

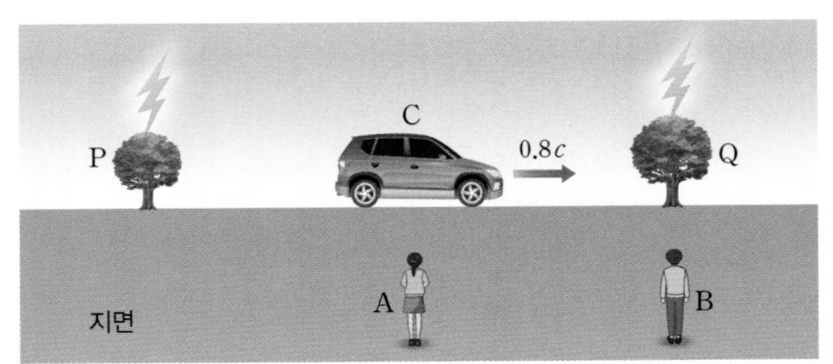

(1) 특수 상대성 이론에서는 측정의 혼란을 없애기 위하여 시계를 동기화하여 사용한다. A, B, C의 관측을 이용하여 이를 간단히 설명하시오.

---

(2) A가 보았을 때 P, Q에 벼락이 동시에 떨어졌다. B, C가 보았을 때 어떻게 보이는지 근거를 들어 서술하시오.

---

(3) C가 보았을 때 P, Q에 벼락이 동시에 떨어졌다. A가 보았을 때 어떻게 보이는지 근거를 들어 서술하시오.

KEY WORDS
(1) • 같은 관성 좌표계에서 시계의 동기화
(2) • 동일 장소의 동시 사건
• 상대 운동
(3) • 동일 장소의 동시 사건
• 상대 운동

02

그림은 지면에 대해 v의 매우 빠른 속도로 운동하는 우주선 안에서 빛이 우주선의 운동 방향과 수직으로 L의 거리를 왕복하는 것을 나타낸 것이다. 우주선 안에 있는 A가 측정한 빛이 왕복하는 데 걸린 시간은 Δt이다. (단, 빛의 속력은 c이다.)

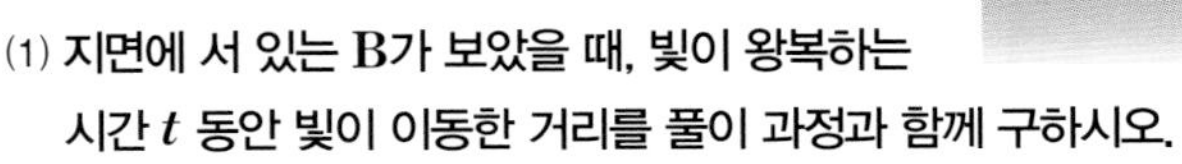

(1) 지면에 서 있는 B가 보았을 때, 빛이 왕복하는 시간 t 동안 빛이 이동한 거리를 풀이 과정과 함께 구하시오.

---

(2) 지면에 서 있는 B가 보았을 때, 빛이 왕복하는 데 걸린 시간 t를 풀이 과정과 함께 구하시오.

---

(3) A와 B가 각각 측정한 빛이 왕복하는 데 걸린 시간 Δt, t의 크기를 비교하시오.

KEY WORDS
(1) • 우주선의 이동 거리
• 빛의 이동 거리
• 피타고라스 정리
(2) • 시간 지연
(3) • 걸린 시간$=\frac{\text{이동 거리}}{\text{속도}}$
• 시간 지연

03

그림은 철수가 타고 있는 우주선이 지면에 서 있는 영희를 광속에 가까운 일정한 속도로 지나가는 것을 나타낸 것이다. 영희가 측정하였을 때, 우주선의 속도는 v, 우주선 전체가 자신을 지나는 데 걸린 시간은 t_0이었다. (단, 빛의 속력은 c이다.)

(1) 영희가 측정할 때, 우주선의 길이 L을 구하시오.

(2) 철수가 측정할 때, 우주선 전체가 영희를 지나가는 데 걸리는 시간을 풀이 과정과 함께 구하시오.

(3) 철수가 측정할 때, 우주선의 길이를 (1)에서 구한 L의 관계식으로 나타내시오.

KEY WORDS
(1) • 이동 거리=속도×시간
(2) • 시간 지연과 고유 시간
(3) • 길이 수축과 고유 길이

04

그림은 철수가 타고 있는 우주선이 지면에 있는 두 가로등 사이를 광속에 가까운 일정한 속도로 지나가는 것을 나타낸 것이다. 지면에 서 있는 영희가 측정하였을 때 우주선의 속도는 v, 두 가로등 사이의 거리는 L이었다. (단, 빛의 속력은 c이다.)

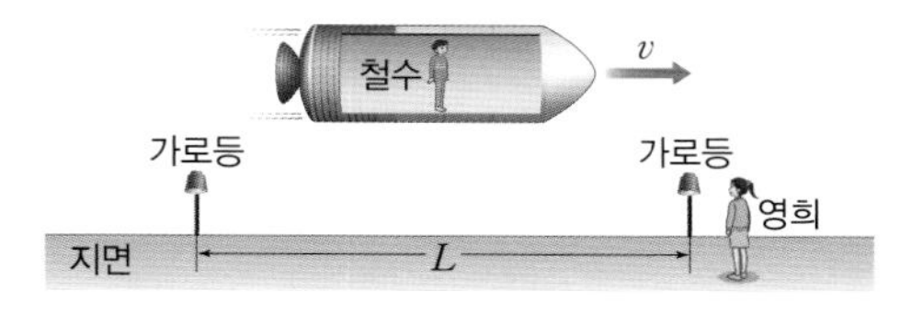

(1) 영희가 측정할 때, 철수가 두 가로등 사이를 지나가는 데 걸리는 시간 t를 구하시오.

(2) 철수가 측정할 때, 두 가로등 사이의 거리를 구하시오.

(3) 철수가 측정할 때, 자신이 두 가로등 사이를 지나가는 데 걸리는 시간을 (1)에서 구한 t의 관계식으로 나타내고 풀이 과정을 함께 쓰시오.

(4) 우주선이 두 가로등을 지나가는 시간을 철수와 영희가 측정할 때, 누가 측정한 시간이 고유 시간인지 쓰고, 그 까닭을 쓰시오.

(5) 철수와 영희가 측정한 두 가로등 사이의 거리 중 고유 길이는 누가 측정한 것인지 쓰고, 그 까닭을 쓰시오.

KEY WORDS
(1) • 이동 거리=속도×시간
(2) • 길이 수축
(3) • 걸린 시간=$\frac{거리}{속도}$
(4) • 고유 시간
(5) • 고유 길이

05

그림은 철수가 타고 있는 우주선이 지면에 대해 광속에 가까운 일정한 속도 v로 지면에 있는 영희의 앞을 지나가는 것을 나타낸 것이다. 철수가 측정하였을 때, 우주선 안의 지점 P에서 Q까지 빛이 도달하는 데 걸린 시간은 t_0이고, P에서 Q까지의 거리는 L이다. (단, 빛의 속력은 c이다.)

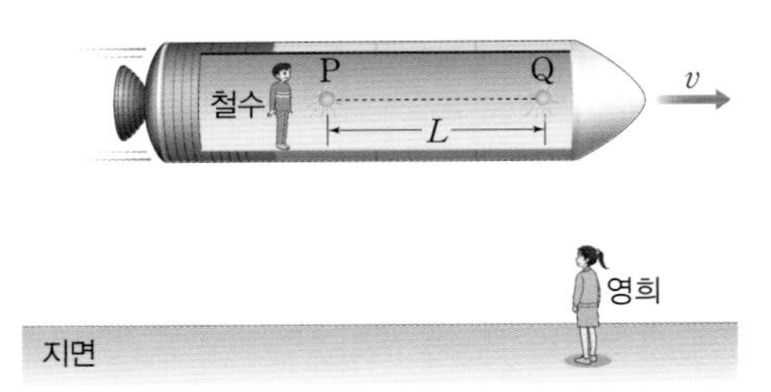

(1) 영희가 측정할 때, P에서 Q까지의 거리를 구하시오.

(2) 영희가 측정할 때, P에서 Q까지 빛이 도달하는 데 걸리는 시간을 풀이 과정과 함께 구하시오.

KEY WORDS
(1) • 길이 수축
(2) • Q의 이동에 의한 빛의 이동 거리

06

그림은 수평면을 기준으로 물체 A가 $0.6c$의 속도로 정지해 있는 물체 B에 충돌한 후 두 물체가 한 덩어리가 되어 속력 v로 운동하는 것을 나타낸 것이다. A, B, 한 덩어리가 된 A, B의 정지 질량은 각각 m, m, $2m$이다.

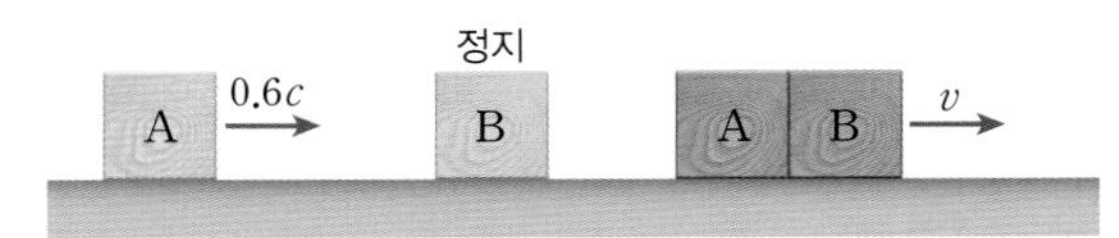

(1) 수평면을 기준으로 충돌 후 한 덩어리가 된 A, B의 속력 v를 풀이 과정과 함께 구하시오.

(2) 수평면을 기준으로 충돌에 의한 에너지 감소량을 풀이 과정과 함께 구하시오.

KEY WORDS
(1) • 운동량 보존
• 상대론에서의 운동량
(2) • 상대론에서의 운동 에너지

07

그림은 정지 상태에 있는 전자에 일정한 힘 F를 작용하여 거리 s를 이동시켰을 때 속력이 v가 된 것을 나타낸 것이다. 전자의 에너지는 정지해 있을 때 mc^2, 속력이 v일 때 $5mc^2$이다. (단, c는 진공에서의 빛의 속력이다.)

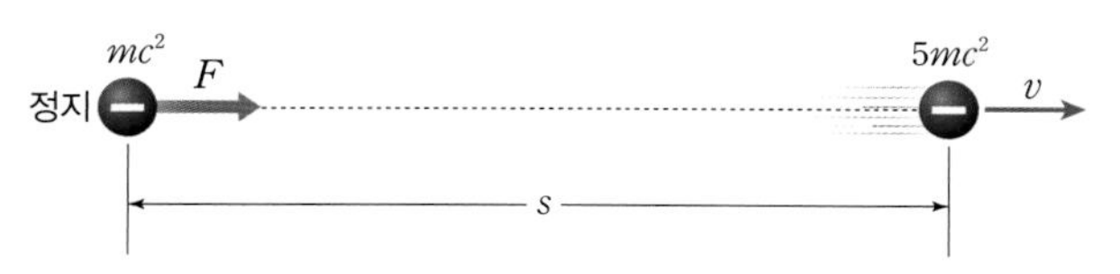

(1) F의 크기를 풀이 과정과 함께 구하시오.

(2) 전자의 속력 v를 풀이 과정과 함께 구하시오.

KEY WORDS
(1) • 일·운동 에너지 정리
(2) • 상대론에서의 에너지

08

그림은 $^{235}_{92}U$ 원자핵이 속력이 느린 ㉠을 흡수한 후 분열하여 $^{92}_{36}Kr$ 원자핵, $^{141}_{56}Ba$ 원자핵, 3개의 속력이 빠른 ㉡이 방출되는 것을 나타낸 것이다. 이 반응에서 방출되는 에너지는 약 200 MeV이다.

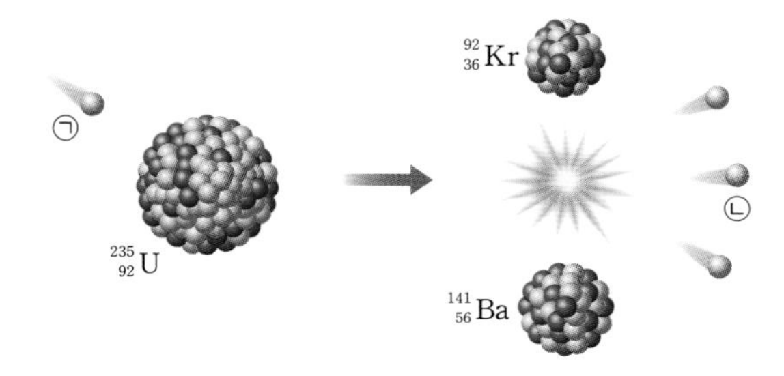

(1) 핵반응에서 관측되는 ㉠과 ㉡의 질량을 비교하고 그 까닭을 쓰시오.

(2) 우리나라 전체 원자력 발전소에서 생산되는 전기 에너지는 약 20×10^9 W이다. 원자력 발전소의 에너지 효율을 약 20 %라고 할 때, 하루에 필요한 우라늄의 질량은 대략 얼마나 되는지 풀이 과정과 함께 구하시오. (단, 1 u$\fallingdotseq 1.66 \times 10^{-27}$ kg, 1 eV$\fallingdotseq 1.60 \times 10^{-19}$ J이다.)

KEY WORDS
(1) • 상대론에서의 질량
(2) • 우라늄의 질량
• 핵반응

HighTop

부록

예시 문제

다음 제시문을 읽고 물음에 답하시오.

(제시문 1) 물체가 수평면에서 운동할 때 물체에는 운동을 방해하는 방향으로 마찰력이 작용한다. 마찰력의 크기는 물체에 작용하는 수직 항력과 마찰 계수를 곱한 값과 같다. 이때 수직 항력은 접촉면이 물체에 수직으로 작용하는 힘이다. 질량이 m인 물체가 마찰 계수가 μ인 수평면에서 운동할 때 마찰력의 크기 $f=\mu mg$(g: 중력 가속도)이다.
(제시문 2) 등속 원운동 하는 물체에는 원의 중심을 향하는 힘인 구심력이 작용한다. 구심력의 크기는 물체의 질량과 속력이 클수록 크다. 질량이 m인 물체가 반지름이 r인 원을 따라 v의 속력으로 등속 원운동 할 때 구심력의 크기 $F=\frac{mv^2}{r}$이다.

1 그림은 길이가 R인 줄에 질량이 m인 물체를 매달고 높이가 H인 곳에서 가만히 놓았을 때 최하점 P를 지나 반대쪽까지 운동하는 모습을 나타낸 것이다. 물체가 최하점 P를 지날 때 물체의 속력과 이때 줄이 물체를 당기는 힘인 장력의 크기를 구하시오. (단, 중력 가속도는 g이고, 모든 마찰과 공기 저항은 무시한다.)

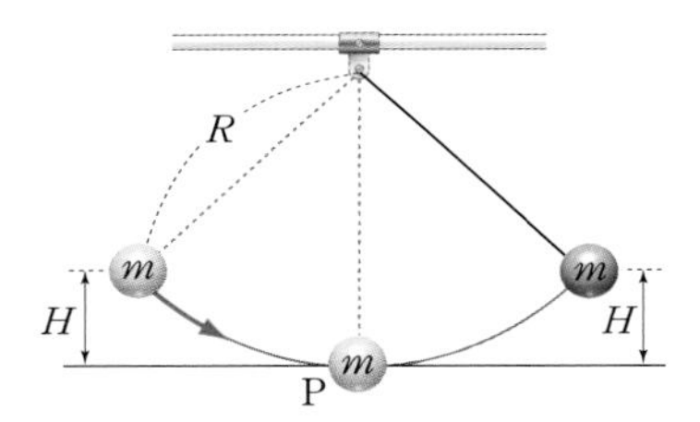

2 그림은 질량이 m인 물체를 높이가 H인 곳에서 가만히 놓았을 때 반지름이 R이고, 마찰이 없는 구면을 따라 운동하는 모습을 나타낸 것이다. 물체는 최하점 부근에서 길이가 s이고, 마찰 계수가 μ인 구간을 지나 높이 h까지 올라간다. s가 원의 반지름 R에 비해 무시할 정도로 작을 때, 물체가 올라간 높이 h를 구하시오. (단, 중력 가속도는 g이고, 물체의 크기는 무시한다.)

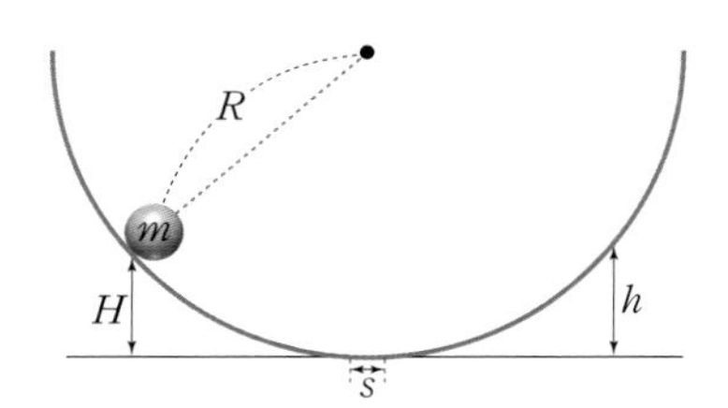

출제 의도
진자가 운동할 때 역학적 에너지가 보존됨을 이용하여 진자의 속력과 줄의 장력을 구하고, 원을 따라 운동하는 물체가 마찰이 있는 구간을 지날 때 역학적 에너지의 변화를 이용하여 물체가 올라간 최고 높이를 구할 수 있는지 평가한다.

문제 해결 과정

1 ① 최하점 P에서 물체의 속력: 물체가 운동하는 동안 역학적 에너지가 보존되므로 높이 H에서 중력 퍼텐셜 에너지는 최하점 P에서의 운동 에너지와 같다.

② 최하점 P에서 줄의 장력: 최하점 P에서 물체에는 연직 아래 방향으로 중력 mg와 연직 위 방향으로 장력 T가 작용하므로 구심력은 두 힘의 합력이다.

2 ① 마찰이 있는 구간에 진입할 때의 물체의 속력: 마찰이 있는 구간이 최하점이라고 했으므로 물체가 마찰이 있는 구간에 진입할 때까지 역학적 에너지가 보존된다.

② 마찰이 있는 구간에서 마찰력이 물체에 한 일: s가 R에 비해 매우 작으므로 마찰이 있는 구간을 거의 직선으로 간주해도 된다. 마찰이 있는 구간에서 물체에는 연직 아래 방향으로 중력 mg와 연직 위 방향으로 수직 항력 N이 작용하므로 구심력은 두 힘의 합력이다. 이를 통해 수직 항력을 구하여 마찰력이 한 일을 계산한다.

③ 마찰이 있는 구간을 지난 후 물체의 역학적 에너지: 마찰이 있는 구간에 진입하기 전 물체의 역학적 에너지 mgH에서 마찰력이 한 일만큼 뺀다.

④ 물체가 올라간 최고 높이 h: 마찰이 있는 구간을 지난 후 다시 마찰이 없는 구면에서 운동하므로 역학적 에너지가 보존된다.

문제 해결을 위한 배경 지식

- **역학적 에너지 보존:** 보존력만을 받으며 물체가 운동할 때 마찰이나 공기 저항이 없다면 물체의 역학적 에너지는 일정하게 보존된다.
- **일·운동 에너지 정리:** 물체에 작용하는 알짜힘(합력)이 한 일만큼 물체의 운동 에너지가 변한다. 물체의 운동 방향으로 알짜힘이 작용하면 운동 에너지가 증가하고, 운동 반대 방향으로 알짜힘이 작용하면 운동 에너지가 감소한다.

예시 답안

1 물체가 운동하는 동안 역학적 에너지가 보존되므로 최하점에서 속력을 v라고 하면

$mgH=\frac{1}{2}mv^2$에서 $v=\sqrt{2gH}$이다.

물체가 줄에 매달려 원운동을 하므로 최하점에서 연직 아래 방향으로 중력 mg와 연직 위 방향으로 장력 T가 작용하여 연직 위 방향으로 구심력 $T-mg=\frac{mv^2}{R}$이 작용한다.

따라서 장력 T는 다음과 같다.

$$T=\frac{mv^2}{R}+mg=\frac{m(2gH)}{R}+mg=mg\left(\frac{2H}{R}+1\right)$$

2 물체가 마찰이 있는 구간에 진입할 때까지는 마찰이 없으므로 역학적 에너지가 보존된다. 따라서 진입 전 속력을 v라고 하면 $mgH=\frac{1}{2}mv^2$에서 $v=\sqrt{2gH}$이다.

마찰이 있는 구간의 길이 s가 반지름 R에 비해 매우 작으므로 마찰이 있는 구간을 거의 직선으로 간주해도 된다. 마찰이 있는 구간에서 물체에는 연직 아래 방향으로 중력 mg와 연직 위 방향으로 수직 항력 N이 작용하여 연직 위 방향으로 구심력 $N-mg=\frac{mv^2}{R}=\frac{2mgH}{R}$가 작용하므로 물체에 작용하는 수직 항력 $N=mg+\frac{2mgH}{R}$이고, 마찰력의 크기 $f=\mu N$이다.

따라서 물체가 s만큼 이동하는 동안 마찰력이 한 일 $W=-fs=-\mu\left(mg+\frac{2mgH}{R}\right)s$이므로 마찰이 있는 구간을 지난 후 역학적 에너지는 $mgH-\mu\left(mg+\frac{2mgH}{R}\right)s$이다. 마찰이 있는 구간을 지나 다시 마찰이 없는 구면에서 운동하는 동안 역학적 에너지가 보존되므로 물체가 올라간 높이 h는 다음과 같다.

$$mgH-\mu\left(mg+\frac{2mgH}{R}\right)s=mgh \rightarrow h=H-\mu\left(\frac{R+2H}{R}\right)s$$

실전 문제

1 **다음 제시문을 읽고 물음에 답하시오.**

(가) 외력이 작용하지 않으면 모든 충돌에서 운동량 보존 법칙이 성립한다. 물체가 탄성 충돌을 하면 운동량뿐만 아니라 운동 에너지도 보존된다.

(나) 두 물체가 운동하고 있을 때 한 물체에 대한 다른 물체의 속도를 상대 속도라고 한다. 두 물체 A, B가 각각 v_A, v_B의 속도로 운동하고 있을 때 A에 대한 B의 상대 속도는 $v_B - v_A$이다.

그림과 같이 수평면에 정지해 있는 질량이 M인 버스의 한쪽 벽에 질량이 m인 물체가 부착되어 있다. 이때 물체가 벽에서 v_0의 속도로 수평면과 나란하게 발사되어 길이가 L만큼 떨어져 있는 오른쪽 벽에 탄성 충돌한 후 반대 방향으로 튀어나와 왼쪽 벽과 완전 비탄성 충돌을 하였다. (단, 중력의 영향, 물체의 크기, 모든 마찰과 공기 저항은 무시한다.)

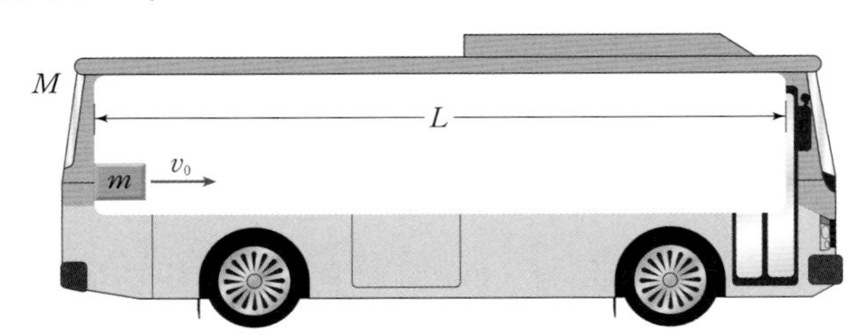

(1) 물체가 발사되고 오른쪽 벽에 1차 충돌하기 직전 버스의 속도의 크기와 방향을 구하시오.

(2) 물체가 발사되고 오른쪽 벽에 1차 충돌하기 직전까지 버스에 대한 물체의 상대 속도를 구하고, 버스의 이동 거리를 구하시오.

(3) 물체가 오른쪽 벽에 1차 충돌한 직후부터 왼쪽 벽에 2차 충돌하기 직전까지 버스가 어떻게 운동하는지 설명하고, 버스의 이동 거리를 구하시오.

(4) 물체가 왼쪽 벽에 2차 충돌한 직후 물체와 버스가 어떻게 운동하는지 설명하시오.

답안

출제 의도
물체의 여러 가지 충돌과 운동량 보존 법칙의 관계를 설명할 수 있는지 평가한다.

문제 해결을 위한 배경 지식
- **상대 속도:** $v_{AB} = v_B - v_A$
- **운동량 보존 법칙:** $m_1v_1 + m_2v_2 = m_1v_1' + m_2v_2'$

2 다음 제시문을 읽고 물음에 답하시오.

그림은 물체가 충돌할 때 운동량이 보존된다는 것을 보여주는 간단한 실험 장치의 모습을 나타낸 것이다. 일렬로 실에 매달려 있는 구슬을 옆으로 당겼다가 놓아 나머지 구슬들과 충돌시키면 반대쪽 구슬이 튕겨 나간다.

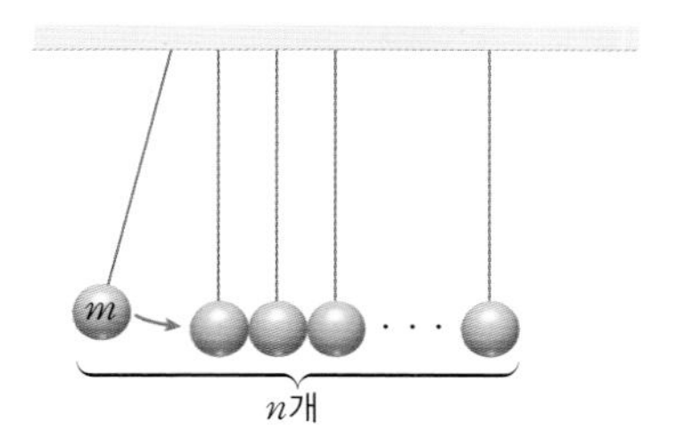

(1) 구슬 1개를 당겼다가 놓았을 때 충돌 과정에서 계의 전체 운동량과 운동 에너지가 보존되는 경우 충돌 직후 튕겨 나가는 구슬의 개수와 속력을 구하시오. 이때 구슬 1개의 질량은 m이고, 충돌 직전 구슬의 속력은 v이다.

(2) 구슬 1개를 당겼다가 놓았을 때 충돌 과정에서 계의 전체 운동량은 보존되지만 운동 에너지가 보존되지 않는 경우 충돌 직후 튕겨 나가는 구슬의 개수와 속력을 서술하시오. 특히, 운동 에너지가 보존될 때와 비교하여 튕겨 나가는 구슬의 개수가 어떻게 달라지는지 서술하시오.

(3) 실제로 위의 실험 장치로 실험했을 때 구슬이 어떻게 튕겨 나갈지 위에서 서술한 내용을 토대로 설명하시오.

답안

출제 의도

물체가 충돌할 때 물체의 운동량과 운동 에너지의 관계를 설명할 수 있는지 평가한다.

문제 해결을 위한 배경 지식

- **운동량 보존 법칙:** $m_1v_1+m_2v_2=m_1v_1'+m_2v_2'$
- **운동 에너지:** $E_k=\frac{1}{2}mv^2$

실전 문제

3 **다음은 여름철 동해안에서 불어오는 바람에 의하여 영서 지방의 기온이 올라가는 현상에 관련된 내용을 조사한 것이다.**

[높새바람]

그림은 동해안에 형성된 고기압에 의하여 한랭 다습한 공기가 영동 지방에서 태백산을 넘어가 영서 지방에 높새바람이라고 하는 고온 건조한 바람이 부는 것을 이해하기 쉽게 나타낸 것이다.

[기온 감률]

그림은 고도에 따라 습도가 100 %인 공기와 건조한 공기의 온도 변화를 나타낸 것이다.

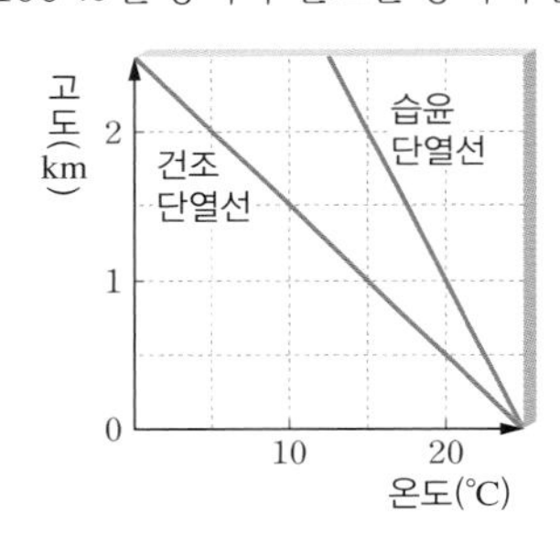

(1) **고도가 높아짐에 따라 기온이 낮아지는 까닭과 고도가 낮아짐에 따라 기온이 올라가는 까닭을 열역학 법칙을 사용하여 설명하시오.**

(2) **동해안에서 온도가 15 °C인 바람이 불어 태백산맥을 넘어갈 때 고도 800 m 정도에서 비가 내리기 시작하였다. 태백산맥의 고도를 평균 1500 m로 할 때 영서 지방에 도착한 바람의 온도는 대략 얼마인지 구하시오.**

답안

출제 의도

실생활에서 열역학 법칙이 적용되는 예를 찾고 적용 방법을 구체적으로 살펴보는 과정에서 과학적 사고 능력을 키운다.

문제 해결을 위한 배경 지식

- 열역학 법칙
- 열역학 과정

4 다음은 로런츠 변환식과 이를 응용한 속도 더하기에 관련한 설명이다.

[로런츠 변환식]

그림은 좌표계 O에 대하여 x축 방향으로 v의 일정한 속도로 운동하고 있는 좌표계 O′에서 같은 점 P의 위치를 측정할 때 좌표 사이의 관계를 나타낸 것이다.

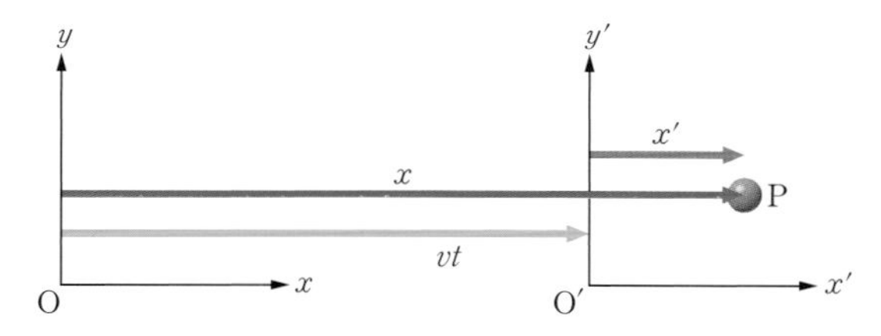

각 좌표계에서 광속이 같다는 조건을 만족할 때 두 좌표계 사이의 관계는 다음과 같으며 이를 로런츠 변환식이라고 한다. 여기서 v가 c에 비하여 매우 작을 때 고전 역학의 갈릴레이 변환식과 같아짐을 알 수 있다.

$$x'=\frac{1}{\sqrt{1-\frac{v^2}{c^2}}}(x-vt),\ t'=\frac{1}{\sqrt{1-\frac{v^2}{c^2}}}\left(t-\frac{vx}{c^2}\right)$$

[속도 더하기]

그림은 지면에 정지해 있는 A에 대해서 매우 빠른 속도 v_{01}로 달리는 기차와 기차에 타고 있는 B에 대해서 v_{12}의 속도로 운동하는 C를 나타낸 것이다. 고전 역학에서는 A가 측정한 C의 속도는 $v_{02}=v_{01}+v_{12}$가 되지만 특수 상대성 이론에서는 로런츠 변환을 적용하면 A가 측정한 C의 속도가 이와 다르게 표현된다.

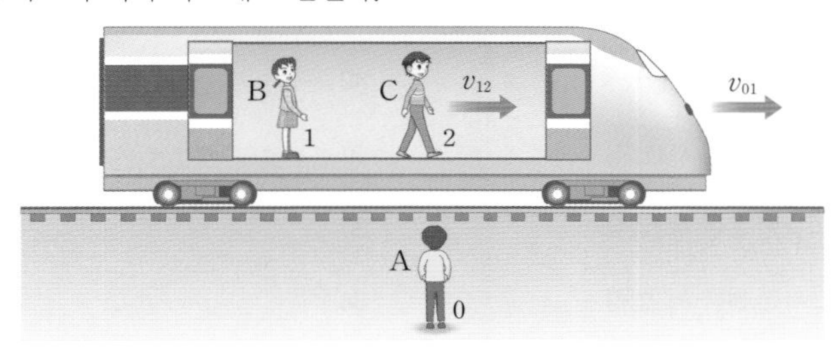

(1) **주어진 로런츠 변환식을 이용하여 좌표계 O의 x, t를 좌표계 O′의 x', t'으로 표현하시오.**

(2) **(1)의 결과를 이용하여 A가 측정한 C의 속도를 구하시오.**

답안

- **출제 의도**
  상대성 이론에서 광속 불변의 원리를 적용하여 얻을 수 있는 로런츠 변환을 통하여 속도 더하기를 구할 수 있는지를 묻는다.

- **문제 해결을 위한 배경 지식**
  - 로런츠 변환
  - 속도의 정의
  - 고전 역학에서의 속도 더하기

물리학 Ⅰ | 용어 찾아보기

ㅍ

ㅎ

memo

과학 고수들의 필독서
HIGHTOP